GOTUJĄC
DLA
PICASSA

C.A. BELMOND

GOTUJĄC DLA PICASSA

C.A. BELMOND

przełożyła Małgorzata Koczańska

Gotując dla Picassa to fikcja literacka. Sytuacje i dialogi,
w których pojawiają się postacie historyczne i osoby publiczne, a także
sytuacje i dialogi, które postaci tych dotyczą, nawet jeśli oparte na zdarzeniach
rzeczywistych, są dziełem wyobraźni Autorki i nie można ich uznać za prawdziwe.
Jakiekolwiek podobieństwo pozostałych postaci do osób żyjących
lub zmarłych jest całkowicie przypadkowe.

Tytuł oryginału: *Cooking for Picasso*
Copyright © 2016 by Camille Aubray LLC
Copyright © for the Polish edition by Grupa Wydawnicza Foksal, MMXVII
Copyright © for the Polish translation by Małgorzata Koczańska, MMXVII
Wydanie I
Warszawa MMXVII

Dla Mamy

PROLOG

CÉLINE W PORT VAUBAN — LAZUROWE WYBRZEŻE, 2016

Matka znała pewne prowansalskie przysłowie, które radosnym, śpiewnym głosem powtarzała mi, gdy byłam dzieckiem: *L'eau trouble est le gain du pêcheur sage.* Powiedziała, że w tłumaczeniu znaczy to: wzburzone wody sprzyjają mądremu rybakowi. Zakładałam, że w ten sposób chciała dodać mi otuchy, utwierdzić w przekonaniu, że jeśli przetrwa się trudne czasy, wysiłki zostają nagrodzone. Później jednak – a w przypadku słów matki zdarzało mi się to nader często – odkryłam inne znaczenie tego przysłowia: kiedy wokół panuje chaos i wszyscy są zajęci burzą i wysoką falą, nadarza się wyjątkowa okazja, aby niepostrzeżenie zdobyć to, czego się pragnie.

Z jakiegoś powodu przypomniałam sobie o tym dzisiaj, gdy dostałam e-mail od człowieka, którego ledwie znałam: „Przybijam do Port Vauban o pierwszej, ale tylko żeby uzupełnić zapasy. Odpływamy, jak skończy się załadunek. Jeżeli chce pani popatrzeć, proszę przyjść. Załączam przepustkę na pokład".

Poczułam ulgę. Prawie porzuciłam już nadzieję, że ten mężczyzna się do mnie odezwie. Zaraz jednak dostrzegłam z przerażeniem, że dochodziło już południe. Kiedy pośpiesznie tłumaczyłam francuskim znajomym ze studia filmowego w Nicei, że muszę zrezygnować z naszej imprezy składkowej, bo mam do załatwienia kilka spraw w Antibes, uznali, że wymykam się na romantyczną schadzkę, i gdy biegłam do samochodu, rzucili za mną: *Americaine mystérieuse.*

Jazda w porze lunchu oznaczała przepychanie się między autokarami, ciężarówkami i samochodami miejscowych, w piekielnym pędzie gnających na *déjeuner*. Zablokowana na jednym ze skrzyżowań uniosłam wzrok, żeby się trochę uspokoić.

Ten widok nieodmiennie zapiera mi dech w piersiach – dachówki w kolorze owoców granatu wieńczące cukierkowo pastelowe fasady kamiennych domów przycupniętych na tarasowych stokach, bujna zieleń sosen rozpostarta między brzegiem morza a górami, ale przede wszystkim bezkresny baldachim kobaltowego nieba nad moją głową i rozbijające się o brzeg fale akwamarynowego morza, a oba błękity stapiają się w rozmytych odcieniach fioletowo-niebieskiego horyzontu. Promienie słońca Riwiery, intensywne, lecz miękkie, rozpalają każdą barwę do olśniewającej doskonałości.

Kiedy wjeżdżam do Port Vauban, bez tchu i przerażona, że łódź, której szukam, już odpłynęła, parkuję na pierwszym miejscu, jakie udaje mi się znaleźć. Potem przebiegam przez park, gdzie przy rozkładanych stolikach pod drzewami siedzą starcy i grają w karty, spowici różowawą łuną, odbitą od kamiennego fortu, którego bastiony i blanki przez stulecia strzegły wybrzeża przed najeźdźcami. Na krańcu przystani znajduje się słynna „keja miliarderów".

W tej luksusowej enklawie cumują największe jachty świata. Niektóre mają tak wiele pokładów i tak skomplikowaną architekturę, że przypominają bardziej stacje kosmiczne niż łodzie. Mrużę oczy, odczytując wymyślne nazwy na burtach. Właściciele tych jachtów są tutaj dobrze znani – arabski książę i jego liczni synowie, amerykański odludek, magnat komputerowy, ekstrawagancki Rosjanin, król ropy. W powietrzu aż iskrzy od władzy i pieniędzy. Na końcu doku znajduje się lądowisko i właśnie tam, precyzyjnie jak ważka, ląduje w tej chwili lekki helikopter.

Wreszcie udaje mi się znaleźć Troubadoura – trzypokładowy jacht z kadłubem w kolorze królewskiego błękitu i z błyszczącymi złotymi relingami. Jest tak imponujący, że podchodzę z obawą.

Członkowie załogi w niebieskich uniformach przyglądają mi się czujnie, gdy ostrożnie wkraczam na *passerelle*, kładkę nad pluszczącymi falami łączącą jacht z lądem. Trap lekko się kołysze, a pod nim przepływają kaczki, gęś i nawet łabędź. Nie przejmują się moją obecnością. Mewy krążą, gotowe zanurkować, gdy tylko wypatrzą rybę pod powierzchnią morza.

Wyciągam komórkę i pokazuję przepustkę wysokiemu marynarzowi, a kiedy po nią sięga i widzi moją dłoń, rzuca mi podejrzliwe spojrzenie. Dopiero teraz dostrzegam, że pod paznokciami zostały mi czarne i niebieskie ślady wodoodpornego tuszu do rzęs, a na skórze smugi różu, bieli i czerwieni, których nie zdążyłam domyć. Cały ranek spędziłam w studiu filmowym, nakładałam makijaż stremowanym aktorom, aby starsi wyglądali młodziej, młodsi bardziej dystyngowanie, a ładni jeszcze bardziej olśniewająco.

Mogę sobie tylko wyobrazić, jak wyglądam – wysoka, nieco zmęczona kobieta z kasztanowym warkoczem opadającym na plecy, ubrana w czarne spodnium, podczas gdy większość tutejszych gości nosi jasne, przewiewne i eleganckie stroje, oraz ma doskonałą opaleniznę z Saint-Tropez, w odcieniu różowej moreli.

Mężczyzna przesuwa przepustkę pod mechanicznym nosem komputera ochrony i czeka, aż pojawi się odpowiedź, a gdy ją widzi, odstępuje i mówi z szacunkiem:

– *Merci, madame. Entrez, s'il vous plaît.*

Pomimo jego uprzejmości wyczuwam, że zarówno on, jak inni członkowie załogi to ledwie oswojone bestie, które mogłyby mnie łatwo wyrzucić za burtę, gdyby takie polecenie pojawiło się na ekranie komputera. Potem zostaję przekazana kapitanowi – Francuzowi w nieskazitelnym śnieżnobiałym mundurze ze złotymi epoletami. Skinąwszy oficjalnie głową, prowadzi mnie po tekowym pokładzie i spiralnymi schodami w dół do mahoniowych drzwi. Z kieszeni wyciąga pęk kluczy, otwiera, wpuszcza mnie do środka, po czym w milczeniu się wycofuje. Słyszę cichy trzask, który świadczy o tym, że zostałam zamknięta.

Cóż, przynajmniej dotarłam aż tutaj. Głęboko nabieram powietrza, a potem rozglądam się po pokładowej bibliotece, urządzonej jak angielski klub – skórzane i obite jedwabiem fotele, wełniany perski dywan i zamykane regały z książkami, wszystko w nienagannym stanie, chronione przed skutkami działania słonego morskiego powietrza. Pomieszczenie jest klimatyzowane, a dodatkowo każdy regał ma osobny, skomplikowany termostat i regulator wilgotności, więc nic nie może zaszkodzić importowanym cygarom w humidorach ani delikatnym skarbom skrytym za szkłem w tym gabinecie osobliwości. Jedna z czterech kamer podwieszonych w rogach sufitu brzęczy cicho i metalicznie, gdy reguluje ostrość widzenia niczym drapieżnik obserwujący zdobycz. Tłumię przemożną chęć wykrzywienia się do obiektywu.

W tej głębokiej ciszy mam wrażenie, że słychać, jak mi serce łomocze po wysiłku włożonym w to, aby przybyć na czas. A teraz ten człowiek o manierach gangstera każe mi czekać? Skoro jednak dotarłam tak daleko, nie wyjdę, dopóki się nie upewnię. Dla mnie to koniec drogi – dzisiaj się dowiem, czy podjęłam właściwą decyzję. Rozglądam się podejrzliwie. Dopiero teraz przychodzi mi na myśl, że gospodarz zastosował takie środki ostrożności zapewne dlatego, że także mi nie ufa.

Światło w tym niesamowitym sanktuarium jest przyćmione, nikłe, promienie słońca nie mają tu dostępu, co przypomina mi, że Riwiera ma również swoją ciemną stronę. Słyszałam, że zamożni arystokraci i lubiące zabawę dziedziczki wielkich fortun znikali bez śladu z zatłoczonych ulic, a obrót ruletki w kasynie w jedną noc rujnował lub czynił sławnym kogoś, kto odważył się zagrać. Z niepokojem powracają do mnie słowa Somerseta Maughama, który uczynił Côte d'Azur swoim domem: „Słoneczne miejsce dla mrocznych ludzi".

Zanim przybyłam do Francji, nigdy nie uważałam się za osobę mroczną czy podejrzaną. A jednak wszyscy tutaj zdają się mieć twarze jak z kubistycznych obrazów: wieloaspektowe i wielokątne. Kiedy przyleciałam na Lazurowe Wybrzeże dwa lata temu, zaraz po swoich trzydziestych urodzinach, poczułam, że i ja mam w duszy ślady rozdarcia.

Gdy mój wzrok przywyka do półmroku, świadoma, że każdy mój ruch bez wątpienia jest obserwowany, zbliżam się do wypolerowanej ławy, przymocowanej do podłogi, aby pozostała nieruchoma podczas kołysania fal. Tak bardzo przypomina ławę kościelną, że siadam z cichą, zamyśloną powagą prowansalskiej kobiety, która wślizgnęła się do pustej kaplicy, aby oprzeć głowę na złożonych dłoniach i modlić się do świętych w intencji bliskich albo prosić o przewodnictwo. Może moje przyjście tutaj jest świadectwem, że na swój sposób praktykuję kult przodków? Zwłaszcza że kiedy tak siedzę, wspominam matkę, kobietę nieśmiałą i tajemniczą, która wprowadziła mnie na tę nieprawdopodobną ścieżkę... Przekazała mi pałeczkę, zapewne tak samo jak niegdyś jej moja babka. Czy udało mi się spełnić ich skryte nadzieje, czy też je zawiodłam?

Niestety, nawet dzisiaj wciąż brakuje mi odpowiedzi, wskazówek i śladów. Szukając wsparcia w tym morzu niepewności, zamykam oczy i znowu wracam myślami do babki Ondine, która w młodości, wiele, wiele lat temu, mieszkała w skromnym domu o ścianach barwy miodu, przy na pozór zwyczajnej kafejce, w małym miasteczku niedaleko stąd...

1

ONDINE W CAFÉ PARADIS — WIOSNA 1936

Słony wiatr z południowego zachodu uroczyście szumiał nad falami Morza Śródziemnego, rozbijał spienione bielą fale o skały i kołysał łodziami rybackimi na przystani Juan-les-Pins, by wreszcie zawirować w ogródku za Café Paradis, gdzie Ondine obierała warzywa.

W ten słoneczny kwietniowy poranek uciekła z pracą na zewnątrz, ponieważ w kuchni panowała nieznośna duchota. Niewielkie ogródkowe patio ocieniała majestatyczna sosna alepska. Ondine siedziała na niskim kamiennym murku otaczającym pień. Z dużą wprawą operowała nożem, starannie sortując prowansalskie nowalijki – młode marchewki, groszek i karczochy tak miękkie, że można je było podawać na surowo z cieniutkimi plasterkami limonki. Nie ociągała się z pracą, a cienka warstewka potu na skórze sprawiła, że Ondine łatwo wyczuła tę nagłą zmianę wiatru, targającego gałęziami sosny. Wierzyła w pomyślne znaki i ostrzeżenia natury, tak ją wychowano. Odłożyła więc nóż, zamknęła oczy i uniosła głowę, wystawiając twarz na działanie bryzy przesyconej orzeźwiającą wonią morza.

Rzadko miała dla siebie takie chwile ciszy na rozmyślanie, kiedy więc mgliste przeczucie bardziej podniecającej przyszłości pojawiało się w jej umyśle, próbowała je zapamiętać, zanim zniknie.

– Ondine! – zawołała z kuchni matka. – Gdzie ona jest? O n d i n e!

Dziewczyna wzdrygnęła się, słysząc swe imię odbite echem od ścian pobliskich domów. Podniosła głowę i w obramowaniu okna zobaczyła matkę; wyglądało to jak portret udzielnej władczyni. Wprawdzie było za późno na śniadanie i za wcześnie lunch, ale w kuchni nigdy nie brakowało prac, które należało wykonać, aby sprostać wysokim standardom restauracji.

Każdy, kto pracował w Café Paradis, znał swoje obowiązki, nawet pręgowany kot, który pilnował, aby żadna nadmiernie śmiała mysz nie podkradła się za blisko, a także buldog, warujący w drzwiach i straszący włóczęgów, gotowych capnąć jedzenie przez uchylone okno lub drzwi. A Ondine, już siedemnastoletnia, miała robić wszystko, co każe matka.

Madame Belange wyjrzała przez kuchenne okno i wreszcie znalazła córkę.

– Co ty wyprawiasz? Obijasz się i siedzisz w ogrodzie jak jakiś basza!

– Właśnie skończyłam, *maman*! – zapewniła Ondine, po czym zerwała się z murku, oparła koszyk z warzywami o biodro i pobiegła do kuchni.

Przygodny wiatr pomknął własną, tajemniczą drogą, już bez dziewczyny. Jego miejsce zajęły zwykłe zapachy smażeniny, kopcia i palonego na polach drewna. Coś jeszcze unosiło się w powietrzu – rodzice Ondine zachowywali się od rana dziwnie i wciąż tajemniczo do siebie szeptali.

Gdy dziewczyna podeszła bliżej, czułym węchem wychwyciła zmieszane wonie potraw z menu – *pissaladières,* czyli placków z cebulą i czarnymi oliwkami, wieprzowiny w czerwonym winie z mirtem, a także ryby... Czyżby to...?

Podbiegła od razu do starego czarnego pieca stojącego w kącie, na którym od dziesięcioleci przygotowywano wszystkie te smakowite dania. Zapachu unoszącego się z dużego garnka nie można było z niczym pomylić.

– *Bouillabaisse!* – wykrzyknęła radośnie.

Zastanawiała się, dlaczego zamiast prostszej i mniej kosztownej zupy *bourride* matka wybrała właśnie to wyjątkowe danie, które wymagało pół tuzina różnych ryb. Ondine podniosła pokrywkę i głęboko zaciągnęła się aromatem. Seler, cebula, czosnek, pomidor, koper, pieprz, pietruszka, tymianek, liść laurowy, charakterystyczny zapach skórki pomarańczowej, używanej na południu Francji, i coś jeszcze rzadkiego i wyjątkowo cennego, co zmieniło kolor bulionu na złoty.

– Dodałaś szafranu *père* Jacques'a? – Ondine była pod wrażeniem.

Krzątająca się matka zatrzymała się i zerknęła na córkę.

– Tak – odpowiedziała i sięgnęła po małą fiolkę, którą z nabożeństwem uniosła do światła. – Obawiam się, że to już koniec, została tylko ta szczypta. Nie potrafię się z nią rozstać.

Matka i córka spojrzały z zachwytem na purpurowe pręciki rośliny, dodające tajemniczego smaku, który *père* Jacques opisywał jako „muśnięcie świeżo skoszonego siana i orzechowego miodu". Sam uprawiał szafran i podarował trochę przyprawy Ondine, gdy ta skończyła szkołę z internatem prowadzoną przez zakonnice na nicejskich wzgórzach. Łagodny i zamyślony mnich nadzorował kuchnię w opactwie i należał do tych nielicznych starych ludzi, których nie irytowała ciekawość Ondine, a wręcz ich cieszyła. *Père* Jacques wiedział, że rodzina Ondine ma restaurację, dlatego zwalniał dziewczynkę ze zwykłych obowiązków w klasztorze, by pomagała mu w spokojnej, refleksyjnej pracy w ogrodzie, gdzie zdradzał jej stare sekrety kulinarne.

– Nie ma na świecie niczego, co przypominałoby francuski szafran – powiedział z dumą i pokazał Ondine pole fioletowo--różowych krokusów, które cierpliwie pielęgnował, aż do dwóch wyjątkowych dni w październiku, gdy kwitły.

Wtedy wszyscy mnisi zbierali delikatne pręciki – tylko trzy z każdego kwiatu – i ostrożnie suszyli, a gdy zmieniały się w kruche czerwone włókna, *père* Jacques zamykał je w małych szklanych fiolkach. Ondine i jej matka używały tego szafranu wyłącznie na specjalne okazje, żeby wystarczył na dłużej, więc dodawały go właściwie tylko do kremów na święta Bożego Narodzenia albo do *macarons*.

– Co to za okazja? – zapytała zaintrygowana Ondine.

– Mamy bardzo ważnego nowego klienta na lunch – odpowiedziała matka zajęta krzątaniną.

Ondine zanurzyła łyżkę w garnku i spróbowała *bouillabaisse*.

– Mmm, pyszne! Ale przydałoby się więcej pieprzu – stwierdziła.

Madame Belange pokręciła stanowczo głową.

– Nie, jest dobre. Wolę być ostrożna, niż przesadzić.

Ondine ogarnęło współczucie dla matki, która w przeciwieństwie do *père* Jacques'a żyła na krawędzi – nerwy miała napięte, gdy nieustannie ścigała się z czasem, szukała składników albo targowała się, bo nie miała ani jednego *franc* i ani chwili do stracenia. Jednak mimo że *madame* Belange prosiła o pomoc, wciąż niecierpliwie odsuwała córkę z drogi, jakby było oczywiste, że mała, ciasna kuchnia nie pomieści dwóch dorosłych kobiet.

Madame Belange uniosła rękę przyprószoną mąką i odgarnęła kosmyk włosów za ucho.

– *Vite, vite*, weź się do pracy!

Zaraz jednak krzyknęła ostrzegawczo: *Attention!*, gdyż tylne drzwi się otworzyły i wszedł miejscowy chłopak na posyłki z wielką skrzynką jaj, sera i śmietany. Ondine odskoczyła w samą porę.

Matka zapłaciła chłopakowi, a tymczasem Ondine wypakowała skrzynkę na wielki stół na środku pomieszczenia. Była na nogach od świtu, zrobiła gorącą czekoladę do szybkiego śniadania, które zjadła z rodzicami, a potem podawała wczesnym klientom *brioche* i kawę. Dorzuciła do pieca i wyszła obierać warzywa, a właśnie nadszedł czas, aby przygotować sałatki na lunch.

Matka miała jednak zupełnie inne zadanie dla córki.

– Przygotuj tylko jedną doskonałą sałatkę, odpowiednią dla naszego nowego klienta. I zapisz każdy składnik, którego użyłyśmy do lunchu. – *Madame* Belange biodrem zamknęła szufladę kredensu. – Ten człowiek będzie naszym stałym gościem, nie możemy mu podać takiego samego lunchu dwa razy z rzędu. Wpisz składniki, *tout de suite*... Ach, i włóż ten swój zakonny mundurek, wreszcie na coś się przyda!

Ondine sięgnęła na półkę po czarny zeszyt, używany właśnie przy takich okazjach. Miał miękką skórzaną okładkę i był prezentem od sprzedawcy artykułów papierniczych, który stołował się w *café* trzy razy w tygodniu. Odwróciła pierwszą kartkę z wydrukowaną ramką, ozdobioną pędami winorośli i owocami. W ramce znajdowała się linia przeznaczona do wpisania *nom*. Ondine pomyślała, że ten nowy *patron* na pewno jest bogatym prawnikiem albo bankierem.

– Jak on się nazywa? – zapytała z ciekawością.

Matka machnęła obojętnie chochlą.

– Kto to wie? Ma pieniądze i tylko to się liczy!

Więc Ondine wpisała tylko „P" jak *patron*, po czym odwróciła stronę i zapisała: „2 kwietnia 1936", a poniżej wymieniła składniki dań, nie tylko, co zostało użyte, ale także do czego. Matka prowadziła takie notatki wyłącznie dla wybranych klientów albo przy specjalnych okazjach, jak zamówione dania dla wielu osób albo bankiet weselny. Z czasem dodawała uwagi o tym, co tacy klienci lubią i jak zmienić przepis, aby bardziej im smakowało.

Madame Belange spojrzała znad pieca i rzekła rozkazująco:

– No, dobrze, Odłóż zeszyt i zapakuj jedzenie!

– Zapakować? – powtórzyła Ondine z zaskoczeniem.

Matka przybrała surowy wyraz twarzy.

– Ten człowiek wynajął jedną z willi na szczycie wzgórza. Tutaj masz adres. – Sięgnęła do kieszeni fartucha, wymacała skrawek papieru i wręczyła córce. – Codziennie będziesz mu dowozić lunch rowerem.

– A co ja jestem? Osioł juczny? – oburzyła się Ondine. – Od kiedy dowozimy posiłki do domu? Kim jest ten klient, że nie może przyjść do *café* i zjeść jak wszyscy inni?

– To ktoś *très célèbre* z Paryża. Mówi po francusku, ale podobno jest Hiszpanem. Zakonnice uczyły cię hiszpańskiego, tak?

– Trochę – odparła Ondine czujnie.

– Cóż, może kiedyś się to przyda. – Matka rozejrzała się krytycznie. – Podaj mi ten ładny dzbanek na wino.

– Ale to twój ulubiony! – zaprotestowała Ondine.

Duży, ręcznie malowany dzban w różowo-niebieskie pasy miał się znaleźć w wyprawie ślubnej Ondine, o ile dziewczyna w ogóle stanie kiedyś przed ołtarzem. Jej mało sentymentalna matka wzruszyła ramionami.

– Mam nadzieję, że ten sławny Hiszpan przynajmniej to doceni – mruknęła Ondine.

Musiała się śpieszyć, posiłek miał być zaraz gotowy. Każde naczynie zostało ciasno owinięte serwetą w czerwono-białą kratkę, a potem włożone do metalowego kosza. Ondine zeszła do piwnicy, gdzie stała dębowa baryłka domowego białego wina. Napełniła bukłak ze świńskiego pęcherza i przyniosła na górę. Tymczasem *madame* Belange kazała jednemu z kelnerów zabrać kosz i przymocować do roweru Ondine.

– *Alors!* Słuchaj uważnie. – Matka zmierzyła córkę surowym spojrzeniem. – Masz wejść do domu patrona bocznymi drzwiami, zostawi je otwarte. Idź prosto do kuchni. Podgrzej jedzenie i nakryj do stołu. A potem od razu wyjdź. Nie czekaj, aż zejdzie.

Madame uszczypnęła ją w ramię.

– Zrozumiałaś, Ondine?

– Auć! – zaprotestowała dziewczyna.

Słuchała uważnie, więc nie zasłużyła na takie napomnienie. Jednak jej wyczerpanej matce czasami brakowało słów, więc podkreślała ważność swoich poleceń szybkim klapsem, jeżeli któryś z podwładnych zadawał za dużo pytań. *Madame* Belange w młodości nigdy nie widziała, aby matki i córki poświęcały cenny czas na długie, poważne i filozoficzne rozmowy. Dzieci były jak kurczęta, które kochało się jak kwoka swoje pisklęta – karmiło się je, pilnowało, żeby nie zmarzły, uczyło, jak o siebie zadbać i dziobało, popychając w odpowiednim kierunku, kiedy zbaczały lub odchodziły za daleko.

– Wejdź cicho, podgrzej jedzenie, nakryj do stołu i wyjdź. Nie wołaj go ani nie hałasuj. Później pojedziesz po naczynia i też zrobisz to po cichu.

Ondine omal nie wyśmiała tych absurdalnych poleceń. Miała się zakraść do willi jak złodziej? Jednak matka była poważna, a córka rozumiała swoje obowiązki.

– Dobrze, *maman* – odpowiedziała, chociaż już zżerała ją ciekawość.

– Weź też bukiet żonkili z jadalni. W drodze powrotnej kup na targu świeże kwiaty do *café* – dodała matka cicho i wysupłała z kieszeni fartucha kilka monet. – Masz.

A potem łokciem pchnęła córkę do działania.

– Ruszaj!

Ondine posłusznie wyszła przez wahadłowe drzwi prowadzące do jadalni zarezerwowanej tylko na wieczorne posiłki. Śniadania i lunche zawsze podawano na frontowym tarasie, słońce czy deszcz, bez różnicy, ponieważ gdy pogoda nie sprzyjała, rozwijano nad nim wytartą, biało-szarą markizę.

Café Paradis zajmowała parter domu z tynkiem w kolorze miodowej pralinki. Rodzina Ondine mieszkała wyżej. Na pierwszym piętrze była sypialnia rodziców, a w mniejszej mogli nocować goście. Wcześniej ten pokój zajmowali starsi bracia Ondine, ale obaj zginęli podczas wielkiej wojny i spoczywali teraz na miejskim cmentarzu, obok młodszego rodzeństwa, które zmarło na szkarlatynę jeszcze przed urodzeniem się Ondine. Na drugim piętrze, pod mansardowym dachem, znajdował się tylko jeden pokój, początkowo planowany jako pomieszczenie dla służby. Ondine sypiała tam przez całe życie.

Przeszła przez cichą jadalnię po lśniącym parkiecie, obok mahoniowych krzeseł i stołów przy ścianach wyłożonych ciemnymi panelami. Za kontuarem wisiało lustro w złoconej ramie i oprawiona reprodukcja arcydzieła Rembrandta z 1645 roku, zatytułowanego *Portret dziewczyny w oknie*.

– *Bonjour* – przywitała namalowaną dziewczynę Ondine. Na szczęście. Robiła tak zawsze, jeszcze jako dziecko.

Obraz wydawał się równie tajemniczy jak słynna *Mona Liza*. I wielu znawców sztuki – w tym także stałych klientów *café* – spierało się o to, kim była dziewczyna z portretu Rembrandta. Arystokratką, o czym mogły świadczyć naszyjnik i staranny haft na koszuli? Służącą, na co wskazywałyby zarumienione policzki i podwinięte rękawy? A może prostytutką, która bezwstydnie odsłania dekolt, gdy oparta na łokciach wygląda przez okno?

Online uwielbiała ten obraz ze względu na lśniące, duże oczy modelki, które sprawiały wrażenie, że widzą wszystko, jakby uwagę dziewczyny mógł zwrócić każdy przechodzień. Ale teraz postać uśmiechała się figlarnie, zdając się mówić: „Wiem, o czym marzysz. Myślisz, że dano ci wszystko, co trzeba, aby podbić wielki świat?".

Ondine sprawdziła w lustrze, jak wygląda. Sama nie była ani trochę tajemnicza, ale cerę miała jasnozłotą, ciepłe orzechowe oczy i ładnie zarumienione policzki po porannym wysiłku. Jednak najbardziej wyróżniały ją długie, bardzo ciemne włosy, które opadały jedwabistymi, łagodnymi falami na ramiona i plecy. Pewien chłopak powiedział, że te cudownie falujące loki i kosmyki są niczym oznaki wszystkich mądrych pytań i intrygujących pomysłów tańczących jej w głowie.

Chłopak miał na imię Luc. Zakochali się w sobie – pierwszą prawdziwą i słodką miłością. Luc został sierotą, gdy miał czternaście lat, przez co musiał zakończyć naukę w szkole. Ciężko pracował u rybaka, aby się utrzymać. Kiedy wchodził do kuchni tylnymi drzwiami ze skrzynią starannie ułożonych, lśniących srebrzyście ryb, często przynosił też drobne prezenty dla Ondine – a to muszlę, krzak poziomki, naszyjnik z malowanych drewnianych paciorków z dalekich, egzotycznych krain, który kupił od jakiegoś żeglarza.

W zamian Ondine podkradała dla niego jedzenie, zwykle smakowite *tartelettes*, upieczone z najlepszego ciasta, oraz pożywne mięsa i warzywa. Luc zawsze był głodny, jednak starał się okazywać wdzięczność – nie rzucał się na poczęstunek jak wilk, lecz smakował powoli, starannie i z szacunkiem. Ondine uwielbiała wkładać jedzenie w te silne, pewne dłonie, a potem patrzeć, jak chłopak unosi kęsy do ust.

Jej ojciec upierał się jednak, że mężczyzna, zanim pojmie ją za żonę, musi mieć w banku dość pieniędzy, żeby utrzymać kobietę, dlatego słodki Luc zgłosił się do pracy na jednym z dużych statków handlowych zawijających do portu w Antibes.

W noc przed wyjazdem Luc śmiało wspiął się na wąski balkon z kutą balustradą i zakradł do sypialni na poddaszu, aby się pożegnać z Ondine. Do tamtej pory tylko się całowali i dotykali podczas długich spacerów w odludne miejsca w lesie i na łąkach Parc de Vaugrenier, jednak tamtej ostatniej nocy, świadomi, że coś może się Lucowi stać, przytulili się mocno do siebie i Ondine wreszcie poznała, co to miłość.

Z początku zaskakująco gwałtowna i niezdarna intymność okazała się jednak niewinna i naturalna. Zasnęli i spali słodko, aż ćwierkanie ptaków zbudziło dziewczynę przed świtem. Zobaczyła Luca obok i poczuła się, jakby na poduszce znalazła właśnie gwiazdkowy prezent.

– Wrócę po ciebie, gdy tylko się wzbogacę – obiecał Luc. Pocałował ją czule i usiadł na oknie, aby zejść tą samą drogą, którą przyszedł. – Pomyśl, jaki dumny będzie twój ojciec, że ma mnie za zięcia – zapewnił śmiało. Chciał w ten sposób dodać odwagi nie tylko sobie, lecz także Ondine.

Od tamtej pory minęły dwa lata. Początkowo listy od Luca były krótkie i dochodziły po długim czasie, na dodatek zawierały tylko spóźnione wieści, ponieważ nie w każdym porcie była poczta. Potem w ogóle przestały przychodzić. Niewielu ludzi w miasteczku Juan-les-Pins wierzyło, że chłopak jeszcze żyje, a tym bardziej, że wróci.

Ondine nie mogła się pogodzić z myślą, że naprawdę odszedł. Zrobiła się tak smutna, że ojciec, który oczekiwał, że zakonnice nauczą jego córkę posłuszeństwa – nie sztuki, muzyki i języków obcych – nakazał dziewczynie zapomnieć o Lucu i skupić się na bardziej przydatnej sztuce gotowania, szycia i przede wszystkim usługiwania.

– Jeżeli nam się poszczęści i znajdziemy ci męża, użyjesz swojego rozumu i serca, aby uczynić go szczęśliwym – oznajmił surowo. – Zrozumiałaś?

Ondine nie wyobrażała sobie, że może mieć innego męża niż Luc, ale już dawno nauczyła się sztuki udawania pokory, więc skłoniwszy głowę i spuściwszy oczy niczym Madonna ze świętego obrazu, odpowiedziała cicho:

– Tak, papo.

Jednak – jak u zakonnic – wzburzone myśli zachowała tylko dla siebie.

Ondine odwróciła się od lustra, a potem wyjęła z wazonu żonkile i owinęła je szmatką, aby zabrać bukiet wraz z jedzeniem do willi.

– *Bonjour, papa!* – zawołała z progu jadalni.

Promienie słońca w nieregularnych pasmach padały z wysokich okien na podłogę. Ojciec siedział sam przy stole w kącie i liczył zyski z poprzedniego dnia, żeby zanieść je do banku. Z dzieciństwa Ondine najlepiej pamiętała właśnie ten obraz – papy liczącego pieniądze na starej liczarce. Ojciec był przystojny i miły, lubił swoich sąsiadów i klientów oraz czerpał przyjemność z pracy. Krążył po sali i bacznie się przyglądał każdemu stolikowi, aby zaproponować coś dodatkowo i zwiększyć wpływy do kasy.

Klientelę stanowili głównie miejscowi, ponieważ knajpka znajdowała się w cichym zaułku, z dala od głównych ulic i sklepów.

Nie powstrzymywało to jednak przygodnych turystów od od-krywania Café Paradis za każdym razem, gdy hotelowy konsjerż albo ich francuscy znajomi polecali ten lokal. Szacowni goście nie rozpowiadali o małej restauracji, instynktownie czując, że lepiej zachować ten skarb dla siebie.

Monsieur Belange odczekał, aż Ondine przejdzie dokładnie przed nim, zanim podniósł wzrok.

– Postaraj się wszystko zrobić idealnie. Nie chcę słyszeć słowa skargi od tego klienta, rozumiesz?

Ondine z powagą skinęła głową.

– Kim on jest? – szepnęła.

Ojciec z udawaną obojętnością wzruszył ramionami.

– Ważny artysta, który chce popracować w ciszy i spokoju, za-nim pojawi się tutaj tłum letników.

– A jak się nazywa? – dopytywała się córka.

– Twierdzi, że Ruiz. – W głosie ojca pobrzmiewało lekkie wa-hanie.

Ondine była na tyle spostrzegawcza, że od razu to wyczuła i na jej twarzy odmalowało się zwątpienie.

Monsieur Belange uśmiechnął się na ten przejaw dociekliwości córki.

– Ale na świecie znany jest jako Picasso. Mówię ci o tym, bo mogłabyś usłyszeć ten pseudonim w jego domu, jednak nie wol-no ci tego rozpowiadać. Nasz klient nie chce, żeby ludzie się do-wiedzieli. Zależy mu na dyskrecji i dobrze za to płaci, więc nie zadajemy żadnych pytań – zaznaczył z dumą, że może wykazać się honorem. – Dotyczy to przede wszystkim ciebie. Nie wolno ci opowiadać o niczym, co zobaczysz w tym domu. Żadnych plo-tek – dodał cicho.

– *Oui, papa.*

Ondine była pod wrażeniem. Mgliście przypominała sobie to nazwisko. Chyba wiązało się z jakimś skandalem, ponieważ za-konnice, choć uczyły w szkole o sztuce, nie chciały mówić o Pi-

cassie. Dziewczyna zastanawiała się nad tym, gdy wyszła na trójkątny taras.

– *Bonjour,* Ondine! – powitali ją chórem trzej mężczyźni, którzy właśnie zajmowali swój ulubiony stolik, przy którym czytali
gazety i pili aperitif, czekając na podanie lunchu, zawsze punktualnie o wpół do pierwszej. Często przychodzili wcześniej, żeby
obserwować i komentować każdego, kto zajrzy do knajpki.

Ondine uśmiechnęła się do nich.

Trzej Mędrcy jak zwykle niezawodni, pomyślała.

Mężczyzn, którzy stanowili filary miejscowej społeczności, nazwał tak Luc. Srebrnowłosy doktor Charlot zawsze palił długie,
cuchnące cygara. Piekarz Renard ze starannie przyciętym wąsi-
kiem, mimo trzydziestki wciąż kawaler, wstawał tak wcześnie, że
w południe był już głodny. A dyrektor banku, Jaubert, z czarną
brodą, miał cerę bladą jak u wampira i lubił steki tak niewysma-
żone, że aż *bleu.*

Wszyscy trzej zarabiali więcej pieniędzy niż sąsiedzi i cieszyli
się szacunkiem mieszkańców Juan-les-Pins nie tylko ze względu
na swoje profesje, lecz także dlatego, że umieli udzielić dobrych
i rozważnych rad. Chociaż trzymali się staroświeckich przekonań,
mieli dobre serca i nigdy nie byli zbyt zajęci, aby pomóc znajomym, niezależnie od tego, czy w sprawach wielkiej wagi, czy
w błahostkach.

Kiedy Ondine przechodziła obok, mężczyźni przestali rozmawiać, a ich ochrypły śmiech i znacząco unoszone brwi zdradzały,
że co do jednego się zgadzają – uważali dziewczynę za kusząco
ładną. Czuła na sobie ich spojrzenia, gdy podwinęła spódnicę,
wsiadła na rower i zaczęła pedałować.

Kosz na bagażniku był tak ciężki, że początkowo rower jechał
bardzo powoli. Ondine miała wrażenie, że wcale się nie porusza. Z determinacją zacisnęła zęby i naparła mocniej na pedały, aż
wreszcie znalazła stały rytm. Wkrótce dotarła do głównej ulicy ze
sklepami i z hotelami.

Ach, więc ten ważny *patron* z Paryża przyjechał tutaj teraz, żeby uniknąć swoich znajomych, rozmyślała. Cóż, większość turystów uważała wiosnę za martwy sezon. Zima przyciągała amerykańskie wdowy, które grały w karty i *roulette* z wyniosłymi rosyjskimi *émigrés*, wąsatymi bankierami z Niemiec i angielskimi arystokratami. Latem przyjeżdżali młodzi, rozchełstani Amerykanie i Anglicy, którzy lubili pływać i pławić się w słońcu, upijać, flirtować bezwstydnie z żonami znajomych oraz lekceważyć surowe zasady moralne i tradycje starszych.

– *Bonjour,* Ondine! – Listonosz zasalutował dziewczynie, gdy ją mijał, pedałując w przeciwnym kierunku.

Kolejny dzień bez listu od Luca, pomyślała, uprzejmie machając listonoszowi. Odkąd Luc wypłynął w morze, trzymała pod łóżkiem małą walizkę. Na wszelki wypadek. Wolała być gotowa do ucieczki, gdy tylko chłopak wróci. Jednak im więcej czasu mijało, tym częściej Ondine myślała, że sama też powinna się wynieść jak najdalej stąd, gdzieś, gdzie nie będzie uważana za porzuconą. Dlatego w walizce znajdowały się ulubione rzeczy i portmonetka. Niestety, nie było w niej dość pieniędzy. Na razie.

Gdy mijała łagodną krzywiznę przystani, z której niósł się zapach soli i wodorostów, a na niebie krzyczały głodne mewy, Ondine dostrzegła powracających rybaków. Nieśli pełne sieci; w promieniach słońca rybie łuski rzucały tęczowe błyski. Dziewczyna nie uwolniła się od nawyku przyglądania się postaciom na nabrzeżu i wypatrywania Luca, jego wysokiego czoła, zmierzwionych brązowych włosów i smukłej, lecz silnej sylwetki. Jednak tym razem odwróciła wzrok, gdy przejeżdżała obok łuszczących się barierek i hoteli, w których prostytutki i złodzieje czyhali na marynarzy, aby pozbawić ich zarobku, zanim zaniosą pieniądze dziewczynom takim jak Ondine.

– Jeżeli spróbuję wyjechać na własną rękę i powinie mi się noga, mogę skończyć jak te kobiety sprzedające się po tawernach – wyszeptała pod nosem.

Nie bałaby się, gdyby miała Luca u boku. Kiedyś powiedział jej: „Każdy ma jasną gwiazdę, która przyzywa go, aby wypełnił swoje przeznaczenie, ale jeżeli przestanie słuchać, z każdym rokiem ten głos będzie słabszy, aż wreszcie stanie się niesłyszalny". A potem wskazał dwie gwiazdy, które migotały tak blisko siebie, że niemal zlewały się w jedną. „Te są nasze" – oznajmił, a Ondine uwierzyła. Teraz, sama i wciąż na garnuszku rodziców, dziewczyna czuła się jak blaszana gwiazdka pozostawiona przez zapomnienie na uschniętej bożonarodzeniowej choince.

Skręciła z szerokiego łuku drogi wzdłuż przystani i naciskała mocno na pedały. Wzgórze było tak strome, iż obawiała się, że mu nie podoła i zacznie się cofać. Rzadko bywała w tej okolicy. Po obu stronach drogi wznosiły się luksusowe wille o ścianach tak wysokich, że trudno było zobaczyć okna na drugim piętrze albo czerwony dach. Dziewczyna miała wrażenie, że przejeżdża przez tajemniczy tunel.

Na szczycie wzgórza zatrzymała się zadowolona, a potem z podziwem spojrzała na roztaczający się w dole krajobraz. Nigdy nie widziała przystani z tej zapierającej dech w piersiach perspektywy. Migotliwy szafir morza wydawał się bezkresny i zarazem na wyciągnięcie ręki, a świetlisty błękit nieba upstrzony białymi, puszystymi obłokami, miękkimi chyba jak futro gronostajów, zdawał się obiecywać, że dalej rozciąga się większy, wspanialszy świat.

Ondine westchnęła i skręciła w krótką piaszczystą dróżkę, która prowadziła do willi otoczonej pomalowanym na kremowo murem z białą drewnianą bramą pośrodku.

– No to jestem na miejscu – odetchnęła.

Zeskoczyła z siodełka i podprowadziła rower do bramy najeżonej metalowymi grotami. Okazało się, że brama nie jest zamknięta, wystarczyło otworzyć metalową zasuwkę. Dziewczyna weszła do środka, zamknęła za sobą bramę i ruszyła w stronę willi nowego patrona. Dom był przestronny, dwukondygnacyjny, z dużymi oknami, jasnoniebieskimi okiennicami i dachem krytym dachówką w kolorze terakoty. Okiennice na parterze zamknięto, ale te na piętrze otwarto na oścież, białe firanki w oknach falowały na wietrze jak duchy.

Oparła rower o ścianę. Dalej wąska ścieżka prowadziła do drzwi kuchennych. Dziewczyna zdjęła kosz z bagażnika, wspięła się po kilku kamiennych stopniach i nacisnęła mosiężną klamkę. Podobnie jak brama drzwi też nie były zamknięte.

Z niepokojem, ale też ekscytacją Ondine przeszła przez próg.

ONDINE W WILLI PICASSA

Wewnątrz panowały cisza i chłód – dom z kamienia zatrzymał w środku zimniejsze, wilgotne powietrze z wiosennej nocy. Kuchnia urządzona była w stylu rustykalnym. Szerokie, nieregularne deski podłogi trzeszczały pod nogami Ondine, gdy ostrożnie niosła metalowy kosz do okrągłego drewnianego stołu na środku pomieszczenia.

– *Zut!* – jęknęła, po czym rozejrzała się uważniej, żeby trochę odsapnąć.

W kącie stała wąska, czarna kuchenka połączona krzywą rurą z kominem. Lodówka znajdowała się pod przeciwległą ścianą.

Ondine podniosła pokrywę kosza. Rozsądna matka położyła na wierzchu fartuch. Dziewczyna zawiązała go i zaczęła się krzątać. Nieduży garnek z *bouillabaisse* wystarczyło postawić na palniku i podgrzać danie na niewielkim gazie. Reszta potraw była zapakowana w odpowiednie pojemniki. Ondine wyjęła wszystko, włącznie z pasiastym dzbankiem.

Na razie nie usłyszała nawet najcichszego szmeru z wnętrza domu.

Może *patron* wyszedł na spacer albo w odwiedziny? Dziewczynie nie przyszło nawet do głowy, że można spać po wschodzie słońca, a co dopiero po południu. Rozejrzała się po kuchni, a potem zerknęła na wahadłowe drzwi prowadzące w głąb domu. Pchnęła je i zajrzała do środka.

W słabo oświetlonej jadalni stał owalny stół z krzesłami o wysokich oparciach. Pośrodku blatu zakurzony wazon ze starymi, zeschniętymi kwiatami wyglądał smętnie. Pod ścianą nakryta koronkowym bieżnikiem komoda z szufladami sprawiała równie ponure wrażenie.

– Ta jadalnia wygląda, jakby nikt jej nie używał od tysiąca lat – westchnęła dziewczyna lekko przestraszona. Gdzie powinna podać lunch? Matka nie powiedziała. Ondine nie mogła zakładać, że *patron* zniży się do jedzenia w kuchni, nawet jeżeli było tam przyjemniej.

Za jadalnią znajdował się niewielki salon z fotelami ustawionymi wokół niskiego stolika przed kominkiem. Przemykając przez zacieniony pokój, Ondine czuła się jak ciekawska ryba, przepływająca przez wrak zatopionego okrętu. Na samym końcu pomieszczenia przejście pod wysokim łukiem wiodło do frontowego holu ze schodami na piętro.

Dziewczyna przystanęła i nastawiła uszu. Wciąż nie słyszała żadnych odgłosów z góry. Czyżby nikogo nie było? *Patron* zapomniał o umowie?

Wąski korytarz za schodami prowadził do drzwi na tyłach willi, wychodzących na ogrodzone podwórze, za którym ciągnęły się ukwiecone łąki. Na parterze znajdowało się jeszcze tylko jedno pomieszczenie. Ten pokój też był otwarty i Ondine zajrzała, żeby sprawdzić, czy może tam podać lunch.

Był to wąski gabinet z biurkiem, krzesłem, telefonem i lampą. Na blacie leżały paryska gazeta oraz otwarta koperta zaadresowana do *monsieur* Ruiza. Wokół walały się też mniejsze koperty adresowane do Picassa i najwyraźniej przesłane z Paryża. Wyglądały na ważne, sądząc po stemplach pocztowych.

Ondine od razu zrozumiała.

Patron nie chce, żeby nasz listonosz zobaczył, do kogo pisane są listy, bo potem rozpowiedziałby wszystko po całym mieście. I ma rację, listonosz to tutaj największy plotkarz!

Patron naprawdę zadał sobie sporo trudu, aby ukryć tożsamość.

Ciekawe, kim jest ten Picasso? – pomyślała.

Dostrzegła notes pozostawiony na biurku i kartkę pokrytą literami z zawijasami zamaszystego pisma. Obok leżało pióro. List wyglądał na niedokończony, ponieważ nie był podpisany – ani Picasso, ani Ruiz – jakby autor znudził się zadaniem. Zapiski, jak się okazało, były po hiszpańsku. Ondine przypomniała sobie, co matka mówiła o przydatności nauk córki w klasztorze, nie mogła się powstrzymać od sprawdzenia swoich umiejętności. List był adresowany do Jaime Sabartésa i przypominał dziwny raport z postępów.

Nareszcie mogę się rozluźnić. Sypiam po jedenaście lub dwanaście godzin na dobę. Zapewnij pannę Gertrudę Stein, że nie piszę już wierszy. Odkryłem za to, że lubię śpiewać, co przynosi mi więcej satysfakcji niż inne formy sztuki. Olga i jej nieznośni prawnicy od rozwodów nie mogą zażądać ode mnie połowy nut, które wyśpiewałem, prawda?

No i dostałem od Ciebie paczkę z tymi szmatławcami. Hurra! Nareszcie będę miał czym czyścić pędzle, o ile w ogóle po nie sięgnę! Jak myślisz? Może porzucę malarstwo dla kariery śpiewaka i zostanę nowym hiszpańskim Carusem?

Dlaczego poprosił o przysłanie szmatławców z Paryża? – zastanawiała się Ondine. Co to za człowiek, że nie chce mu się wyjść i kupić sobie kilku ścierek? A tak w ogóle, mógłby po prostu podrzeć starą koszulę, co za problem?

Cóż, ten *patron* najwyraźniej nie miał żony, która by o niego dbała. Nic dziwnego, przecież wspomniał o prawnikach od rozwodów. Nikt wśród znanych Ondine osób nie był rozwiedziony – przecież to grzech śmiertelny. Z pewnością jednak nie należało o tym grzechu wspominać. Dziewczyna wróciła do jadalni i dopiero wtedy uświadomiła sobie, że pomieszczenie wyglądało tak niegościnnie, bo po prostu było ciemne. Wszystko przez pozamykane okiennice. Wystarczyło je otworzyć i wpuścić trochę światła. Świeże zapachy niosące się z ogrodu przepędziły wilgoć i stęchliznę. Jadalnia od razu odzyskała przytulność i prowansalski wdzięk.

O wiele lepiej. Ondine z satysfakcją skinęła głową. Dobrze, że *maman* kazała mi wziąć kwiaty.

Wyrzuciła zakurzone zapomniane suszki, nalała do wazonu świeżej wody i ułożyła w nim bukiet żonkili. Cofnęła się, aby przyjrzeć się swemu dziełu – kwiaty znacząco rozweseliły jadalnię. I właśnie wtedy usłyszała nad głową łomot tak nagły, że omal nie podskoczyła. Czar prysł – Ondine nie była już ciekawską rybką pływającą w zatopionym okręcie, lecz zwykłą dziewczyną, która miała przygotować i podać posiłek. Nasłuchiwała kroków na schodach, ale nikt się jeszcze nie pojawił.

Jednak w każdej chwili głodny *patron* mógł zejść do jadalni. Zapewne usłyszał myszkującą Ondine i poczuł unoszący się już w całym domu kuszący zapach jedzenia, podgrzewającego się na kuchence.

Dziewczyna pośpiesznie wróciła do kuchni i ostrożnie nalała wina z bukłaka do dzbana. Matka miała rację, że kazała go przywieźć – pomalowany w poziome różowo-niebieskie pasy prezentował się tak radośnie w prostej jadalni.

Ondine uniosła pokrywkę, sprawdziła *bouillabaisse*, a potem zaniosła garnek do stołu i postawiła na trójnożnej podstawce, którą znalazła w komodzie. Zupę i rybę trzeba było podać osobno, dlatego dziewczyna do głębokiego talerza dodała grzanek z chleba – wysuszone, ale nieprzypieczone, na które należało nalać wywaru – a ryby ułożyła na specjalnym półmisku.

Pamiętała o nakazie ojca, aby przygotować wszystko jak najlepiej dla *monsieur* Picassa, czy też Ruiza, toteż ustawiła talerze w apetycznym półkolu wokół głównego dania, dzięki czemu łatwo było po wszystko sięgnąć. W kuchni znalazła dziadka do orzechów i małą wiklinową miseczkę, do której włożyła świeże owoce i posypała obranymi orzechami.

Nadszedł czas, aby zostawić patrona i pozwolić mu w spokoju zjeść posiłek. Ondine powinna wyjść. Wiedziała o tym, a jednak list patrona wydał się jej tak żartobliwy, że pobudził ją do działania. Zwłaszcza że znalazła na szafce w kuchni kartkę i ołówek. Nie mogła się powstrzymać, żeby też nie zostawić liściku. Napisała go po francusku, ponieważ *patron* czytał paryskie gazety, na dodatek niezbyt dobrze znała gramatykę hiszpańską i nie czuła się pewnie w tym języku.

Mamy nadzieję, że posiłek Panu smakował. Jeżeli możemy poprawić jakość naszych usług, proszę nam tylko dać znać. Wrócimy po naczynia i posprzątamy. Bon appétit.

Wsunęła kartkę pod miseczkę z owocami. A potem wymknęła się przez kuchenne drzwi, wsiadła na rower i pośpiesznie odjechała. Nawet się nie obejrzała.

Podobało się jej, że rower bez kosza z naczyniami jest o wiele lżejszy. Skręciła z zaułku, przy którym mieściła się willa *monsieur* Picassa, i skierowała się na ulicę z wysokimi rezydencjami po obu stronach. Ze szczytu wzgórza rozciągał się wspaniały widok. Jakby zawieszona między słonecznym bezkresem nieba nad głową i jasnym morzem rozciągającym się od przystani w dole, Ondine poczuła dreszczyk emocji.

Odepchnęła się i zaczęła zjeżdżać coraz niżej i niżej, chociaż miała wrażenie, że w istocie wznosi się niczym ptak zrywający się do lotu. Nabierała szybkości, a jej włosy i spódnica łopotały na wietrze jak skrzydła, zdolne unieść ją w błękitną dal, w odległy, wielki świat.

– Hura! – wykrzyknęła Ondine. Poczuła się nieważka, nieustraszona i wolna.

Kiedy jednak dojechała do targu po drugiej stronie miasteczka, gdzie matka kazała jej kupić kwiaty, duch w dziewczynie upadł – wrócił pośpiesznie na ziemię pod uważnymi spojrzeniami żon rolników, które siedziały wśród koszy nowalijek, tak niecierpliwie wyczekiwanych przez klientów. Kram kwiaciarki rozkwitał feerią barw, a nieopodal piętrzyły się w równych piramidach owoce i warzywa.

– *Bonjour,* Ondine! – zawołała przysadzista żona rzeźnika z krytycznym spojrzeniem.

– *Bonjour*, Ondine!

Rudowłosa kwiaciarka uśmiechnęła się, gdy dziewczyna zatrzymała się przy jej kramie.

– Dokąd jechałaś rowerem? – zainteresowała się chuda sprzedawczyni owoców.

– Do nowego patrona – wyjaśniła Ondine zdawkowo, ruchem głowy wskazując w kierunku willi na wzgórzu. Poniewczasie przypomniała sobie, że o tej porze roku przyjezdnych jest niewielu i każdy przybysz stanie się przedmiotem zainteresowania tej gromady plotkarek.

– Chodzi ci o tego Hiszpana na szczycie wzgórza? – upewniła się sprzedawczyni owoców i poczęstowała Ondine pomarańczą. – Podobno ma przyjaciółkę, z którą spotyka się w weekendy. Ale co robi przez resztę tygodnia?

Kwiaciarka wyciągnęła ostrożnie smukłe żonkile, które wybrała Ondine, a potem dodała konspiracyjnym tonem:

– To podejrzany typ, nikt nie widuje go za dnia, ale mój brat Rafaello twierdzi, że światła w domu palą się do północy albo dłużej!

Rafaello był policjantem, więc patrolował dzielnice o różnych dziwnych porach. Po latach przyglądania się ciemnej stronie ludzkiej natury z nawyku zakładał, że wszyscy obcy to potencjalni przestępcy.

– Pewnie to złodziej, który okradł bank i ukrywa tutaj swój łup! – zgodziła się żona rzeźnika. – No bo kto jeszcze wynająłby dom tylko dla siebie, i to po sezonie? Mówię wam, to typ spod ciemnej gwiazdy, skoro przyjechał tu bez rodziny!

Pozostałe kramarki również uznały dobrowolną samotność nieznajomego za coś tak niepojętego, że czym prędzej wycofały się na *terra firma* zwykłych plotek o tym, która panna zapewne zaręczy się jeszcze tej wiosny. Prędzej czy później każda młoda dziewczyna trafiała na języki plotkarek z targowiska.

– Nie martw się, Ondine – włączyła się do rozmowy drobna *fromagère*. Układała na desce apetyczne rzędy kawałków sera. – Przyjdzie i na ciebie pora, że wyjdziesz za mąż i urodzisz dzieci. Los się obróci.

– Los się obróci – zawtórowały jej pozostałe kramarki.

Ondine zapłaciła za kwiaty i pośpiesznie odjechała. Wiedziała, że te kobiety wcale nie chciały jej zranić, wyobrażały sobie jedynie, że Luc źle skończył albo spotkał inną dziewczynę i dlatego nie wracał. Ondine zaś ze wszystkich sił starała się nawet o tym nie myśleć, pragmatyzm kramarek sprawiał jednak, że zaczynała w siebie wątpić.

A jeżeli liścik urazi patrona? Dziewczęta takie jak Ondine – zwłaszcza gdy usługiwały ważnej osobie – nigdy nie odzywały się niepytane. Jak śmiała napisać do nieznajomego?

Co mnie podkusiło? – dręczyła się w drodze do *café*. Zachęciła nawet patrona, żeby skrytykował potrawy, przygotowane przez jej matkę. – Ojciec byłby wściekły, gdyby się o tym dowiedział.

Ondine nie miała czasu na ponure rozmyślania. Do restauracji wstąpiła nieoczekiwana grupka przyjezdnych biznesmenów. Właśnie zajmowali miejsca przy stoliku na tarasie, a kelnerzy nerwowo podbiegli, aby przyjąć zamówienia na lunch. Gdy tylko Ondine weszła do dusznej kuchni, matka zagoniła ją do pracy. Dziewczyna musiała przygotować *tartines* – kroiła bagietki, smarowała masłem i obkładała je zimnym mięsem, serami i *pâté* z oliwkami *tapenade* – podczas gdy matka podgrzewała zupę.

Madame Belange krzątała się z wprawą szefowej kuchni świadomej swoich talentów. Dopiero gdy goście zostali obsłużeni, odwróciła się do córki i zapytała krótko:

– W willi wszystko poszło jak należy?

Z zadowoleniem przyjęła potwierdzające skinienie głowy Ondine.

Później w kuchni pojawił się ojciec. Spojrzał na zegarek kieszonkowy i oznajmił:

– Ondine! Wracaj i zabierz naczynia od patrona! Ale już!

– Tak, papo!

Ondine umyła ręce, włożyła żakiet i pośpiesznie wsiadła na rower. Tym razem jechała równym tempem i nie dostała zadyszki.

Kiedy weszła do kuchni patrona, wszystko wyglądało tak jak przedtem. Z jadalni nie dochodził brzęk naczyń ani sztućców. Ondine zajrzała ostrożnie do środka.

Po pieczywie zostało tylko trochę okruszków, miseczki z krewetkami i innymi owocami morza były puste, podobnie jak talerz po sałacie z serem.

– Zjadł wszystko! – Odetchnęła z ulgą.

Serwetka Picassa leżała złożona obok talerza. Ten przejaw uprzejmości wzruszył Ondine.

Gdy niosła talerze do kuchni, pomyślała o samotności artysty – jadł przecież sam. Jednak ta samotność wydawała się też wolnością, ponieważ mógł wychodzić i wracać, gdy miał na to ochotę, nikomu nie musiał się tłumaczyć ani wysłuchiwać napomnień. Ondine ledwie mogła sobie wyobrazić taką wolność.

Wróciła po resztę naczyń do jadalni. Gdy uniosła pokrywkę garnka, który zostawiła na żeliwnej podstawce, westchnęła z satysfakcją – Picasso wziął sobie dokładkę *bouillabaisse*.

Maman się ucieszy.

Zabrała się do pakowania naczyń do kosza. W willi panowała przejmująca cisza, i tym razem Ondine czuła, że nikogo tu nie ma. Wróciła do jadalni, żeby posprzątać.

Miseczka z owocami i orzechami została chyba wylizana. A pod nią Ondine znalazła swój liścik. Picasso nie tylko go przeczytał, ale u dołu, na tej samej kartce, dopisał coś od siebie.

S'il vous plait, je voudrais plus de piment...

A poniżej niedbały szkic długiej czerwonej papryczki i reszta zdania:

...dans votre excellente bouillabaisse.

– Chciałby więcej papryki w naszej „wspaniałej *bouillabaisse*" – zaśmiała się Ondine z zachwytem. Musiała zapamiętać, żeby koniecznie wpisać tę uwagę do notesu zaraz po powrocie do restauracji.

Z uśmiechem schowała liścik do kieszeni, po czym zamknęła kosz z naczyniami i przymocowała go do roweru. I dopiero wtedy uświadomiła sobie, że czegoś brakuje.

– Ale... Gdzie jest pasiasty dzbanek *maman*?

W tym dziwnym miejscu musiał zapewne rozpłynąć się w powietrzu.

3

ONDINE W LABIRYNCIE MINOTAURA

Nie wiedziała, co gorsze, przyłapanie jej na myszkowaniu w domu patrona czy gniew matki, gdyby Ondine wróciła bez dzbanka w różowo-niebieskie pasy. Uznała, że z artystą pójdzie łatwiej, i postanowiła się rozejrzeć.

Zajrzała do szafek w kuchni, ale wnet stało się jasne, że będzie musiała szukać gdzie indziej. Dzbana nie było ani w jadalni, ani w gabinecie. Dziewczyna zebrała się na odwagę i zawołała:

– Jest tu ktoś?

Cisza. Może Ondine miała jedyną okazję, aby zajrzeć na piętro.

Zaczerpnęła głęboko tchu i ruszyła na schody. Zajrzała do otwartej małej sypialni z prostym łóżkiem, pełnym niedbale rozrzuconych poduszek i skotłowaną narzutą.

Dlaczego Picasso sypiał jak mnich? Ondine szybko znalazła odpowiedź na to pytanie, gdy zajrzała do kolejnego pomieszczenia. Brakowało tam łóżka, za to wszędzie piętrzyły się szkice, gazety i przybory do malowania.

Co za bałagan! Bezradnie rozglądała się za pasiastym dzbankiem. Nie dostrzegła go jednak. Nie wiedziała nawet, od czego zacząć poszukiwania w tej niesamowitej pracowni.

Gdzie się podział? Może się potłukł i artysta wyrzucił skorupy?

Wydawało się to jednak mało prawdopodobne, więc nadal próbowała szukać. Puste płótno stało na sztalugach w kącie. Obok na stoliku znalazła nietknięte słoiczki z farbami i czyste pędzle. Podeszła do rozświetlonej słońcem niszy, w której natrafiła na szkice, niedbale rozrzucone na dużym stole. Pod tymi arkuszami można by ukryć wszystko.

Pochyliła się nad rysunkami.

– *Dieu!* Czy właśnie t y m się tutaj zajmuje? – szepnęła.

W pierwszym odruchu odwróciła wzrok, jak wtedy, gdy pewien marynarz zaciągnął ją w ciemną alejkę, żeby pokazać nieprzyzwoite obrazki, które wyniósł z domu publicznego. Jednak rysunki Picassa okazały się tak skomplikowane, że musiała przyjrzeć się dokładniej, aby je zrozumieć.

Jeden ze szkiców przedstawiał przerażająco splątane dwie nagie postacie – mężczyznę i kobietę w akcie dzikiego, animalistycznego gwałtu, choć na pierwszy rzut oka wyglądało to raczej tak, jakby lew pożerał konia. A jednak bez wątpienia byli to ludzie, nie zostały tu pominięte żadne szczegóły anatomiczne, w tym również włosy łonowe i organy płciowe.

Jasnowłosa kobieta miała drobną twarz z dość długim nosem, który nie pozwoliłby uznać jej za skończoną piękność. Szerokie ramiona, pełne piersi, pośladki i uda tworzyły atletyczną sylwetkę, a jednak kobieta leżała bezradnie z odchyloną głową, w pozycji uległości w obliczu ataku. Uniesiony brzuch i krągłe piersi wyglądały jak mięsiste arbuzy wystawione na pożarcie dla mężczyzny – o ile można tak określić drugą postać. Mężczyzna przypominał bowiem bardziej rogatą bestię z nagim ciałem ludzkim. Jego agresywnie napięte mięśnie i sztywny penis były doskonale widoczne. Miał głowę i ogon byka, a nozdrza zdawały się rozchylone we wściekłym parsknięciu.

Zmieszana Ondine oglądała kolejne dzikie obrazy. Wszystkie przedstawiały tę samą jasnowłosą modelkę w różnych pozach. Odetchnęła z ulgą, gdy na ostatnim ze szkiców zobaczyła o wiele szczęśliwszą scenę – nagi mężczyzna-bestia i naga kobieta zadowoleni odpoczywali na sofie, na głowach mieli wieńce, w dłoniach trzymali puchary z winem, a za ich plecami w otwartym oknie wstawał słoneczny dzień.

Para wyglądała uroczo – przyjazny satyr i jego żona boginka odpoczywali w domu, syci i czuli.

Szkic przytrzymywała wielka muszla, najwyraźniej odgrywająca rolę przycisku do papieru. Jej głębokie barwy brzoskwini, fioletu i beżu wydawały się tak urzekające, że Ondine podniosła ją i przycisnęła do ucha, aby sprawdzić, czy usłyszy szum morza. Wciąż jak zahipnotyzowana przyglądała się kolejnym rysunkom.

– Podoba ci się Minotaur? – zabrzmiało za jej plecami spod drzwi. Głos był męski, głęboki, a we francuskich słowach słychać było wyraźny hiszpański akcent.

Ondine odwróciła się z poczuciem winy. No i została przyłapana na przeglądaniu prac patrona! A co gorsza, jego praca wiązała się z rysowaniem nagich kobiet wyczyniających dziwactwa z bestialskimi mężczyznami. Na policzkach Ondine wykwitł rumieniec wstydu.

Mężczyzna w drzwiach wyglądał tajemniczo. Oparty o framugę i z rękami w kieszeniach uważnie przyglądał się dziewczynie. Oczy miał ciemne, Ondine w życiu nie widziała tak czarnych oczu, a ich spojrzenie było tak hipnotyzujące, że zastygła jak leśne zwierzątko, które właśnie usłyszało trzask łamanej gałęzi.

– *Bonjour, patron!* – udało jej się wreszcie wykrztusić. Odczuwała przemożną chęć ucieczki, jednak ani drgnęła.

Mężczyzna ze swoją owalną twarzą, z długim nosem i baryłkowatym torsem przypominał prymitywną figurkę wyrzeźbioną w ciemnym drewnie.

Wygląda trochę jak dzikus z Afryki lub Polinezji, mimowolnie pomyślała Ondine, której skojarzył się z obrazkami w książkach misjonarskich ze szkoły u zakonnic. Dziewczyna nie mogła się oprzeć wrażeniu, że ten mężczyzna powinien raczej nosić zwierzęce skóry i pióropusz niż marynarkę z dobrej wełny i czapkę.

– *Bonjour!* – odpowiedział.

Wciąż śmiało mierzył ją wzrokiem. Wreszcie się uśmiechnął i... było to, jakby słońce wypełniło pracownię orzeźwiającą energią.

Ondine odetchnęła z ulgą, ponieważ *patron* wydał się jej bardziej ludzki, zwłaszcza gdy zdjął marynarkę. Jego ubranie, jak zauważyła dopiero teraz, było zwyczajne i dość tradycyjne, podobne nosiło wielu mężczyzn w średnim wieku – koszula z rozpiętym kołnierzykiem, sweter i wełniane spodnie ściągnięte paskiem.

Gdy podszedł bliżej, Ondine zorientowała się, że jak na mężczyznę jest naprawdę bardzo niski, niższy nawet od niej. Zdjął czapkę, ale nie po to, aby się ukłonić – rzucił ją po prostu na krzesło razem z marynarką. Odruchowo przeciągnął palcami po rzednących włosach zaczesanych na bok z przedziałkiem, przydługich i opadających, znamionujących artystyczne poczucie wolności.

Po powitaniu wciąż milczał, tylko przyglądał się Ondine w sposób, który większość ludzi uznałaby za grubiański. To spojrzenie wydawało się niemal wyzywające, jakby mężczyzna nie tylko patrzył na ubranie i postawę dziewczyny, lecz także przenikał jej myśli i uczucia. Miała ochotę uciec, jednak w tych mesmerycznych oczach kryły się taka inteligencja i witalność, że Ondine ruszyła do niego niczym mały meteor złapany w grawitację potężnego Jowisza.

– Jesteś tą dziewczyną z restauracji? – zapytał uprzejmie. Bez problemu radził sobie z francuskim, chociaż spółgłoski wymawiał zbyt twardo, a samogłoski akcentował zbyt przesadnie.

– *Excusez-moi, patron* – wymamrotała Ondine z poczuciem winy i odstawiła muszlę na stół. Wiedziała, że powinna spuścić oczy i nie patrzeć mężczyźnie w twarz, jej ojciec i starsi mieszkańcy miasteczka właśnie takiego zachowania oczekiwali po młodej kobiecie w obliczu męskiego autorytetu.

Ale Ondine pamiętała papryczkę, którą ten mężczyzna narysował w liściku. Jak to możliwe, że zwykła papryka wyglądała tak figlarnie? A jednak! Myśl o tej zamaszystej rysunkowej papryczce i przyjaznych słowach w liściku sprawiły, że nie mogła powstrzymać uśmiechu.

– Bardzo się cieszę, że mogę panu służyć. I będę pamiętać, żeby następnym razem dodać więcej czerwonej papryki – oznajmiła.

Wydawał się zaskoczony.

– Och, więc jesteś też kucharką? Przyznaję, wspaniale gotujesz jak na kogoś tak młodego.

Ondine nie chciała przypisywać sobie zasług matki, ale nie wiedziała, jak się z tego wycofać z wdziękiem, więc szybko zmieniła temat i wskazała nieśmiało na szkice i arkusze.

– Przepraszam, że przeszkodziłam w pracy.

– Znasz opowieść o Minotaurze? – Jego niski głos przykuwał uwagę jak przy czytaniu baśni. – Rządzi na wyspie. Miejscowi składają mu w ofierze najpiękniejsze dziewczęta, aby służyły Minotaurowi w jego dekadenckiej willi. A on nie potrafi zdecydować, czy pragnie je posiąść, czy zabić. Najczęściej więc czyni jedno i drugie. Lecz zaprasza też poetów, muzyków i artystów, aby grali, śpiewali i tańczyli tylko dla niego, a wszyscy ucztują przy szampanie i rybach. Orgie trwają dzień i noc. Minotaur żelazną ręką włada w s z y s t k i m i kobietami, młodymi i starymi... boją się go, więc nigdy nie zazna prawdziwej miłości. Aż pewnej niedzieli młody rybak z lądu znajdzie drogę przez labirynt i zabije sztyletem świętego potwora.

Mężczyzna pochylił się nieco i wykonał pchnięcie wyimaginowanym ostrzem.

– Zawsze jednak znajdzie się kolejny Minotaur, który zajmie miejsce zabitego, ponieważ kobiety uwielbiają potwory.

Ondine słuchała jak zaczarowana.

– Który obraz podoba ci się najbardziej? – zapytał artysta cichym, kojącym tonem, tak spokojnym, że wręcz drwiącym.

Ondine pomyślała, że to psotnik, jak ci, którzy po szkole próbowali podstępem zajrzeć dziewczętom pod spódnice.

Czekał cierpliwie na odpowiedź. Ondine wyzywająco uniosła podbródek.

– Ten – stwierdziła beznamiętnie, jakby wybierała różę u kwiaciarki. Wskazała na przyjazną, domową scenę, w której Minotaur i blondynka odpoczywali na sofie.

– Cóż... Nie można mieć spokoju bez burzy. – Picasso się uśmiechnął. – Jak masz na imię?

– Ondine.

– Ach, jak nimfa! Nimfa z mórz przy Juan-les-Pins. – Mrugnął żartobliwie, co skłoniło dziewczynę do zapytania, jak powinna się do niego zwracać.

– Mam mówić *monsieur* Ruiz czy... Picasso?

– Cii...! – Z wesołym błyskiem w oku przyłożył palec do ust.

– Jedno i drugie to moje nazwiska. Rodzice dali mi ich mnóstwo, żeby uczcić wujów i krewnych, nawet sobie nie wyobrażasz, jak wiele. Tu, w miasteczku, używam nazwiska Ruiz, po ojcu. Ale ponieważ on też był artystą, podpisuję swoje prace panieńskim nazwiskiem matki, i dlatego teraz jestem po prostu... Picasso. – Z drwiącą dzikością uderzył się w pierś.

I wtedy, jakby przypomniał sobie, kim jest, odwrócił się i zaczął przeglądać słoiczki, pędzle oraz inne tajemnicze przybory, które leżały na stole i stolikach w pracowni.

Ondine pojęła, że pora zostawić artystę jego pracy, więc wymknęła się po cichutku.

Dopiero w kuchni przypomniała sobie, po co weszła na piętro.

– Och, zapomniałam go zapytać o dzban *maman*! – jęknęła. Nie mogła jednak przeszkadzać patronowi. Jeżeli matka zapyta, Ondine będzie musiała wymyślić jakąś wymówkę.

Ledwie dziewczyna wróciła do restauracji, *madame* Belange oznajmiła:

– W willi na wzgórzu jest przyjęcie. U tych paryżan z nieznośną córką, dla której wydają urodzinową *fête*. Ich kucharz potrzebuje pomocy, bo jeden z piekarników się zepsuł!

Na stole stały już duże tace pełne *hors d'oeuvres*. Ondine szybko zawiązała fartuch.

– Przyślą samochód, żeby wszystko zabrać – wyjaśniła matka. – Bądź gotowa wynieść tace i upewnij się, że wiedzą, co należy podgrzać, a co podać na zimno.

Ondine spodziewała się samochodu dostawczego, dlatego zaskoczył ją widok czarnej lśniącej limuzyny, która podjechała pod lokal. Dziewczyna zdjęła fartuch, przygładziła włosy i obciągnęła sukienkę, po czym ruszyła pierwsza, dźwigając wielką tacę. Za nią poszła reszta kelnerów z kolejnymi przekąskami.

Zdawało się, że tylne drzwi limuzyny otworzyły się same. W środku siedziało trzech młodzieńców ubranych w granatowe marynarki i białe koszule oraz dwie dziewczyny w pastelowych sukienkach koktajlowych. Wszyscy mieli kieliszki w rękach, a jeden trzymał butelkę szampana.

– A oto i nasze jedzenie. *Splendide!* Niestety... w bagażniku są nasze torby i walizki z pociągu! – wykrzyknął młodzieniec i parsknął śmiechem.

Reszta mu zawtórowała. Chyba byli już trochę pijani. Wyglądali na starszych od Ondine, ale ich rozradowane, wypieszczone twarze wydawały się cielęco młode.

Musieli przyjechać z Paryża luksusowym pociągiem Train Bleu i chyba już dawno zaczęli zabawę. A może dla tej bogatej gromadki całe życie było niekończącą się zabawą?

– Śmiało – odezwał się wesoło inny młodzieniec. – Dziewczyny usiądą z przodu, a ty... jak masz na imię? Ondine, mówisz? Ślicznie. No, a ty, Ondine, możesz położyć jedzenie koło nas!

Wśród pisków i chichotów dziewczyny wysiadły z samochodu i wcisnęły się na przednią kanapę obok kierowcy. Ondine ostrożnie podała tacę chłopakom z tyłu, potem kelnerzy ustawili swoje tace na tej pierwszej, aż cała sterta sięgnęła niemal sufitu limuzyny.

– Komu powinnam przekazać polecenia matki? – zwróciła się Ondine do kierowcy. – Niektóre z tych przekąsek trzeba podgrzać.

Jeden z młodzieńców usłyszał to i zaproponował:

– Lepiej jedź z nami, *chérie*, wytłumaczysz wszystko naszej gospodyni.

Szofer skinął na nią głową i Ondine nie miała wyjścia, musiała wślizgnąć się na siedzenie obok chichoczących dziewcząt.

– Naprzód! Proszę, Ondine, napij się szampana! – zawołał młodzieniec, z którym rozmawiała najpierw, i podał jej kieliszek.

Limuzyna ruszyła, więc Ondine czym prędzej wypiła, żeby nie rozlać trunku. Smakował bardzo dobrze – jak chłodny, złoty promień słońca. Ściśnięta między drzwiami samochodu i jedną z dziewcząt, poczuła zawrót głowy. We wnętrzu unosił się duszny zapach orchidei i gardenii, a na każdym zakręcie towarzystwo piszczało i wiwatowało, przechylając się mocno i przyciskając do siebie.

– Hura! Za moje przyjęcie urodzinowe! – krzyknęła solenizantka.

– Wiem, dlaczego nas tu ściągnęłaś – oznajmiła jej przyjaciółka. – Zakochałaś się w chłopaku z Nicei! Szkoda, że tydzień temu nie było cię na moim przyjęciu w Paryżu. Pojawił się Jean Renoir, chciał przekonać Coco Chanel, żeby zaprojektowała kostiumy do nowego baletu Cocteau. Nie ma mowy, żeby mu teraz odmówiła. Podobno dekoracje do tego przedstawienia namalował Picasso, wiesz? Ciekawe, czy zrobiłby to też do filmu Renoira...

Ostatnie słowa sprawiły, że solenizantka aż pisnęła.

– Picasso też był na twoim przyjęciu? Strasznie chciałabym go poznać!

– Ależ! Nie słyszałaś? – zdziwiła się jej przyjaciółka. – Ostatnio Picassa nigdzie nie można spotkać. Po prostu zniknął. Podobno wyjechał na Daleki Wschód, żeby malować młode gejsze! Pozowałabyś dla niego nago? Ja tak!

– Picasso nie wyjechał na Wschód – zapewnił jeden z młodzieńców. – Wiem na pewno, że wrócił do Hiszpanii.

Ondine stłumiła śmiech. Szampan sprawiał, że zaczęła się zastanawiać, co zrobiliby ci młodzi ludzie, gdyby dowiedzieli się prawdy.

Ha! Picasso mieszka o rzut kamieniem od was!

Limuzyna wjechała na zbocze, które jeszcze po południu Ondine pokonała rowerem. Dziewczyna milczała, gdy przejechali wzgórze, minęli wybrzeże i skierowali się na kolejne wzniesienie, a potem na długi podjazd prowadzący do dużej białej willi, pod którą zaparkowane już były inne samochody. Ledwie limuzyna się zatrzymała, jeden z młodzieńców wyskoczył i otworzył drzwi, o które opierała się Ondine.

Gdy straciła równowagę, przytrzymał ją za ramię, dając świadectwo nienagannych manier.

– Ups! Mogę prosić do tego tańca? – zażartował. A potem odwrócił się do pozostałych i wziął pierwszą tacę. – No, pomóżcie Ondine wnieść jedzenie!

Przyjaciele wzięli pozostałe tace i cała grupa ruszyła przez trawnik do willi, oświetlonej w mroku chińskimi lampionami.

– Jesteśmy! – zawołał prowadzący do wysokiej starszej kobiety o alabastrowej skórze.

Nieznajoma, smukła, dystyngowana i o łabędziej szyi, niemal płynęła przez łąkę. Ondine uznała, że to pani domu, ponieważ promieniowała autorytetem.

– *Voilà!* – oznajmił młodzieniec. – Gdzie mamy postawić to wspaniałe jedzenie?

– *Mes enfants* – odpowiedziała kobieta przypominająca łabędzia. – Zanieście wszystko do kuchni.

Z domu dochodziły odgłosy strojenia fortepianu i skrzypiec. Ondine, wciąż z tacą, ruszyła na taras, gdzie kelnerzy podawali drinki gościom w powiewnych jedwabiach i szyfonach.

Pani domu zastąpiła dziewczynie drogę i skinieniem ręki przywołała kelnera, aby zabrał tacę. Ondine chciała szybko wytłumaczyć, które przekąski należy podgrzać.

– Dziękuję – oznajmiła kobieta z naciskiem. – Mój kucharz będzie wiedział, co robić. Dobranoc.

Ondine się zarumieniła, jakby została oskarżona o próbę kradzieży rodzinnych sreber. Znajdowała się tak blisko willi, że przez wysokie okna widziała rozświetlone kandelabrem wnętrze jadalni ze wspaniałym stołem i z kryształową oraz porcelanową zastawą. Na tle tego blasku rysowały się sylwetki gości. Bardziej niż prawdziwych ludzi przypominały anioły z nieba, o których uczono Ondine w szkole zakonnej.

Cofnęła się i wróciła na parking, na którym stała limuzyna. Samochód był jednak pusty, szofer zniknął. Ondine zrozumiała, że droga powrotna będzie wyglądała zupełnie inaczej niż w tę stronę. Nie było wyboru, musiała iść pieszo do *café*.

Dzień zaczął się tak obiecująco i ciekawie, ale teraz, gdy Ondine wlokła się przez atramentową ciemność ulic, a w ustach wciąż czuła smak szampana, w jej sercu rosła gorycz. Poczuła się głupio, że żywiła nadzieję na szczęśliwszą, lepszą przyszłość, która pozwoliłaby jej rozwinąć skrzydła i odkryć swoje przeznaczenie.

Założę się, że na całym świecie bogaci i ważni ludzie są tacy sami jak ta dama z przyjęcia. Czemu myślałam, że mogę tak po prostu wkroczyć w wielki świat, a on przywita mnie z otwartymi ramionami? Przecież nie mam nic – ani męża, ani pieniędzy, napominała się po drodze. Nigdy mnie tam nie wpuszczą, a to znaczy, że moje życie n i g d y się nie zmieni, niezależnie od tego, co zrobię i gdzie zawędruję!

Jednak kiedy dotarła do przystani, spadająca gwiazda przecięła czarny nieboskłon w tak dramatycznie pięknym locie, że Ondine zaparło dech w piersiach. I wtedy uświadomiła sobie coś jeszcze.

Ci ludzie z przyjęcia m a r z ą, żeby spotkać Picassa, a ja go już poznałam! I nie potraktował mnie jak włamywaczki. Był miły, nawet zapytał, czy mi się podobają jego rysunki.

Pomyślała, że może dzisiejsze znaki mówiły, że nie trzeba podróżować daleko w poszukiwaniu lepszego losu. Może, ale tylko może, Picasso sprowadził wielki świat w progi domu Ondine, właśnie tutaj, do Juan-les-Pins.

4

PICASSO —
JUAN-LES-PINS, WIOSNA 1936

Picasso żałował, że przeczytał listy. Rozbiły dopiero co odzyskany spokój umysłu, delikatny i kruchy jak wiosenne krokusy. Przez pierwsze dni w Juan-les-Pins pogoda była niezbyt zachęcająca – zrobiło się wilgotno i chłodno. Pablo zastanawiał się nawet, czy nie popełnił błędu, przyjeżdżając na wybrzeże poza sezonem. Lecz tylko tutaj udawało mu się przesypiać pół dnia, co samo w sobie stanowiło cud po tak wielu nieprzespanych nocach w Paryżu.

Kiedy skończyły się zapasy, które zabrał w podróż, Picasso włożył stary płaszcz i czapkę i udał się do miasteczka. Włóczył się po ciasnych zaułkach niczym bohater powieści szpiegowskiej, który przybył tu z Paryża *incognito*. Wreszcie trafił do pełnej życia, przyjaznej Café Paradis, prowadzonej przez miejscowych. Właściciele wyglądali na takich, co potrafią nie wściubiać nosa w cudze sprawy. Picasso zamówił dobrą chłopską potrawkę na kiełbasie z dziczyzny z soczewicą. Posiłek rozgrzał mu krew, a przy tym zaskakująco pokrzepił nie tylko ciało, ale i duszę. Smak przywołał wspomnienia z dzieciństwa w Hiszpanii. Wydawało mu się, że gdy popijał cierpkie czerwone wino, ściany ciepłej sali jadalnej otuliły go opiekuńczo niczym pled troskliwej matki. Pamiętał dobrze swoją matkę. Była Włoszką, bardzo oddaną rodzinie.

– Właśnie tego mi potrzeba – powiedział sobie. – Miesiąc takiego jedzenia i będę silny jak *toro bravo* z hodowli Miura!

Zdawał sobie jednak sprawę, że ta nowo zyskana siła może łatwo zniknąć, rozproszona w szarpaninie z problemami dnia codziennego, jak choćby męczącym pytaniem, co zjeść na obiad. I o której godzinie? I gdzie? Zajmowanie się takimi lilipucimi sprawami wykańczało Picassa.

Dlatego kiedy właściciel Café Paradis zapytał, czym jeszcze może służyć, bez namysłu umówił się z *monsieur* Belange na dostarczanie lunchu do willi. Pablo miał nadzieję, że będzie to stały punkt w rozkładzie dnia, a przy tym zdejmie mu z barków ciężar męczących i irytujących decyzji związanych z gospodarstwem domowym oraz zapewni prywatność i spokój potrzebny do pracy.

Już samo podjęcie tej decyzji bardzo pomogło, ponieważ Picasso obudził się wcześniej niż zwykle, czujny i znowu pełen nadziei. I, jak zauważył, był czwartek, dobry dzień na przyjazdy i wyjazdy, odpędzenie demonów przeszłości i rozpoczęcie nowych przedsięwzięć.

Tymczasem w skrzynce znalazł nową przesyłkę z Paryża. Listy przekazywał mu – po uprzedniej selekcji – dobry przyjaciel i sekretarz, Sabartés, który udzielał też odpowiedzi według jego instrukcji. Dzięki temu zabiegowi nikt nie miał się dowiedzieć, gdzie malarz się ukrył.

Picasso odruchowo rzucił paczkę na biurko w gabinecie na zapleczu. Jednak na niewiele się to zdało. Paczka z listami czekała niczym pająk w sieci i tylko przejrzenie zawartości mogło zniszczyć jej przerażającą moc.

Zamaszystym ruchem otworzył przesyłkę. Odłożył listy od przyjaciół, marszandów, właścicieli galerii i wydawców czasopism. Z lękiem wypatrywał pisma z kancelarii prawniczej. Rozpoznał je bez najmniejszych trudności i na samą myśl, że musi to przeczytać, zrobiło mu się zimno.

– Do diabła! – warknął.

Rozerwał kopertę i czytał pismo z rosnącą odrazą. Jego porzucona żona, Rosjanka, wynajęła chyba pitbulle, nie prawników!

Cóż, nie powinien się dziwić, poślubił przecież arystokratkę. Co gorsza, balerinę. Ze świecą by szukać bardziej zawziętej suki!

Wciąż jednak darzył szacunkiem ciemnowłosą Olgę, delikatną i eteryczną. Był szczęśliwy jako jej mąż, gdy stroił się jak dandys i bywał na przyjęciach z „prawdziwą damą" u boku. Tylko dzięki jej towarzyskim koneksjom mógł wkroczyć na największe europejskie salony.

– W Hiszpanii można mieć żonę na jednym krańcu miasta, a kochankę na drugim, i obie dowiedzą się o swoim istnieniu dopiero na pogrzebie tego, z którym dzieliły łoże – burczał Pablo.

Ale nie w Paryżu. Tam nie dało się utrzymać tajemnicy. Gdy młoda jasnowłosa kochanka Picassa zaszła w ciążę, wspólni „przyjaciele" nie omieszkali opowiedzieć Oldze wszystkiego, co wiedzieli o Marie-Thérèse. A wściekła żona nie szczędziła czasu ani wysiłków na prawniczą wojnę i nie zamierzała ponieść klęski. Który artysta mógłby temu podołać?

Rozwód był jednak wykluczony ze względu na intercyzę, którą Pablo podpisał przed ślubem. Zgodnie z francuskim prawem w razie rozpadu związku małżeńskiego obie strony miały podzielić majątek na pół. A dzieła sztuki najwyraźniej zostały uznane za majątek. Kosztowni i znani prawnicy Olgi zamierzali rozedrzeć kolekcję obrazów Picassa niczym owa kobieta z biblijnej przypowieści, która wolała przeciąć niemowlę na pół, niż oddać je drugiej kobiecie. Doszło nawet do tego, że nakłonili sędziego do zamknięcia atelier Picassa w Paryżu.

– Co za bezczelność, żeby zatrzasnąć człowiekowi przed nosem drzwi do jego własnej pracowni! – oburzał się Pablo. Wciąż ogarniał go gniew na wspomnienie tego zdarzenia.

Olga przejęła już opiekę nad ich synem Paulem. To powinno tej kobiecie wystarczyć. Picasso niechętnie godził się na sprzedaż obrazów, nawet tych dawno skończonych, rozstanie z własnymi pracami wpędzało go w depresję na wiele dni. Co ludzie zajęci tylko zdobywaniem pieniędzy mogli wiedzieć o udręce twórcy?

Nie, rozwodu należało uniknąć za wszelką cenę. Formalna separacja była jedynym rozwiązaniem. Rozpoczęły się więc targi i niekończące się tortury wyczekiwania na ugodę. Ciągnęło się to miesiącami, minął już prawie rok i Picasso po raz pierwszy w życiu przestał malować. Nie czuł się martwy przez ten czas, ale żywy również nie – porównałby się raczej do człowieka przywiązanego pod rozkołysanym toporem, który zbliża się coraz bardziej, aż wreszcie zetnie mu głowę.

W końcu po prostu m u s i a ł opuścić Paryż. List od prawnika, który właśnie przeczytał, niósł przynajmniej odrobinę nadziei – trwały rozmowy mające wreszcie nakłonić Olgę do przystania na separację. W zamian dostanie dom pod Paryżem i zapewne lwią część środków finansowych – żona zadbała o to, by Pablo zapłacił wysoką cenę za swoją wolność – ale obrazy, czyli wszystko, co ważne, nie trafią pod katowski topór.

Niezależnie od tego, jak się skończy prawnicza batalia, tutaj, na Côte d'Azur, gdzie słońce świeci tak jasno, mężczyzna nareszcie mógł odzyskać siły witalne. I tak jak po zimie przychodzi wiosna, tak Pablo przeszedł ze swojej tradycyjnej, szacownej rodziny do związku na kocią łapę z jasnowłosą anielską muzą, Marie-Thérèse. Rok wcześniej urodziła im się córka Maya, z której Pablo był prawdziwie po męsku dumny.

Na szczęście pokorna i uległa Marie-Thérèse nigdy się nie skarżyła, chociaż nie mogła już liczyć, że zostanie nową *madame* Picasso. Prawowitą małżonką Pabla wciąż będzie Olga, dopóki Bóg i śmierć ich nie rozłączy. I chociaż Picasso lubił odgrywać rolę oddanego ojca podczas coniedzielnych odwiedzin u drugiej, nielegalnej rodziny, domowe szczęście zaczynało go powoli nudzić.

– Kobiety to albo boginie, albo wycieraczki – stwierdzał po każdym podboju.

Na szczęście następnego dnia po poranku, gdy Picasso uzupełniał zapasy, z Café Paradis dostarczono lunch. I znowu dobre jedzenie uczyniło cud – Pablo poczuł się spokojniejszy i niemal zapomniał o nieprzyjemnych listach. Kiedy skończył jeść, wybrał się na spacer po pobliskich polach; chciał utrzymać dobrą kondycję, zwłaszcza że czekało go sporo pracy. Właśnie tutaj, w jasnym słońcu południa, na polach porośniętych różami i goździkami, jego chód na powrót stał się raźny i sprężysty. Wrócił do willi, ponieważ zapragnął znowu mieszać farby i tworzyć, chociaż jeszcze tydzień temu wydawało się to niemożliwe. Dobrze wybrał. Kuchnia serwowana w Café Paradis okazała się o wiele bardziej pożywna dla ciała i duszy niż nudna, restrykcyjna dieta proponowana mu przez zrzędliwego paryskiego lekarza dla złagodzenia dolegliwości związanych z nerwicą żołądka.

Gdy tylko młoda dziewczyna z restauracji opuściła willę, Picasso spojrzał na muszlę, której się przyglądała.

– Co za charakter ma ta Ondine. Można by prawie uwierzyć, że to prawdziwa nimfa wodna – mruknął w zamyśleniu.

Niemiecki marszand opowiedział mu kiedyś baśń o czarodziejskich rusałkach, ondynach. Gdyby któraś poślubiła śmiertelnika, utraciłaby nieśmiertelność, ale zyskała duszę.

Picasso wyjrzał przez okno. W samą porę, by dostrzec jeszcze Ondine odjeżdżającą na rowerze. Jej długie włosy burzyły się na wietrze jak morskie fale, a spódnica łopotała w pędzie niczym żagle statku. Picasso patrzył, dopóki dziewczyna nie znalazła się na szczycie wzgórza. Zdawało się, że na chwilę zawisła w bezruchu na tle nieba, zanim znikła mu z oczu.

– Bardziej przypomina latawiec na niebie. – Picasso uniósł rękę i nakreślił w powietrzu zarys latawca, po czym podszedł do sztalug. – Ale spojrzenie ma trochę za bardzo wyzywające – dodał z lekką dezaprobatą.

Szczerze powiedziawszy, w towarzystwie nowoczesnych dziewcząt czuł się nieco skrępowany. Nie umiały już szanować mężczyzn i służyć im, jak czyniły to kobiety w czasach, gdy Picasso był małym chłopcem wychowywanym przez oddaną matkę i babkę, matkę chrzestną, ciotki oraz siostry. Wszystkie bez cienia sprzeciwu godziły się, że Bóg przeznaczył im pozycję niższą niż mężczyznom, i traktowały Pabla jak króla. Ach, te biusty, brzuchy, ramiona i kolana! I ta nieustanna adoracja. Nic nie mogło się z tym równać ani tego zastąpić.

Dlatego Pablo dorósł w przekonaniu, że kobiety, niezależnie od wieku, powinny poświęcić życie swoim mężczyznom, zupełnie jak te mityczne dziewice oddane w ofierze Minotaurowi. Zaczęło się od najmłodszej siostry Picassa i nawet po latach imię Concepción raniło jak korona cierniowa zaciśnięta wokół serca Jezusa na świętych obrazach. W wieku zaledwie siedmiu lat Concepción zaraziła się dyzenterią. Cierpiała w straszliwej agonii, dosłownie zanikała z dnia na dzień, stała się niemal przejrzysta niczym duch. Wszystko to działo się na oczach przerażonego brata. Jego siostra leżała w łóżku, blada i bezradna, a widok ten sprawiał, że trzynastoletni wówczas Pablo ukląkł drżący przy posłaniu chorej i wydusił słowa, których od razu pożałował.

– Dobry Boże, ocal moją siostrę, a nigdy więcej nie wezmę do ręki pędzla i nic już nie namaluję!

Co za diabeł podszepnął mu taką ofiarę? Wszak już wtedy talent młodego Picassa nie podlegał dyskusji. Pablo zaczął rysować, zanim nawet nauczył się mówić. Wszyscy wiedzieli, że przeznaczona mu była wielkość. Nawet ojciec chłopaka zaprzestał malowania i przekazał synowi swoje pudło z farbami oraz pędzle, w którym to geście kryło się tyleż poczucia winy, co wiary w możliwości potomka.

Czyż Bóg naprawdę oczekiwał, że genialny chłopiec odrzuci swój dar i dla ratowania siostry dotrzyma tej pochopnej umowy? W przerażeniu Pablo próbował zignorować głos, który szeptał mu w głowie:

– Poproś Boga, aby zachował twój artystyczny talent, a zabrał życie tej małej, świątobliwej siostry w ofierze...

Przez kolejne dni Picassa dręczyły ból i przerażenie, jakie przeżywać może tylko mały chłopiec. Wyobrażał sobie, że to on, nie

Bóg, musi podjąć decyzję. A przecież nigdy nie życzył siostrze śmierci... Jednak nie potrafił przestać się modlić o zwolnienie go z przyrzeczenia, że zaniecha malowania, jeśli siostra przeżyje.

Concepción zmarła niedługo potem.

I właśnie wtedy Pablo Picasso zaczął wierzyć, że nie można tworzyć, jeśli się nie zniszczy tego, co drogie sercu i duszy. Narodziny prowadzą do śmierci, a w Hiszpanii duchy zmarłych nigdy nie odchodzą całkowicie. Człowiek uczy się z nimi żyć, nie opiera im się, ale unika sentymentów, aby słudzy Śmierci nie uznali, że jest gotów na wieczny odpoczynek znacznie przed wyznaczonym czasem.

A teraz, gdy do Hiszpanii zbliżała się wojenna zawierucha, równie niepowstrzymana jak szarżujący byk, nie było sensu ulegać nastrojom, które ogarnęły całą Europę, i udawać, że kolejna wojna światowa nigdy się nie zdarzy. Życie i śmierć były jak przypływy i odpływy morza. W Barcelonie ludzie to rozumieli. W niedzielę młodzieńcy rozpoczynali dzień od mszy w kościele, ale mogli go skończyć popołudniem w burdelu, gdzie miłość była zwykłą transakcją, a życie ograniczało się do drwin i wyzwań, aby popisać się przed rywalami i wrogami.

Twórz, kiedy możesz, nim dopadną cię siły Śmierci...

Pablo Picasso uniósł pędzel.

5

CÉLINE W NOWYM JORKU — WIGILIA BOŻEGO NARODZENIA 2013

Matka czekała, aż skończę trzydziestkę, dopiero wtedy opowiedziała mi o babce Ondine i Picassie.

Była Wigilia. Właśnie przyleciałam z Los Angeles, aby spędzić święta u niej, w Westchester. Stary kolonialny dom z dużymi eleganckimi oknami otoczony był starannie przyciętym żywopłotem i wypielęgnowanym trawnikiem. Ocieniały go stary dąb i kilka klonów.

Gdy wysiadłam z taksówki na podjeździe, padał drobny śnieg. Mama chyba zauważyła mnie przez okno, ponieważ otworzyła frontowe drzwi, zanim jeszcze zdążyłam podejść. Nie miała na sobie płaszcza, tylko wiśniową sukienkę. Zawsze ubierała się nienagannie – w eleganckie suknie lub garsonki i jedwabne apaszki, nosiła też subtelną biżuterię, a jej cera była zadbana i niemal promiennie młoda.

Ucieszyłam się, że wygląda tak dobrze i że udało się jej podtrzymać prawdziwą *joie de vivre*. Widok jej drobnej sylwetki na werandzie wywołał u mnie również odruchy opiekuńcze. Często mi się to zdarzało, jakby matka była dzieckiem, a ja jej opiekunką. Głównie dlatego, że mama, chociaż miała doskonały francuski gust, nie zwykła się tym przechwalać. Była nieśmiała i pokorna, podobno z powodu tajemniczych przejść w dzieciństwie, o których raz tylko wspomniała niejasno, ale nie chciała niczego wyjaśnić.

– Twoja babcia Ondine i ja przeżyłyśmy trudny czas, zanim wyszłam za mąż. Ale nie warto pamiętać tego, co złe – powiedziała wtedy.

Nigdy nie udało mi się wyciągnąć z niej więcej.

Jednak dzisiaj mama była wyjątkowo szczęśliwa i radosna.

– Céline, przyjechałaś! Do twarzy ci z tą kalifornijską opalenizną! – Z uśmiechem aprobaty pocałowała mnie w oba policzki.

Zatrzymałam się na stopniu niżej, żeby ją objąć, bo byłam od niej o wiele wyższa. Mama miała ciemne oczy, moje są błękitne, i w zasadzie jedyne, co po niej odziedziczyłam, to ciemnorude włosy, które zaplatałam w długi warkocz. Mama natomiast strzygła się zawsze na krótko. Lubiłam zapach jej pudru i ciepło delikatnej skóry na policzkach. Gdy się objęłyśmy, jej drobne ciało wydawało mi się bardziej kruche. Nic dziwnego, była dobrze po siedemdziesiątce.

Zdjęłam płaszcz i narzuciłam mamie na ramiona.

– Och, spójrz na śnieg! – oznajmiła wesoło. – Będziemy mieli prawdziwe białe święta. Czy to nie cudowne? Wszystko wygląda jak posypane cukrem pudrem. Wejdź, *chérie*, napijesz się *chocolat chaud*!

Chociaż mama gotowała jak Francuzka, którą przecież była z pochodzenia, jednak czuła się bezgranicznie dumna z tego, że uchodziła za nowoczesną, *typique* amerykańską panią domu. Ja także urodziłam się we Francji, jednak rodzice od razu zabrali mnie do Nowego Jorku, żebym miała dzieciństwo jak należy, czyli amerykańskie.

– Dzień dobry, Julie! Wesołych świąt! – zawołała nowa sąsiadka z drugiej strony ulicy. Podeszła właśnie do skrzynki po listy. Chyba chciała też zobaczyć mnie, bo nie miałyśmy okazji wcześniej się spotkać.

– Wesołych świąt – odparła mama. – A to moja córka, Céline – dodała z dumą. – Opowiadałam ci o niej, jest charakteryzatorką w Hollywood. W tym roku dostała nominację do Oscara!

– Mój zespół dostał nominację, mamo – wymamrotałam skrępowana.

– Ach, nareszcie mogę poznać Céline, córkę marnotrawną! – Kobieta z drugiej strony ulicy się roześmiała.

Pewnie nazywano mnie jeszcze gorzej. Przez całe życie powtarzano mi, że byłam „wpadką", dzieckiem spłodzonym późno, gdy nikt się go nie spodziewał ani nie oczekiwał. Jednak matka bardzo się cieszyła, że nareszcie, po dwóch poronieniach, doczekała się zdrowej córki. Miałam przyrodnie rodzeństwo, Danny'ego i Deirdre, bliźnięta z pierwszego małżeństwa ojca. Były jasnowłose i piegowate, skóra zdarta z tatusia. Na próżno próbowałam się do nich zbliżyć, widziały we mnie tylko „Francuzeczkę", po mamie, zresztą były starsze i tajemnicze, jak tylko bliźnięta potrafią.

– Jak się czuje Arthur? – zapytała sąsiadka i zaczęły z mamą rozmawiać o operacji taty.

Spędziłam w samolocie sześć godzin, więc marzyłam tylko o wejściu do domu i odpoczynku, nie chciało mi się wystawać na podjeździe, zwłaszcza że odwykłam od chłodu. Kiedy matka próbowała oddać mi płaszcz, wyjęłam z torby wełniany żakiet, włożyłam go i cierpliwie czekałam, aż skończą rozmawiać. Potem wreszcie mogłyśmy wejść do ciepłego domu, rozświetlonego świątecznymi lampkami.

– Ależ tu świątecznie pachnie! – Radośnie wciągnęłam w nozdrza aromat goździków, gałki muszkatołowej, pomarańczy, francuskiego wina i ciast na słodkim europejskim maśle.

W domu matki panował taki porządek, jakiego we własnym mieszkaniu nigdy nie udałoby mi się osiągnąć.

Na święta Bożego Narodzenia pokoje zostały udekorowane stroikami z sosnowych gałązek z czerwonymi i złotymi wstążkami, a w salonie stanęła duża choinka z *baubels* i migoczącymi światełkami, pod którą leżały prezenty opakowanc w lśniący papier. W przestronnej kuchni na każdym blacie czekały już domowe desery i ciasta.

– Zrobiłaś *Les Treize Desserts de Noël*! – wykrzyknęłam oczarowana widokiem zestawu domowych słodyczy, tradycyjnie podawanych na święta w Prowansji.

Mama, zadowolona z mojego entuzjazmu, z dumą opisała mi każdy z tych Trzynastu Świątecznych Deserów. Było tam danie z suszonych owoców i orzechów, nazywane Czterema Żebrakami, co miało symbolizować cztery zakony mnichów, a także słodkie ciasto, podobne do *brioche,* z aromatyzowanej pomarańczą wody, mąki i oliwy z oliwek, były rozmaite bezy i cały zestaw kandyzowanych cytrusów, melon, dwa rodzaje orzechów z pistacjami i migdałami, jak również cieniutkie, przypominające wafle *oreillettes*, ciasteczka posypane cukrem pudrem jak śniegiem, który padał za oknami, i oczywiście wyjątkowa *bûche de Noël,* Świąteczny Konar, czyli czekoladowa rolada z kremem karmelowym i polewą z gorzkiej czekolady, porysowaną widelcem, aby przypominała korę. Na tym prześlicznym cieście mama ustawiła nawet ciastko w kształcie Mikołaja z siekierą na ramieniu.

– Och, mamo! Po takich przygotowaniach musisz być wyczerpana! – Uścisnęłam ją, żeby pogratulować przepięknych deserów. Matka zamruczała z zadowoleniem, pogłaskała mnie po policzku, a potem poklepała po plecach.

– *Pas du tout.* – Skromnie machnęła ręką.

Dopiero wtedy dotarło do mnie, że mama zachowuje się trochę inaczej niż zwykle. Emanowała spokojem i pewnością siebie gospodyni, która spędziła tydzień samotnie na gotowaniu i pieczeniu, podczas gdy tata dochodził do siebie w szpitalu. A chociaż lubiła dla niego gotować, dostrzegłam, że nieobecność ojca w domu wyzwoliła matkę, sprawiła, że bardziej się rozluźniła i ośmieliła. I wyglądało na to, że chyba cieszy ją ta odnaleziona niedawno niezależność.

– Zostaw walizkę w korytarzu, potem się rozgościsz. – Ujęła mnie za rękę i podprowadziła do kuchennego stołu. Posadziła mnie, a potem nalała gorącej czekolady. Idealnie obliczyła czas, aby napój był gotowy na mój przyjazd, podobnie jak biszkoptowe ciasteczka z morelami.

– Och, pycha – westchnęłam między łykami czekolady. – Teraz naprawdę czuję s m a k świąt Bożego Narodzenia.

Uśmiechnęła się promiennie z instynktowną przyjemnością, jaką odczuwają matki w obecności swoich dzieci. Jednak zaraz usiadła obok mnie i spoważniała.

– Céline – zaczęła ostrożnie. – Twój ojciec dobrze zniósł operację prostaty, ale ma wiele poważnych problemów zdrowotnych z sercem i płucami. Właśnie dlatego uznał, że lepiej zatroszczyć się o nasz testament. Ostatnio go zaktualizował. A ile dokumentów musieliśmy podpisać! Wiesz, że nie znam się ani trochę na tych prawniczych kruczkach. Ale na szczęście wszystko już załatwione.

Rozmowa wydała mi się niezwykła, ponieważ matka rzadko wspominała o pieniądzach. Finansami rodzinnymi zajmował się ojciec i jego księgowi. Oczywiście matka robiła zakupy i miała karty kredytowe, ale, o ile mi wiadomo, nigdy w życiu nie musiała bilansować swojego budżetu, płacić rachunków czy podatków.

Teraz zaczerpnęła głęboko tchu i... wystrzeliła bombę.

– Twój brat pomagał tacie przy dokumentach z ubezpieczeniem, więc wszystko przejdzie pod zarząd Danny'ego. Tylko on rozumie, czego chciałby tata, i będzie nadal troszczył się o wszystko, gdy ojciec już nie zdoła. Nie masz nic przeciwko temu? – Mówiła pośpiesznie, jakby chciała to z siebie czym prędzej wyrzucić. Wychwyciłam w jej głosie lekkie poczucie winy.

Nie od razu zrozumiałam znaczenie jej słów.

– Danny zatrzyma w s z y s t k i e pieniądze? Nawet te, które odziedziczyłaś po matce? – upewniłam się.

Mama skinęła głową. Była tak przygnębiona, że od razu się zorientowałam, jak trudno przyszło jej pogodzić się z takimi ustaleniami.

– Ale Danny nie zatrzyma tych pieniędzy tylko dla siebie – zapewniła mnie pośpiesznie. – Będzie nimi zarządzał, a kiedy mnie zabraknie, zatroszczy się o was wszystkich. Majątek zostanie podzielony na trzy równe części. Tata mówi, że mężczyźni mają łatwiejszy dostęp do informacji i mogą podejmować lepsze decyzje inwestycyjne. Uważa, że „mężczyźni ufają mężczyznom".

Zdawało mi się, że gorąca czekolada w moim kubku nagle zrobiła się zupełnie zimna. Przestałam ją pić.

– A co ty uważasz, mamo? – zapytałam cicho. Wiedziałam, że nikt w rodzinie nawet nie raczył jej o to zapytać.

Odniosłam wrażenie, że przyjęła to z ulgą i wdzięcznością, jakbym dała jej pozwolenie na wyrażenie własnej opinii. Wydało mi się to boleśnie wzruszające.

– Uważałam, że cała wasza trójka powinna zarządzać majątkiem i że powinno się go od razu podzielić. Powiedziałam to ojcu. Ale on ciągle powtarzał, że „gdzie kucharek sześć, tam nie ma co jeść". Deirdre potwierdziła, że zgadza się, aby Danny zarządzał wszystkim, więc uznałam, że to w porządku, prawda? – Spojrzała na mnie błagalnie. Jej zwątpienie w siebie budziło współczucie, ale uznałam, że trzeba odpowiedzieć szczerze.

– Nie, to nie w porządku. Deirdre zawsze zgadza się z Dannym, są jak papużki nierozłączki. – Skrzywiłam się niechętnie.

Pamiętałam, że w dzieciństwie Danny wcale nie był uczciwy, a gdy został przyłapany na okradaniu własnej rodziny albo w szkole na ściąganiu, nie okazywał cienia skruchy. Najbardziej martwiło mnie, że robił to ukradkiem i z ponurą determinacją. Nie był dzieckiem, do którego bezpiecznie było odwrócić się plecami. Nigdy nie mogłam zrozumieć, dlaczego mama nie traktuje go bardziej surowo. Nie zamierzałam również zgodzić się na seksistowskie wymówki ojca.

– A tata żyje chyba nadal w średniowieczu, skoro nie zauważył, że na świecie pełno jest kobiet, które prowadzą własne firmy, zajmują się finansami i robią najróżniejsze rzeczy! – dodałam.

Matka miała ten sam wyraz twarzy, jak za każdym razem, gdy chciała uniknąć konfliktu, nieważne – dużego czy małego.

– Och, ale zawsze był dobrym mężem i ojcem. Przecież wiesz, że kocha nas wszystkich! – zaoponowała. – Nie przejmuj się, w testamencie zostało zapisane, że podział majątku będzie uczciwy.

– Miejmy nadzieję, mamo – westchnęłam. Nie chciałam bardziej jej denerwować, nie mogłam też wymagać, aby sprzeciwiła się ojcu.

Miała trzydzieści lat, kiedy spotkała tatę – wysokiego, przystojnego czterdziestolatka, którego żona zmarła na raka i który poszukiwał wciąż nowych niań, ponieważ kolejne szybko odchodziły, twierdząc, że bliźnięta są złośliwe, „istne diabły wcielone".

Opowiedziała mi o tym ciotka Matylda, młodsza siostra ojca, emerytowana nauczycielka plastyki. Tata z niechęcią mówił o niej „ta stara panna". Ciotka Matylda stwierdziła, że mama mu się spodobała, ponieważ szukał „staroświeckiej dziewczyny, stworzonej z jego żebra". Mama utrzymywała jednak, że tata zakochał się w niej od pierwszego wejrzenia. Na pewno nie kłamała, tata nigdy jej nie zdradził ani nawet nie flirtował z innymi kobietami, na dodatek troszczył się, aby żona miała wygodne życie i dostawała wszystko, czego zapragnie. Pracował jako prawnik w prestiżowej kancelarii, umiał być czarujący, towarzyski, a nawet skromny, jeżeli wymagała tego sytuacja. Mama powtarzała, że tata jest jak bohater z jej ulubionego filmu *Dźwięki muzyki* – taki trochę kapitan von Trapp, który pod surowością i niechętnym grymasem twarzy skrywa dobre serce.

Zawsze starałam się w to wierzyć, ponieważ kiedy był w dobrym humorze, okazywał nam wiele czułości, kupował ulubione lody, smażył naleśniki w niedzielne poranki, śpiewał podczas długiej jazdy samochodem i uczył nas, dzieci, różnych gier i sportów. Sypał dowcipami, znajomi uważali go za duszę towarzystwa. Jego skłonność do żartów błędnie brali za wyraz szczęśliwości duszy.

Tylko rodzina wiedziała, że tata n i e b y ł człowiekiem szczęśliwym. Jego częste wybuchy gniewu pozostawały naszą tajemnicą, o której rzadko wspominało się nawet we własnym gronie. Kiedy jeszcze jako mała dziewczynka próbowałam wypytać mamę, dlaczego tata jest taki zły, niewiele się dowiedziałam. Matka usprawiedliwiała go, mówiła, że to przez stres zawodowy, bo przecież ojciec pracował dla naprawdę zamożnych klientów, działających na ryzykownej granicy prawa.

Jednak ostatnio mama wyznała mi, że kiedyś, w wyjątkowo trudnym czasie, poszli do lekarza, a ten powiedział, że ojciec ma „skłonności narcystyczne" i zaproponował terapię.

– I co zrobił tata? – zapytałam zaintrygowana.

– Wpadł w furię. A potem wyszedł i znalazł innego lekarza, który mu bardziej odpowiadał – odparła mama.

Wszyscy próbowaliśmy wprawić ojca w lepszy nastrój. Staraliśmy się robić to, co kiedyś sprawiało mu przyjemność – śpiewaliśmy jego ulubione piosenki, podsuwaliśmy wyniki w tabelach ulubionych dyscyplin sportu, proponowaliśmy oglądanie starych filmów. Ale co wieczór, gdy ojciec wracał z pracy, bez względu na to, jak cudownie pachnące potrawy stawiała przed nami mama, traciliśmy apetyt, bo na poczesnym miejscu siadał tata i z gniewnym grymasem na twarzy szukał choćby cienia pretekstu, by wytypować kozła ofiarnego. A kiedy już go znalazł, wybuchał wściekłością, której tak bardzo wszyscy się baliśmy.

Bliźnięta szybko nauczyły się unikać jego furii, schlebiały mu, udając, że są małymi kopiami taty. Ja patrzyłam z przerażeniem, jak ulegle matka reagowała na jego ataki wściekłości. Mimo iż byłam dzieckiem, widziałam, że taka postawa sprawiała tylko, że ojciec popadał w jeszcze większy gniew i przenosił go również na każdą kobietę, z którą mama próbowała się zaprzyjaźnić – zapraszanie przyjaciółek do domu stało się dla niej bardzo krępujące.

I jeszcze ten znienawidzony przeze mnie żart, który ojciec lubił powtarzać, żeby naśmiewać się z mamy. Chodziło o incydent na balu sylwestrowym w Nowym Jorku, gdy mama stała w nieskończenie długiej kolejce do toalety. Nigdy nie poznałam zakończenia tej anegdoty, bo wystarczyło, że ojciec o tym wspomniał, a zawstydzona matka już błagała, aby przestał. Jednak tata opowiadał dalej, nie bacząc na to, że oczy żony wypełniały się łzami. Przerywał dopiero przed puentą, stwierdzając: „Julie, jesteś po prostu przewrażliwiona".

Byłam w rodzinie najmłodsza i za każdym razem, gdy to widziałam, czekałam, żeby jedno ze starszego rodzeństwa postawiło się ojcu, jednak jego gniew był niczym nadjeżdżający czołg – większość ludzi odruchowo uciekała. A ojciec był człowiekiem twardym, gardził mięczakami i trudno było nie dostrzec jego pogardliwego uśmieszku wobec kogoś, kogo udało mu się zastraszyć. Powinno się go powstrzymać ze względu na mamę, a jednak nikt tego nie robił. Nie mogłam dłużej patrzeć na jej poniżenie, na przygarbione ramiona i załzawione oczy, dlatego wreszcie się wtrąciłam. Początkowo tatę bawiło to starcie, ale nie potrafił znieść porażki w dyskusji. I dlatego właśnie, kiedy krzyki przestały być skuteczne, ojciec mnie uderzył. A potem przy innych okazjach bił mnie po twarzy i plecach, wykręcał boleśnie ramię lub nadgarstek... Tak po prostu, przy stole, a reszta rodziny odwracała wzrok.

Kiedy wreszcie gniew ojca się wyczerpywał, mama mogła odetchnąć. W takiej chwili tata zwykle wyglądał na zdziwionego, jakby nie pojmował, dlaczego jego zachowanie tak szokuje, więc potem wszyscy udawaliśmy, że nic się nie stało. Do następnego razu. Było gorzej, gdy bliźniaki wyjechały do szkół, a mama i ja zostałyśmy same z tatą. Nigdy tego nie przyznałam, ale to właśnie ojciec nieświadomie pomógł mi odnaleźć życiowe powołanie – to przez niego stałam się nastoletnią specjalistką od makijażu. Musiałam po prostu nauczyć się ukrywać siniaki, które mi zostawiał.

Opuściłam dom rodzinny, gdy tylko mogłam usamodzielnić się finansowo. Uciekłam do szkoły teatralnej, Yale School of Drama, skończyłam tam wydział dekoracji i produkcji. Utrzymywałam się z korepetycji i ze stypendium. Gdy po dyplomie nie mogłam od razu znaleźć pracy w zawodzie, całe lato asystowałam najlepszemu charakteryzatorowi w Hollywood. Zrozumiałam wówczas, że najszczęśliwsza czuję się wśród słoiczków i tubek z kosmetykami. Od tamtej pory zajmuję się już tym stale w Los Angeles. I właśnie tam znalazłam swój raj, wśród chyba największych neurotyków na świecie, którzy okazali mi więcej zrozumienia niż rodzina.

Matka poklepała mnie po dłoni.

– Pojawił się jakiś nowy mężczyzna w twoim życiu? – zapytała z nadzieją.

Pokręciłam głową z powagą, wolałam nie poruszać tego tematu. Mama oczywiście wiedziała o moich zerwanych zaręczynach i rozumiała, dlaczego wolałam nie wychodzić za mąż za idealnego kandydata, czyli brokera giełdowego, z którym miałabym gromadkę dzieci i wygodne życie. Ale mój narzeczony chciał mieć pełną kontrolę nad każdym aspektem życia, a ja zwyczajnie nie potrafiłam powierzyć mężczyźnie całej swojej przyszłości. Nie tak jak moja matka.

Może właśnie dlatego, że rozumiała to aż za dobrze, pogłaskała mnie po włosach uspokajająco i z czułością. A potem, jakby wpadła na pomysł, czym poprawić mi nastrój, wstała i szepnęła konspiracyjnie:

– Chodź, chcę ci coś pokazać.

Trochę niepewnie poszłam za nią korytarzem do pralni na zapleczu domu. Matka schyliła się i otworzyła przesuwne drzwiczki szafki pod pralkosuszarką.

– Nigdy wcześniej nie zauważyłam tej szafki – zdziwiłam się. – Co to jest?

– To tunel remontowy, na wypadek gdyby trzeba było naprawić albo zmienić przewody lub rury. Dla mnie to skrytka lepsza niż w banku! – zachichotała cicho mama. – Zdaje się, że jednak jestem zupełnie jak moja matka, a twoja *grand-mère* Ondine. Ona też się zamartwiała za każdym razem, gdy usłyszała o włamaniu na Riwierze. Dlatego miała u siebie mnóstwo małych skrytek. Pamiętam zamaskowany schowek pod podłogą garderoby, jej rodzice podczas wojny ukryli tam najlepszego szampana, żeby nie znaleźli go niemieccy żołnierze.

Schyliła się i wyciągnęła pakunek w plastikowym woreczku. Przycisnęła go do piersi jak skarb. Oczy miała szeroko otwarte i wyglądała jak niegrzeczna dziewczynka przyłapana na gorącym uczynku.

– Wróćmy do kuchni, tam jest więcej światła – nakazała.

Gdy usiadłyśmy przy kuchennym stole, mama otworzyła plastikową torbę i wyjęła zawiniątko w niebiesko-srebrnym papierze, w jaki pakuje się świąteczne prezenty. Położyła mi je na kolanach.

– W tym roku dam ci wcześniej prezent na święta. Właściwie nie jest ode mnie, lecz od twojej babki – wyjaśniła mi cicho. Oczy błyszczały jej z podniecenia.

Rozdarłam papier w przekonaniu, że w środku znajdę jakieś rodzinne klejnoty, ale zobaczyłam tylko oprawiony w skórę notes przypominający małą książkę.

– To własność twojej babki Ondine. Dała mi go w dniu, gdy się urodziłaś. Są tu jej najlepsze przepisy, to jak książka kucharska. Babka spisała wszystko sama.

– Śliczne – przyznałam zmieszana.

Nienawidziłam gotować, a matka doskonale o tym wiedziała. Każda Fancuzka, niezależnie od stopnia zamożności, uważała, że powinna od czasu do czasu ugotować posiłek dla rodziny, żeby udowodnić doskonałe opanowanie sztuki prowadzenia domu. Mama była wspaniałą, utalentowaną kucharką, a jednak ojciec i rodzeństwo w ogóle tego nie doceniali i traktowali ją jak pomoc domową. Chyba właśnie dlatego trzymałam się z dala od kuchni. Domyśliłam się również, że matka dała mi ten prezent jako zawoalowaną sugestię, że powinnam zacząć się uczyć gotowania i stać się kobietą bardziej tradycyjną, dzięki czemu na pewno znajdę w życiu szczęście.

– Przynajmniej to mogę ci przekazać w spadku – szepnęła przepraszająco, gdy zauważyła moje wahanie.

Wziąwszy pod uwagę to, co powiedziała tego wieczoru, prezent wydawał się bardziej kopniakiem na zachętę. Albo nagrodą pocieszenia. Jednak kiedy spojrzała na mnie z nadzieją, musiałam ją ucałować. Ten notes wiele znaczył dla mojej matki, a mnie podobał się dotyk miękkiej skóry oprawy. Z ciekawością odwróciłam pierwszą stronę, na której wydrukowano ramkę z winorośli. W rubryce „Data" zobaczyłam odręczny ozdobny napis niebieskim atramentem: „Wiosna 1936".

– To pismo babki Ondine? – Przyjrzałam się dokładniej: w rubryce „Imię i nazwisko" wpisała tylko jedną literę: „P". – Kim był „P"?

Mama zawahała się, a co dziwne, wyraz jej twarzy zdradzał wewnętrzny konflikt. Chyba jednak podjęła decyzję, bo zaraz wyznała śmiało i z powagą:

– Och, Picasso.

– P i c a s s o! – powtórzyłam z niedowierzaniem. – Naprawdę?

Mama skinęła głową, a potem wyjaśniła, że babka Ondine, gdy miała siedemnaście lat, przywoziła lunch z restauracji swoich rodziców do willi wynajmowanej przez Picassa.

– Niesamowite! – Poczułam gęsią skórkę, gdy to sobie wyobraziłam, przeglądając przepisy zapisane odręcznie po francusku. *Bouillabaisse, coq au vin,* wołowina *miroton* i *rissole* z jagnięciny. – Co jeszcze opowiedziała ci o Picassie? – Byłam coraz bardziej zaintrygowana.

– Nic, nic więcej – przyznała mama. – Dała mi tylko ten notes na przechowanie i poprosiła, żebym ci go przekazała, kiedy już dorośniesz.

Odwróciła kartki do końca, a tam, w skórzanej kieszonce oprawy, która służyła do chowania pamiątek, znajdowała się koperta. Otwarta. Dostrzegłam, że list był wysłany w roku 1983 z „Juan-les-Pins, Francja".

– Ten list napisała do mnie babka Ondine – wyjaśniła mama. – Na papeterii, której używali jej rodzice, gdy prowadzili restaurację. Babka również jej używała, gdy później przejęła lokal. Zafascynowana obejrzałam złożony arkusz cienkiego białego papieru z głębokimi zagięciami. List wiele lat przeleżał w kopercie. W nagłówku widniał czarno-szary nadruk malowniczego tarasu małej restauracji i unoszącej się nad nim wstęgi z napisem Café Paradis.

– A to zdjęcie babci w kuchni jej lokalu. – Mama podała mi fotografię. Rozluźniła się i tym razem nazwała Ondine po amerykańsku: „Grandma". – Miała wspaniałe włosy, prawda? Tylko trochę posiwiała, ale do końca życia była brunetką.

Położyła zdjęcie przede mną. Przyglądałam mu się z ciekawością, ponieważ po raz pierwszy mogłam zobaczyć, jak wyglądała babka Ondine. Kobieta na zdjęciu miała na sobie różową sukienkę, a jej włosy rzeczywiście były inne niż moje czy mamy – ciemniejsze i falujące. Jednak najbardziej przyciągały uwagę jej wyrażający żywiołowość wyraz twarzy i lśniące, bystre oczy. Wyglądała na osobę bezkompromisową i o silnym charakterze.

– Babcia budzi respekt – przyznałam zaskoczona.

Mama była nieśmiała, więc do głowy by mi nie przyszło, że mam antenatkę, która prowadziła własny interes w okresie, gdy kobiety dopiero walczyły o równouprawnienie. Na fotografii babka stała w swojej staroświeckiej kuchni, a za jej plecami widać było prowansalski, wiejski kredens, pomalowany na jasnoniebiesko. Na jego górnej półce zobaczyłam dzban w różowo-niebieskie pasy.

– Hej, czy to nie ten dzban z t w o j e j kuchni? – Podniosłam wzrok na półkę, na której rzeczywiście znajdował się dzban. Odkąd pamiętam, zawsze stał dumnie na widocznym miejscu.

– Co? Och, tak – odpowiedziała mama, wciąż wpatrzona w list. – Twoja babcia miała sześćdziesiąt cztery lata, gdy pisała ten list. Wspomina, że interes się kręci i znalazła dobrego, młodego prawnika, *monsieur* Clémenta, który pomaga jej w kwestiach prawnych. Zmartwił mnie jednak fragment, w którym napisała, że musi odwiedzić lekarza, ponieważ „ma jakieś problemy z sercem". I że potrzebuje laski do chodzenia. Wtedy właśnie zdecydowałam, że pojadę do Francji, żeby się z nią spotkać, mimo że byłam już w ciąży. Deirdre i Danny nie wybrali się z nami, woleli zostać tego lata z przyjaciółmi.

Z powagą i ostrożnością włożyła list do koperty i schowała pod oprawę notesu.

– To jedyny list, jaki do mnie napisała. Dlatego go zachowałam. Wcześniej... trochę się od siebie oddaliłyśmy. Po tym, jak opuściłam Francję, aby wyjść za mąż. Babka chciała, żebym... poczekała.

– Ty i tata uciekliście, prawda?

Mama skinęła głową z nieskrywanym poczuciem winy. Gdy o tym wspominała, zawsze wydawało się to takie romantyczne, teraz jednak zrozumiałam, że kryło się w tym coś więcej. Pewnie poważny rozłam między nią i matką.

– Dlaczego wcześniej nigdy nie opowiadałaś o babci Ondine ani o Picassie? – zapytałam cicho.

Mama zarumieniła się lekko.

– Kazała mi przyrzec, że nigdy nie wypowiem tego nazwiska przy... – urwała.

– Przy tacie – domyśliłam się.

Potwierdziła skinieniem głowy. Wiedziałam, że ojciec nienawidził tych nielicznych opowieści matki o życiu, jakie wiodła, zanim go poznała, dlatego za każdym razem, gdy w ogóle się odważyła, mówiła pośpiesznie i tak jak ktoś, komu zwrócono uwagę, że niezbyt dobrze sobie z tym radzi. Chyba właśnie przez to irytowała swoich słuchaczy. Do dzisiaj mi wstyd, że wszyscy przywykliśmy słuchać jej jednym uchem.

A teraz ściszyła głos, choć oprócz nas nikogo nie było w domu.

– Ostatnio dużo o tym myślałam i odkryłam coś jeszcze. Tamtego dnia, gdy siedziałyśmy z babką Ondine i rozmawiałyśmy tuż przed obiadem, tak jak ty i ja w tej chwili, powiedziała, że musi mi wyznać coś, o czym nikt inny nie może się dowiedzieć.

Wstrzymałam oddech w oczekiwaniu. Mama spojrzała na mnie zamyślona.

– Babka powiedziała mi, że Picasso podarował jej obraz.

– Obraz? – powtórzyłam z podziwem. – To znaczy, taki malowany czy rysunek?

– Malowany, jak sądzę. Powiedziała, że to prezent za dobre jedzenie, które mu gotowała. Ale chyba chciała wyznać mi więcej... Niestety, nie dokończyła, bo właśnie w tym momencie zaczęłam rodzić! Trzeba było szybko przewieźć mnie do szpitala i... no, cóż, nie zjadłyśmy razem obiadu. Zaskoczyłaś nas wszystkich, ponieważ przyszłaś na świat miesiąc przed terminem... – Mama mówiła pospiesznie, brakowało jej tchu, akurat tę część opowieści, wyjaśniającej, dlaczego urodziłam się we Francji, znałam bardzo dobrze. Oczywiście znałam też ciąg dalszy.

– W tym samym dniu babcia miała atak serca, prawda? – zauważyłam cicho.

Jako dziecko gryzło mnie poczucie winy, ponieważ wydawało mi się, że niechcący doprowadziłam do jej śmierci. Później, w okresie buntu nastolatki, wmawiałam sobie, że babka w ten sposób przekazała mi po prostu pałeczkę, jak w życiowej sztafecie. A teraz, gdy zacisnęłam palce na oprawionym w skórę notesie, po raz pierwszy poczułam, że trzymam tę „pałeczkę" w ręku.

– Tak. Stało się to, gdy byłam w szpitalu. Sąsiadka zajrzała do babki i wezwała pogotowie. Tamtego dnia Ondine zmarła w domu. Lekarz zapewnił, że odeszła szybko i nie cierpiała.

Obie zamilkłyśmy pogrążone we wspomnieniach. Mama westchnęła boleśnie i dodała ze smutkiem i z nieskrywanym żalem:

– Przez wiele tygodni trzymano mnie w szpitalu, ponieważ okazało się, że mam anemię i złapałam zapalenie oskrzeli. Dlatego twój ojciec zajął się sprawami spadkowymi i rozmowami z prawnikiem babki Ondine. Ona wszystko zawczasu przygotowała i ustaliła. Większość spadku przekazała mnie. Jej prawnik doskonale wiedział, co robić. Kiedy dochodziłam do zdrowia, zajął się sprzedażą lokalu. Wszystko działo się tak szybko. A ja musiałam zająć się tobą!

Ujęłam matkę za rękę, a ona oddała mi uścisk.

Kiedy przetrawiłam wszystko, co usłyszałam, spytałam:

– Ale... Co się stało z obrazem Picassa?

Mama pokręciła głową.

– Nigdy go nie widziałam! A ponieważ babka Ondine w dniu swojej śmierci kazała mi przyrzec, że nigdy nie wspomnę o tym twojemu ojcu, mogłam tylko zapytać prawnika, czy znalazł w domu jakieś dzieła sztuki. – Nawet po tylu latach mama wyglądała na rozzłoszczoną. – Prawnik zapewnił, że sprawdził każdy mebel, zanim cokolwiek sprzedał, ale nic nie znalazł, żadnych dzieł sztuki, żadnego klucza do skrytki depozytowej, żadnych pokwitowań sprzedaży ani rachunków. Dlatego zapewnił, że jeżeli moja matka posiadała jakieś obrazy lub inne dzieła sztuki, na pewno dawno je sprzedała.

– Może ten prawnik ukradł obraz – mruknęłam, bo nie mogłam się powstrzymać.

Mama się uśmiechnęła i pokręciła głową.

– Nie, to był miły młodzieniec, dobry i uczciwy.

– A tata nie mógł znaleźć tego obrazu? – Popatrzyłyśmy na siebie, ponieważ obie wiedziałyśmy, że ojciec nie oparłby się pokusie, aby się popisać. – Nie utrzymałby tego tak długo w tajemnicy – odpowiedziałam sama sobie, a mama z uśmiechem musiała przyznać mi rację.

– Dlatego założyłam, że babcia jednak sprzedała Picassa – wyznała z wahaniem. – A tamtego dnia próbowała mi powiedzieć, gdzie są pieniądze, które za niego dostała. Wyjaśniałoby to, skąd się wziął całkiem spory spadek, jaki mi zostawiła.

Naszą rozmowę sam na sam przerwał warkot samochodów zatrzymujących się na podjeździe.

Wyjrzałyśmy przez okno.

– To twój ojciec. I samochód Danny'ego – oznajmiła mama zupełnie innym tonem i zerwała się z krzesła. – A w tym drugim na pewno jest Deirdre z rodziną, wrócili z zakupów. Bliźniętom tak bardzo zależało, żeby zabrać tatę ze szpitala na święta!

Odruchowo przybrała szczęśliwą minę. Ogarnęło mnie znajome współczucie, gdy patrzyłam, jak matka próbuje wszystkich zadowolić. Instynktownie stanęłam przy niej, kiedy wstała, aby powitać przybyłych.

Rozległy się trzaśnięcia drzwi samochodów i przez okno zobaczyłam bliźnięta. Przekroczyły już czterdziestkę, ale dla mnie wciąż wyglądały jak wtedy, gdy były jeszcze małe – smukłe, jasnowłose, piegowate, tyle że teraz już dorosłe i wychowujące własne dzieci. Nadal jednak wyczuwało się między nimi nieokreśloną aurę spisku. Wróciła do mnie myśl, ta sama co zawsze podczas świątecznych lub wakacyjnych spotkań: może teraz nareszcie staniemy się szczęśliwą, zgodną rodziną. Jednak życzenie to rozwiało się jak dym, gdy tylko dostrzegłam ojca, który wysiadł z samochodu Danny'ego. Tata wydawał się trochę bardziej przygarbiony i posiwiały, jednak zachmurzony wyraz twarzy rozpoznałam od razu. Ojca wyraźnie coś rozgniewało.

– Proszę, zabierz to – rzuciła mama pośpiesznie i wręczyła mi notes babki Ondine. – Schowaj do torby, zanim wejdą. I nie mów, że ci to dałam. Zresztą właśnie o to prosiła mnie babka Ondine. No i nie chcę, żeby Deirdre poczuła zazdrość.

Posłusznie włożyłam notes do torebki i zaciągnęłam zamek. Kiedy wróciłam do kuchni, bliźniaki i ich dzieci tłoczyły się wszędzie i wyjadały specjalnie przygotowane przez mamę łakocie, chociaż napominała cicho, że przecież desery podaje się po obiedzie. Wszyscy się obejmowali i całowali, a ja zachwycałam się, że dzieci tak szybko dorastają. Mimo wszystko wciąż jeszcze pragnęły uwagi i aprobaty cioci Céline, która mieszka w Los Angeles i zna najsławniejsze gwiazdy filmowe.

Deirdre poszła do salonu sprawdzić, czy wszystkie prezenty znalazły się pod choinką, ale zaraz wróciła do kuchni i przyglądała mi się uważnie.

– Céline spędziła z mamą całe popołudnie – poinformował ją Danny.

Dostrzegłam jego znaczące spojrzenie. Już od dzieciństwa bliźniaki porozumiewały się właśnie w ten sposób.

– Och? I co robiłyście przez cały ten czas, Céline?

Zaskoczyła mnie ostrość w głosie Deirdre. Mama nerwowo uniosła wzrok, więc od razu się domyśliłam, że bliźniaki zapewne próbują sprawdzić, czy powiedziała mi o najnowszych zmianach w testamencie. Zdaje się, że powinna to była trzymać przede mną w tajemnicy. Gdyby ojciec się dowiedział, że wszystko wygadała, wpadłby w furię.

– Mama zdradziła mi kilka francuskich przepisów – wyjaśniłam bez wahania i ruchem głowy wskazałam na świąteczne łakocie.

Tymczasem matka zajęła się ojcem, pomogła mu usiąść w ulubionym fotelu i żwawo się wokół niego zakrzątnęła. Tata był zirytowany, nie znosił, gdy traktowano go jak kalekę. Zauważyłam jednak z troską, że wciąż wyglądał blado. Kiedy podchwycił moje spojrzenie, poczułam chłód w brzuchu.

– Wciąż biegasz z pudrem i szminką po Hollywood? – zapytał.

Mama uśmiechnęła się z dumą.

– Céline dostała nominację do Oscara w kategorii najlepsza charakteryzacja – stwierdziła z zadowoleniem. – Mówiłam ci, pamiętasz?

– Właściwie dostał ją cały zespół – przyznałam skromnie. – Pracowałam z człowiekiem, który zajmuje się tym od lat.

– Ale Oscara nie dostałaś, prawda? – wyzłośliwił się Danny.

– Napijmy się szampana! – przerwała mu mama radośnie.

Tuż przed sylwestrem tata musiał wrócić do szpitala. Siedziałam z nim w pokoju, gdy czekał, aż zabiorą go na operację. Zachowywał się zaskakująco przyjaźnie. Pozwolił mi nawet trzymać się za rękę, gdy rozmawialiśmy na temat, który interesował nas oboje – stare hollywoodzkie filmy. Z perspektywy czasu wydaje mi się, że był wtedy przerażony, chociaż za nic by tego nie przyznał. Zabieg się udał i lekarze uważali, że wszystko będzie dobrze. Jednak później, tej samej nocy, narządy wewnętrzne ojca przestały pracować, organizm nie wytrzymał szoku po kolejnej operacji. Tata zmarł tuż przed świtem, zanim zdążyliśmy przyjechać, żeby się pożegnać.

Kiedy weszłam do szpitalnej izolatki, żeby zabrać jego rzeczy, wybuchnęłam płaczem na widok pustego łóżka i skórzanej saszetki z przyborami do golenia, szczoteczką do zębów i grzebieniem. Ojciec był dominującą postacią w moim życiu i jego nagła stała nieobecność wydawała mi się po prostu niemożliwa. Zastanawiałam się tylko nad jednym: dokąd odszedł? Ogarnął mnie głęboki smutek i żal nad jego samotną duszą. Wyobraziłam sobie, że unosi się i zanurza coraz głębiej w mroczne fale, ponieważ często podczas letnich wakacji odpływał głęboko w morze, żeby się popisać, a potem machał z daleka i śmiał się z naszego dziecinnego niepokoju.

Mama, jak sądzę, chyba była przygotowana na to, co się stało. Podczas pogrzebu wydawała się spokojna i pogodzona z losem. Deirdre wpadła w swój przerażający „szał organizacyjny" – spakowała ubrania i rzeczy ojca, żeby matka nie musiała stawiać temu czoła. A mamę otoczyli znajomi i sąsiedzi, ściskali jej dłonie i szeptali kondolencje, dlatego nie udało mi się spędzić z nią ani chwili sam na sam.

Musiałam wyjechać zaraz po Nowym Roku, ponieważ podpisałam kontrakt na realizację filmu w Niemczech. Przed odjazdem zaproponowałam, że w drodze powrotnej zatrzymam się u mamy z wizytą. Zapytałam ją także, czy poradzi sobie do tego czasu sama, i dodałam pocieszająco:

– Wiem, że początkowo może się to wydawać przerażające, ale będziesz miała okazję się zastanowić, co sprawia ci największą przyjemność i jak chcesz dalej żyć.

Mama skinęła głową i wyraźnie się rozpogodziła.

– Dam sobie radę. Deirdre zaprosiła mnie do siebie na kilka tygodni, powiedziała, że w Nevadzie uniknę zimowych chłodów. Nie martw się, leć do Niemiec, a kiedy wrócisz, zobaczymy się tutaj i razem zrobimy coś przyjemnego. – Obejrzała się, żeby sprawdzić, czy nikt nie patrzy, po czym wsunęła mi w dłoń nowy klucz. – W zeszłym miesiącu tata wymienił zamek – wyjaśniła cicho.

– Wkrótce się zobaczymy – obiecałam.

Mama odprowadziła mnie do drzwi i stanęła na werandzie. Posłała mi całusa, gdy machałam do niej na pożegnanie z okna taksówki.

Lot do Niemiec minął mi w ciszy, ponieważ większość pasażerów klasy biznesowej, w której miałam zabukowany bilet, wolała przespać podróż. Sporadyczne ciche szmery rozmów działały na mnie kojąco. A kiedy przelatywałam nad mrocznymi falami Oceanu Atlantyckiego, zastanawiałam się sennie, co przydarzyło się babce Ondine tamtego pamiętnego roku, gdy spotkała Picassa.

6

ONDINE
I PRZYJĘCIE DLA TRZECH OSÓB —
1936

Tuż przed Wielkanocą w Café Paradis zadzwonił telefon. Odebrała matka. Ondine nastawiła uszu, gdy usłyszała pseudonim, pod którym ukrywał się Picasso.

– Oczywiście, *monsieur* Ruiz. Z przyjemnością się tym zajmiemy – zapewniła ciepło.

Jednak gdy tylko *madame* Belange odłożyła słuchawkę, ton jej głosu uległ zmianie.

– No i co ty na to? Twój *patron* oczekuje dwóch gości z Paryża. Jeszcze dzisiaj! Pytał, czy możesz mu przygotować lunch w willi!

Ondine przypomniała sobie, jak bezczelnie udała, że to ona przygotowała *bouillabaisse*, ale zapewniła pośpiesznie:

– Nie martw się, *maman*, dam sobie radę.

– Będziesz musiała – zgodziła się matka, pragmatycznie oceniwszy sytuację. – Przed świętami jest mnóstwo roboty. Na Boga, przecież to Wielki Tydzień! Mężczyźni nawet nie zdają sobie sprawy, że wtedy jest najwięcej roboty. Wielkie nieba, ale co podamy *monsieur* Ruizowi? Niewiele można przygotować w tak krótkim czasie. Twój ojciec przejrzał rachunki i stwierdził, że znowu trzeba ciąć koszty. Chyba najlepiej będzie podać kilka dań na zimno.

– Nie! – zaprotestowała Ondine gwałtownie, jednak opanowała się szybko, widząc zdziwione spojrzenie matki. – To przecież specjalna okazja, więc nie wypada zawieść naszego patrona. Jego goście to paryżanie, a sama wiesz, jak oni plotkują, zwłaszcza podczas podróży. Od razu się rozniesie po całym Côte d'Azur, czy im smakowało, czy nie.

– Więc co mamy podać? Lepiej zajrzyj do swoich notatek. Co lubi *monsieur* Ruiz?

Ondine usiadła na krześle w kącie i szybko przekartkowała starannie zapisany notes. Gotowanie dla Picassa stało się miłą rutyną. Za każdym razem, gdy dziewczyna przychodziła do kuchni w willi, podgrzewała przygotowane dania i nakrywała do stołu; z pracowni na górze dochodziły stłumione szmery.

Chociaż artysta był cichy, z całą pewnością ciężko pracował. Zapach farb niósł się po całym domu, a panujące tu skupienie i stalowa wola wydawały się niemal namacalne. Picasso przy pracy przypominał buzujące palenisko, które raz rozpalone mogło ogrzać wszystkie pokoje. Ondine wyczuwała przez skórę, że działo się tam coś cudownego.

Wkrótce mogła na własne oczy ujrzeć rezultaty artystycznego trudu, ponieważ Picasso miał w zwyczaju rozstawiać jeszcze wilgotne płótna, gdzie popadnie – jedno oparł o ścianę, inne postawił na krześle lub na stole obok.

Monsieur Picasso rozkłada swoje obrazy do wyschnięcia, jak kobieta rozwiesza pranie, uśmiechała się w duchu Ondine.

W ciągu tygodnia w tej prowizorycznej galerii pojawiły się cztery dzieła sztuki – dziwne, zniewalające obrazy w pastelowych barwach Wielkanocy, kompozycje kół i trójkątów z oczami i nosami w niespodziewanych miejscach, na tle przypominających morskie muszle spiral i rogów obfitości z wyrastającymi z nich drzewami. Wszystko było niebiańskie, a zarazem ciepłe i ziemskie jak wiosenny rozkwit natury. Na jednym z malowideł Ondine ujrzała tajemniczą twarz, która przypominała latawiec unoszący się na tle bladych śródziemnomorskich piasków i błękitu morza.

Kiedy wracała po naczynia, czasami natykała się na malarza – siedział zamyślony w ogrodzie za domem i palił. Witał dziewczynę bez słowa, tylko krótkim skinieniem głowy. Wyglądał na zajętego. Najwyraźniej nie czuł się zobowiązany, żeby dziękować za lunch albo rozmawiać, czy mu smakowało, czy też nie. Ondine mogła tylko zgadywać na podstawie resztek jedzenia w naczyniach, które potrawy przypadły patronowi do gustu. Wkrótce nauczyła się odczytywać te drobne okruchy informacji, choć przypominało to trochę wróżenie z fusów. Jeżeli malarzowi smakowało, wszystkie naczynia wyglądały jak wylizane do czysta. A jeżeli praca szła mu wyjątkowo dobrze i musiał się odrywać od sztalug, żeby zjeść, pozostawały oznaki świadczące, że myślami był gdzie indziej – upuszczona na podłogę serwetka, talerz z serem i nadgryzione jabłko w niespodziewanym miejscu, choćby na stoliku przy schodach... Wszystko to wskazywało, że artysta niecierpliwie pragnął wrócić do sztalug i swoich wizji. A kiedy posiłek mu nie smakował albo ponure myśli psuły apetyt, resztki jedzenia były przykryte drugim talerzem, jakby czekały na kogoś innego. Na szczęście zdarzało się to rzadko.

Ondine zawsze zapisywała przemyślenia w notesie. Dlatego na pytanie matki, co lubi Picasso, odpowiedziała z namysłem:

– Smakowała mu nasza wołowina *miroton* z sosem z masła, cebuli i octu. I smażone w głębokiej oliwie *rissole* z jagnięciny z kuminem. I cielęcina duszona z marchewką i rzepą. *Patron* woli proste, wiejskie potrawy, nie wymyślne dania z kremowymi sosami. Najbardziej smakował mu gulasz z przyprawami. – Zamknęła notes.

– Ale skąd ja teraz wezmę składniki na gulasz? Nie ma czasu, żeby go przyrządzić! – jęknęła matka.

– Sprawdźmy, co mamy. – Ondine ze spokojem zajrzała do lodówki. – Jest kilka *langoustines* na przekąskę... A na danie główne... mamy kiełbasę czosnkową i *confit* z kaczki, trochę długo duszonej łopatki jagnięcej i trochę pieczonej wieprzowiny. Jest też mięso wołowe, ale jeszcze nieduszone, i kości ze szpikiem. Świetnie. Wykorzystam gęsi smalec, żeby zapiec...

– Ta wołowina jest na lunch dla *monsieur* Renarda – zaprotestowała *madame* Belange. – A w lodówce nie ma już wystarczającej ilości niczego innego, co mogłabym dać dla twojego artysty i jego gości!

Niezrażona uwagą o apetytach Trzech Mędrców Ondine dokonała kolejnych odkryć.

– Biała fasola gotowana z wieprzową skórą! Mamy pomidory, marchewkę i cebulę, świetnie... och, i *bouquet garni*. Mogę przygotować *cassoulet* – ucieszyła się ze swojej pomysłowości. – A na deser upiekę specjalne ciasto.

– Ale *cassoulet* musi się dusić wiele godzin! Nie możesz użyć fasoli, która już jest ugotowana.

Ondine z determinacją spięła włosy w kok i związała fartuch.

– Nie martw się, *maman*. Fasola i *confit* są już prawie gotowe. Mam dość czasu, żeby udusić wieprzowinę z przyprawionymi warzywami, a potem wszystko zmieszać. Danie będzie delikatniejsze, a to dobrze, bo paryżanie wolą lżejszą wersję tego, co nazywają wiejską kuchnią. Pamiętasz, jak jedli u nas Isadora Duncan i jej przyjaciele?

– Owszem. Ledwie dziobali jedzenie jak znerwicowane ptaszki – westchnęła matka, ale wreszcie się zgodziła. – No, dobrze. I tak nic innego nie wymyślimy. Zrobię *monsieur* Renardowi coś innego na lunch. A ty bierz się do pracy. Postaraj się jak najwięcej przygotować tutaj.

– Gdzie jest *cassole*? – zaniepokoiła się Ondine.

Madame Belange wręczyła jej specjalną glinianą misę, której się nigdy nie myło, lecz po prostu wycierało do czysta po każdym użyciu, żeby przesiąkła aromatem *cassulet* i potem uwalniała zapach przy kolejnym gotowaniu.

Ondine zabrała się do pracy. Dała się ponieść inspiracji, podsycanej czymś, co tkwiło w niej głęboko i tylko czekało na okazję, aby się objawić. Ta zadziwiająca, tłumiona wcześniej energia teraz pomagała jej brnąć przez meandry ryzyka i pozwalała właściwie odmierzać czas, co w *gastronomie* jest nieodzowne. Cóż, Ondine igrała z ogniem, i to w dosłownym znaczeniu, niczym kapłanka recytująca inkantacje nad ołtarzem. Jednak im bardziej dramatycznie skwierczało mięso w rozgrzanym garncu, im bardziej rosło niebezpieczeństwo, że sos wykipi, ona tym swobodniej się poruszała i tym większą czuła pewność, że poradzi sobie z wyzwaniem.

Kiedy weszła do kuchni Picassa, usłyszała gwar z pracowni na górze. Męskie głosy przeplatały się i ścierały w dyskusji.

– Goście już przyjechali! – szepnęła i serce zabiło jej mocniej. Kim byli? Czy jej potrawy będą im smakowały? A może się pomyliła?

Śmiało rozpakowała swój kosz. Na deser upiekła małe *gâteau le parisien*, naprawdę śliczne, doskonałe, przekładane kremem migdałowym i kandyzowanymi owocami oraz zwieńczone pianką. Nawet matka była pełna uznania – cofnęła się o krok, żeby podziwiać dzieło, a potem stwierdziła:

– Robi wrażenie.

Dumna z siebie Ondine ułożyła deser na paterze, którą postawiła na stoliku w kącie kuchni i przykryła serwetką. Goście nie mogą zobaczyć ciasta, dopóki nie nadejdzie pora, żeby je podać, postanowiła.

Włączyła piekarnik, po czym rozłożyła jasnożółty obrus i nakryła dla trzech osób. Dopiero wtedy zabrała się do właściwej pracy. Ostrożnie pokroiła w trójkąty uduszone mięso – kaczkę, wieprzowinę, jagnięcinę i wołowinę. W *cassole* ułożyła warstwami mięso, potem białą fasolę z duszonymi pomidorami oraz kilkoma plasterkami mocno przyprawionej kiełbasy czosnkowej. Posypała wszystko świeżo zmielonym czarnym pieprzem oraz pachnącą fiołkami solą z Camargue, zbieraną przez *saulniers* z nadmorskich salin gołymi rękami. Na koniec obłożyła danie kawałkami chleba i posmarowała wierzch gęsim smalcem.

– Dam radę – dodała sobie odwagi i wsunęła garniec do piekarnika.

Na większym stole w kuchni przygotowała przekąski. Krzątała się jednak za szybko, gdy się obróciła, zahaczyła o stolik, na którym stało ciasto. Zatoczyła się, próbując odzyskać równowagę... Na jej przerażonych oczach ciasto zakołysało się i zaczęło zsuwać z patery.

– Nie! – Ondine wyciągnęła ręce, aby złapać deser. Przez chwilę wydawało się, że się uda... ale delikatny lukier popękał, a ciasto przeciekło jej przez palce i spłynęło na podłogę z cichym, słodkim plaśnięciem. Deser zmienił się w żałosną lukrowaną kupkę ciasta.

Ondine początkowo tylko patrzyła z niedowierzaniem na tę katastrofę. Wstyd i ciężar odpowiedzialności sprawiły, że po raz pierwszy poczuła, że nie podoła.

– Nie, tylko nie d z i s i a j! – jęknęła. Żałowała, że nie ma z nią matki, ale też dobrze wiedziała, co powiedziałaby *madame* Belange, gdyby zobaczyła ten nieszczęsny wypadek: „Nie pora na łzy! Zacznij od nowa, zrób następny".

Kiedy jednak Ondine rozejrzała się nerwowo i sprawdziła pośpiesznie zawartość szafki, w której trzymała składniki do przygotowywania lunchu, omal się nie rozpłakała.

– Nie mogę zrobić następnego! Nie mam dość mąki.

Zamrugała gniewnie, żeby powstrzymać łzy napływające jej do oczu, po czym sprzątnęła zrujnowane ciasto. Przyglądała się swoim zapasom, jakby to były puzzle. Umyła ręce i odruchowo zaczęła siekać masło z resztką mąki, dodała sól i trochę lodowatej wody. Ucierała, mieszała, ubijała, aż powstało ciasto, którym mogła wyłożyć formę. Przycięła je na krawędziach.

– Nie podam sera z owocami na tym półmisku, użyję go do deseru – wydyszała, po czym sięgnęła po świeżo zmielony ser i wymieszała go z cukrem i żółtkami jajek. Posiekała orzechy, skórkę pomarańczową i owoce, dodała rodzynki i brandy, a potem wyłożyła masę na kruche ciasto. Na koniec z pasków ciasta ułożyła na wierzchu kratkę. *Père* Jacques nazywał to *crostata di ricotta* – sernik wielkanocny.

Teraz sprawdziła przekąski, a potem *cassoulet* w piekarniku. Potrawa niedługo dojdzie, a wtedy będzie można upiec sernik. Aromaty potraw wypełniły dom i zaraz potem Ondine usłyszała entuzjastyczny tumult głodnych bestii zbiegających po schodach. Przygładziła włosy i odetchnęła głęboko gotowa przywitać Picassa i jego gości.

W salonie zobaczyła malarza i dwóch mężczyzn. Dyskutowali o nowym obrazie ustawionym na kominku.

– No, posłuchajmy! – powiedział właśnie Picasso.

Jego dobrze ubrani goście rozprawiali o dziele cicho, niemal szeptem, i z powagą bankierów na spotkaniu zarządu. Ten starszy, chyba po sześćdziesiątce, podkreślał swoje słowa spokojnymi, przemyślanymi gestami. Był wysoki, nosił nienagannie skrojony garnitur i krawat oraz duże okulary w ciemnych oprawkach. Miał wypielęgnowaną białą brodę i wąsy. Za jedyną oznakę przynależności do bohemy można by uznać kapelusz, którego nie zdjął – słomkowy, z szerokim rondem podwiniętym na krawędzi. Dopiero w obecności kobiety siwowłosy mężczyzna ściągnął nakrycie głowy, a kiedy Ondine je od niego odebrała, posłał jej uważne, zaciekawione spojrzenie. Dziewczyna zerknęła na niego nieśmiało, ale z równym zaciekawieniem.

– *Merci* – podziękował nieznajomy, a potem uśmiechnął się promiennie. Miał piękny uśmiech.

To na pewno nie polityk, nie próbuje się popisywać, pomyślała Ondine. Ani biznesmen, nie jest tak sztywny.

Picasso dopiero teraz dostrzegł Ondine w przejściu do jadalni. Domyślił się, że czekała na jego znak, żeby podać lunch. Posłał jej szeroki uśmiech.

– Ach, oto moja młoda szefowa kuchni – oznajmił jowialnie.

Był nadzwyczajnie pobudzony, niemal... o ile to możliwe... trochę stremowany? Wydawał się przez to wrażliwy i bardziej ludzki – jak każdy śmiertelnik odczuwał napięcie, gdy podejmował przyjaciół, których opinie były dla niego ważne.

Liczy na mnie! – pomyślała Ondine z niepokojem.

– A więc masz w kuchni anioła? – zapytał z rozbawieniem drugi gość. Był wyższy, szczuplejszy i młodszy od pozostałych, z pewnością nie skończył jeszcze czterdziestu lat. Jego pociągłą, uduchowioną twarz o wyrazistych oczach otaczała aureola brązowych, niesfornych włosów, przez co wydawał się śmiały, ale zarazem kruchy. Nosił droższe, bardziej luksusowe ubranie, trzyczęściowy garnitur z jedwabną chusteczką w kieszonce i gardenią w butonierce. – O tak, *mademoiselle*, słyszałem cichy szum twoich skrzydeł, gdy przemykałaś po domu.

– Uważaj na *monsieur* Cocteau! – ostrzegł dziewczynę Picasso. – Wciągnie cię do jednego ze swoich awangardowych filmów i skończysz uwięziona na zawsze po drugiej stronie lustra!

Zachowywali się jak chłopcy rywalizujący o względy jedynej dziewczyny w pokoju. Ondine obserwowała ich skonsternowana. Przy tych wysokich, eleganckich mężczyznach Picasso wyglądał jak mały, smagły sułtan z Arabii.

Jego goście szybko jednak oderwali się od Ondine i wrócili do przyglądania się obrazowi na gzymsie kominka.

– Chodź, Ondine, popatrz! – zawołał Picasso z tą nerwową żywiołowością, którą przejawiał od przybycia paryżan.

Nigdy wcześniej nie zaprosił dziewczyny tak otwarcie do oglądania swoich dzieł. Zaskoczona podeszła do nowego płótna.

– *Minotaure tirant une charette* – powiedział Cocteau.

W rzeczy samej obraz przedstawiał nagiego Minotaura ciągnącego duży dwukołowy wóz. Ondine rozpoznała rogatą byczą głowę ze szkiców w pracowni. Jednak na tym obrazie potwór wyglądał inaczej, niemal jak postać z kreskówki – miał niewinną, przyjazną twarz i z uśmiechem spoglądał przez ramię na bezładną stertę swoich łupów, a były tam najdziwniejsze przedmioty: olbrzymich rozmiarów obraz, wystająca krzywo drabina, drzewo, a może roślina w doniczce i... nieszczęsna klacz, która, cała pokręcona, leżała na grzbiecie, z tylnymi nogami wyrzuconymi w górę. W tle rozciągały się znajome piaski śródziemnomorskiej plaży i błękitne fale, ale zielonkawe niebo wyglądało bardziej jak odwrócone morze z rozgwiazdami zamiast gwiazd.

– Wiesz – skomentował białobrody. – Ta postać przypomina mi nędzarza ciągnącego wózek z całym swoim majątkiem do kolejnego miasta, bo ma nadzieję, że tam bardziej mu się poszczęści. To dzień przeprowadzki Minotaura?

– *Exactemente!* – przytaknął Picasso, wciąż jednak przyglądał się swojemu obrazowi z namysłem.

Ondine zauważyła, że mistrz odnosi się do starszego mężczyzny z nadzwyczajnym szacunkiem. Czy siwowłosy był znanym marszandem albo krytykiem sztuki? Otaczała go aura spokoju uczonego pewnego swoich ekspertyz. Natomiast młodszemu z gości, Cocteau, wyraźnie zależało, żeby zaimponować gospodarzowi.

– Jednak ten Minotaur zamordował swoją partnerkę – stwierdził. – Czyli ciągnie klacz, żeby ją pogrzebać, prawda?

W rzeczy samej głowa klaczy zwisała z wozu, niemal dotykała ziemi, oczy były wytrzeszczone, wargi odsłaniały zęby w bolesnym grymasie, a tylne kopyta unosiły się ku niebu.

Picasso prychnął.

– Ocknij się, Cocteau! – napomniał surowo.

Starszy dżentelmen wyglądał na zmieszanego, bo chyba zgadzał się z Cocteau.

– *Bien sûr*, jest martwa! Wydarto jej wnętrzności! – Wskazał na grube linie czerwieni i bieli ciągnące się z brzucha nieszczęsnego konia.

Ondine wyczuwała, że spod nienagannych manier mężczyzn i żarliwej zawodowej rywalizacji przebijało jednak skrywane napięcie, jak u futbolistów, z których żaden nie chce stracić piłki w grze.

– A ty? Co w i d z i s z? – Picasso zwrócił się do Ondine jak do arbitra.

Zaskoczył ją, ponieważ wyglądał, jakby naprawdę oczekiwał odpowiedzi. Podobnie jak jego goście. Oczy starszego mężczyzny błysnęły za grubymi szkłami okularów, a usta młodszego rozchyliły się w wyczekującym uśmiechu.

Ondine poczuła się jak uczennica wywołana do tablicy. Przełknęła nerwowo ślinę i przyjrzała się klaczy, z bardzo bliska prześledziła wzrokiem odważne pociągnięcia pędzla i przechyliła głowę, żeby zobaczyć konia w normalnej pozycji, nie do góry nogami. Z tej perspektywy okazało się, że czerwone linie z brzucha klaczy to wcale nie wnętrzności, lecz kontury, również leżącego na grzbiecie, małego stworzenia z końską głową, będącą pomniejszoną kopią długiego pyska klaczy, jej wypukłych oczu i rozdętych chrapów. No, oczywiście – to był źrebak.

– *Comme il faut?* – Siwobrody mężczyzna poszedł za przykładem Ondine i również przekrzywił głowę.

Dziewczyna zarumieniła się i wyprostowała.

– Śmiało, powiedz, co widzisz! – zażądał Picasso.

– Nie sądzę, żeby klacz była martwa – odpowiedziała szczerze Ondine. – Właśnie urodziła źrebię.

– Hura! – wykrzyknął Picasso i z triumfem popatrzył na obu mężczyzn. – Dzięki niebiosom za czyste spojrzenie młodości!

– Twój anioł z pewnością ma imię? – zainteresował się Cocteau, zanim powrócił do studiowania obrazu.

– To Ondine – przedstawił ją z dumą Picasso. – Syrena zrodzona z morskiej piany. Przygotuje wam najlepszy posiłek w Juan-les-Pins!

Starszy z dżentelmenów przyjrzał się dziewczynie uważniej zza grubych soczewek.

– Wiecie, gdybym miał namalować tę *jeune*, nadałbym jej włosom odcień purpury i czerwieni, bo w tej kaskadzie długich splotów mieszają się beaujolais i bordeaux! – Skłonił się przed Ondine i przedstawił szarmancko: – Henri Matisse, *à votre service, mademoiselle.*

Dziewczyna aż zaniemówiła z zaskoczenia. Nic dziwnego, że Picasso traktował go z taką rewerencją! W *café* od wielu lat słyszała dyskusje o geniuszu Matisse'a, a jeden z klientów pokazał nawet kupiony niedawno obraz tego artysty. Był to pejzaż znad Zatoki Aniołów w Nicei, namalowany szokująco prostymi pociągnięciami pędzla, a mimo to magicznie piękny, Ondine zauważyła wówczas, że pozbawiony był wszystkiego co brzydkie – słupów telefonicznych, samochodów, reklam... i ludzi.

Odruchowo na galanterię artysty odpowiedziała wdzięcznym dygnięciem. Picasso jednak zmarszczył brwi, zapewne ze źle skrywanej zazdrości.

– Będziemy jeść czy stać i gadać jak damulki przy herbacie? – rzucił gniewnie.

Henri Matisse ze spokojem sięgnął do niskiej ławy, na której wcześniej postawił dwie butelki wina obwiązane kokardami jak prezenty. Uniósł jedną i zaprezentował Picassowi.

– *À votre santé* – powiedział przyjaźnie.

Ondine wyjęła z szuflady korkociąg i podała gospodarzowi. Picasso poszedł do jadalni, żeby otworzyć wino, a goście za nim. Dziewczyna cofnęła się do kuchni. Usłyszawszy, że przygotuje „najlepszy posiłek" w mieście, zaniepokoiła się jeszcze bardziej. Pośpiesznie wyłożyła zakąski na półmiski i ustawiła je na dużej tacy. Gotowe. Nabrała głęboko tchu i ruszyła do jadalni.

Picasso i jego goście stali tam z lampkami wina w dłoniach, ale zaraz usiedli do stołu. Ondine podała *langoustines Ninon* na porach, z masłem i sosem pomarańczowym, oraz zieloną *chiffonade* zwieńczoną kilkoma jadalnymi kwiatami.

– Ach! – westchnęli chórem mężczyźni i rozłożyli serwety na kolanach.

Ondine czym prędzej wróciła do kuchni i zajęła się daniem głównym. Kiedy pojawiła się w jadalni, aby zabrać puste talerze, mężczyźni znowu byli pogrążeni w cichej dyskusji. Gospodarz nie podniósł wzroku na dziewczynę, nie dał też choćby po sobie poznać, czy przekąski im smakowały. Szybko więc zabrała naczynia i zaniosła do zlewu.

– Przynajmniej wszystko zjedli. Nie zrobiliby tego, gdyby im nie smakowało – pocieszyła się cicho. – Ale to przecież prawdziwi koneserzy sztuki, na pewno mają też wybredne podniebienia.

Ręce jej się trzęsły, gdy układała na tacy czyste talerze oraz *cassoulet*.

– Matko Boża, wesprzyj mnie! – szepnęła, zanim znowu ruszyła do jadalni.

Uginała się pod ciężarem tacy. Tym razem mężczyźni przerwali rozmowę i wygłodniałym wzrokiem śledzili każdy ruch dziewczyny. Postawiła garniec na środku stołu, pod ich uważnymi spojrzeniami zdjęła pokrywę. Cisza wydawała się jeszcze głębsza. Dziewczyna uniosła łyżkę, aby ceremonialnie przebić zapieczoną skorupkę gęsiego smalcu na powierzchni *cassoulet*. Rozległ się głośny trzask. Goście zaczęli entuzjastycznie klaskać. Ondine ulżyło. Omal się nie popłakała, ostrożnie nakładając porcję każdemu, a potem wycofała się na próg i patrzyła, czy biesiadnicy nie potrzebują czegoś jeszcze.

Picasso i Cocteau pochylili się z apetytem nad talerzami. Matisse nabrał odrobinę sosu i spróbował.

– Ach... *Superbe!* – westchnął. – *Ondine, vous êtes une vraie artiste.*

Była zachwycona. Nikt jeszcze nie nazwał ani jej, ani matki „prawdziwą artystką". U szczytu stołu Picasso uśmiechnął się – nie do dziewczyny, lecz do jedzenia – i z dumą skinął głową.

– *Bon appétit* – rzuciła im Ondine, po czym wymknęła się, żeby sprawdzić deser.

Z kuchni usłyszała, że otworzyli drugą butelkę wina, a niedługo potem ich głosy zabrzmiały głośniej, przerywane wybuchami radosnego śmiechu, a nawet przyjaznych okrzyków.

– Cieszą się. To dobrze – westchnęła z ulgą, mieląc ziarna kawy.

Kiedy jednak wróciła do jadalni, aby zabrać puste naczynia, nastrój uległ znaczącej zmianie. Ondine wyczuła groźne napięcie. Najchętniej uciekłaby do salonu i ukryła się jak dziecko za sofą, aby tam poczekać, aż goście sobie pójdą. Wciąż miała wrażenie, jakby przez cały dzień wstrzymywała oddech.

– Jeżeli chodzi o *Herr* Hitlera, mylicie się całkowicie – mówił właśnie Cocteau ugodowo. – To z natury pacyfista! I rzeczywiście zależy mu na jak najlepszym interesie Francji.

– Zależy mu na najlepszych m o s t a c h Francji. Chce je zbombardować – prychnął Picasso z odrazą.

– Nie, nie! – upierał się nierozważnie Cocteau, jakby uważał, że powtarzanie sto razy swoich słów sprawi, że pozostali w nie uwierzą. – Hitler kocha Francję. To prawdziwy mecenas sztuki.

– To się dopiero okaże – zauważył Matisse ostrożnie. – Sporo wskazuje jednak, że trafiliśmy na jego czarną listę.

Picasso przeszył Cocteau ponurym spojrzeniem oczu czarnych jak węgle.

– Wydaje ci się, że Hitler pozwoli takiemu „degeneratowi" jak ty wystawiać te wymyślne filmy i balety? – zadrwił. – Raczej pożre cię żywcem na śniadanie i już przed południem będzie znowu głodny.

Cocteau miał minę zaskoczonego uczniaka, który poranił sobie knykcie. Picasso to zauważył, ale zamiast odpuścić przyjacielowi, miażdżył go jeszcze bardziej okrutnymi słowami i spojrzeniem sokoła, który wypatrzył łatwą zdobycz.

– Ale jeżeli zaczniesz salutować dowolnej fladze, którą naziści wciągną na maszt, może Führer powierzy ci propagandę. Będziesz stokrotką w jego butonierce.

Ondine wstrzymała oddech. Na szczęście udało się jej nie wydać żadnego dźwięku. Nawet ona wiedziała, co to znaczy, gdy chłopak nazwie drugiego stokrotką. Mimo to postarała się zachować kamienną twarz, żeby *monsieur* Cocteau nie musiał się wstydzić, że został obrażony na oczach wiejskiej dziewczyny. W milczeniu postawiła sernik na środku stołu. Wolałaby zniknąć, musiała jednak pokroić i podać deser.

Krępującą ciszę przerwał Matisse.

– Wystarczy, panowie – odezwał się uspokajającym, ale stanowczym tonem. – Nie rozmawiajmy dziś o monstrach pokroju Hitlera. Na świecie nie brakuje brzydoty. Zwróćmy lepiej nasze myśli i apetyty na *luxe, calme et volupté* wspaniałej kuchni Ondine.

Cocteau skinął głową, a Picasso rozparł się jak imperator. Tymczasem Ondine wymknęła się, żeby zaparzyć kawę; nerwy miała napięte jak postronki.

Dzisiaj moja kuchnia im smakowała, ale jutro? Kto wie...

Pomimo wojowniczej pewności siebie ci artyści okazali się istotami nerwowymi i nadwrażliwymi, a ich zmiennym nastrojom trudno było dogodzić. Ondine nie chciałaby, aby zwrócili się przeciwko niej. Zwłaszcza Picasso. Picasso był bezwzględny i nieustępliwy jak byk na arenie.

Ostrożnie wniosła do jadalni dzbanek kawy. Nastrój przy stole znowu się zmienił – mężczyźni wyglądali na zadowolonych i sytych. Wyciągnęli butelkę *absinthe* i żartowali ze wspólnych znajomych. Gdy Ondine podeszła, żeby nalać im kawy, zauważyła, że Picasso przygląda się jej pośladkom i wymienia znaczące spojrzenia ze swoimi gośćmi. Matisse poruszył brwiami.

Myślą, że sypiam z Picassem, uświadomiła sobie Ondine.

A co gorsza, gospodarz nie zamierzał wyprowadzać ich z błędu.

– Ondine, jak uważasz, który z nas najlepiej całuje? – zapytał Picasso figlarnie.

– Musiałabym zapytać żon panów – odparła szybko, a mężczyźni wybuchnęli gromkim śmiechem.

Matisse mrugnął do niej porozumiewawczo zza okularów, a Cocteau, który odzyskał już humor po sprzeczce z gospodarzem, uniósł palec i wymachując nim jak pałeczką dyrygenta, zaśpiewał:

Ondine, moja piękna Ondine,
W pantofelkach przytupujesz,
W kwietnej sukience wirujesz...

Ondine zachichotała, ponieważ były to nieco zmienione wersy z popularnej piosenki do tańca. Mężczyźni zaczęli przytupywać i klaskać do rytmu, a Cocteau dokończył zwrotkę.

I wtedy dziewczyna uświadomiła sobie, że artyści ze swoich miejsc mogą jej zaglądać w dekolt. Przestraszyła się, bo pomyślała, że któryś mógłby posadzić ją sobie na kolanach i wtulić twarz w jej biust. Oczyma wyobraźni ujrzała ten obraz bardzo dokładnie i zarumieniła się ze wstydu, że przychodzą jej do głowy takie myśli.

Czym prędzej wróciła do kuchni. Poczuła ulgę, że jest sama.

Kiedy skończyła zmywać naczynia i spakowała kosz, goście już wyszli, słońce zaczęło znikać w morzu, a od przystani niosła się wieczorna wilgotna bryza. Picasso wyszedł przed bramę, aby pożegnać przyjaciół, a potem został na podwórku przed domem i głęboko się zamyślił. Schylił się kilka razy, żeby podnieść gałązkę lub patyk, ale zamiast wyrzucić, obwiązał je sznurkiem.

Ondine sądziła, że nawet jej nie zauważy, gdy minie go na rowerze, jednak w ostatniej chwili przywołał ją skinieniem ręki. Odstawiła rower i podeszła przez trawnik.

– Cóż. – Picasso nie przerwał pracy. – U m i e s z gotować, trzeba ci to przyznać. I będziesz mogła teraz pochwalić się znajomym, że jednego dnia nakarmiłaś trzech artystów. Który z tych „geniuszy” spodobał ci się najbardziej? – zapytał z ironicznym uśmieszkiem.

Ondine wzruszyła ramionami. Nie chciała wybierać.

– Z pewnością nie Cocteau – stwierdził Picasso. – Uzdolniony, owszem, ale to tylko ogon mojej komety. A jeżeli chodzi o Matisse'a, chociaż warto zaznaczyć, że to wielki artysta naszych czasów, jednak dla ciebie jest chyba za stary, co?

– Był bardzo miły – zaoponowała Ondine. Cieszyła się, że taki mistrz ma ochotę uchwycić na obrazie wszystkie odcienie jej włosów.

Picasso bez trudu odgadł, o czym myślała.

– Ha! Ciekawe, co by powiedział, gdybym przyszedł do jego domu i zapowiedział, że namaluję j e g o kucharkę? – rzucił wojowniczo. – No cóż, może tak zrobię!

Po tych słowach uroczyście wręczył jej to, nad czym pracował. Była to delikatna konstrukcja w kształcie rombu, z cieniutkiego papieru rozpiętego na cienkich, skrzyżowanych patykach, zakończona ogonem z podartych skrawków tkaniny. Na papierze, ku radości Ondine, namalowana została abstrakcyjna twarz podobna do tych z płócien, które dziewczyna widziała kilka dni wcześniej.

– To latawiec! – zachwyciła się. – Zrobił pan latawiec! Jest c u d o w n y!

Picasso udał obojętność, z kieszeni wyjął papierosa i zapalił. Przyglądał się dziewczynie, gdy w radosnym pląsie biegała z uniesionym latawcem po trawniku.

– Podoba ci się? Więc go zatrzymaj. Będziesz musiała wybrać się do parku, jeśli chcesz go puścić. – Picasso powiedział to tak, jakby zwracał się do dziecka lub ulubionego psa. Zaciągnął się papierosem, a potem patrzył, jak kółka dymu unoszą się i rozwiewają.

– *Merci beaucoup, patron!* – podziękowała Ondine bez tchu.

– *Au revoir*. – Picasso odprawił ją cicho, po czym podniósł gazetę z progu i zniknął we wnętrzu willi.

Ondine najchętniej od razu zajęłaby się puszczaniem latawca, ale nie ośmieliła się zboczyć z drogi, żeby pojechać do parku. Obawiała się, że ktoś mógłby ukraść naczynia matki z rowerowego kosza. Postanowiła, że wybierze się do parku z samego rana, gdy nie będzie tam prawie nikogo. Po powrocie do *café* ukradkiem prześlizgnęła się na górę i ukryła latawiec pod łóżkiem. Nie chciała, żeby ojciec go zobaczył i zabrał.

Kiedy potem weszła do kuchni, aby rozładować kosz, matka zapytała:

– No? Jak poszło?

– Świetnie – zapewniła Ondine. Dopiero teraz poczuła zmęczenie i wielką ulgę.

– To dobrze. Nie chcemy żadnych skarg.

Wieczorem Ondine wzięła gorącą kąpiel i nareszcie mogła się rozluźnić, choć początkowo trudno jej było uspokoić nerwy. Miała wrażenie, że jest jak sportowy samochód, który zakończył już wyścig, ale jego silnik nadal pracuje na wysokich obrotach. Kiedy jednak położyła się i otuliła miękką, ciepłą kołdrą, miała wrażenie, że wyczuwa spoczywający pod łóżkiem latawiec, a namalowane oczy świdrują ją przez posłanie. Sennie przypomniała sobie pożądliwe męskie głosy wyśpiewujące przy stole jej imię.

– Mmm... – zamruczała. – Ciekawe, który z nich rzeczywiście całuje n a j l e p i e j.

Wyobraziła sobie, że trzej mężczyźni nalegają, żeby Ondine ich sprawdziła, a ona krąży między nimi jak wtedy, gdy nalewała im kawę. Przypuszczała, że Picasso całowałby brutalnie, a Cocteau zapewne skubałby ją w ucho jak jeleń, ale Matisse mógłby z nienaganną uprzejmością postawić Ondine na stole, podnieść jej spódnicę i smakować dziewczynę jak deser, muskając jej uda brodą podczas pocałunków, coraz wyżej i wyżej, aż sięgnąłby kwiatu jej płci, a jego język konesera spowodowałby doznania, które u kobiet wywołują pożądanie większe niż u mężczyzn.

– Nie potrafię wybrać żadnego z was – oznajmiłaby Ondine na koniec. – Pragnę was wszystkich.

– *Alors!* Potrzeba trzech śmiertelników, aby zaspokoić tę morską nimfę! – odpowiedzieliby artyści.

Ondine leżała teraz w ciemności i oddychała głęboko. Nuciła cicho piosenkę, którą triumwirat wielkich twórców zaśpiewał podczas dzisiejszego spotkania. I ta melodia ukołysała ją do snu, kojącego i niosącego wytchnienie. Po raz pierwszy od wielu miesięcy Ondine nawet nie pomyślała o Lucu.

7

LUSTERKO DLA ONDINE

Tego dnia spadł wiosenny deszcz i zerwał się porywisty wiatr, tak silny, że w Café Paradis trzeba było podać lunch w sali jadalnej zamiast na tarasie.

Kiedy przyszło Trzech Mędrców, od razu zaczęli się kłócić, z którego kraju dotarły tutaj ta brzydka pogoda i wicher – z Hiszpanii, Rosji czy Arabii.

Jednak na zapleczu pogoda nie miała znaczenia, wszyscy pracowali ciężko jak zawsze.

– Proszę – powiedziała matka do Ondine. – Zawieź ten lunch do swojego artysty na wzgórzu.

Od poprzedniej wizyty Ondine w willi minął prawie tydzień, ponieważ Picasso powiadomił *madame* Belange, że nie trzeba będzie mu dostarczać posiłków podczas świąt Wielkanocy. Ondine przypuszczała, że przyjechała do niego rodzina, a ponieważ nie określił dokładnie, kiedy znowu należy zacząć przywozić mu lunch, dziewczyna martwiła się, czy malarz będzie jeszcze potrzebował jej usług. Ogarnął ją niespodziewany smutek na myśl, że mogliby się już nie spotkać. Uzależniła się od jego stymulującej energii i chciała lepiej poznać tajemniczego patrona.

Gdy wreszcie usłyszała, że znowu jest potrzebna w willi, odetchnęła z ulgą. Zaraz jednak z niedowierzaniem wyjrzała przez okno. Lało jak z cebra, nawet ptaki przestały ćwierkać, a pies i kot schowały się pod okapem drzwi przed ulewą i wyglądały jak szczury, które właśnie uciekły z tonącego okrętu.

– Mam jechać rowerem w taką pogodę? – buntowała się Ondine. – Przemoknę do suchej nitki.

Matka nie miała chyba pojęcia, jak to jest pedałować w deszczu, i że rower to nie koń. Zresztą ojciec nie miał ani konia, ani auta.

– *Patron* rozmawiał z twoim ojcem. Powiedział, że chce, abyś przyjeżdżała i gotowała dla niego w willi, jak wtedy, gdy odwiedzili go przyjaciele, a potem czekała, aż zje lunch. Pewnie uznał, że twoje przyjazdy i wyjazdy za bardzo go rozpraszają. No i gotów jest zapłacić więcej, jeżeli będziesz dla niego gotowała na miejscu. A pieniądze zawsze się przydadzą! – *Madame* Belange uśmiechnęła się lekko, ale z zadowoleniem.

– *Patron* chce, żebym była jego osobistą kucharką? – Tego Ondine się nie spodziewała.

– Powiedział, że tak będzie łatwiej. – Matka spojrzała na nią podejrzliwie. – Właściwie dlaczego chce ci ułatwiać życie? Skarżyłaś mu się?

Ondine pokręciła szybko głową, a matka tylko wzruszyła ramionami.

– No, cóż, mężczyźni zawsze są mili dla dziewcząt. Kiedy dożyjesz mojego wieku, przekonasz się, jacy są naprawdę. *Alors!* Przynajmniej nauczysz się, co to znaczy prawdziwe gotowanie. Postaramy się jak najwięcej przygotować wstępnie tutaj. Lepiej włóż tę niebieską sukienkę, wyglądasz w niej bardziej *serieuse*. Weźmiesz kurtkę i kaptur przeciwdeszczowy. I skup się tylko na gotowaniu. Ale jeżeli *monsieur* Ruiz poprosi o coś innego, nie krzyw się ani nie próbuj się szarogęsić. Po prostu daj mu to, czego chce!

– Dobrze, *maman* – odpowiedziała Ondine. Cieszyła się, że jest traktowana jak dorosła, a zarazem trochę się bała, bo oto wkraczała na nieznane terytorium.

Madame Belange przyjrzała się córce krytycznie.

– Pamiętaj, jesteś tylko kucharką, nie księżniczką z bajki – napomniała. – Od wielu dni chodzisz z głową w chmurach, nawet ojciec i nasi klienci zauważyli, że myślisz o niebieskich migdałach. Postaraj się nie ośmieszyć nas przed tym patronem.

Słowa matki głęboko zraniły Ondine. Owszem, po lunchu dla Picassa i jego przyjaciół dziewczyna wciąż czuła radość i większą wiarę w świetlaną przyszłość. Nie przyszło jej do głowy, że było to nader widoczne i wystawiało ją na drwiny całego miasteczka. Często puszczała w parku latawiec zrobiony przez Picassa. Niestety ostry podmuch wiatru rozdarł delikatną konstrukcję o gałąź. Ondine przyniosła resztki do domu, w nadziei, że latawiec uda się naprawić, ale matka wyrzuciła go i ani myślała słuchać protestów.

– Nie jesteś już dzieckiem i nie potrzebujesz zepsutych zabawek – ofuknęła córkę.

Tego dnia Ondine nie była w nastroju, by walczyć z pogodą. Ostrożnie jechała rowerem po lśniących, czarnych uliczkach, deszcz bębnił po impregnowanym kapturze i kurtce, ale nie było tak źle, jak się obawiała. Dopiero gdy wyjechała poza ciasną zabudowę centrum miasteczka, zrobiło się gorzej. Domy nie dawały już osłony przed porywistym wiatrem od morza, który pchał ciężkie burzowe chmury, a ostre krople deszczu padały z różnych stron i niektóre rozbijały się na twarzy Ondine. Co gorsza, gdy dotarła do wzgórza, podmuch zdarł jej kaptur z głowy i wystawiał ją na ulewę.

– *Oh, la!* – jęknęła Ondine.

Tak bardzo skupiała się na pogodzie, że kiedy skręciła w zaułek, przy którym stała willa Picassa, nie zauważyła zająca przebiegającego jej drogę.

– *Attention*, durny zającu! – krzyknęła gniewnie, gdy zwierzątko zamarło w panice, a potem, zamiast umknąć w bezpieczną wysoką trawę na poboczu, wskoczyło prosto pod koła.

– *Ai!* – pisnęła Ondine i przez otwartą podmuchem wichru bramę skręciła ostro na podjazd willi Picassa, zachwiała się jednak i upadła z rowerem na żwir. – *Merde!* – zaklęła. Pierwszy raz w życiu użyła tego przekleństwa.

Zaraz jednak przypomniała sobie o jedzeniu i zerwała się na równe nogi, a potem pośpiesznie podniosła rower. Na szczęście kosz był zamknięty na zatrzask, więc jedzenie nie wypadło ani się nie wylało. Ondine zdjęła pakunek z bagażnika i uginając się pod ciężarem, poniosła go do drzwi. Jak na złość tuż przed wejściem z okapu spłynęła woda prosto na głowę dziewczyny.

Drzwi do kuchni uchyliły się ze zgrzytem, zanim jeszcze Ondine do nich dotarła. W progu stanął Picasso. Wyglądał na zaniepokojonego. Pewnie usłyszał łomot przy upadku roweru i wyjrzał przez okno, a potem zbiegł na dół.

W palcach ściskał jeszcze niedopałek papierosa, na drugiej dłoni miał smugi farby.

– Nic ci nie jest? – zapytał z troską. – Biedaczko, wchodź szybko. Krwawisz!

Pod Ondine uginały się kolana, gdy wspinała się na kamienne stopnie. Picasso przytrzymał jej drzwi, potem wziął od niej ciężki kosz i postawił na stole.

– Przepraszam! – wydyszała Ondine.

– Siadaj, siadaj – rozkazał Picasso spokojnie i przysunął jej krzesło, a potem pomógł zdjąć płaszcz przeciwdeszczowy, z którego popłynęły na podłogę strużki wody.

Dziewczyna usiadła z wdzięcznością. Dopiero wtedy zorientowała się, że głęboko obtarła sobie prawe kolano, a z rany spływa krew. Przerażona podciągnęła sukienkę, aby jej nie zabrudzić.

– *Tiens!* – rzucił Picasso i wyszedł z kuchni.

Ondine usłyszała, jak przeszukuje komodę. Wrócił ze staroświecką apteczką, zapewne pozostawioną przez właściciela willi. Malarz wyjął środek dezynfekujący, gazę, waciki i postawił wszystko na stole.

Dziewczyna była zawstydzona, ale też zafascynowana. W milczeniu przyglądała się, jak Picasso przysuwa sobie drugie krzesło. Usiadł, po czym ostrożnie uniósł zranioną nogę Ondine i oparł sobie na kolanach. Dziewczyna chętnie obciągnęłaby sukienkę, ale wolała nie zwracać jego uwagi. Picasso sięgnął po butelkę z płynem dezynfekującym i nasączył wacik. W powietrzu rozszedł się przenikliwy zapach medykamentu.

– A-ach! – Dziewczyna nie potrafiła powstrzymać okrzyku, gdy przycisnął wacik do rany.

– Boli, co? – Uśmiechnął się z zadowoleniem. – Musi boleć, żeby się zagoiło. Przyciśnij mocno, trzeba zatrzymać krwawienie.

Był opanowany i rzeczowy, nie próbował się nad nią rozczulać. Ondine zrobiła, jak kazał, chciała zademonstrować, że potrafi stawić czoło bólowi. Picasso sięgnął po cienką serwetę, przytrzymał skraj zębami i jednym ruchem rozerwał ją na dwa długie, wąskie pasy.

Ondine była pod wrażeniem. Kazał jej zabrać zakrwawiony wacik, który zastąpił sterylną gazą.

– Przytrzymaj – nakazał i zaczął bandażować opatrunek pasami z rozdartej serwety. Wreszcie związał końce i zadowolony klepnął dziewczynę w udo.

Ondine poczuła ciepło rozlewające się od miejsca, na którym spoczywała jego duża dłoń, jakby ten dotyk sprawił, że krew zaczęła jej krążyć szybciej w żyłach, uzdrawiająca i gorąca. Nieuchronnie dotarła też do tego tajemniczego miejsca między nogami, o którym dziewczęta nie powinny pamiętać aż do nocy poślubnej, gdy stanie się ono własnością ich mężów. Tylko Luc dotykał tam Ondine, tamtej nocy, gdy zakradł się do jej sypialni, żeby się pożegnać. Wtedy wydawało się to tak wyjątkowym wydarzeniem, że nie czuła się jak grzesznica. Za to teraz tak.

– Już lepiej? – Picasso podniósł na nią przenikliwe, wszystkowiedzące spojrzenie ciemnych oczu.

Ondine spuściła głowę. Zauważył jej podniecenie? Wyczuł?

– Za ciasno? – dopytywał się, po czym ujął jej nogę i zgiął w kolanie, żeby sprawdzić opatrunek.

Wyobraziła to sobie czy ten mężczyzna specjalnie przesunął ciepłą dłonią po wewnętrznej stronie jej uda? Tylko trochę...

Nęcił ją czy poprawiał bandaż? Ondine miała dojmującą świadomość jego obecności, tak blisko, w rozpiętej koszuli...

– Wszystko dobrze – zapewniła pośpiesznie.

Picasso spakował apteczkę i znowu wyszedł. Dziewczyna rozejrzała się po kuchni, próbując odzyskać panowanie nad sobą. Dopiero wtedy to zauważyła. Zaginiony dzban w różowo-błękitne pasy stał odwrócony do góry dnem na suszarce do naczyń!

A kuchnia wyglądała podejrzanie czysto, choć Ondine nie zaglądała do willi od tygodnia. Z pewnością była tutaj inna kobieta.

Mężczyzna nie zawracałby sobie głowy tak dokładnym sprzątaniem, pomyślała. Ten nienaganny porządek należało raczej zinterpretować jako kobiece ostrzeżenie dla Ondine: „Zabierz swój dzban i wynoś się, trzymaj się z daleka od mojego mężczyzny".

– Dobra – szepnęła. Ulżyło jej, że dzban się znalazł. Jeszcze dziś odda go matce.

Picasso wrócił i zerknął na kosz. Ondine jęknęła przepraszająco.

– Och, *patron,* pana lunch pewnie przepadł! Wrócę do domu i przygotuję coś innego...

Artysta tylko machnął ręką i pochylił się nad koszem.

– Sprawdźmy, co tu mamy. – Ze spokojem zaczął wyjmować naczynia i rozstawiać na stole. Sos rozlał się na inne pakunki.

– To *coq au vin.* – Dziewczyna skrzywiła się i zaraz w duchu nakazała sobie wziąć się w garść. – *Perdóneme para la inconveniencia* – przeprosiła po hiszpańsku.

Słowa wypowiedziane w jego rodzimym języku odniosły natychmiastowy skutek. Picasso spojrzał z dziecinnym niemal zaskoczeniem, potem na jego twarzy zagościł łagodniejszy, cieplejszy i życzliwszy wyraz, którego Ondine wcześniej nigdy nie widziała. Najwyraźniej wzruszyła malarza.

– Nie przejmuj się, *está muy bien* – mruknął. Odłamał kawałek chleba, zanurzył w sosie i spróbował. – Mmm... Jeszcze ciepły. – Uśmiechnął się szeroko. Sięgnął po talerz na półce, po czym wypełnił go jedzeniem, jakby był w bufecie. – Ach, szlachetny kogut – stwierdził z drwiącym żalem nad porcją mięsa. – Kiedy nie mógł już służyć kurom, trafił do garnka!

Potem spojrzał przenikliwie na Ondine.

– Sama złamałaś mu szyję i spuściłaś krew na sos? – zapytał z ciekawością.

– Nie, moja matka to zrobiła – przyznała szczerze dziewczyna.

– Tak czy inaczej bardzo dobry – pochwalił.

Ondine uśmiechnęła się niepewnie. Nie wiedziała, co robić, gdy *patron* jadł. Zwykle zostawała wtedy w kuchni, ale Picasso ani myślał przenosić się do jadalni.

Chyba jednak wyczuł zakłopotanie dziewczyny.

– Chcesz wysuszyć włosy? Na górze w łazience jest grzebień i suche ręczniki. – Machnął ręką. – A potem możesz popatrzeć na obrazy w pracowni. Kobiety lubią mieć własne zdanie, nawet na temat tego, na czym wcale się nie znają. Każda pani domu w duchu uważa się za geniusza. – Wygiął nadgarstek i podparł dłonią podbródek, po czym zmarszczył brwi, naśladując damę przyglądającą się krytycznie malowidłu. – Hm... bardzo i n t e r e s u j ą c e – rzucił piskliwie. – Ale czy to s z t u k a?

Ondine zachichotała, po czym z ulgą, że z takim spokojem przyjął wypadek z lunchem, wstała i przeszła przez jadalnię i salon. Picasso wcześniej nie zapraszał jej na górę do swojej pracowni. Zanim tam dotarła, wyczuła przenikliwy zapach wilgotnych farb. Na schodach stało sześć nowych obrazów. Przeszła obok nich powoli, żeby dobrze się przyjrzeć.

Każdy obraz przedstawiał zmysłową blondynkę o długim nosie, którą widziała już na brutalnych erotycznych szkicach z Minotaurem. Jednak na tych nowych płótnach nie było dzikości i prymitywizmu. Pierwsze trzy przedstawiały kobietę w tej samej pozie – modelka siedziała całkowicie ubrana przed toaletką z fiolkami perfum i słoiczkami pudru. Stroiła się przed lustrem. Nie przypominała bogini, lecz pulchną gospodynię domową. Picasso na każdym obrazie umieścił datę. Trzeci był podpisany: *12 avril XXXVI.*

Niedziela Wielkanocna! Czyli jego jasnowłosa pani była tutaj! – stwierdziła Ondine triumfalnie.

Na kolejnych stopniach znajdowały się następne trzy obrazy, portrety z bliska tej samej kobiety. Tym razem jednak modelka nie wyglądała na troskliwą gospodynię, lecz raczej na uczennicę, z niewinnym, słodkim wyrazem twarzy i dwoma kręgami różu na policzkach, jak u lalki. Włosy miała przycięte nowocześnie i nieco zmierzwione.

Wciąż ją maluje! – uświadomiła sobie Ondine z ukłuciem zazdrości w sercu. Jedna kobieta we wszystkich swoich wcieleniach – gospodyni domowej, pensjonarki, kochanki. Aż trudno było sobie wyobrazić, że wzbudzała tyle fascynacji u tak wielkiego artysty!

W łazience na górze panował półmrok, a Ondine nie udało się wymacać włącznika światła. Znalazła jednak złożony ręcznik i przenośne lusterko oparte o ścianę przy umywalce. Zabrała je wraz z białym grzebieniem i zaniosła do pracowni, gdzie było mnóstwo światła.

Od razu jej wzrok przyciągnęło płótno na sztalugach – najnowsze, mokre jeszcze dzieło, zupełnie inne od tych na schodach. Żadnych portretów i blondynek. Była to martwa natura – misa z owocami, bochen chleba, kwiaty w wazonie i... znajomy dzban w różowo-niebieskie pasy.

– Ależ... to dzban *maman*! – wyszeptała z zachwytem.

Picasso wyolbrzymił go, jakby ukształtował na nowo, wyciągnął i wydłużył. Cóż, właściwie wszystko na tym obrazie było udziwnione – misa na owoce wystawała niebezpiecznie poza krawędź stołu, dojrzały okrągły owoc w jej wnętrzu przypominał kobiecą pierś, a bochen chleba wysunął się spod misy niczym wyprężony penis. Wazon bardziej przypominał czarę na wino, z której wychylał się pęk jaskrawopomarańczowych kwiatów, tak bujnych i dużych, że naczynie wydawało się przy nich jakoś nienaturalnie pomniejszone.

– Cudowne! – Ondine klasnęła z radości.

Obraz był wyzywający jak psota dziecka, które wbiegło do eleganckiego salonu, trąbiąc na zabawkowym, komicznym rogu. A jednak malarzowi udało się przy tym osiągnąć dziwne, urzekające piękno, przydające wyrafinowania nawet prostemu dzbanowi. Na stoliku obok piętrzył się stos starannie pospinanych wycinków z gazet. Leżały na jednej z szarych kopert nadanych z Paryża. Okazało się, że to artykuły na temat dużego domu aukcyjnego, w którym z sukcesem sprzedano dzieła Picassa. Daty wskazywały, że działo to się zaledwie miesiąc temu, a nagłówki głosiły, że było to jedno z największych wydarzeń sezonu, na którym Picasso pojawił się na chwilę i został przyjęty z żywiołowym aplauzem. *Patron* jest ważny jak premier albo śpiewak operowy! – stwierdziła z podziwem Ondine.

Obrazy leżały na podłodze, wszędzie walały się szkice, pojemniki z farbami, słoiki z pędzlami, a także książki i gazety, nie było wolnego miejsca, nawet jednego krzesła. Tylko wąska, pusta wnęka, przeznaczona zapewne na wysoką szyfonierę albo tremo, pozostała oazą na tle panującego wokół nieporządku. Ondine usiadła na podłodze, zadowolona, że może ulżyć zranionej nodze.

– Uff! Podłoga twarda jak kamień – mruknęła.

Rozejrzała się za jakimś pufem, ale znalazła tylko płaską jak naleśnik poduszkę, pomarańczową, obrębioną złoto-żółtą taśmą i frędzlami. Usadowiła się wygodniej, oparła lusterko o uda i ujęła grzebień.

Wyglądam jak przemoknięty kot, skrzywiła się, bo włosy przylgnęły jej do głowy jak wodorosty i chyba jak nigdy przypominała syrenę. Zabrała się do czesania. Twarz miała zarumienioną, oczy szeroko otwarte. Odłożyła lusterko i z westchnieniem oparła się o ścianę, a potem zamknęła oczy. Słyszała tylko szum deszczu. Musiała się zdrzemnąć, bo nie usłyszała Picassa, gdy podszedł.

– Nie, nie wstawaj – powstrzymał ją, przyglądając się uważnie. Podniósł szkicownik i zaczął szybko rysować, strona po stronie.

Dopiero wtedy do Ondine dotarło, co się dzieje. Picasso ją szkicował! Wstrzymała oddech. Czy dlatego właśnie chciał, żeby zostawała tutaj podczas lunchu? Chociaż ogarnęła ją radość, poczuła nadchodzącą falę paniki. Przypomniała sobie pełne przemocy obrazy nagiej blondynki gwałconej przez mężczyznę-Minotaura. Cały świat je widział.

Czy mnie też każe pozować nago? – zastanawiała się z niepokojem.

Picasso przyglądał się jej przenikliwie jak magik, który machnięciem pędzla mógłby sprawić, że z kobiety opadnie ubranie.

Jednak oznajmił tylko:

– Połóż grzebień na podłodze i unieś lusterko, jakbyś się przeglądała. – Odłożył szkicownik i obszedł pokój, przyglądając się dziewczynie pod różnymi kątami.

Śledziła go tylko spojrzeniem, nie śmiała drgnąć, nawet gdy wyjął z wazonu przy oknie żółtą forsycję i uwił z niej koronę dla Ondine. Poczuła absolutną uległość, była niczym glina w rękach rzeźbiarza.

Picasso jednak wciąż w zamyśleniu marszczył brwi. Zdjął Ondine buty i odrzucił je na bok, lewą nogę przyciągnął jej do tułowia, tak że podeszwa opierała się przed nią płasko na podłodze. Dotykał stóp dziewczyny jak cennej rzeźby. Jej ciało poddawało się bez oporu.

– Lepiej – mruknął, poprawiwszy jeszcze układ ramion. – Trzymaj lusterko niżej. Tak, jeszcze trochę niżej... właśnie.

Zniknął za sztalugami, a Ondine usłyszała tylko kilka długich, zdecydowanych pociągnięć pędzlem. Picasso żywiołowo, niemal siłowo atakował płótno. Dziewczyna nie zdawała sobie sprawy, że malowanie obrazów to wysiłek fizyczny. Artysta oddychał głośno, coraz chrapliwiej z każdym ruchem pędzla, gdy zaznaczał kontury kompozycji. Właściwie to prawie prychał.

Jak ten Minotaur, przyszło jej mimowolnie do głowy. Z jego nozdrzy mogłyby buchać obłoczki białej pary!

Picasso był zbudowany jak byk i szarżował na płótno, jakby wizja obrazu wprawiała go w furię. Po każdym jego prychnięciu Ondine z trudem powstrzymywała się od śmiechu.

W pewnej chwili odważyła się zerknąć na Picassa, grymas na jego twarzy upodabniał go do pływaka, który wynurzył się z głębiny, aby nabrać tchu.

– Nie, jeszcze niedobrze – mruknął Picasso i cofnął się, żeby popatrzeć uważnie. – Zbyt pruderyjnie – uznał. – Rozepnij trzy guziki przy dekolcie sukienki.

Ondine zastanowiła się. Próbowała sobie wyobrazić, jak prezentowałaby się na skończonym płótnie, po czym uznała, że Picasso ma rację, nie chciała przecież przypominać męczennicy ze świętych obrazków.

– Nie uśmiechaj się. Wciąż nie siedzisz odpowiednio – burknął Picasso z irytacją. Splótł ramiona na piersiach i przyglądał się Ondine z namysłem.

Dziewczyna czekała.

– Zdejmij *culottes* – zdecydował wreszcie.

Ondine uniosła głowę zaskoczona i skrzywiła się cynicznie.

– Ha! – prychnęła.

Picasso popatrzył na nią zdziwiony, nim zrozumiał, co sobie pomyślała.

– Głupia dziewucha! Myślisz, że w ten sposób uwodzę kobiety? Rób, co mówię! – warknął. – A jeżeli nie pojmujesz, co się tutaj dzieje, możesz się pakować i wracać do domu. Pośpiesz się, przez ciebie tylko niepotrzebnie tracę czas.

Wrócił do sztalug i wbił wzrok w płótno. Ondine poznała po tonie jego głosu, że chodzi tylko o pracę. Przypomniały się jej niedawne słowa matki: „Ale jeżeli *monsieur* Ruiz poprosi o coś innego, nie krzyw się ani nie próbuj się szarogęsić. Po prostu daj mu to, czego chce!".

Bardziej zafascynowana niż przestraszona Ondine podeszła do starego fotela z wysokim, wytartym oparciem, który czasy świetności dawno miał za sobą. Kucnęła za nim, sięgnęła pod sukienkę i zsunęła bieliznę. Nie było to trudne, nawet nie uniosła zbyt wysoko rąbka, ale gdzie miała ją teraz zostawić? Picasso zaraz podniesie wzrok, a Ondine nie chciała znowu usłyszeć zirytowanego tonu głosu artysty.

Szybko wsunęła *culottes* pod poduszkę fotela, po czym wróciła do wnęki, usiadła i ułożyła nogi tak, jak wcześniej ustawił je Picasso. Niespodziewanie poczuła się wyzwolona. I wiedziała, że teraz siedzi inaczej, bardziej naturalnie, chociaż ani myślała się do tego przyznawać. Przeżyła też chwilę paniki, gdy uświadomiła sobie, że bez bielizny w tej pozycji krocze może być dobrze widoczne.

Za skarby świata nie pozwolę tego namalować, pomyślała Ondine. Zaraz jednak wpadł jej do głowy pomysł. Z pozorną obojętnością ułożyła rękę tak, aby zasłonić miejsce między nogami. Jeżeli Picassowi się to nie spodoba, trudno. Spojrzała w lustro na swoje spocone, zdyszane oblicze. Odpowiedziało wyzywającym spojrzeniem, w którym czaił się nakaz, żeby nie ustępowała.

W pracowni zapadła cisza. Picasso zerknął, dostrzegł wszystko, co zrobiła Ondine. Sprawdził godzinę na zegarku, po czym z westchnieniem odłożył pędzel. Dziewczynie ścisnęło się serce – zrezygnował z niej!

– Głupia... – Malarz pokręcił głową z rozbawieniem, po czym podszedł blisko.

Poczuła ciepło jego oddechu, gdy się na nią pochylił. Zdjął z ręki zegarek i zapiął na jej prawej dłoni, dla bezpieczeństwa wciąż spoczywającej między udami. Potem stanowczym ruchem ustawił bosą lewą stopę dziewczyny tak, by palce opierały się o podłogę. Cofnął się powoli kilka kroków, krytycznie ocenił efekt swoich zabiegów. Wreszcie bez słowa wrócił za sztalugi i uniósł pędzel. Ondine nie wierzyła własnym uszom, gdy w pracowni zaszemrał mokry pędzel, przesuwający się po płótnie.

Naprawdę mnie maluje! – pomyślała z podziwem. Wielki Picasso ze wszystkich ludzi na świecie wybrał właśnie mnie.

Uświadomiła sobie, że wstrzymuje oddech, teraz powoli go uwolniła. I znów cisza niczym miękki obłok opadła na pracownię. Zegarek, ciężki i męski, wciąż emanował ciepłem ciała Picassa, Ondine czuła też własny puls pod kopertą i paskiem. Zdawało się, jakby mijające minuty tykały wewnątrz tego zegarka niczym małe owady zamknięte w słoiku.

A potem odmierzane minuty uwalniały się i ulatywały jak bańki mydlane, kołysząc się leniwie, zanim pękną i znikną... I to przedziwne, magiczne popołudnie mogłoby trwać wiecznie. Ondine miała wrażenie, jakby sama unosiła się w takiej magicznej bańce. Czas zmienił się w wieczny spokój, wypełniony przejmującą ciszą, jakiej dziewczyna nigdy wcześniej nie zaznała.

Picasso nie odzywał się długo, zatopiony w swojej wizji.

– *Femme à la montre* – mruknął na koniec.

„Kobieta z zegarkiem". Ondine musiała ukryć uśmiech dumy, że w końcu ktoś dostrzegł w niej kobietę, nie dziewczynkę.

Nie ośmieliła się podnieść głowy. Ale wiedziała, że Picasso także się uśmiecha.

8

CÉLINE —
WIOSNA 2014

Po Nowym Roku u matki zimę spędziłam w Niemczech, pracując jako charakteryzatorka przy budzącym grozę filmie o wampirach. Zdjęcia kręciliśmy w starym zamku z krenelażowymi basztami, otoczonym gęstym lasem, jakby żywcem wyjętym z baśni braci Grimm. Najbliższe miasteczko bardziej przypominało smętną wioskę z brukowanymi uliczkami i starymi kamiennymi sklepami jak z obrazków na puszkach ze świątecznymi ciasteczkami.

Cieszyłam się, że mam tak wymagającą pracę – musiałam namalować mnóstwo krwistoczerwonych ust i oczu na nieziemsko bladych, niemal białych twarzach, a wielu innym przydać zielonkawego odcienia śmierci. Aktorzy zjawiali się w mojej pracowni codziennie przed świtem, ponieważ nakładanie makijażu na twarze i ręce zajmowało sporo czasu. Wyglądałam pewnie jak szalony naukowiec, wśród stojaków z pędzlami, puzderek pełnych różnych odcieni różu, brązowych konturówek, fioletowych cieni i czarnych kredek, a także opakowań chusteczek higienicznych, wacików i gąbek, misek z wodą, oliwką i mydłem do usuwania smug, żeby dokonać szybkich poprawek.

– Céline, naprawdę potrafisz tworzyć najbardziej przerażające ghule w tej branży – pochwaliła mnie główna aktorka. Siedziała na fotelu przed jasno oświetlonym lustrem. Pod brodą miała serwetę i przyglądała się własnej koszmarnej aparycji. Wytrzeszczyła czerwone oczy, wydęła usta, potem odsłoniła kły i zasyczała. Robiła różne straszne miny z nieskrywaną, dziecinną radością. – Jak ty to robisz? Nie mogłam powiedzieć, że ukazuję tylko to, co widzę. Większość ludzi, kiedy patrzy w lustro, chce po prostu wyglądać młodziej i jak najbardziej atrakcyjnie w tym konwencjonalnym znaczeniu, dlatego nie potrafią zobaczyć tego co ja – niewiarygodnych kręgów, rombów i kwadratów, krzywizn i łamanych płaszczyzn, które czynią każdą twarz tak fascynująco jedyną. Zapewne dlatego moja specjalność to horrory i filmy kostiumowe, przy których mogę bez ograniczeń używać kredek, farb i pudru, odsłaniając zarówno najszlachetniejsze, jak i te najbrzydsze cechy ludzkiego oblicza. Potrafię z każdej twarzy wydobyć ukryte za nią monstrum.

Właśnie kończyła się robota w Niemczech, gdy zadzwonił Danny. – Mama trafiła do szpitala w Nevadzie – powiadomił. Cytując lekarzy, opisał to, co się jej stało, jako „epizod", który mógł być serią mikrowylewów. – Próbowaliśmy skontaktować się z tobą wcześniej, ale Deirdre miała tylko twój stary numer telefonu – dodał, jakby to była moja wina. – Musieliśmy przejrzeć rzeczy mamy, żeby znaleźć do ciebie kontakt. Nie martw się, Deirdre wybrała dobrych lekarzy i dom opieki z najlepszymi referencjami.
Mówił osobliwie rzeczowo o tym nagłym wydarzeniu. Bardzo się zaniepokoiłam, ponieważ, gdy wyjeżdżałam do Niemiec, mama cieszyła się doskonałym zdrowiem. Umówiłyśmy się na spotkanie w Nowym Jorku i już nie mogłam się doczekać, kiedy znowu się zobaczymy. Zamierzałyśmy spędzić trochę czasu jak matka z córką i zajmować się tym, co nam sprawi największą przyjemność. Wyobrażałam sobie też, że zabiorę ją na trochę do Kalifornii. Mamę fascynowało Hollywood, ale nigdy nie udało jej się namówić ojca, żeby się tam wybrali.
Gdy tylko wróciłam do Stanów, od razu skierowałam się do domu opieki w Nevadzie. Ledwie otworzyłam drzwi ośrodka,

owionął mnie ten charakterystyczny zapach środków dezynfekujących, przeterminowanej kawy, potu i lekarstw. Starano się nadać temu miejscu bardziej pogodną atmosferę przez wstawienie jasnych mebli w recepcji oraz kwiatów, jednak gdy szłam korytarzami, mój wzrok przyciągał tylko widok siwowłosych, smutnych kobiet, kołyszących się w wózkach inwalidzkich zaparkowanych w zakamarkach, mężczyzn w szpitalnych szlafrokach i kapciach, poruszających się niezdarnie za pomocą balkoników, wózków, na których piętrzyły się stosy tac z niedojedzonymi posiłkami albo worki z brudną pościelą do prania. Znużeni odwiedzający udawali, że nie widzą tego ponurego otoczenia. Było to ostatnie miejsce, w którym umieściłabym mamę – miała przecież wysokie wymagania dotyczące porządku i czystości.

Wreszcie odnalazłam jej pokój. W łóżku z metalowymi barierkami zabezpieczającymi przed wypadnięciem wyglądała na wychudzoną. Była odurzona środkami uspokajającymi, dlatego nie mogła chodzić, jeść, myć się czy choćby pójść do toalety bez pomocy. Po prostu leżała, cicha i przerażona, niezdolna wypowiedzieć słowa. Wpatrywała się tylko we mnie tymi dużymi sarnimi oczyma, ale chyba dotarło do niej, że się martwię, bo uniosła rękę, żeby pogłaskać mnie po policzku i p o c i e s z y ć, po czym znowu zapadła w sen. Przynajmniej wiedziałam, że mnie rozpoznała.

– Jej stan może się poprawić, gdy tylko zaczniemy rehabilitację, ale przy wylewie trudno przewidzieć, co będzie dalej – powiedział lekarz.

Siedziałam przy mamie wiele godzin, szepcząc słowa pocieszenia i trzymając jej drobną dłoń. Dużo spała. Wyglądała jak porcelanowa lalka. A gdy zobaczyłam, co dostawała tam do jedzenia, wzdrygnęłam się, bo pamiętałam przecież, jak świetnie gotowała.

W Nevadzie spędziłam dwa tygodnie. Stan mamy poprawił się bardzo nieznacznie. Próbowałam pomagać, ale ona potrzebowała specjalistycznej opieki i wciąż nie mogła mówić. Udało mi się zaprzyjaźnić z kobietą, która raz w tygodniu przychodziła umyć jej włosy. To ona powiedziała mi o drobnych oznakach poprawy. Podejrzewałam, że od Deirdre nie dowiedziałabym się niczego. Bliźnięta postawiły bowiem sprawę jasno – teraz to one wszystkim się zajmują. Nalegały, abym na koniec pobytu w Nevadzie dała się zaprosić na lunch, jakby była okazja do świętowania. Wyglądały wtedy jak para dzieci, którym nieoczekiwanie podarowano dzień wolny od szkoły. Deirdre była menedżerką sieci ośrodków spa w kilku kurortach na Zachodzie, a Danny pracował dla dużej korporacji biotechnologicznej w Bostonie. W ich towarzystwie zawsze wracały mi wspomnienia z dzieciństwa. Gdy byłam małą dziewczynką, marzyłam, abyśmy były z Deirdre siostrami jak inne, które znałam. Jednak z powodu sporej różnicy wieku i osobnych pokojów nigdy nie doszło do wspólnych rozmów, powierzania sobie sekretów czy bawienia się razem lalkami. Zresztą bliźnięta tworzyły nierozłączną parę. Najlepiej pamiętam dzień, gdy namówiły mnie, żebym się schowała w koszu na pranie – zapewniły, że to najbezpieczniejsze miejsce, jeśli do domu włamie się morderca.

– Idź, sama sprawdź – zachęcały.

I tak zrobiłam, ponieważ ucieszyłam się, że nareszcie rodzeństwo chce się ze mną bawić. Jednak gdy tylko weszłam do kosza, bliźnięta usiadły na pokrywie i oznajmiły, że nie pozwolą mi wyjść, dopóki nie wypowiem „magicznego słowa". Próbowałam wszystkich znanych mi słów, ale żadne nie okazało się wystarczająco magiczne. Wreszcie wyczerpana strachem i płaczem postanowiłam zamilknąć, żeby bliźniaki pomyślały, że się udusiłam i umarłam.

– Céline? Céline? – wołała Deirdre w panice.

Milczałam przebiegle. Dopiero wtedy ona i Danny zeskoczyli z kosza, podnieśli pokrywę i wyciągnęli mnie stamtąd. Przez cały czas specjalnie nie otwierałam oczu i starałam się pozostać bezwładna. Danny położył mnie na podłodze i uderzył w twarz, po czym wykrzyknął gniewnie:

– Ocknij się, Céline! Wstań!

Przetrzymałam ich w niepewności jak najdłużej, a potem powoli, dramatycznie uchyliłam powieki. Otworzyłam usta, a bliźnięta musiały się nachylić, żeby mnie usłyszeć.

– Wody... – poprosiłam cicho.

Oboje odetchnęli z ulgą, że jednak się nie udusiłam.

Teraz, siedząc z Dannym i Deirdre w modnej restauracji ze zdrową żywnością, którą oboje lubili, wciąż miałam wrażenie, że najlepiej udawać zmarłą.

– Dokąd teraz się wybierasz? – zapytała Deirdre z wystudiowaną obojętnością, dziobiąc sałatkę z indykiem i awokado.

– Mam kilka zleceń w Los Angeles, a potem chyba wrócę do Nowego Jorku i spakuję rzeczy dla mamy. – Sączyłam białe wino trochę zbyt pośpiesznie.

– Och, tym już się zajęliśmy – zapewnił gładko Danny. – Wszystko, co może się matce przydać, jest już w drodze. Zanim wyjechała z Nowego Jorku, poprosiła nas, żebyśmy umieścili wszystkie jej wartościowe rzeczy w skrytce depozytowej. Niewiele tego było, tylko biżuteria. Reszty się pozbyliśmy. Chcesz o czymś wiedzieć więcej?

Nie spodobało mi się to, co usłyszałam, więc rzuciłam podstępnie.

– Och, jasne. Na przykład, chciałabym wiedzieć, co się stało z dzbanem po babce, który mama tak lubiła.

Bliźniaki musiały się zastanowić.

– Ach, z tym. Wyrzuciliśmy go. Kazaliśmy wycenić i posegregować własność mamy zawodowemu rzeczoznawcy – zapewniła mnie Deirdre.

Nie mogłam już dłużej powstrzymywać niedowierzania.

– To przecież było jej dziedzictwo! – sprzeciwiłam się, spoglądając to na jedną, to na drugą obojętną twarz, na darmo oczekując bardziej ludzkiej odpowiedzi.

Wyglądali na zniecierpliwionych, jak zawsze, gdy uznali, że w grę wchodzą zwykłe sentymenty. Ale ja uważałam, że nieco się pośpieszyli, i nie omieszkałam im tego powiedzieć.

– Dlaczego? Sądzisz, że ten dzban jest wartościowy?

– Wiecie, mama może się poczuć lepiej. Lekarze twierdzą, że to możliwe. Dlaczego nie pozwolić jej samodzielnie przejrzeć swoich rzeczy, gdy wróci do domu? – Odłożyłam widelec, nie byłam w stanie przełknąć ani kęsa więcej.

Bliźniaki znowu wymieniły porozumiewawcze spojrzenia. Danny westchnął z głębokim żalem.

– Nie ma sensu zaprzeczać faktom, Céline. Nawet jeżeli matka dojdzie do siebie, nie będzie mogła mieszkać sama. Wiesz, nie okazałaś się bardzo pomocna po śmierci taty, namawiając matkę do samodzielnego życia. A ona jest taka naiwna i ufna, ktoś mógłby to wykorzystać. Tata zdawał sobie z tego sprawę, dlatego dom był zapisany tylko na niego. Gdy trafił do szpitala, dał mi upoważnienie, że gdyby nie przeżył operacji, mam sprzedać dom. Znalazł się już nabywca. Dostaliśmy dobrą cenę.

– Sprzedałeś już dom mamy? – wydusiłam ze zdumieniem. – Niemożliwe, żeby się na to zgodziła. Nie wolno nam podejmować takich decyzji za jej plecami! Powinniśmy usiąść z nią i przedstawić różne propozycje. Wiecie, jak bardzo mama kocha swoją kuchnię i rodzinne pamiątki! Takie rzeczy są ważne dla osób starszych, zapewniają im poczucie bezpieczeństwa i tożsamości.

– Całe szczęście, że porozmawialiśmy o tym z matką, zanim się rozchorowała – stwierdził Danny zimno. – Wyjaśniliśmy jej wszystko dokładnie i zgodziła się, że pora się wyprowadzić z Nowego Jorku. Wybrała się nawet z Deirdre poszukać dla siebie mieszkania z dzienną opieką pielęgniarską w Nevadzie. Matka uznała, że przeprowadzi się tutaj, żeby być bliżej Deirdre i ciebie, rzecz jasna, skoro mieszkasz w Kalifornii.

– Nigdy mi nawet nie wspomniała, że chce się przenieść na Zachód – zdziwiłam się. Miałam złe przeczucia. Przyszło mi nawet do głowy, że może ten „epizod" był związany ze stresem wywołanym przez bliźnięta, które naciskały, aby mama porzuciła swój dom. A jeżeli na dodatek przypomniała sobie o naszej rozmowie po śmierci ojca – żeby się zastanowiła, co najbardziej lubi i co jeszcze chce robić w życiu – na pewno miała sprzeczne uczucia dotyczące pozbycia się domu w Nowym Jorku.

– Okazało się, że m u s i m y sprzedać dom, żeby zapłacić za leczenie i opiekę nad matką – oznajmiła Deirdre.

– Skoro to konieczne, trudno, ale przecież mogłaby mieszkać u kogoś z nas – zaproponowałam.

Bliźniaki oburzyły się, że to niemożliwe, jakbym była głupkowatą młodszą siostrą.

– Nie miałabym nic przeciwko temu, żeby została ze mną – powtórzyłam bardziej stanowczo. – Mogłybyśmy zatrudnić opiekunkę.

Bliźnięta, zamiast to rozważyć, wyraźnie się zaniepokoiły.

– Lekarze tak naprawdę nie uważają, że matce się polepszy – powiedział Danny z przekonaniem, co, jak podejrzewałam, niezupełnie zgadzało się z rzeczywistą diagnozą. – A nasi prawnicy, w tym również matki, zapewnili mnie, że tak będzie dla niej najlepiej. Wszystko zostało załatwione jak należy, szczegółowe rozliczenia znajdą się w raporcie funduszu powierniczego, do którego będziesz miała wgląd. – Zabrzmiało to tak, jakby recytował wyuczone formułki. – Jeżeli masz jakieś pytania, proponuję, żebyś skontaktowała się z naszymi prawnikami.

Byłam tak wstrząśnięta, że zabrakło mi tchu. Chyba po raz pierwszy ujrzałam bliźnięta w prawdziwym świetle. Zrozumiałam wreszcie, że uważają pieniądze matki za swoje i nic, co powiem o jej prawach lub uczuciach, nie zmieni tego przekonania. Było to odkrycie przerażające i otrzeźwiające.

Dlatego po lunchu spakowałam się, na krótko wróciłam do Los Angeles, aby się spotkać z prawnikiem, który przygotował wszystkie potrzebne dokumenty oraz odbył kilka rozmów telefonicznych. Niestety, gdy usiadłam w jego kancelarii, ze smutkiem pokręcił głową.

– Co się dzieje? – zaniepokoiłam się. – Dlaczego moje rodzeństwo rzuca mi zdania żywcem wyjęte z serialu o prawnikach? I dlaczego uważają, że mogą tak po prostu sprzedać dom mamy?

Sam westchnął.

– Tego rodzaju sprawy to żadna nowość, gdy chodzi o testamenty i fundusze powiernicze. Spójrz na to z punktu widzenia bliźniąt... zapewne niezbyt im się podobało, że twoja matka zajęła miejsce ich rodzonej, i obawiają się, że spróbujesz ją namówić, aby zmieniła testament i cały majątek przekazała tobie.

– Przecież nie o to chodzi! – oburzyłam się. – Chcę mieć tylko pewność, że mama będzie miała coś do powiedzenia na temat tego, na co wydaje swoje pieniądze i gdzie chce mieszkać. Danny i Deirdre uparli się, żeby trzymać ją wiecznie odurzoną w domu opieki. A mama jest wrażliwa i delikatna, taka kuracja jej nie pomoże.

– No, cóż... Rodzice chyba nie powiedzieli ci wszystkiego o swoim testamencie. Zdaje się, że zanim twój ojciec umarł, skłonił matkę do podpisania dokumentów, które pozwalają bliźniętom robić, co chcą, w razie gdyby „stała się niezdolna do podejmowania samodzielnych decyzji". I dopóki twoja matka nie wyzdrowieje na tyle, by powstrzymać ich działania, bliźnięta mają pełną kontrolę. Obawiam się, że twoje rodzeństwo całkowicie legalnie zablokowało twoją matkę... i ciebie.

Spojrzał na mnie ze współczuciem.

– Twoja mama zapewne nie zdawała sobie sprawy, co podpisuje, albo nie sądziła, że bliźnięta wykorzystają te dokumenty przeciwko niej. Prawda jest jednak taka, że nie pozostawiła ci ani pieniędzy, ani możliwości do walki w jej imieniu, nie może zatem oczekiwać, że podejmiesz się jakichkolwiek działań w jej obronie. Przyjmij moją radę: to nie jest serial telewizyjny, tego rodzaju sprawy ciągną się w sądach latami, a bliźnięta mogą wypatroszyć nieruchomość twojej matki do fundamentów, żeby bronić swoich interesów. Uwierz mi, nie chcesz, żeby matka została bez pieniędzy na opłaty za leczenie.

Po wyjściu z biura prawnika wróciłam do mieszkania wstrząśnięta i rozżalona. Kiedy jednak szukałam w torebce swojego klucza, natrafiłam na inny. Był to klucz do domu mojej matki, który dała mi podczas świąt Bożego Narodzenia.

Nieoczekiwanie wszystko, co powiedziała mi wtedy w sekrecie, nabrało o wiele większego znaczenia, zwłaszcza chwila, gdy ukradkiem wsunęła mi ten klucz w dłoń. „W zeszłym miesiącu tata wymienił zamek". Przypomniałam sobie też, jak pokazała mi skrytkę w pralni.

„Dla mnie to skrytka lepsza niż w banku! Zdaje się, że jednak jestem zupełnie jak moja matka, a twoja *grand-mère* Ondine... miała u siebie mnóstwo małych skrytek".

– Dlaczego mama cały czas trzymała tam notes babki, a potem tak nagle postanowiła mi go podarować? – zastanowiłam się na głos. Notes też miałam przy sobie, ponieważ na pierwszym spotkaniu prawnik kazał mi przynieść wszystko, co mogło się wiązać ze sprawą. Oczywiście niezbyt interesowały go przepisy kulinarne.

Co jeszcze mogło się znajdować w tej skrytce? Pamiętałam, co powiedziały bliźniaki: „Poprosiła nas, żebyśmy umieścili wszystkie jej wartościowe rzeczy w skrytce depozytowej. Niewiele tego miała, tylko biżuteria. Reszty się pozbyliśmy". Ale na pewno nie przyszło im do głowy przeszukiwać pomieszczenia gospodarcze – właśnie z tego powodu mama miała tam własną skrytkę. Nie chciałam, aby coś, co ukrywała, bo było jej drogie, trafiło w ręce nowych właścicieli domu.

Ponieważ na razie nie miałam żadnych zleceń, postanowiłam zrobić sobie urlop i zarezerwowałam bilet do Nowego Jorku. Na lotnisku Kennedy'ego wynajęłam samochód i pojechałam do domu mamy. Ani żywej duszy w pobliżu, nawet sąsiadki z naprzeciwka.

Dom wyglądał niczym zgaszona świeca. Cichy. Opuszczony. Bez życia.

Włożyłam do zamka klucz, który dostałam od matki, i weszłam. Korytarz był zupełnie pusty. Odgłos moich kroków odbijał się głuchym echem od nagich ścian. Salon i jadalnia wyglądały ponuro bez mebli, niegdyś tak starannie dobranych przez mamę. Na ścianach nie było obrazów, w oknach brakowało zasłon, a na podłogach eleganckich dywanów. Mama jeszcze żyła, ale miałam wrażenie, jakby powoli umierała.

W sypialni musiałam odwrócić wzrok. Łóżko mamy zniknęło, zza otwartych drzwi do garderoby ziała pustka. Toaletka z fiolkami perfum i kosmetykami oraz kompletem grzebieni, szczotką i lusterkami też wyparowała.

Skierowałam się do pralni. Półki, na których zawsze leżały starannie poskładane ręczniki i ściereczki, okazały się puste. Szafa została opróżniona ze środków czystości, zabrano deskę do prasowania i żelazko. Zniknęła nawet pułapka na myszy. Jeżeli nie znajdę nic w schowku za szafką, nie dowiem się, czy od początku był pusty, czy też bliźniaki skonfiskowały jego zawartość. Serce waliło mi jak młotem, gdy kucnęłam i sięgnęłam pod pralkosuszarkę do tunelu remontowego. Moje palce natrafiły tylko na przewody, rury i kurz.

Zaraz potem jednak znalazłam plastikową, szczelnie zamykaną torbę, taką samą jak ta, w której mama przechowywała notes babki Ondine. Folia miała chronić zawartość przed wilgocią. Wyciągnęłam pakunek. Zawierał kopertę z biura podróży, ozdobioną wydrukowanymi na wierzchu zdjęciami wakacyjnych krajobrazów oraz napisem: „Otworzyć natychmiast. Terminarz i plan podróży".

Kopertę otworzono już wcześniej, a sądząc po liście, wszystko zostało przygotowane wiele miesięcy temu. Zdziwiona przejrzałam załączone materiały – kolorowy folder, rezerwację hotelową, bilety na samolot i plan zajęć, czyli pełny pakiet turystyczny.

Był to pobyt z warsztatami kulinarnymi na południu Francji, pod hasłem „Kuchnia Prowansji". Folder reklamował piękne pokoje w odrestaurowanym wiejskim domu z wielką, nowoczesną i lśniącą kuchnią, gdzie grupa turystów mogła uczestniczyć w lekcjach prowadzonych przez angielskiego szefa kuchni. Na fotografiach w folderze grupy kursantów, pozujące w białych fartuchach, uśmiechały się z dumą i zadowoleniem.

– Tylko po co mama miałaby się zapisywać na kurs gotowania francuskich dań? – mruknęłam. – Mogłaby sama prowadzić takie zajęcia!

Co więcej, matka należała do kobiet, które rzadko wybierają się gdzieś bez męża, a tym bardziej nie wyjeżdżają samotnie na wycieczki, żeby od niego odpocząć. Podniosłam kopertę i przyjrzałam się dokładniej.

Bez wątpienia pakiet wysłano do mamy, ale nie pod jej adres domowy, lecz na ręce ciotki Matyldy, do jej domu w Connecticut.

Wreszcie wszystko zaczynało się łączyć w całość. W pewnym sensie.

Ciotka Matylda każdej wiosny wyjeżdżała do jakiegoś europejskiego centrum kulturalnego. Chociaż była rówieśniczką mamy, stanowiła jej przeciwieństwo – mówiła, co myślała, i robiła, co chciała, na dodatek miała całkowitą niezależność finansową. Byłaby doskonałą towarzyszką podróży dla mamy i mogłaby nawet pomóc przekonać mojego ojca, żeby pozwolił żonie wyjechać na wycieczkę bez niego. Zdaje się, że ciotka i mama postanowiły do ostatniej chwili utrzymać przedsięwzięcie w sekrecie. Właśnie dlatego mama ukryła pakiet podróżny, jakby to były brylanty.

Co do jednego miałam pewność. Mama bez wątpienia planowała powrót do domu w Nowym Jorku, choćby tylko po to, aby spakować bagaż, spotkać się z ciotką Matyldą i wyruszyć z nią do Francji. Nie należała do kobiet, które nagle zmieniają zdanie. Wcale nie zamierzała przeprowadzić się do Nevady ani nie kazała bliźniętom sprzedawać domu i majątku. Nic podobnego! Mama nie pozwoliłaby innym, nawet bliskim, grzebać w swoich rzeczach i decydować za nią, zwłaszcza w sprawie domu, w którym ukryła pakiet podróżny na wykupioną wycieczkę, to nie było w jej stylu. Należała do osób metodycznych i drobiazgowych. No i przecież po śmierci taty powiedziała mi: „Zobaczymy się tutaj i razem zrobimy coś przyjemnego".

Wsunęłam kopertę do torebki, sprawdziłam, czy w schowku nie ukryto czegoś jeszcze, a potem wstałam. Instynkt podpowiadał mi, że pora wyjść. Jednak w drodze do drzwi zatrzymałam się w kuchni. Najtrudniej było znieść widok właśnie tego pomieszczenia. Kuchnia została brutalnie opróżniona ze wszystkich rzeczy, które mama tak starannie dobrała i rozstawiła, jak choćby jej ulubionych miedzianych rondli i żeliwnych garnków. Zniknęły nawet książki kucharskie.

– Książki kucharskie – powtórzyłam na głos. – I zajęcia z gotowania.

Wygrzebałam z torebki telefon, odnalazłam numer ciotki Matyldy i zadzwoniłam. Odebrała po trzecim sygnale.

– Witaj, Céline, miło cię słyszeć – odezwała się dość czujnie. Wciąż miała chrypkę typową dla palaczy, chociaż zerwała z nałogiem wiele lat temu.

Ostatnio widziałam ciotkę na pogrzebie taty, ale wtedy wymieniłyśmy tylko kondolencje. Teraz powiedziałam jej, co się stanie z domem, a także to, że ojciec przekazał Danny'emu zarząd nad majątkiem mamy. Nie miałam pewności, po czyjej stronie stanie ciotka Matylda, zwłaszcza że tata był jej bratem.

Ona jednak tylko westchnęła.

– Nie powiem, że mnie to zaskoczyło. Mój ojciec zrobił to samo mnie i mojej matce.

– Ciociu, planowałyście z mamą wyjazd do Francji w tym miesiącu? – zapytałam wprost.

Zawahała się, ale zaraz potwierdziła.

– Tak, ale nie powiedziała nic twojemu ojcu, nie chciała też, aby bliźnięta się o tym dowiedziały. A teraz już po sprawie.

– Słuchaj... Mogę do ciebie wpaść? Chciałabym porozmawiać.

Czekałam na wymówkę i odmowę, ale ciotka Matylda zaskoczyła mnie zupełnie.

– Jasne – zgodziła się od razu. – Przyjeżdżaj.

Czym prędzej wyszłam z domu i zamknęłam drzwi. Zdawało mi się, że chrobot zamka brzmi jak wyszeptane pożegnanie.

Ciotka Matylda mieszkała w ślicznym małym domu na wzgórzu w Connecticut, z dala od sąsiadów. Zwały ziemi na zboczach tworzyły naturalną barierę przed zabłąkanymi psami i ciekawskimi dziećmi.

„Nora starej panny", zwykł mawiać o tym domu mój ojciec. Jednak mnie zawsze przypominał on zaczarowaną chatkę z bajki, wymarzony raj dla samotnika. O ile mi było wiadomo, ciotka Matylda mieszkała tutaj przez całe dorosłe życie i nikomu nie pozwalała wtykać nosa w swoje sprawy.

Nie miała nawet dzwonka, tylko staroświecką mosiężną kołatkę. Przed domem rosły forsycje, które już wypuściły pąki, a na trawniku tu i ówdzie kwitły białe i fioletowe krokusy. Ciotka otworzyła mi drzwi. Nie zdążyła jeszcze zdjąć słomkowego kapelusza i rękawic do prac ogrodowych. Ściągnęła je teraz i poprowadziła mnie w głąb domu. Nastawiła czajnik i podała małe kanapki na przekąskę. Były trochę nieświeże, chleb sczerstwiał i wysechł na brzegach, a ogórek, biały ser i łosoś miały nieprzyjemny zapach po długim przechowywaniu w lodówce.

– Kupiłam je dzisiaj – skrzywiła się ciotka. – Nie umiem gotować. Dlatego zapisałam się na ten kurs we Francji. Mam serdecznie dość jedzenia nieświeżych i drogich dań na wynos, przygotowanych bez pasji przez obcych.

Spojrzałam na nią z sympatią. Ciotka Matylda była wysoka i chuda, miała bladą, przezroczystą cerę usianą piegami, drobny

nos i błękitne oczy Irlandki. Ze względu na pracę w ogrodzie włożyła wełniane spodnie, stare, ale dobrej jakości, które wycierały się
i niszczały z godnością, do tego koszulę w męskim stylu, w żółto-
-białą kratę, i żółty sweter.

– Jak się czuje Julie? – zapytała cicho.

Opisałam jej stan mamy, a ciotka Matylda westchnęła ze współczuciem, bo obie przekroczyły już siedemdziesiątkę. Przyznałam też,
że nie podzielam chęci bliźniaków, żeby zostawić mamę w domu
opieki. Zanim skończyłam, ciotka żywiołowo mi przytaknęła.

– Wiesz – stwierdziła z namysłem. – Z tego, co przez lata opowiadała mi Julie, odniosłam wrażenie, że bliźnięta umiały nią
manipulować, grając na jej poczuciu winy. Nieustannie żądały
dowodów, że twoja matka kocha je tak samo jak ciebie. Może
dlatego że jednak byłaś jej ulubienicą? No i, wierz mi, pieniądze
nigdy nie zastąpią miłości.

Zamilkła, zaraz jednak dodała z błyskiem w oku:

– Chociaż trochę się przydają.

Zagwizdał czajnik. Ciotka Matylda zaparzyła herbatę w ele-
ganckim imbryku z angielskiej porcelany, malowanym w czerwone kwiaty i ze złotą obwódką; podała filiżanki i spodki z tej
samej zastawy. Usiadłyśmy przy małym stole we wnęce z dużymi
oknami wychodzącymi na ogród. Ptaki krążyły wśród karmników
i budek lęgowych, które ciotka dla nich przygotowała.

– Dlaczego jednak tata był wciąż taki zły? – zapytałam. Nawet
w moich uszach zabrzmiało to żałośnie.

Ciotka pokręciła głową.

– Sama też tego nie rozumiałam. Sądzę, że wielu ludzi, którzy
tak łatwo wybuchają gniewem, w głębi duszy się boi. Twój ojciec
każdy kontakt z drugim człowiekiem traktował jak bitwę... Wierz
mi, żył w przerażeniu, że może przegrać. Chyba mu się wydawało,
że jeżeli choć raz ulegnie, będzie to jego całkowita klęska.

– To prawda, że kiedyś chciał zostać księdzem? – Starałam się
zrozumieć to, czego się właśnie dowiedziałam.

– Skąd! – prychnęła ciotka. – Och, dużo o tym mówił, ale wiedziałam, że nic z tego nie będzie. Przecież zawsze byłby drugi. Po Bogu. – Uśmiechnęła się i spojrzała na mnie wyczekująco. – No, moja kochana, mów wreszcie, co tak naprawdę cię do mnie sprowadza.

– Która z was wpadła na pomysł, żeby wykupić wycieczkę i kurs gotowania? – rzuciłam bez dalszych ceregieli.

– Twoja matka – przyznała bez wahania ciotka Matylda. – Przeczytała o tym w jakimś czasopiśmie i chyba uznała, że wybranie się ze mną na taką wycieczkę będzie dość bezpieczne. Julie oszczędzała na to przez kilka lat, odkładała z funduszu na drobne wydatki. Nie chciała prosić twojego ojca o pieniądze na wyjazd.

Rozmyślałam o tym i zerkałam w stronę niewielkiego pokoju za kuchnią, który służył jako podręczna biblioteczka. Pod ścianami stały regały, zrobione na wymiar, a na stolikach leżało wiele albumów o sztuce. Ciotka Matylda miała je bez wątpienia z czasów, gdy uczyła plastyki w liceum.

– Ciociu – odezwałam się ostrożnie. – Co ci wiadomo o Picassie?

– O Picassie? – powtórzyła ciotka równie beznamiętnie jak ja. – Chcesz wiedzieć coś konkretnego?

Owszem, chcę wiedzieć, czy mojej matce to się uroiło, czy naprawdę babka Ondine gotowała dla Picassa, pomyślałam, jednak nie powiedziałam tego na głos.

– Chciałabym się dowiedzieć, co się z nim działo wiosną tysiąc dziewięćset trzydziestego szóstego roku. – Właśnie na ten okres datowane były przepisy z notesu babki Ondine.

Ciotka uniosła brwi.

– Bardzo konkretnie, jak widzę.

Poszła do swojej malutkiej biblioteki, po czym wróciła z dużą książką.

– Jedyne biografie warte przeczytania to takie, które mają porządny skorowidz. Właśnie w ten sposób odróżnia się mężczyzn od chłopców – mruknęła, kartkując opasły tom. – Chcesz poznać jego życie w tamtym okresie czy dzieła?

– Jedno i drugie... Ale zacznijmy od życia.

– Świetnie. Wiadomo, że lata trzydzieste okazały się dla Picassa okresem wielkich zmian. – Ciotka wpadła radośnie w belferski ton. – Miał kochankę, Marie-Thérèse. Była jeszcze nastolatką, gdy Picasso poznał ją w Paryżu pod Galeries Lafayette w tysiąc dziewięćset dwudziestym siódmym roku. Zaczęli się spotykać w tajemnicy. Czasami Picasso traktował kochankę jak dziecko, kupował jej zabawki, zabierał ją do cyrku albo do wesołego miasteczka! Wiadomo, nikt przecież nie nazwie geniusza zboczeńcem, prawda? – Prychnęła ironicznie. – Potem, w połowie lat trzydziestych, Marie-Thérèse zaszła w ciążę. Wtedy żona malarza, rosyjska baletnica, zakończyła ich małżeństwo, chociaż nigdy się nie rozwiedli. Picasso przestał malować, zapewne właśnie na skutek perturbacji w życiu osobistym. Ach, mam! – przerwała triumfalnie.

– Co? – zapytałam niecierpliwie.

– Kwiecień, tysiąc dziewięćset trzydziestego szóstego roku. Picasso wyjechał potajemnie do miasteczka na Lazurowym Wybrzeżu, do Juan-les-Pins.

Dostałam gęsiej skórki, bo nazwa była znajoma – w tym miasteczku mieszkała babka Ondine.

– To bardzo tajemniczy okres w życiu Picassa. – Ciotka Matylda znowu zaczęła kartkować biografię. – Nie wiadomo, co się z nim działo tamtej wiosny. Niektórzy twierdzą, że Picasso po prostu żył z Marie-Thérèse i ich dzieckiem. Bez względu jednak na to, co tam robił, najważniejsze, że znowu zaczął malować. Jeszcze w tym samym roku stworzył swoje największe dzieło, poświęcone wojnie domowej w Hiszpanii, *Guernicę*. – Ciotka odwróciła tom, żebym mogła zobaczyć zdjęcie Picassa z tamtych lat, zrobione w jego paryskiej pracowni. – Na Cary'ego Granta nie wygląda – stwierdziła ciotka Matylda. – Niski, z nosem jak bokser. I to spojrzenie. Ale trzeba przyznać, że miał charyzmę.

– Ile może mieć lat na tym zdjęciu?

– Urodził się w listopadzie tysiąc osiemset osiemdziesiątego pierwszego.

Przeliczyłam szybko w pamięci.

– W tysiąc dziewięćset trzydziestym szóstym miał pięćdziesiąt cztery lata – mruknęłam.

– Dlaczego interesuje cię właśnie ten okres? – Ciotka dolała herbaty. Zachowywała obojętność, ale w jej spojrzeniu kryła się czujność.

Nie byłam pewna, czy powinnam odpowiedzieć na to pytanie, skoro mama nie wspomniała jej o babce Ondine i Picassie.

– Studiowałam sztukę, zanim zajęłam się teatrem i charakteryzacją – wykręciłam się. – Uwielbiam lata trzydzieste.

Ciotka spojrzała na mnie uważnie.

– Dziwne. Tuż po świętach Bożego Narodzenia twoja matka wpadła do mnie na herbatę. I wiesz, co jest najdziwniejsze? Zadawała mi te same pytania o Picassa. Kiedy zainteresowałam się dlaczego, wyjaśniła, że chce się tego dowiedzieć ze względu na ciebie.

Zapadła między nami taka cisza, że słyszałam tykanie staroświeckiego zegarka na nadgarstku ciotki Matyldy. Dopiero teraz zrozumiałam, że mamie zależało nie tylko na towarzyszce podróży, lecz przede wszystkim na znawczyni sztuki.

– Nadal zamierzasz wybrać się na tę wycieczkę? – zapytałam.

Ciotka wstała od stołu, sięgnęła do szuflady w kuchni i wyjęła taki sam zestaw materiałów i dokumentów, jaki znalazłam w domu matki. Położyła go na stole.

– Oczywiście – zapewniła radośnie. – Przecież już wszystko opłacone. Odwiedzam Europę co roku, żeby pooglądać dzieła sztuki i posłuchać muzyki, zanim zrobię się niedołężna i nie będę mogła nigdzie się ruszyć. Na dodatek tam są kasyna. To o niebo lepsze niż loterie i bingo w tutejszym kościele.

Jak pamiętałam, ciotka Matylda lubiła karty i grała z nami, dziećmi, gdy przychodziła w odwiedziny. Miała w sobie żyłkę hazardzisty.

Wyjęłam z torebki pakiet wycieczkowy mamy.

– Wykradłam to – przyznałam. – Nie chciałam, aby wpadło w łapy Danny'ego i Deirdre.

Znowu zapadła cisza, ale tym razem na krótko.

– Pewnie będzie to wymagało trochę zachodu... – zauważyła ciotka Matylda z filuternym błyskiem w oku. – Ale założę się, że można załatwić, abyś zajęła miejsce matki na tej wycieczce. Rozejrzysz się trochę po Riwierze, sprawdzisz, co i jak.

Zamrugałam, żeby powstrzymać napływające mi do oczu łzy.

– Myślę, że to dobry pomysł – zgodziłam się.

Zanim jeszcze ciotka to zaproponowała, sama zaczęłam się nad tym zastanawiać. Wyjazd bez ojca stanowił akt nie lada odwagi ze strony matki. Może chciała tylko przypomnieć sobie życie i kulturę, z której się wywodziła? Może. Jednak miałam wrażenie, że chodziło o coś więcej.

A jeżeli mama pragnęła wrócić do miejsc, gdzie żyła babka Ondine, rozejrzeć się po raz ostatni po *café*? Tak na wszelki wypadek. Może chciała sprawdzić, czy w jakimś przeoczonym schowku nie znajduje się przypadkiem obraz podarowany babce przez Picassa. Jasne, to czyste szaleństwo! Ale mama przecież zaplanowała ten wyjazd. Czy wiedziała coś, co kazało jej wierzyć, że może odnaleźć obraz babki Ondine?

Wyobraziłam sobie, jak lecę do Francji, aby odszukać zaginione dzieło, a potem sprzedaję je na aukcji za ogromną sumę, jakiej mógłby zażądać sam Picasso. Wróciłabym wtedy pośpiesznie do domu i rzuciła gotówkę na biurko prawnika. Do roboty, skop bliźniakom tyłki! – rozkazałabym, po czym wydostałabym mamę z tego przeklętego domu opieki w Nevadzie.

Myśl wydawała się szalona, ale mało mnie to obeszło. Większość tego, co w tamtych czasach ludzie uważali za rozsądne i normalne, okazywało się często o wiele głupsze od mojego pomysłu.

– Tak – powiedziałam bardziej zdecydowanym tonem. – Myślę, że pojadę do Francji za mamę.

– Świetnie. – Ciotka Matylda kiwnęła głową. – Ale lepiej zacznij mnie nazywać Tylda. Na tej wycieczce znajdzie się na pewno kilku samotnych panów w moim wieku. Nie chcę, żebyś wszystko zepsuła, gdy zaczniesz do mnie mówić per „ciociu". Jasne?

– Jasne. – Przypieczętowałyśmy naszą umowę uściskiem dłoni.

A tydzień później obie byłyśmy gotowe, aby wyruszyć na poznanie świata babki Ondine.

9

ONDINE, KOBIETA Z ZEGARKIEM — 1936

Słońce świeciło coraz mocniej, jego złoty blask czynił ziemię bardziej miękką i świeżą. Ondine ubierała się zwiewniej, a nogi miała silniejsze od codziennej jazdy na rowerze. Czuła się wojowniczką, gdy jak na skrzydłach mknęła do willi na wzgórzu, aby gotować i pozować dla Picassa.

Za zgodą matki wychodziła z restauracji wcześnie, pod pretekstem, że musi pracować na miejscu. Wkrótce nabrała wprawy w szybkim przygotowywaniu posiłku, dzięki czemu pozostały do lunchu czas mogli poświęcić pracy. Dostrzegła, że Picasso zaczął traktować ją inaczej, odkąd została jego modelką, centralną postacią, na której skupiał uwagę przy malowaniu. Praca była dla niego najważniejsza. Początkowo, kiedy Ondine tylko przywoziła i podawała jedzenie, artysta ledwie ją zauważał. Teraz czekał w progu jak niecierpliwy kochanek, palił papierosa, wypatrując jej w oddali.

Kiedy był w dobrym nastroju, witał Ondine szerokim uśmiechem i uprzejmym skinieniem głowy. Zdarzało się jednak, że tylko odwracał się bez słowa i szedł do swojej pracowni, posępny jak chmura gradowa. W takich chwilach wydawał się groźny. Ondine przyłapała się na tym, że szuka najdrobniejszych oznak pomocnych w ocenie nastroju artysty.

– Bonjour, *patron* – przywitała się zdyszana, a Picasso przytrzymał dla niej drzwi, żeby mogła wnieść pakunki z jedzeniem i rozstawić je w kuchni.

Tego dnia włożył tylko czarne spodnie i proste sandały z grubymi skórzanymi paskami.

– Znowu wymknęłaś się wcześnie, co? – stwierdził, rozbawiony podstępem Ondine. Rzucił niedopałek na kamienny stopień, zdusił nogą.

Dziewczyna szybko zaparzyła prowansalskiej herbaty ziołowej, którą artysta polubił. Pierwszy kubek naparu zaniósł na górę. Zwykle, gdy zabierał Ondine do pracowni, przepuszczał ją przodem, niby z grzeczności, ona podejrzewała jednak, że Picasso po prostu lubi przyglądać się jej od tyłu.

Czasami, popijając herbatę, opowiadał o swojej młodości – o tym, jak miał szesnaście lat i uczył się malarstwa w Madrycie; omal nie umarł tam na febrę, ale na szczęście wyzdrowiał, a potem nabrał sił dzięki wyprawom w hiszpańskie góry i lasy z przyjacielem. Żywili się wówczas ryżem i fasolą gotowaną na ognisku, spali w jaskiniach albo szałasach pasterskich, a czasami po prostu pod gołym niebem, wśród pachnącej trawy i ziół. Gdy miał dziewiętnaście lat, zamieszkał w Paryżu. Sam smażył sobie omlety, kiedy stać go było na jajka, a swoimi obrazami zasłaniał szczeliny w ścianach, aby osłonić się od zimowych przeciągów. Paryż nieustannie go inspirował, zwłaszcza to, co widział na ulicach miasta – wystawy dawnej sztuki afrykańskiej, wiatraki na Montmartrze i śpiewających przy robocie kamieniarzy, którzy przycinali wielkie, skośne bloki białej skały, tworzące kubistyczny pejzaż w realnym świecie. I właśnie tam, pośród poetów, prostytutek oraz debiutujących malarzy, Picasso zdobył uznanie i wiernych przyjaciół, jak choćby Matisse'a.

Ondine słuchała oczarowana sugestywnymi opisami miasta i wydarzeń.

Czasami pytał o jej codzienne sprawy, a choć uważała, że niewiele jest do opowiadania, ulegała jego uśmiechowi i ciepłu, kiedy zachęcał, żeby śpiewała mu piosenki z dzieciństwa i opisywała wszystko, co wie o życiu w Juan-les-Pins.

Jednak gdy tylko uznał, że jest gotów do pracy, stawał się poważny i skupiony. Przygotowywał farby – mieszał kolory na gazecie, nie na palecie – a Ondine szła za parawan ustawiony dla niej przez Picassa, i przebierała się w błękitną sukienkę. Przywoziła ją w torbie, ponieważ nie chciała, żeby matka zauważyła, że córka wciąż nosi swój wyjściowy strój. Zdejmowała buty i pończochy, a chociaż mistrz nie nalegał, również *culottes*, co było wyrazem buntu przeciwko moralności, w jakiej została wychowana.

Z głębokim dekoltem siadała na tej samej płaskiej poduszce z frędzlami, w tej samej wnęce pracowni, dokładnie tak samo upozowana i z tymi samymi rekwizytami – zegarkiem i grzebieniem; udawała, że przegląda się w lusterku. Niczym poławiacz pereł przed skokiem w głębinę Picasso przyglądał się dziewczynie uważnie, aż rozwiązał problem, który najwyraźniej go zaprzątał, a wówczas z impetem rzucał się do sztalug. Czasami, gdy ją okrążał, Ondine widziała mięśnie napinające się na jego atletycznych ramionach i barkach, a pomieszczenie wypełniało się wonią męskiego potu, której dziewczyna nie uważała za odpychającą.

Dzisiaj był tak pochłonięty pracą, że nie przerywał aż do lunchu. Ondine nie śmiała pytać, czy może wstać i przygotować posiłek. Mijały godziny, a Picasso trzymał ją unieruchomioną na podłodze, aż rozbolały ją szyja i plecy. Nawet kiedy zaburczało jej w brzuchu, ani myślał przerywać tego swojego diabolicznego malowania.

Na pewno słyszał, jak kiszki marsza mi grają, pomyślała Ondine i wbiła w niego błagalne spojrzenie. Picasso tylko zerknął, a potem z niewinną miną udał, że niczego nie zauważył. Ondine wydawało się jednak, że podchwyciła złośliwy błysk w jego oczach, jakby cieszyły go męki, na które ją wystawiał.

– Nie ruszaj ramionami – upomniał modelkę.

Miała przemożną ochotę się podrapać. Próbowała zrobić to niepostrzeżenie, ale Picasso i tak zauważył, zanim jeszcze zdążyła dosięgnąć podrażnionego miejsca.

No, dobrze, nie ruszam się, powtórzyła sobie w duchu, chociaż nadal czuła swędzenie i dręczącą przyjemność z ignorowania tej niedogodności. Co się okaże silniejsze, swędzenie czy wola? Ondine sprawdzała, czy dla dobra sztuki zdoła stłumić potrzebę fizyczną i czy swoim opanowaniem sprawi malarzowi przyjemność. On wyglądał na nieświadomego wewnętrznej walki dziewczyny, ale właśnie w chwili, gdy wydawało się, że jednak przyjdzie jej tę walkę przegrać, nagrodził Ondine najpiękniejszym z uśmiechów.

– Pamiętaj, że wszystko, co robimy w tym pokoju, ma ogromne, głębokie znaczenie – oznajmił. – Każde wypowiedziane słowo, każdy gest, każda myśl, rozumiesz?

Czymże zatem było drobne swędzenie w porównaniu z pozowaniem do arcydzieła?

Wreszcie, gdy Ondine kręciło się już w głowie, Picasso odłożył pędzel.

– *Tiens!* – Spojrzał na zegarek na ręce dziewczyny. – Już tak późno? No, to zobaczmy, co przyniosłaś mi na lunch. I nie fatyguj się przebieraniem, możemy popracować jeszcze po zjedzeniu posiłku.

Zeszła za nim do kuchni, zadowolona, bo przeczucie nakazało jej przywieźć dania niewymagające długich przygotowań – wiejskie *pâté*, trochę *cornichons*, duszone mięso wieprzowe z pomarańczą, przygotowane jeszcze poprzedniego dnia, żeby „się przegryzło", sałata z sosem *vinaigrette* i ciasto z wiśniami. Ondine jak zwykle nakryła do stołu dla jednej osoby i nawet nie próbowała nałożyć dla siebie, dopóki Picasso uprzejmie jej tego nie nakazał, co zdarzało się coraz częściej.

Tym razem, ku jej zaskoczeniu, sam rozpakował naczynia.

– Dzisiaj to ja zamierzam nakarmić ciebie, moja mała odalisko – oznajmił radośnie.

Nie pozwolił jej nawet tknąć potraw, nalegał, żeby usiadła i otworzyła usta. Podsuwał jej kawałki chleba lub jedzenia, tak że musiała wyciągać po nie szyję. Traktował ją jak udomowionego ptaka, którego podobno trzymał w swojej paryskiej pracowni.

Podawał Ondine tylko niewielkie porcje jedzenia, a kilka razy cofnął rękę w ostatniej chwili i wybuchnął gromkim śmiechem.

– Masz usta jak syrena z filmu – stwierdził. Zanurzył palec w cieście z wiśniami.

Ondine poczuła najpierw opuszkę palca Picassa na dolnej wardze, potem na górnej, na łuku Kupidyna. Starała się nie reagować na falę podniecenia, którą wywołała pieszczota.

– Lepiej obliż usta, zanim sam to zrobię – ostrzegł Picasso. – Powoli! Niech przyjemność trwa.

Ondine posłuchała i przesunęła językiem po wargach, obserwując, jak na nią patrzy. Picasso westchnął głęboko.

– Jakże śliczna z ciebie ptaszyna! Może pewnego dnia zamknę cię w złotej klatce, żeby żaden inny mężczyzna nie mógł napawać się twoim pięknem. – Na pewno żartował, chociaż wydawał się niezwykle poważny. – Będziesz śpiewała dla mnie codziennie, ale nie nakarmię cię, jeżeli piosenka mi się nie spodoba. Zmarniejesz z głodu tak bardzo, że będziesz jeść wszystko, co ci dam, nawet resztki, których pies by nie tknął, inaczej umrzesz z głodu.

– No i dobrze, bo chyba powinnam przejść na dietę – odcięła się Ondine żartobliwie.

– Nie, nie! Ani się waż! Dzisiejsze dziewczęta są za chude, wyglądają jak chłopcy – skrzywił się z oburzeniem. – Nie budzą we mnie natchnienia do malowania.

Machnął ręką, jakby opędzał się od natrętnej muchy. Ondine dostrzegła smugi farby na jego przedramieniu.

– Jestem bardzo wybredny przy wyborze modelki – zapewnił. Mówił to z całkowitą powagą i życzliwością, jakby wyjawiał dziewczynie swój największy sekret. Patrzył na nią z bliska tymi przenikliwymi ciemnymi oczami. – No, ale może popracujemy jeszcze trochę, dobrze? – dodał.

Jakby to zależało od Ondine, jakby to właśnie ona, niczym jakaś bogini, mogła decydować, czy dziś pozwoli geniuszowi rozwinąć skrzydła. Ogarnęła ją bezbrzeżna radość.

Bo chociaż nie wolno jej było drgnąć, gdy tylko zajęła swoje miejsce w niszy i usiadła w odpowiedniej pozie, nadal czuła się bardziej wolna niż rodzice, którzy musieli się liczyć z każdym groszem, plotkarki z targowiska w miasteczku, dumni mędrcy, dzień w dzień grający w karty, czy też dziewczęta, które pośpiesznie wychodziły za mąż, albo starcy, którzy przez całe życie nie złamali żadnego zakazu.

Wkrótce Ondine znowu dryfowała przez mijające minuty niczym obłok szybujący nad zaśnieżonymi szczytami Alp w stronę Londynu albo Nowego Jorku, do wielkiego świata.

– Skończone – oznajmił nieoczekiwanie Picasso.

Aż się wzdrygnęła.

– Już? – zdziwiła się, wyrwana z marzeń. Ogarnęła ją niespodziewana panika, co z pewnością było absurdalne.

– Owszem, skończyliśmy z tym obrazem – przytaknął Picasso zdecydowanie. – Och, popracuję nad tym jeszcze trochę sam. Może nawet namaluję jakąś wariację, ale nie będziesz musiała do niej pozować.

Ondine poczuła się głęboko rozczarowana. Nie wiedziała, co powiedzieć, więc wydusiła tylko:

– Podobała mi się praca dla pana. Naprawdę. – Serce trzepotało jej w piersiach niczym ptak zamknięty w klatce.

Picasso odpowiedział obojętnie, jakby postanowił już nie słuchać.

– Zastanawiam się nad zupełnie nowym cyklem – oznajmił w zamyśleniu, bardziej do siebie niż do niej. – Ale to będzie studium nagości.

Ondine odruchowo poszła za parawan, aby się przebrać. W głosie Picassa usłyszała nutkę nadziei.

– Co o tym sądzisz? – zapytał beznamiętnie.

Och, więc o to mu chodziło, pomyślała.

– Może – stwierdziła równie obojętnym tonem jak Picasso. Podobało jej się, że naga znajduje się w tym samym pomieszczeniu co artysta, a zarazem poza zasięgiem jego przenikliwego spojrzenia.

– W rzeczy samej widziałem cię już nago. W swojej wyobraźni – rzucił Picasso. – Prawdziwy mężczyzna potrafi rozebrać kobietę wzrokiem, nie tknąwszy nawet jej ubrania. Więc o co tyle zamieszania?

Jego zachowanie było całkowicie beznamiętne i Ondine poczuła się głupio, że podejrzewała go o próbę uwiedzenia. Zastanawiała się jednak, co pomyślałaby o tym *maman*. A gdyby rodzice się dowiedzieli, co ich córka wyprawiała z tym malarzem? Być może porządna zapłata za pozowanie mogłaby złagodzić nieco ich gniew.

Dopiero wtedy pomyślała po raz pierwszy o wynagrodzeniu. Ile się płaci modelkom? I czy pozowanie nago kosztuje znacznie więcej?

Malarstwo uczyniło Picassa człowiekiem bogatym, zauważyła w duchu. Jego modelki zarabiają pewnie krocie, tyle co śpiewaczki operowe albo aktorki, które mają mnóstwo biżuterii i futer.

Ondine poprawiła bluzkę i spódnicę, które wkładała do jazdy na rowerze. Postanowiła, że najwyższa pora upomnieć się o zapłatę. Z powagą wyszła zza parawanu.

– Ile zapłaci mi pan za... tego rodzaju pozowanie? – zapytała śmiało.

Picasso porządkował swoje pędzle, ale podniósł głowę i spojrzał ostro.

– Skąd ci to przyszło do głowy? – zdziwił się. – Rodzice kazali ci o to zapytać?

Ondine się zarumieniła, ponieważ wzmianka o rodzicach sprowadziła ją na ziemię.

– Nic o tym nie wiedzą – wyznała. – Chcę tylko tyle, ile płaci pan swoim modelkom.

Szerokim gestem wskazała na rozrzucone szkice i obrazy nagiej blondynki.

– Ona nie robi tego dla pieniędzy! – oburzył się Picasso. – Marie-Thérese to p r a w d z i w a kobieta! Przez wszystkie te lata ani razu nie wspomniała o zapłacie, jej nagrodą jest radość z poświęcenia się i zadowalania wielkiego artysty! Myślisz, że każda kobieta może stać się tematem obrazów, które wiszą w najlepszych galeriach świata? Cóż, może obraz z tobą powinienem oddać śmieciarzowi.

Ton jego głosu był tak zimny, że zmroził Ondine krew w żyłach. Poczuła się zupełnie bezwartościowa. Picasso ponuro marszczył brwi, wyglądał groźniej i sprawiał wrażenie bardziej brutalnego niż zwykle. Popatrzył gniewnie na stertę książek, ale najwyraźniej nie znalazł tam tego, czego szukał.

– *Merde!* – burknął.

Potem jednak się odezwał, tym razem dziwnie obojętnym tonem:

– Słyszałaś o markizie de Sade?

Ondine tylko pokręciła głową.

– Nie? Był inteligentny. Żył wiele lat temu... Nie widziałaś ruin jego zamku? To tutaj, w Prowansji, górują nad miasteczkiem Lacoste. De Sade trzymał młode służące w lochu i wykorzystywał je dla swoich przyjemności albo bił, gdy go rozgniewały. – Picasso wytrzeszczył oczy z przesadną zgrozą. – Dopóki pewnego dnia Napoleon nie wtrącił go do więzienia.

– Więc ten markiz był niegodziwcem – stwierdziła stanowczo Ondine i odruchowo się cofnęła.

– Ale kobiety właśnie takich pragną – upierał się Picasso. – W rzeczywistości są szczęśliwe tylko wtedy, gdy poddają się całkowicie mężczyźnie, ciałem, umysłem i duszą; spełniają wszystkie jego rozkazy. Nawet ból zadawany przez mężczyznę sprawia kobiecie wielką radość i rozkosz, nie sądzisz?

Stanął przed Ondine, niemal twarzą w twarz, jak gdyby chciał ją zahipnotyzować i w ten sposób zmusić do uległości i posłuszeństwa.

Odczytała w jego głosie brutalność i ani trochę jej się to nie spodobało.

– Nie – odpowiedziała twardo, patrząc mu prosto w oczy.

Picasso obojętnie wzruszył ramionami, odwrócił się i zaczął kartkować swój szkicownik. Zachowywał się tak, jakby już odprawił Ondine.

Nie wiedziała, śmiać się czy płakać. To miał być żart, kolejna próba?

– Czy mam... Czy chce pan, abym wciąż tu przychodziła? – zapytała ostrożnie.

Picasso nie raczył podnieść wzroku.

– Och, wróć, gdy będziesz już wiedziała, co to znaczy być p r a w d z i w ą k o b i e t ą! – W jego głosie brzmiała pogarda, jakby uważał, że Ondine taka przemiana raczej się nie zdarzy.

Dziewczynę znowu ogarnął strach, ale zaraz wpadł jej do głowy pomysł.

– Skoro pan mnie nie potrzebuje, może *monsieur* Matisse zechce wynająć mnie na kucharkę i modelkę – rzuciła niewinnie.

– Matisse? – najeżył się Picasso. – Nie żartuj! Wystarczy mu ta Lydia, innej modelki nie potrzebuje. Ty jesteś moja – rzucił jadowicie. – Czy chcę, abyś nadal przynosiła mi lunch? Oczywiście, myślisz, że zamierzam się zagłodzić na śmierć?

– No i dobrze. – Ondine nie była pewna, czy chciał, aby znowu mu pozowała, ale, tak czy inaczej, cieszyła się choć z częściowego zwycięstwa.

Picasso chyba to dostrzegł, ponieważ kiedy go mijała, wyciągnął rękę, aby ją zatrzymać. Kiedy uniósł drugą rękę, Ondine przestraszyła się, że ją uderzy, lecz postarała się nie skulić. Przesunął palcami po jej policzku jak rzeźbiarz po swoim dziele. Miała nadzieję, że malarz nie zauważy, jak bardzo jest wrażliwa na jego dotyk. Kiedy uniósł ramię, dostrzegła ciemne, splątane włosy pod jego pachą – przypomniały jej o włochatym Minotaurze ze szkiców.

Niemal wbrew swojej woli Picasso się uśmiechnął.

– Nieznośna z ciebie kotka. Niestety, głowę masz jak rzymska bogini. Widuję takie na starożytnych monetach albo płaskorzeźbach. Może twoi przodkowie przypłynęli statkiem z Capri.

Koniuszki jego palców przesunęły się na szyję Ondine, zatrzymały na jej gardle, a potem opadły niżej, na lewą pierś i obrysowały sutek.

Dziewczynie nie udało się opanować fali przyjemności. Starała się jednak to ukryć, stłumić, ponieważ miała silne przeczucie, że nie wolno jej ustąpić ani na krok.

– Ach. – Picasso złagodniał.

Chce mnie pocałować, pomyślała Ondine z zachwytem, a zaraz potem poczuła dotyk ciepłych, przyjaznych warg, mocny i zdecydowany.

Usta mężczyzny pieściły ją miękko i delikatnie przez krótką, lecz podniecającą chwilę. Potem Picasso cofnął się i krytycznie przyjrzał twarzy Ondine.

– Dobrze. Młoda dziewczyna powinna się rumienić, gdy mężczyzna ją pocałuje – pochwalił. – No, a teraz zmykaj do mamy.

Tej nocy Ondine nie mogła zasnąć. Leżała w łóżku, targana emocjami, gdy tylko wspomniała nieśpieszny pocałunek Picassa.

Ale przecież nie zakochał się we mnie, prawda? – zastanawiała się gorączkowo.

Prawie cały czas w jego głosie słychać gniew. No i na pewno nie lubi rozmów o płaceniu. O co chodziło z tymi bzdurami? Tymi o torturowanych niewolnicach i markizie de Sade?

Ponownie zaczęła podejrzewać, że Picasso ją sprawdzał, tylko po co?

Gdzieś daleko był świat, o którym Ondine nic nie wiedziała. Co się stanie, gdy Picasso przestanie ją malować? Dziewczyny tak naprawdę nie obchodziły pieniądze. A narastające pragnienie, aby znowu znaleźć się blisko artysty, nie przypominało wcale miłości. Ondine nie była nawet pewna, czego właściwie pragnie. Czuła jednak, że jej przyszłość związana jest z Picassem pomimo jego zmiennych, gwałtownych nastrojów. Musiała tylko znaleźć sposób, aby ten mężczyzna pokazał, jak użyć klucza, którym tak często machał jej przed nosem – wtedy nareszcie otworzą się wrota do lepszego, piękniejszego losu, który na pewno ją czekał, i do świata, w którym ludzie mogli robić to, co sprawia im przyjemność, i pracować nie po to, aby zadowolić innych, lecz dla własnej satysfakcji. Ondine ujrzała już ten raj na ziemi i wiedziała, że pragnie go dla siebie.

10

ONDINE I GOŚĆ W WILLI

Nazajutrz, znalazłszy się na drodze do domu Picassa, Ondine poczuła niepokój. Nie była pewna, czy będzie tam mile widziana. Poprzedniego dnia mężczyzna zachowywał się tak nieprzewidywalnie – w jednej chwili delikatnie i przyjaźnie, ale zaraz obojętnie, nawet wrogo. Czy zapomniał, że się zgodził, aby nadal dla niego gotowała? A jeżeli pozowanie bez ubrania to jedyny sposób, aby zachować pracę w willi?

Nie miałaby nic przeciwko temu, żeby zobaczył ją nagą – musiała przyznać z poczuciem winy. Obawiała się jednak, że cały świat, zwłaszcza mieszkańcy Juan-les-Pins, jak choćby Trzej Mędrcy z *café*, mogliby oglądać ją nagą w galerii. Do końca swoich dni musiałaby słuchać niewybrednych komentarzy!

Ondine weszła do kuchni. Z zaskoczeniem spojrzała na Picassa, który siedział przy stole i popijał herbatę, oraz na obcą kobietę, która ani trochę nie przypominała skromnej blondynki z jego obrazów. Nieznajoma wydawała się całkowitym przeciwieństwem niewolnicy Minotaura – miała czarne włosy, ścięte krótko według paryskiej mody, i zaskakująco ciemne brwi, policzki podkreśliła różem, usta szkarłatną szminką, a oczy czernią. Nie skończyła jeszcze trzydziestki i ubrana była jak mężczyzna – w elegancki garnitur z wykrochmaloną białą koszulą. Na kolanach trzymała wymyślny aparat fotograficzny i z wprawą wkręcała kliszę.

– Wejdź, wejdź – zawołał Picasso z przesadną uprzejmością.

Ondine uderzył ten sztuczny, teatralny ton jego głosu.

– Doro, to moja Ondine, najlepsza kucharka w Prowansji! Szczerze mówiąc, jestem pewien, że pewnego dnia ta dziewczyna stanie się wielką kulinarną *artiste*.

Dora uniosła głowę i wbiła ostre spojrzenie w Ondine, jej oczy zalśniły jak latarnie, jednak się nie odezwała, tylko patrzyła i kończyła przygotowywać aparat. Picasso nie pofatygował się, aby przedstawić Dorę, co nie uszło uwadze dziewczyny.

– Co takiego moja bogini kuchni przygotowała na dziś, *chère* Ondine? – Picasso zatarł ręce z nieskrywanej radości.

– Podam solę *à la meunière*. – Nie miała wielkiej ochoty odzywać się w obecności obcej kobiety.

Nieznajoma uniosła aparat i, bez ostrzeżenia, w oślepiającym rozbłysku zrobiła zdjęcie. Ondine poczuła się, jakby została spoliczkowana na oczach tłumu.

– Wspaniale! Poczekamy w jadalni – zdecydował Picasso i wstał. Dora poszła za nim bez słowa.

Ondine zabrała się do pracy, chociaż ręce jej drżały, a do oczu napływały łzy. Gwałtownie zamrugała, aby się opanować. Przywiozła dość jedzenia, aby starczyło dla dwojga, ale tylko dlatego, że zwykle to ją Picasso zapraszał do stołu. Dlaczego miałaby oddać swój lunch obcej kobiecie?

– Zdaje się, że znowu jestem dla niego tylko kucharką. Cóż, będę kucharką doskonałą! – burknęła pod nosem.

Wyjęła dwie delikatne ryby, przyprawiła świeżo zmielonym pieprzem i oprószyła mąką. Właśnie dlatego danie nazywało się *meunière* – od młynarza, który zmełł zboże. Na koniec usmażyła ryby na sklarowanym maśle z łyżeczką oliwy z oliwek. Kiedy się zrumieniły na złoto po obu stronach, ułożyła sole na półmisku i polała sosem ze stopionego masła z sokiem cytrynowym, kaparami i świeżo posiekaną natką pietruszki. Ryby podała z małymi młodymi ziemniakami i strączkami zielonej fasolki, zmieszanymi z paskami czerwonej papryki. Pasowało do nich wino z białych winogron vermentino, tak młode, że niemal zielone.

Kiedy Ondine wniosła tacę do jadalni, Picasso i jego gość byli pogrążeni w rozmowie. Artysta nachylił się, żeby zobaczyć, co znajduje się na półmisku, po czym z aprobatą skinął głową. Za pomocą sztućców do serwowania Ondine wprawnie usunęła ości i rozłożyła ryby na talerzach.

– Na świecie jest mnóstwo hipokrytów – mówiła właśnie Dora. – Nagłówki wszystkich gazet krzyczą o *Herr* Hitlerze, który znowu zajął Nadrenię, jednak politycy nic z tym nie robią. A przecież doskonale wiedzą, że to jawne naruszenie traktatu wersalskiego! Na dodatek ci sami dziennikarze rozpływają się w orgiastycznych pochwałach, bo naziści organizują letnią olimpiadę. To hańba, że zaszczyt ten przyznano Niemcom zamiast Hiszpanii!

– Faszyści mają więcej pieniędzy, zawsze bez trudu przelicytują lewicowców – odparł Picasso ze spokojem.

– Oczywiście, ale skąd naziści mają tyle pieniędzy? – rzuciła Dora z naciskiem. – Kto zapewnił Hitlerowi fundusze wystarczające na budowę monstrualnego stadionu...? Och, przecież Hitler uwielbia stadiony, ten, który powstanie, będzie miał sto tysięcy miejsc! I do tego wymyślne urządzenia, chyba tylko po to, żeby ten wredny człowieczek mógł nadawać swoje napuszone, zarozumiałe przemowy od razu do czterdziestu krajów... Świat oszalał.

Ondine musiała przyznać, że chociaż Dora mówiła o wydarzeniach strasznych, głos miała piękny – melodyjny i hipnotyzujący, tym bardziej że kobieta emanowała inteligencją i powagą. Mówiła z pasją i przekonaniem, jakby wcześniej dokładnie przemyślała każde słowo, a opisywane zdarzenia bardzo ją obchodziły. Patrzyła przy tym ostro i przenikliwie. Niewątpliwie zrobiła wrażenie na Picassie.

– Człowiek kochający przemoc i siłę uwiódł cały świat. Jak zwykle. Dzieje się tak nie po raz pierwszy – zauważył artysta.

Ondine ledwie mogła uwierzyć, że kobieta dyskutuje z mężczyzną o pieniądzach i polityce. Miała szczerą nadzieję, że Picasso nie zapyta jej o opinię na temat Niemiec. Dopiero teraz uświadomiła sobie, że Dora śledzi każdy jej ruch, nie wprost, lecz kątem oka, jak kot.

Sposób, w jaki Dora reagowała na Ondine, Picasso obserwował z najwyższym rozbawieniem.

Ta kobieta to pewnie dziennikarka, która przyjechała zrobić wywiad z wielkim artystą, pomyślała Ondine po powrocie do kuchni. Chyba dlatego Picasso pochwalił się, że ma najlepszą kucharkę w Prowansji. Zaskoczyła ją własna zaborczość względem Picassa. Wcześniej przecież nie przeszkadzała jej tamta jasnowłosa kobieta. Może dlatego, że wydawała się raczej duchem – nigdy nie naruszyła samotności artysty, którą Ondine z nim dzieliła.

Kiedy później wróciła do jadalni, aby zabrać naczynia, Picasso i Dora dyskutowali już o paryskich artystach i handlarzach sztuki. Malarz spojrzał na Ondine tylko po to, aby dość wyniośle rzucić:

– Dobry lunch, Ondine. Herbatę wypijemy w salonie.

Po czym oboje z Dorą wstali od stołu.

Dziewczyna po raz pierwszy chyba poczuła się w tym domu jak służąca. Wniosła tacę z ulubioną herbatą ziołową Picassa i morelową *tarte,* którą tego ranka upiekła specjalnie dla niego. Postawiła wszystko na niskim stoliku przy sofie w salonie. Picasso usiadł i założył nogę na nogę.

Ondine nalała herbaty. Gdy Dora sięgnęła po filiżankę, dziewczyna dostrzegła ciemne siniaki na jej przedramieniu. Odruchowo odwróciła wzrok. Dora wstała z wdziękiem i przeszła się po salonie, aby obejrzeć rozstawione tam obrazy.

Picasso napił się herbaty, po czym stanął za plecami Dory i wymruczał jej do ucha figlarnie:

– Nie chciałabyś zajrzeć na górę? Ostatnim razem, gdy mnie odwiedziłaś, byliśmy tak z a j ę c i, że zapomniałem ci pokazać najnowsze szkice.

Ondine, która właśnie kroiła *tarte* i układała kawałki na talerzykach deserowych, wyprostowała się w porę, aby zobaczyć, jak mężczyzna przesuwa dłonią po pośladku Dory, a potem lekko ściska.

Dziewczyna pośpiesznie uciekła do kuchni i zabrała się do mycia naczyń. Dlaczego oślepiały ją... jeśli nie łzy, to co? Gniew?

Nie zdawała sobie sprawy, że myje talerze z większym niż zwykle wigorem i zapewne bardziej hałaśliwie. Nagle wszedł do kuchni Picasso i położył jej rękę na ramieniu.

– Dora nie może się zdecydować, czy chce zostać fotografką czy malarką – powiedział cicho, jakby się zwierzał. – Bo widzisz, ona jest profesjonalnym fotografikiem. Doradziłem jej, żeby jednak zajęła się malarstwem, ponieważ każdy fotograf kryje w sobie malarza pragnącego się wyrwać na świat.

Ondine milczała.

– Wiesz, jak poznałem Dorę Maar? – mówił dalej Picasso. – W paryskiej kawiarni. Bawiła się nożem sama ze sobą. Znasz to?

Ujął rękę Ondine, oparł ją na kuchennym blacie, przykrył swoją ciepłą dłonią i rozsunął szeroko palce. Sięgnął po jeden z noży, które dziewczyna właśnie umyła.

– Raz, dwa, trzy, cztery, pięć, sześć! – ze złośliwą radością liczył na głos, stukając nożem między rozcapierzonymi palcami ich dłoni. Zaczął od kciuka, a gdy dotarł do małego palca, liczył wstecz i stukał nożem coraz szybciej w odwrotnej kolejności. – Pięć, cztery, trzy, dwa, jeden!

Ondine stłumiła okrzyk, nie pozwoliła sobie na przerażony pisk, ponieważ wyczuwała, że Picasso właśnie tego chciał.

– Chodzi o to, żeby stukać nożem coraz szybciej, szybciej niż inni, a przy tym się nie pokaleczyć – wyjaśnił po skończonej demonstracji. – Dora robiła to w rękawiczkach. Kiedy skończyła, przez materiał przesiąkała krew.

Na Picassie chyba zrobiło to wrażenie.

– Przechowuję tę rękawiczkę na półce w swojej pracowni.

Czyli oboje jesteście szaleni, pomyślała Ondine, ale czekała w milczeniu, dopóki mężczyzna nie cofnął ręki z jej dłoni.

Kiedy podniosła głowę, napotkała spojrzenie Dory stojącej w drzwiach. Kobieta znowu przypominała czarnego kota, kiedy jednak wsunęła papierosa do ust i zaciągnęła się głęboko, wrażenie prysło. Dora wydmuchała obłoczek dymu i bez słowa wyszła do salonu. Picasso pośpieszył za nią, a Ondine zajęła się znowu zmywaniem.

Zaraz potem usłyszała ich wchodzących na schody. W willi zapadła cisza, wkrótce jednak przerwały ją zwierzęce niemal pomruki, rytmiczne uderzenia i jęki. Ondine znieruchomiała czujnie, zanim dotarło do niej, że to odgłosy uprawiania miłości... Z góry rozległ się głośny łomot, jakby ktoś upadł albo uderzył w ścianę, i gniewny, kobiecy krzyk. Ondine wyobraziła sobie, co by się stało, gdyby wezwała policjanta Rafaella, żeby interweniował. Po domu poniosły się jęki, tym razem zarówno Picassa, jak i Dory, wkrótce jednak ucichły do pomruków i szeptów. Dziewczyna spakowała swój kosz i wymknęła się bocznymi drzwiami.

Gdy mocowała kosz do roweru, Picasso otworzył okno na piętrze. Ondine dostrzegła, że stanął przy sztalugach i mówił coś cicho do swojego gościa. Dziewczyna znała tę postawę.

– Będzie ją malował – mruknęła. Pokręciła głową i wsiadła na rower. Chciała stamtąd jak najszybciej odjechać. Z impetem nacisnęła na pedały.

Kogo próbował dzisiaj zawstydzić, Dorę czy mnie? Chyba obu nam chciał zadać ból. Ale dlaczego? Dlaczego? I co się stało z tą jasnowłosą kobietą z obrazów? – zastanawiała się po drodze. Zresztą nie powinno mnie to obchodzić.

Nie potrafiła jednak wyjaśnić sobie tego zimnego niepokoju ściskającego ją w dołku. Gdy Picasso ją malował, sprawiał też, że czuła się jak najważniejsza kobieta na świecie, a jego zadowolenie niczym słońce na piaszczystej plaży ogrzewało jej serce. A teraz miała wrażenie, jakby słońce zostało przesłonięte przez księżyc, zapadła ciemność i nastał chłód, a dzień stał się mroczny jak noc. Ondine zdawało się, że słońce już nie wróci i nigdy więcej jej nie ogrzeje.

11

ONDINE À LA PLAGE

Obawiała się powrotu do willi następnego dnia. Rzecz jasna, chciała gotować dla Picassa, rozmawiać z nim, nawet mu pozować – ale tylko pod warunkiem, że znowu będą spędzać czas w spokoju, który zaczęła bardzo doceniać.

Na pewno nie będę gotować dla tej Dory – obiecała sobie stanowczo. Jeżeli ta kobieta wciąż tam będzie, zostawię kosz z lunchem pod frontowymi drzwiami i niech Dora usługuje Picassowi!

Oczywiście w głębi duszy wiedziała doskonale, że nie ma prawa do odmowy. Matka powiedziała jej przecież, jaka jest umowa z Picassem. W ponurym nastroju dziewczyna wsiadła na rower.

Dzień zrobił się wyjątkowo upalny jak na tę porę roku. Na dodatek był już piątek, co zachęciło tylko ludzi do wychodzenia na ulice. Byli w radosnych nastrojach, podnieceni, jakby nie mogli się doczekać końca pracy, żeby rozpocząć sobotnio-niedzielną zabawę. Ondine głęboko nabrała tchu. Wiatru od morza nie przesycał już zapach soli i ryb, lecz woń kwiatów, a wokół niósł się głośny i radosny świergot ptaków.

Kiedy podjechała do willi i postawiła rower przy ścianie, usłyszała zupełnie inny rwetes – dwie kobiety się kłóciły, a ich podniesione głosy było wyraźnie słychać przez otwarte kuchenne okno.

– Nie masz prawa tu być! Pablo jest m ó j! – Pierwszy głos był bardzo miękki i kobiecy, lecz nabrzmiały świętym oburzeniem.

– Żadna kobieta nie może sobie rościć choćby najmniejszego prawa do takiego mężczyzny jak Pablo Picasso! – prychnęła ironicznie druga, z lekkim rozbawieniem, pod którym kryły się jednak ostre nuty.

Ondine wydawało się, że rozpoznaje ten głos. Znieruchomiała przy koszu, który właśnie miała zdjąć z roweru. Dora Maar. Ani myślała wchodzić teraz do kuchni i przerywać awanturę.

– Jestem matką jego dziecka! – oznajmiła dumnie pierwsza kobieta, jakby zagrała kartą atutową. – Dlatego moje miejsce jest przy Picassie. A ty lepiej pakuj manatki i już cię tu nie ma!

– Dziecko niczego nie zmienia, to całkowicie bez znaczenia. – Dora zbyła argument lekceważącym tonem, jakby prowadziła dysputę filozoficzną z kimś, kogo nie uważała za równego sobie intelektualnie. – Mam pełne prawo tu być. Ciebie natomiast nikt nie zapraszał, nie jesteście już parą!

Kobieta o miękkim głosie przeszła przez kuchnię i jej głos stał się lepiej słyszalny, a kiedy minęła okno, Ondine mogła ją zobaczyć. Od razu rozpoznała charakterystyczny nos i sennie półprzymknięte oczy. O, tak! To jasnowłosa kobieta z obrazów, którą Picasso nazywał Marie-Thérèse.

Ondine nareszcie zobaczyła ją w rzeczywistości. Tylko przez chwilę, ale wyciągnęła szyję, żeby przyjrzeć się lepiej. Tą na pozór łagodną i uległą kobietą targały teraz rozdrażnienie i oburzenie.

– Pablo? – Jasnowłosa znowu zniknęła z pola widzenia. – Dlaczego siedzisz tak spokojnie, *trop innocent,* jakby cię to nic nie obchodziło? Na litość boską, ta sytuacja jest nie do zniesienia! Wiesz o tym, prawda? No to zdecyduj, która z nas ma zostać, a która musi odejść?

Ondine usłyszała szurnięcie krzesła o podłogę, a potem pogardliwe parsknięcie Picassa.

– *Pah!* Wcale nie muszę decydować! Mnie dobrze tak, jak jest. Tylko jak mężczyzna ma skończyć swoją pracę, gdy dwie kwoki gdaczą mu nad głową? Skoro macie ze sobą problem, rozwiążcie go przez pojedynek! A ja tymczasem odetchnę świeżym powietrzem!

Z kuchni rozległy się łomot i piski obu kobiet. Zanim Ondine zdążyła się cofnąć, w tylnych drzwiach stanął Picasso, rozdrażniony i zmęczony. Był ubrany w krótkie spodnie i rozpiętą koszulę, a na nogach miał proste skórzane sandały podobne do pasterskich. Z jego odsłoniętego ciała biły gorąco i wściekłość, zdawało się, że zionie ogniem, jeśli tylko otworzy usta.

Ondine zadrżała. Nie wiedziała, co robić. Jednak ku jej zaskoczeniu Picasso powitał ją szerokim, serdecznym uśmiechem.

– Ach, dzięki Bogu, nareszcie rozsądna kobieta! No cóż, nie ma sensu, żebyś wnosiła swój kosz do kuchni, Ondine, zwłaszcza że walczą tam dwie harpie. Jeszcze zaczęłyby bombardować się jedzeniem i lunch by się zmarnował. Na pewno niedługo powyrywają sobie włosy – stwierdził z przesadną zgrozą. – Szkoda, że nie sprzedałem biletów na tę walkę.

Dziewczyna zdała sobie sprawę, że Picasso się popisuje.

– Wyobraź sobie, co by było, gdyby pojawiła się tutaj jeszcze moja żona – dodał z szelmowskim uśmieszkiem. – Rozszarpałyby te dwie na strzępy. A potem ty i ja musielibyśmy pogrzebać zwłoki w ogrodzie za domem.

Wyglądał, jakby mu się podobała myśl o posiadaniu haremu pełnego kobiet walczących o jego względy.

Dopiero wtedy Ondine zrozumiała, że mógł nawet zaaranżować to starcie. Możliwe również, że celowo rozognił kłótnię wtedy, gdy – jak wiedział – ona powinna pojawić się pod domem. Miał w sobie pociąg do psot, i to nieco dziwacznych.

Picasso tymczasem spojrzał w czyste niebo i zdecydował:

– Dziś jest zbyt pięknie, żeby siedzieć w domu i odgrywać sędziego. Wybierzmy się popływać i zróbmy sobie piknik! Chodź, zabierz rower i ruszaj za mną.

Zaskoczył Ondine, ponieważ chyba znał krótszą drogę na plażę. Skierował się od razu na udeptaną ścieżkę wzdłuż kwitnącej łąki sąsiadującej z willą. Dziewczyna ruszyła niepewnie, rower chybotał się niebezpiecznie na wystających z ziemi skałach, ale udało jej się dotrzymać kroku mężczyźnie, gdy schodzili coraz niżej i niżej na brzeg morza.

Zatrzymali się przy małej zatoczce z kamienistą plażą, którą okalały sosny przytulone do skalnych ścian, chroniących je przed wiatrem. Oparła rower o głaz. Picasso zdążył już zdjąć koszulę i sandały, pozostał w samych spodenkach. Miał zdumiewająco delikatne stopy, gładkie i jasne. Ondine przypomniał się posążek Buddy z kości słoniowej, który widziała na wystawie sklepowej.

Picasso popatrzył na morze jak na bestię, którą zamierza pokonać. Uniósł podbródek i wyprężył pierś, po czym pomaszerował do wody. Nie zmylił kroku, gdy wszedł w fale, aż sięgnęły mu do pasa.

– No? – zawołał do Ondine, gdy opanował szok spowodowany zimnem. – Na co czekasz? Przecież jesteś ondyną, małą syrenką. Tylko mi nie mów, że się boisz morza!

Dziewczyna zdjęła już buty i rozpięła sukienkę, ale zawahała się, gdy miała się rozebrać. Wreszcie stwierdziła, że im szybciej zanurzy się w fale, tym lepiej ochroni swoją skromność. Ściągnęła sukienkę przez głowę, pozostała w koszulce i *culottes,* po czym wbiegła do morza, niedaleko Picassa. Gdy tylko znalazła się wystarczająco głęboko, zanurkowała.

Od razu zaczęła szybko płynąć, aby rozgrzać mięśnie. Luc nauczył ją, że trzeba wydychać powietrze pod wodę, a wdechy robić nad powierzchnią w rytm ruchów ramion i uderzeń nóg. Zanurzyła się i popłynęła, skupiona na oddechu. Starała się nie zaciskać powiek, tylko mrugać, aby sól nie piekła jej w oczy. A potem wynurzyła się i nabrała tchu, żeby wyrównać oddech. Rozejrzała się, jak daleko odpłynął Picasso, ale nie dostrzegła go wśród fal.

Gdzie on jest? – zdziwiła się. Odpłynął tak daleko?

Zmrużyła oczy, bo raziło ją słońce, i popłynęła dalej, rozglądając się dookoła. Dojrzała go dopiero, gdy zawróciła. Płynął blisko brzegu, równolegle do plaży, gwałtownymi ruchami rozpryskując wodę. Kiedy podchwycił spojrzenie Ondine, pomachał jej, a potem zaczął się popisywać – poruszał naprzemiennie ramionami i obracał głowę nad falami, najpierw w lewo, potem w prawo, w lewo i znowu w prawo. Ondine zanurkowała i ruszyła w jego stronę.

Gdy znalazła się bliżej, dostrzegła nogi Picassa pod wodą. Własnym oczom nie wierzyła! Mężczyzna cały czas stał i chodził. Wynurzyła się. Picasso wciąż poruszał ramionami jak pływak i teatralnie obracał głowę. Dopiero wtedy zrozumiała. Picasso nie umie pływać! Udaje tylko, pomyślała zaskoczona. Czym prędzej skierowała się w przeciwną stronę, aby go nie zawstydzać. Wyszedł na brzeg. Ondine pobiegła w zagajnik, aby zdjąć mokrą bieliznę i rozłożyć na głazach do wysuszenia. Wytarła się sukienką, zanim ją włożyła.

Gdy wróciła, Picasso już się wytarł koszulą. Chwycił dziewczynę za ramię, przyciągnął bliżej.

– Masz zupełnie mokre włosy – stwierdził. – Jeszcze nabawisz się zapalenia płuc, a twoja mama powie, że to przeze mnie.

Po czym z wigorem zaczął wycierać Ondine głowę, jednak o wiele delikatniej obchodził się z jej długimi lokami.

– Jesteś jeszcze podlotkiem – żartował, nie przerywając wycierania. – Dopiero niedawno nauczyłaś się wiązać sznurówki i używać chusteczki. Byłaś dobrą uczennicą czy słabą? Ha! Założę się, że byłaś małą mądralą, która zna odpowiedzi na wszystkie pytania. Ale teraz chcesz zadawać pytania tylko mnie. Mam rację?

Ondine zarumieniła się od ciepła jego dłoni. Z koszuli, której używał do wycierania jej włosów, unosił się podniecający męski zapach. Dziewczyna czuła się dziwnie obezwładniona, jakby w obecności tego mężczyzny brakowało jej tchu, jakby nawet tutaj, na otwartej przestrzeni, Picasso zabierał dla siebie cały dostępny tlen.

– Ja byłem okropnym uczniem – wyznał. – Chciałem tylko rysować. Liczby i słowa w ogóle mnie nie interesowały. Próbowałem się skupiać na tym, czego mnie uczono, ale kiedy patrzyłem na liczby, które miałem dodać, widziałem jedynie ptasie oczy i szpony.

Skończył ją wycierać i patrzył uważnie.

– Dobrze wyglądasz, gdy jesteś mokra. Smakowicie. – Przysiadł na dużym płaskim głazie, skrzyżował nogi, zamknął oczy i uniósł głowę do słońca. Wyglądał zupełnie jak Budda. – Co mamy do jedzenia? Przyniosłaś surową rybę, którą będzie trzeba upiec nad ogniskiem? Mam już zacząć pocierać patyki, żeby rozpalić ogień?

– Nie, to *pain de viande,* pieczeń z mielonej wołowiny i kurczaka. Można ją jeść na gorąco albo na zimno.

Ondine zdjęła kosz z roweru. Picasso pomógł jej rozłożyć na płaskim głazie fartuch, który zawsze przywoziła. Tym razem posłużył za prowizoryczny obrus. Posiłek jedli rękami i popijali winem. Ondine miała wrażenie, że na szyjce butelki, którą się dzielili, wyczuwa słonawy smak Picassa. Jakby ucztowała z samym Neptunem.

– Twoje posiłki są coraz lepsze – pochwalił ją z namysłem. – I jesteś jedną z niewielu osób, których potrawy nigdy mi nie szkodzą. Wierz mi, mam bardzo wrażliwy żołądek! Ale jak to możliwe, że taka młoda dziewczyna tyle wie o gotowaniu?

– Kiedy posłano mnie do szkoły zakonnej, poznałam mnicha – wyjaśniła szczerze Ondine. – *Père* Jacques gotował posiłki i dla opactwa, i dla uczennic. Wiedział, że moi rodzice mają restaurację, więc wybrał mnie na swoją pomocnicę. Nauczył mnie „fundamentalnych zasad" starożytnych medyków rzymskich, greckich i egipskich, którzy uznawali, że tak jak istnieją cztery żywioły — powietrze, ogień, ziemia i woda — istnieją też cztery podstawowe cechy jedzenia: wilgotność, suchość, gorąco i zimno, a każda potrawa to kombinacja tych elementów. Oczywiście to nie takie proste, jak się może wydawać, bo na przykład cebula jest gorąca i w i l g o t n a, ale czosnek i pory gorące i s u c h e. Każdy sos, każdą przyprawę czy składniki na danie należy wybierać nie po to, aby się popisać, lecz aby uzyskać doskonałą równowagę. Jedzenie może być także neutralne, jak choćby kozie mięso.

Picasso kiwał głową z powagą.

– Lubię kozinę – przytaknął w zamyśleniu. – I jak wykorzystujesz tę wiedzę?

Zachęcona jego zainteresowaniem Ondine mówiła dalej:

– Zestawianie określonych potraw pozwala uniknąć przewagi jednego elementu w diecie. Trzeba też dostosowywać jedzenie do pory roku. Zimną, wilgotną pogodę można zrównoważyć gorącym suchym posiłkiem, na przykład pieczonym mięsem, a w gorące, słoneczne dni lata lepiej serwować ryby albo dania duszone w wodzie. Należy także uwzględnić przypadłości osoby, którą się karmi. *Père* Jacques twierdzi, że niektóre składniki dań to katalizatory, które gdy odpowiednio się ich użyje, mogą pomóc w trawieniu, na przykład cukier z buraków albo świeże mleko – zakończyła niemal bez tchu. Zaskoczyło ją, że tak łatwo dała się skłonić do mówienia. I chyba po raz pierwszy nikt jej nie przerwał. Ta wolność wyrażania myśli i uczuć była dla Ondine nowością.

A Picasso słuchał uważnie i przyglądał się jej twarzy, ożywiającej się na myśl o tylu kulinarnych możliwościach. Kiedy dziewczyna przestała mówić, pozwolił, aby zapadła medytacyjna cisza. Potem skinął głową.

– Naprawdę masz inteligencję i zmysłową pasję artysty – stwierdził.

Ondine, jeszcze zarumieniona z podniecenia, zdała sobie sprawę, że właśnie ujawniła o sobie coś intymnego. Poczuła się bardziej naga niż wtedy, gdy się rozebrała, aby popływać.

Przez chwilę jedli w przyjaznym milczeniu. Nagle Picasso rzucił figlarnie:

– Ja również wierzę w równowagę w życiu. Nie rozumiem, czemu miałbym porzucać jedną kobietę dla innej. A ty? Powinienem po prostu obciąć im głowy i trzymać w szafie. Wtedy mógłbym rozmawiać z nimi, gdy zechcę, a potem chować i zamykać, gdy nie mam ochoty na pogawędki. Właśnie. Jak myślisz, kto wygrał tę walkę w moim domu?

Ondine próbowała nie myśleć o obrazach, które wywołał w jej wyobraźni. Jednak Picasso oczekiwał chyba odpowiedzi, więc z powagą zastanowiła się nad jego pytaniem. Luc nigdy nie kazał jej walczyć o swoje względy, ale Ondine przypomniała sobie przepychanki innych dziewcząt.

– Żadna – oznajmiła wreszcie. – Jeżeli trzeba walczyć o mężczyznę, już się przegrało.

Picasso ryknął śmiechem, a potem wyznał konfidencjonalnym szeptem:

– *Exactement!* Trzeba jasno wyznaczać granice. Wiesz co, Ondine? Podobasz mi się.

Skończyli jeść, razem spakowali kosz i zeszli z plaży. Picasso objął dziewczynę ramieniem, aby osłonić ją przed wiatrem, który stawał się coraz bardziej porywisty. Ondine przytulała się do muskularnego torsu mężczyzny, gdy wracali do miejsca, gdzie zostawiła rower. Potem weszła między drzewa, żeby zabrać wysuszoną bieliznę. Od razu założyła *culottes*.

Picasso udawał, że nie patrzy, ale poczekał na jej powrót. Gdy stanęła przy rowerze, cofnął się i powiedział dość oficjalnym tonem:

– Dziękuję za miły lunch, Ondine. Do zobaczenia w poniedziałek.

A potem ruszył samotnie do willi.

12

OŚWIADCZYNY

Wniedzielę Café Paradis była zamknięta, więc Ondine wylegiwała się w łóżku dłużej niż zwykle. Drzemała, dopóki nie nadeszła pora, aby zejść na dół i udać się z rodzicami na mszę. Tego dnia jednak, gdy rozdzwoniły się kościelne dzwony, matka zaskoczyła Ondine – przyszła do pokoju na drugim piętrze i usiadła na skraju łóżka.

– Ondine – odezwała się nieco zbyt beznamiętnym tonem. – Włóż na mszę tę nową niebieską sukienkę.

Ondine podniosła się z poczuciem winy, matka nie wiedziała przecież, że sukienka była używana raz po raz podczas pozowania dla Picassa.

– *Monsieur* Renard zaprosił cię, żebyś zjadła obiad z nim i jego matką. Po mszy – dodała *madame* Belange.

Obiad z jednym z Trzech Mędrców?

– Dlaczego? – zapytała przestraszona Ondine.

Matka wstała, podeszła do szafy i sięgnęła po sukienkę na wieszaku.

– Co się stało? – zdziwiła się i przesunęła dłonią po tkaninie. – Wygląda, jakbyś wycierała nią podłogę!

Wyraźnie jednak miała ważniejsze sprawy do przedyskutowania niż znoszona sukienka.

– Ondine, czasy są ciężkie – zaczęła. – Twój ojciec potrzebuje partnera, żeby utrzymać restaurację. Renard ma mnóstwo pieniędzy. I bardzo chętnie zainwestowałby w nasz lokal.

Mimo narastającego ucisku w żołądku Ondine starała się mówić jak najbardziej obojętnie.

– Ale co to ma wspólnego ze mną?

Madame Belange próbowała ukryć rozczarowanie.

– Potrzebujesz męża. Nie możesz wiecznie mieszkać z nami jak mała dziewczynka – odparła ostro.

Ondine poczuła się, jakby matka ją spoliczkowała, jednak nie pokazała tego po sobie.

– Co? Przecież on jest s t a r y! – zaprotestowała.

– Ma zaledwie trzydzieści lat i cieszy się doskonałym zdrowiem. Wciąż może dać ci dzieci – zapewniła łagodnie *madame* Belange. – Dziewczyna taka jak ty potrzebuje dojrzałego męża, żeby nią pokierował. Sama się przekonasz, że to mądre posunięcie.

Ondine usłyszała skrzypnięcie podłogi w korytarzu, i w drzwiach stanął ojciec. Chyba był tam już wcześniej i przysłuchiwał się rozmowie. Rzadko zaglądał na drugie piętro, a teraz zatrzymał się w progu, jakby obawiał się wejść dalej. Popatrzył na córkę z żalem, ale i ze stanowczością.

– *Monsieur* Renard to porządny człowiek, który zapewni ci dobre życie – oznajmił rzeczowo.

– Ale ja nie mogę go poślubić. To będzie grzech! Zaręczyłam się z Lukiem! – wykrzyknęła Ondine błagalnie.

– Luc miał szansę, ale ją stracił. Ksiądz twierdzi, że nie musisz dotrzymywać słowa mężczyźnie, który cię porzucił – odparł ojciec ostrzejszym tonem. – *Monsieur* Renard jest szanowany i majętny. Nie tylko dzięki piekarni. Powiedział mi, że właśnie kupił gospodarstwo, które zaopatruje nas w większość produktów potrzebnych w restauracji. Ceny wciąż będą rosły, chyba że farma stanie się naszą własnością.

Dziewczyna wiedziała, że ojciec chciał kupić to gospodarstwo, zwłaszcza że właściciele się zestarzeli i byli gotowi je sprzedać. Widziała, jak matka skrupulatnie wylicza pieniądze, płacąc dostawcom z mleczarni i masarni oraz za warzywa. I oczywiście za chleb z piekarni Renarda. A teraz wszystko będzie należało do tego człowieka. Rodzice mówili o partnerstwie, jednak wyglądało to, jakby piekarz zaciskał pętlę wokół Café Paradis... Co z kolei znaczyło, że zakłada sznur na szyję Ondine.

– Dlatego nie wolno zmarnować takiej okazji. Spotkasz się z *monsieur* Renardem – oznajmiła matka nerwowo.

– Ale... Ale ja go nie kocham! Nawet go n i e l u b i ę! Jest taki nadęty i wymuskany. – Ondine z niepokojem patrzyła to na jedno z rodziców, to na drugie. Przeraziło ją, że nie wyglądali na poruszonych jej protestami ani łzami. Mieli większe zmartwienia.

– N a u c z y s z s i ę go kochać – zapewniła *madame* Belange. – Większość matek nie przepuściłaby okazji, aby wydać córkę za tego mężczyznę! Skąd ten opór, Ondine? Ludzie i tak uważają, że jesteś zbyt niezależna i uparta. Dlatego właśnie większość chłopców w twoim wieku zaręczyła się z innymi dziewczętami.

– Chłopcy lubią mnie taką, jaka jestem! – zaoponowała Ondine. – To ich matki uważają mnie za zbyt niezależną. Mówią tak o każdej dziewczynie, która nie chce udawać głupiej i potulnej.

– A przy wyborze narzeczonej większość chłopców słucha rodziców – wyjaśniła *madame* Belange. – Chyba nie chcesz skończyć jako stara panna? Bez męża, bez dzieci, bez niczego? Zależy nam, żebyś była bezpieczna, nie skończyła samotnie i bez ochrony.

Ondine dostrzegła troskę w twarzy matki.

– Urodziłaś się po wojnie – dodał ojciec. – Dlatego nie wiesz, że trzeba przygotować się na najgorsze, bo w każdej chwili może się zdarzyć coś strasznego. Nie zawsze dostajemy to, czego pragniemy, lecz potrafimy się nauczyć, że trzeba poświęcić niektóre marzenia, aby nasze życie nie zmieniło się w piekło.

Ondine załkała i rzuciła się na posłanie. Ojciec westchnął, ale milczał. Oczekiwał, że burza uczuć szybko minie i usłyszy potulne: „Tak, papo", a nie doczekawszy się tego, uciekł się do groźby, że odeśle dziewczynę do zakonu.

– I tym razem, młoda damo, będzie to na zawsze!

Przez całą mszę Ondine żarliwie się modliła, żeby Bóg cisnął piorunem i zabił zgromadzonych w kościele, dzięki czemu mogłaby uniknąć obiadu z *monsieur* Fabiusem Renardem. Jednak nabożeństwo dobiegło końca i wierni wyszli na wiosenne słońce, a nadzieje dziewczyny zgasły, bo piekarz już na nią czekał. Włożył swój najlepszy niebieski garnitur oraz kapelusz, przyciął starannie bure włosy, wygładził wąsik. Czekał na Ondine z boku, wyprostowany i dostojny.

– Dobry Boże, cała parafia widzi, o co mu chodzi! – mruknęła dziewczyna z niechęcią, mijając starsze kobiety, które zatrzymały się na stopniach kościoła i zaczęły zerkać na nią i szeptać.

– *Mademoiselle?* – odezwał się *monsieur* Renard. Dotknął palcem ronda kapelusza w uprzejmym powitaniu, po czym ujął Ondine pod rękę.

Wyglądał tak uważnie i uprzejmie, że zawstydziła się swojej niechęci. Nie czuła się warta tak godnego traktowania. Mimo wszystko nie mogła się oprzeć wrażeniu, że prowadzi ją nadopiekuńczy wujek.

– Idź! – szepnął jej jeszcze za plecami ojciec.

Ze spuszczonymi oczami Ondine podeszła za *monsieur* Renardem do jego automobilu. Na chwilę ogarnęło ją triumfalne zadowolenie, gdy podchwyciła pełne podziwu spojrzenia plotkar stojących na stopniach kościoła.

Ten samochód przynajmniej odwróci ich uwagę, pomyślała ponuro.

Monsieur Renard prowadził w milczeniu, a ulice zdawały się przemykać za oknem jak kartkowane strony w książce. Ondine nigdy się nie zastanawiała, gdzie mieszka piekarz, a teraz ze ściśniętym sercem starała się nie myśleć o jego domu jak o swoim w przyszłości. Samochód zatrzymał się przed budynkiem, dawniej będącym zapewne rezydencją w tej niegdyś eleganckiej okolicy, jednak lekarze i prawnicy, którzy mieszkali tutaj na początku stulecia, przenieśli się, a dzielnicę przejęli ludzie podobni do Renarda – pracujący rzemieślnicy i handlarze, którzy zarobili dość pieniędzy, aby sobie pozwolić na szerokie trawniki i przestronne pokoje, pozostawione przez bogaczy szukających bardziej modnych ulic.

– *Alors!* Nareszcie w domu! – oznajmił Renard, po czym wysiadł, aby otworzyć Ondine drzwi.

Dziewczyna przyglądała mu się, wspominając uwagę matki, że większość kobiet ucieszyłaby się z możliwości wydania córki za tego człowieka. Owszem, Renard był właśnie takim mężczyzną, jakiego matki chętnie przyjęłyby na zięcia – czystym, uprzejmym, dobrze wyglądającym i dobrze sytuowanym – miłym, lecz nieciekawym. Ondine zdusiła jednak swoje obawy i starała się nie uprzedzać od samego początku. Wyobraziła sobie Renarda jako dobrego męża. Gdy otwierał jej drzwi, dostrzegła, że robił to ostrożnie i starannie, jak samotny mężczyzna, który radzi sobie, gdy pokazuje się publicznie, ale czuje się onieśmielony w bardziej intymnych sytuacjach. Trochę mu nawet współczuła.

Jak mogłabym zranić uczucia tego mężczyzny odmową? Tylko że wciąż kocham Luca... – rozmyślała z niepokojem.

Ogarnął ją strach, że nawet wejście do domu Renarda będzie równoznaczne z zamordowaniem i pogrzebaniem Luca na wieki. Zwalczyła chęć ucieczki, gdy piekarz otworzył drzwi frontowe i poprowadził ją do pogrążonego w półmroku salonu.

Wyczuła obecność drugiej osoby w pomieszczeniu, jednak musiała odczekać, aż oczy przywykną do stłumionego światła, nim wreszcie dostrzegła dwie jasne plamy – siwe włosy staruszki w fotelu z wysokim oparciem oraz sierść małego białego psa, śpiącego u jej stóp.

– Matko, to ta dziewczyna, Ondine – oznajmił *monsieur* Renard z czcią, jakby wchodził do kaplicy.

Stara kobieta podniosła małe jasne oczy, a Renard pomógł jej wstać. Ondine przypomniała sobie, że staruszka miała kłopoty z nogą, po polio, na które chorowała w dzieciństwie. Renard gestem wskazał, by dziewczyna podała matce ramię z drugiej strony i we dwoje poprowadzili starszą panią do jadalni po drugiej stronie korytarza, równie ciemnej jak salon. Wysoka, niezdarna kucharka już czekała, aby podać obiad.

Gdy tylko *madame* Renard powoli zajęła miejsce u szczytu stołu i nieśpiesznie wyjęła serwetę ze srebrnego pierścienia, jej syn usiadł naprzeciw, po drugiej stronie stołu. Ondine nie pozostało nic innego, jak zająć miejsce obok niego. Od razu zrozumiała, co się dzieje.

Tych dwoje jada z dala od siebie od lat, pomyślała. Ogarnęła ją litość.

Posiłek podano wcześnie, zapewne żeby staruszka mogła go potem odespać.

– Moja kucharka nie jest tak dobra jak twoja *maman* – przyznał cicho Renard z lekkim grymasem. – Jednak na dzisiaj wystarczy.

Jeżeli nawet znudzona służąca usłyszała jego opinię, nie dała tego po sobie poznać. Chyba jej to nie obchodziło. Renard pochylił się i wymamrotał modlitwę. Matka się przeżegnała. I wszyscy zajęli się jedzeniem.

Ponieważ nikt się do niej nie odezwał – w rzeczy samej nie odzywali się nawet do siebie nawzajem – Ondine nie powstrzymała się od uważnego oceniania podawanych potraw. Nabrała tego nawyku przy pracy z matką.

Renard nie mylił się co do kucharki, pomyślała. Rosół z kurczaka ugotowano kilka dni temu, nie pozostał w nim ani kęs mięsa czy marchewki. Wywar rozcieńczano, zapewne po to, aby starczył na dłużej. Inny nieszczęsny ptak został podany na danie główne, ale Ondine nie potrafiłaby zgadnąć, jakim gatunkiem drobiu był za życia. Zaserwowane potem sery smakowały nieźle, a chleb oczywiście był świeży. Jednak ciastka podane na deser z herbatą rumiankową okazały się słodkie do mdłości, chociaż starszej pani właśnie one smakowały najbardziej. Niestety.

Najwyraźniej *monsieur* Renard prowadził dom jak najmniejszym kosztem. Dlaczego? Ojciec Ondine twierdził, że piekarz ma pieniądze. Widywała go, jak grał w karty w *café* z pozostałymi dwoma Mędrcami, codziennie jadał tam również obfity lunch. Dlaczego zatem skąpił na dom, w którym mieszkała jego matka? Bóg jeden wie, czym karmiono tę biedną staruszkę, gdy zostawała sama.

Oburzona Ondine przypomniała sobie powiedzonko krążące po targu. Kobiety często je sobie powtarzały: „Jeżeli chcesz sprawdzić, jak mężczyzna będzie cię traktował, gdy zostaniesz jego żoną, przyjrzyj się, jak obchodzi się ze swoją matką".

Tykanie zegara z salonu odbijało się echem po cichym domu. Ondine czuła spojrzenie starszej kobiety, które ją taksowało, lecz nie zdradzało emocji. Psu pozwolono iść do kuchni, skąd dobiegło zgrzytanie zębów, gdy smętnie ogryzał kość. Zdawało się, że cały dom wypełnia bolesna samotność, a Ondine wątpiła, czy ma w sobie dość sił, aby przełamać ten ponury nastrój.

Wreszcie *monsieur* Renard odsunął się od stołu; głośne szurnięcie krzesła po podłodze przerwało ciszę. Potem piekarz pomógł matce dojść do sypialni. Kiedy wrócił, zaproponował Ondine:

– Wyjdźmy do ogrodu.

Dziewczyna ruszyła za nim do zadbanego ogródka za domem. Usiedli na kamiennej ławce. Nigdy wcześniej nie znajdowała się tak blisko Renarda. Czuła zapach jego mydła do golenia, naftaliny, ciasta i tytoniu. Piekarz wyglądał na skrępowanego. Mówił o ogrodzie, rzucił kilka uwag na temat pogody. Ondine ani razu nie udało się spojrzeć mu w oczy, żeby nawiązać kontakt.

Renard otarł czoło chusteczką i wreszcie wyrecytował przemowę, bez wątpienia przygotowaną wcześniej.

– Droga Ondine – zaczął niezręcznie i ujął ją za rękę. Jego dłoń była spocona, przypominała ciasto drożdżowe na pączki.

No to się zaczyna, pomyślała Ondine z narastającym strachem, gdy mężczyzna mocniej ścisnął jej palce. Kiedy jednak zerknęła na jego twarz, uświadomiła sobie, że dla Renarda też była to nie-łatwa chwila. Jego postawę trudno by uznać za śmiałą, okazywał Ondine szacunek, ale przede wszystkim wyglądał na przerażone-go, że musi okazać emocje.

Ondine usilnie starała się opanować, aby nie wybuchnąć pła-czem.

Renard nie opadł na kolano, za co była mu wdzięczna, bo tego na pewno by nie zniosła. Zapewnił ją natomiast, że piekarnia świetnie prosperuje.

– Zobaczysz, że moje piece są najbardziej nowoczesne z dostęp-nych na rynku! Spodoba ci się, gdy będziesz ich używała, pracując ze mną – dodał z nieskrywaną dumą.

Dopiero teraz zrozumiała, na jakiego rodzaju umowę liczył pie-karz, i ledwie słyszała jego dalsze słowa. Zmusiła się do uśmiechu, aby ukryć własne myśli.

Mam zamienić gorący piec *maman* na twój i spędzić resztę mo-ich dni w piekle.

Nawet nie próbowała myśleć, jak wyglądałyby jej noce – spanie we wspólnym łóżku i robienie tego, czego chce każdy mężczyzna. Renard nie był złym człowiekiem. Ani brzydkim czy nieokrzesa-nym. Był jednak drobiazgowy i skąpy, a Ondine nie potrafiła wyobrazić go sobie jako męża, który w takiej dziewczynie jak ona zdołałby wzbudzić głęboką miłość, nie wspominając o namięt-ności.

– I dlatego, Ondine – kończył piekarz, nachylając się do niej – zostań moją żoną.

Zabrzmiało to bardziej jak rozkaz niż prośba, więc Ondine milczała. Uniosła oczy tylko na chwilę, jakby chciała spytać: „Ale czy mnie kochasz?". Renard chyba zrozumiał jej nieme pytanie, ponieważ zesztywniał nerwowo, zanim odwrócił wzrok. A po-tem w nagłym porywie zdecydowania objął dziewczynę w talii i przyciągnął do siebie, jakby odgrywał filmową scenę. Ondine wyczuła, że piekarz ma spory brzuch, który ukrywał pod marynarką. Jeszcze bardziej ją zaskoczył, gdy nagle pocałował ją w usta. Był to wilgotny pocałunek, który bynajmniej nie wyrażał miłości, lecz raczej krępujące pytanie, czy tyle wystarczy. Ondine wstrzymywała oddech, dopóki Renard się nie cofnął.

Monsieur Renard odwiózł ją do domu bardziej malowniczą trasą. Ondine siedziała cały czas z przylepionym do twarzy sztucznym uśmiechem, żeby piekarz mógł wmawiać sobie, że popołudnie się udało. Początkowa panika ustąpiła miejsca paraliżującemu lękowi. Z policzkiem opartym na dłoni w rękawiczce dziewczyna patrzyła w okno, nie widziała jednak pejzażu ani nie cieszyła się przejażdżką.

Nie chcę takich oświadczyn, myślała rozgniewana i ponura. Wszystko wydawało się niskie i na sprzedaż – jakby całe miasteczko Juan-les-Pins, z jego wybrzeżem i niebem, znalazło się pod klaustrofobicznie ciasną szklaną kopułą.

Wkrótce jednak samochód wjechał do dzielnicy, w której rezydował Picasso, i Ondine usiadła prosto, jakby się ocknęła ze złego snu. Spojrzenie się jej wyostrzyło, a na twarzy musiała odbić się ulga, ponieważ *monsieur* Renard uśmiechnął się do niej jak do dziecka, które właśnie obudziło się z popołudniowej niedzielnej drzemki.

– Nie powinno się pozwalać, aby Amerykanie wynajmowali te wille! – stwierdził, przejeżdżając obok wzgórza, skąd prowadziła droga do zaułka, w którym mieszkał Picasso. – Wystarczy, że paryżanie panoszą się tutaj bez umiaru!

Ondine nie odpowiedziała, ale kiedy dostrzegła znajomą postać na drodze, wychyliła się, żeby lepiej się przyjrzeć. O tak, to był Picasso – ubrany w porządny garnitur, koszulę i kapelusz, szedł wyprostowany i dumny niczym dżentelmen z żurnala na niedzielnej przechadzce.

Nie jest sam! – uświadomiła sobie dziewczyna. I rzeczywiście, tuż za nim szła kobieta z dziecięcym wózkiem. Ondine rozpoznała blondynkę z długim nosem, Marie-Thérèse. Nareszcie zobaczyła ją w całej okazałości, a nie tylko jako niewyraźną twarz w oknie.

Kobieta była niska jak Picasso, miałą krągłą, raczej atletyczną sylwetkę. Wyglądała bardziej na Szwedkę lub Niemkę niż Francuzkę. A w wózku leżało jasnowłose jak aniołek dziecko, z pewnością jej córka.

To musi być dziecko Picassa! – pomyślała Ondine zafascynowana. Trudno było go sobie wyobrazić w roli ojca, ponieważ czasami ujawniał chłopięcą psotność i złośliwość. A matka dziecka, chociaż nosiła wymyślny, „dorosły" kapelusz, lizała lody jak mała dziewczynka, przekrzywiała głowę i uśmiechała się z dziecięcym zachwytem, gdy tymczasem Picasso kroczył przodem, pusząc się jak kogut.

– To nie jest jego żona – zauważył *monsieur* Renard z zaskakująco ostrą niechęcią.

Ondine zarumieniła się, przyłapana na przyglądaniu się tak otwarcie.

– Kto? – zapytała niewinnie.

– Ten tam. To Hiszpan. Był tu już wcześniej, zeszłego lata. Przyjaźni się z tą hałaśliwą zgrają Amerykanów, która zaczęła przyjeżdżać do naszego miasta w latach dwudziestych. Jego żona to rosyjska arystokratka, ciemnowłosa i elegancka. Zawsze smakowały jej moje ciastka *millefeuille.* – Piekarz zaśmiał się cicho. – A ten romans to hańba. Nie potrwa długo jak większość takich związków. Kto poślubi tę dziewczynę, gdy Hiszpan z nią skończy? Nigdy bym się nie ożenił z kobietą, która miałaby dziecko z innym – prychnął i skręcił za róg.

Ondine zerkała, gdy troje spacerowiczów niknęło w oddali. Ucieszyła się, że mogła wreszcie przyjrzeć się Marie-Thérèse. Kochanki Picassa nie można by nazwać pięknością ani porównać do bogini; była normalną, pełnokrwistą kobietą. I wbrew temu, co powiedział Renard, sprawiała wrażenie szczęśliwej. Czy dlatego, że zatriumfowała nad fotografką Dorą? Czy też zgodziła się dzielić swoim mężczyzną? Może kobiety Picassa nie miały wyboru i musiały się godzić na jego żądania. Najwyraźniej na szczycie Olimpu panowały inne zasady, którym musiały się podporządkować dziewczęta na tyle odważne, aby zbliżyć się do bogów. Na widok Picassa w Ondine odżyła odwaga, i dziewczyna poczuła, że znowu może oddychać słonym powietrzem możliwości i uwolnić się od głupich nakazów przyzwoitości.

Co by powiedzieli mieszkańcy Juan-les-Pins, gdyby wiedzieli, że Ondine osobiście pozowała dla Picassa w jego pracowni? *Monsieur* Renard byłby wstrząśnięty! Dziewczyna rozmyślała o tym z satysfakcją.

Przecież nie powiedziałam Renardowi „tak", przekonywała się w duchu. Więc to się nie liczy. Ale na razie niech i on, i wszyscy w miasteczku myślą, co chcą. Dlatego udała potulność, pozwoliła się odprowadzić do restauracji, a tam *monsieur* Renard ogłosił radosną nowinę, że się zaręczyli. Ojciec otworzył butelkę koniaku aromatyzowanego pomarańczą i wszyscy wznieśli toast za przyszłych nowożeńców. Rodzice od razu ustalili datę ślubu na wrzesień. Ondine jak we śnie poddała się zamieszaniu wokół jej osoby. Znosiła to, ponieważ wmówiła sobie, że do ślubu nigdy nie dojdzie.

Jednak gdy położyła się spać, znów dopadły ją lęki. Nie wiedziała, jak jej *patron* przyjmie wieść o zaręczynach. Małżeństwo było jedyną przyszłością, jaką znała. Picasso otworzył ją na wiele wolnościowych idei, ale Ondine nie uważała go za kogoś, kto nadawałby się na męża. Nie była na tyle głupia, aby myśleć, że może stać się jego jedyną miłością. Nie chciała również ryzykować i zostać kochanką Picassa, który swoim stosunkiem do kobiet bliższy był arabskiemu szejkowi z haremem niż zwykłemu Francuzowi. Z iloma kobietami spotykał się w Paryżu?

Nie, Ondine pragnęła tylko jednego mężczyzny na męża.

Luc jest człowiekiem, który dotrzymuje słowa, powtarzała sobie w duchu. Wróci i porwie mnie z Juan-les-Pins jak pirat!

Jednak gdy została sama w sypialni, w której kochała się z Lukiem i słuchała jego obietnic, uświadomiła sobie, że rysy jego łagodnej twarzy z każdym tygodniem coraz bardziej zacierają się w jej pamięci.

– Gdzie jesteś? – szepnęła w ciemność nocy.

Leżała w łóżku i nie mogła zasnąć. Po raz pierwszy zastanawiała się, jak sobie poradzi bez Luca.

13

ONDINE, DZIEWCZYNA W OKNIE

Za oknami mżyło, gdy Ondine się obudziła. W blasku świtu zobaczyła niewyraźną postać stojącą nad nią jak anioł.

– Wstawaj, Ondine! – wyszeptała matka. – Ojca właśnie zabierają do szpitala. Pojadę tam, więc będziesz musiała zająć się przygotowaniem śniadania. *Monsieur* Renard dostarczył już pieczywo i *brioche,* wystarczy tylko zaparzyć kawę. A na lunch niech kelnerzy serwują pasztet na zimno i sałatki. Dla twojego artysty nada się mięso zapiekane w cieście.

– Co się stało papie? – Ondine podniosła się zaspana.

– Znowu kłopoty z sercem. Pracował przy przepisach i rachunkach, nagle wszedł do kuchni, wyglądał blado i powiedział: „Niedobrze ze mną, nie widzę liczb"... A potem osunął się na ziemię. *Monsieur* Renard zawiezie mnie do szpitala. Słuchaj, Ondine, zanim wybierzesz się do willi, musisz zapłacić chłopcu, który dostarczy jajka. Słyszysz, Ondine?

– Tak, tak. – Ondine już oprzytomniała i zaczęła się martwić. – Zapłacę chłopakowi od jajek. Gdzie są pieniądze?

– Czwarty dzban na górnej półce w spiżarni – odpowiedziała pośpiesznie matka. – Wstawaj, ale już!

Madame Belange wyszła z pokoju, dziewczyna usłyszała jej żwawe kroki na schodach.

Reszta poranka upłynęła Ondine na krzątaninie przy śniadaniu i przygotowaniu lunchu. Po mieście rozniosła się już wieść, że państwo Belange'owie są w szpitalu, więc nie należy liczyć na porządny posiłek, nie wiadomo nawet, czy cokolwiek dostanie się do zjedzenia. Kiedy Ondine przygotowała już półmiski i rozstawiła je na dużym stole w kuchni, żeby kelnerzy mogli je roznieść, nagle popsuła się pogoda – zerwał się taki wiatr, że trzeba było zamknąć taras i podać lunch w sali jadalnej.

Ondine pakowała już kosz z prowiantem dla Picassa, kiedy pojawił się chłopak z jajkami, masłem i ze śmietaną z gospodarstwa. Dziewczyna poszła do spiżarni, znalazła czwarty gliniany dzban z napisem: „Zioła", chociaż nie przechowywano w nim suszonych roślin, lecz monety zachomikowane tam przez matkę na drobne wydatki. O powadze sytuacji świadczyło choćby to, że ujawniła córce, gdzie chowa pieniądze. Dziewczynie drżały ręce, korkowa przykrywka dzbana spadła na podłogę. Czym prędzej zapłaciła chłopakowi, po czym wróciła do spiżarni.

Uklękła, żeby podnieść przykrywkę, która potoczyła się pod półki, i zauważyła obluzowaną cegłę w ścianie. Chciała ją wsunąć na miejsce, ale cegła wypadła. Sąsiednie również wyglądały na obluzowane, a kiedy Ondine je wyjęła, zobaczyła głęboką wnękę, w której wymacała pęk białych kopert przewiązanych sznurkiem. Zastanawiała się właśnie, ile pieniędzy odłożyła matka na czarną godzinę. Teraz nie mogła się oprzeć, żeby nie wyjąć pakunku i nie sprawdzić, ile waży. Ze zdumieniem odkryła, że koperta na wierzchu miała znaczek i stempel pocztowy, ale wcale nie była zaadresowana do matki. Widniało tam odręcznie napisane imię „Ondine". Koperta została już otwarta.

– Przecież to list do mnie! – zdumiała się dziewczyna. – Co on tutaj robi?

Ostrożnie rozwiązała sznurek, żeby wszystko potem zostawić tak, jak znalazła.

Było pięć listów, każdy zaadresowany do Ondine i każdy nadany z innego portu o egzotycznej nazwie. Tunis. Algier. Maroko. Przyjrzała się dokładniej, ponieważ pismo wyglądało bardzo znajomo.

– Luc! – szepnęła i osunęła się na podłogę, upuszczając listy na podołek. Popatrzyła na nie otępiała, wreszcie jednak podniosła pierwszy z brzegu.

Ukochana Ondine,
widziałem rzeczy cudowne i straszne. Żadna pocztówka tego nie ukaże, dlatego spróbuję Ci je opisać. Świat jest większy, niż sobie wyobrażaliśmy, ale o wiele mniej przyjazny. A na pracy marynarza nie zdołam się wzbogacić na tyle szybko, aby zadowolić Twojego Ojca. Nie martw się jednak, będę się starał i znajdę sposób, abyśmy mogli żyć razem szczęśliwi...

Musiała otrzeć łzy, żeby czytać dalej. Na oślep sięgnęła po kolejny list w nadziei, że zawiera lepsze wieści. Ten również był otwarty.

Chère Ondine,
myślę o Tobie co rano, gdy wschodzi słońce. Każdego dnia zastanawiam się, czy jesteś chora? Czy wciąż żyjesz? Czy rozgniewałaś się na mnie za to, że odpłynąłem tak daleko? Może czujesz się winna, bo nie chcesz dłużej na mnie czekać? A może po prostu przestałaś mnie kochać? Przyjmę wszystko, tylko mi powiedz, co się stało. Powiedz mi.
Kocham Cię,
Luc

Ondine zakręciło się głowie, oddech zmienił się w charkotliwe dyszenie.

– O co mu chodzi? – szepnęła z niedowierzaniem. – Dlaczego wyrzuca mi, że do niego nie piszę?

Przejrzała kolejne listy, a w każdym znalazła prośby, żeby się odezwała i zapewniła, że żyje i czuje się dobrze, oraz żeby wyjaśniła, dlaczego milczy. W ostatnim przeczytała już tylko:

Najdroższa Ondine,
rozchorowałem się, mam gorączkę. Wezwano lekarza. Poproszę przyjaciela, aby wysłał ten list. Gdybym nigdy nie wrócił do domu, pamiętaj, że kochałem Cię do końca moich dni. Zachowaj, proszę, kącik w swoim sercu, gdzie mogłaby spocząć moja nieszczęsna dusza.
Żegnaj,
Luc

– Luc! – zaszlochała Ondine. Miała wrażenie, jakby do spiżarni wdarła się mgła tak gęsta, że stłumiła wszystkie dźwięki. Ledwie słyszała własny głos, gdy szepnęła: – Ale przecież pisałam do niego i wysyłałam listy na jego statek. Dlaczego ich nie otrzymał?

Przyszło jej do głowy straszne podejrzenie, więc zajrzała jeszcze raz do schowka. Obawiała się tego, co tam znajdzie.

Niestety, głębiej natrafiła na podobną paczkę związaną sznurkiem – jej listy do Luca! Przyglądała im się z bezbrzeżnym niedowierzaniem.

– Ale przecież wszystkie osobiście wręczyłam listonoszowi! – krzyknęła, oglądając nieotwarte koperty.

Sam ich widok przywoływał emocje, które czuła podczas pisania. Przypomniała sobie, jak po każdej próbie kontaktu z Lukiem coraz bardziej traciła nadzieję, jak wręczała zaklejone koperty listonoszowi, a on sprawdzał i widząc, że są adresowane do Luca, potrząsał głową, jakby uważał Ondine za głupią.

– Dawałam listy listonoszowi, ale on najwyraźniej ich nie wysyłał. Pewnie ojciec kazał je oddawać sobie. Moje listy nigdy nie opuściły *café* – domyśliła się dziewczyna.

Na dodatek rodzice powtarzali, że Luc ją opuścił, podczas gdy jego listy – i jej własne – leżały w skrytce zaledwie kilka stóp od stołu w kuchni, przy którym Ondine codziennie pracowała. Matka ukryła tę korespondencję jak brudny sekret. Może nawet sądziła, że kiedyś to córce wyjaśni. A ojciec od początku zamierzał wydać Ondine za *monsieur* Renarda – piekarz zapewne nie chciał się zgodzić na spółkę, chyba że dostanie młodą żonę, która by dla niego pracowała. Dlatego ojciec odmówił Lucowi ręki córki. Choć wydawało się to straszne, nabierało coraz więcej sensu.

Ondine wreszcie przestała płakać. Poczuła zimno na mokrych policzkach i otarła łzy.

– Jak oni mogli mi to zrobić? – Kręciła głową z niedowierzaniem. – I jak mogli być tak okrutni dla biednego Luca? Był ufny i uczciwy, okazywał im szacunek i posłuszeństwo!

Początkowo szukała bardziej ludzkiego wyjaśnienia. Może rodzice naprawdę uważali, że chronią ją przed życiem w nędzy z mężczyzną, który nawet gdyby zarobił sporo pieniędzy, nigdy nie zdobędzie takiej pozycji społecznej jak Renard. Może gdyby bracia przeżyli wielką wojnę i zajęli się rodzinnym interesem, Ondine miałaby w życiu łatwiej. Jednak po ich śmierci została ostatnią nadzieją państwa Belange'ów na poprawę sytuacji finansowej i bezpieczeństwo. Jedno było pewne, rodzice nie chcieli, żeby Luc kręcił się w pobliżu ich córki.

Na sercu Ondine zacisnęły się lodowate szpony. Sprawdziła dokładnie stemple na kopertach. Ostatni list przyszedł trzy miesiące temu. Od tamtej pory – nic. Albo Luc wyzdrowiał i znalazł sobie inną narzeczoną... albo stało się najgorsze.

– Mordercy! – krzyknęła Ondine. – Jesteśmy mordercami! My wszyscy. Zabiliśmy Luca, zmuszając go, żeby porzucił wszystko, co kochał. I po co? Gdybyśmy się nie wtrącali, żyłby nadal, jak na to zasłużył! Luc i ja pobralibyśmy się już dawno, może nawet mielibyśmy dziecko i bylibyśmy szczęśliwi. Ale to już się nie zdarzy! Nigdy!

Przerażona przycisnęła dłoń do ust, wypowiedziała bowiem to, o czym wcześniej bała się nawet pomyśleć.

Rzeczywistość przebiła się wreszcie przez mgłę niedowierzania i Ondine ujrzała swoje życie w nowej, ostrej perspektywie. Instynktownie uznała, że lepiej, aby nikt się nie dowiedział, że znalazła listy. Rodzice mogliby jej pilnować, nawet zabronić wychodzenia z domu – na wszelki wypadek, byle tylko doprowadzić córkę do ołtarza. Dlatego poskładała koperty i odłożyła na miejsce. Drżąc, dźwignęła się z podłogi i wróciła do kuchni.

Gdy spakowała już posiłek dla Picassa, do restauracji wszedł doktor Charlot z pozostałymi Mędrcami i przekazał wiadomość ze szpitala.

– Ależ nas twój ojciec przestraszył! Szczęśliwie nic mu już nie grozi. Twoja matka zostanie z nim jeszcze przez chwilę, ale powiedziała, że wróci na czas, żeby przygotować kolację. Nie martw się, moja droga, wszystko będzie dobrze. – Uśmiechnął się i poklepał Ondine po plecach, po czym poszedł do swojego stolika.

Dziewczyna tylko pokiwała głową. Dręczyło ją jednak wściekłe pragnienie, żeby coś rozbić, dźgnąć kogoś nożem, rzucić się z klifu, zniszczyć coś lub kogoś... byle tylko uwolnić się od dławiącego bólu w piersi. Kiedyś widziała wariatkę wyrywającą sobie włosy z głowy i szarpiącą ubranie. Dzisiaj Ondine ją rozumiała...

Wyniosła kosz z *café*, wsiadła na rower i zaczęła gniewnie pedałować. Minęła przystań. Nawet nie zauważyła, że z wichrem podniosły się fale, a na niebie zawisły ołowiane chmury, ciężkie niczym kadłuby pancerników – szare, potężne i groźne.

Kiedy dotarła na podjazd willi Picassa, niebo pociemniało, jednak nie mogło rywalizować z mrokiem kłębiącym się w duszy dziewczyny. W domu tylko jedno okno było oświetlone, na piętrze, w pracowni. Drzwi do kuchni zastała otwarte jak zwykle. Postawiła kosz na stole, podeszła do schodów i zaczęła nasłuchiwać, jednak uszy wypełnił jej tylko odległy grzmot znad morza. Zbliżała się burza – warczała niczym bestia pędząca po nieboskłonie.

Ondine nie miała ochoty nakrywać do stołu. Nie miała nawet ochoty gotować. I nie chciała już nikomu usługiwać. Pragnęła tylko wrzasnąć tak rozdzierająco, że zbudziłaby umarłych, wykrzyczeć każdemu, kto mógł słyszeć, o niesprawiedliwości, która spotkała ją i Luca.

W milczeniu weszła na schody i jak duch zbliżyła się do pracowni malarza. Była przekonana, że jeden Picasso może jej teraz pomóc.

Nie było go, tylko wciąż włączone wysokie metalowe lampy rozświetlały pomieszczenie. Wyglądały na profesjonalny sprzęt używany przez fotografów. Paliły się już tak długo, że w pomieszczeniu unosił się groźny zapach przegrzanego metalu.

– Pewnie pracował całą noc – uznała Ondine. – Jeszcze zaprószy ogień w domu.

Ostrożnie gasiła lampy, starając się nie dotykać aluminiowych osłon.

Wśród zaułków odbijały się coraz bliższe grzmoty, jakby diabeł we własnej osobie gromkim śmiechem drwił z Ondine. Dziewczyna zgasiła ostatnią lampę, jednak zaraz potem za oknami błysnęło. W oślepiającej błyskawicy zobaczyła dwa obrazy oparte o ścianę tuż obok miejsca, gdzie stała.

– To moja poza! Boże, co on ze mną zrobił? – wykrzyknęła, gdy na pierwszym płótnie rozpoznała swoją niebieską sukienkę i długie ciemne włosy.

Reszta jednak wyglądała jak odbicia w gabinecie krzywych luster z wesołego miasteczka. Oczy postaci znajdowały się po jednej stronie twarzy, głowa spoczywała na długiej gęsiej szyi, która wydawała się wyrastać spomiędzy widocznych w rozpiętym dekolcie piersi jak owoce pomarańczy, ręce przypominały szpony, a stopy były podobne do kapci. I dlaczego Ondine na obrazie miała wszystkie paznokcie czarne? Przecież nigdy ich nie malowała!

A jednak bez wątpienia była to *Femme à la montre* – z lusterkiem, grzebieniem, zegarkiem i wieńcem z żółtej forsycji na głowie. Ondine oburzona przeniosła wzrok na drugi obraz.

– To znowu ja. Ale ani trochę lepsza! – skrzywiła się z oburzeniem.

Ta sama poza, lusterko i niebieska sukienka, tyle że bez żółtych kwiatów na głowie i zegarka na nadgarstku, a obok druga postać, wyglądająca jak manekin z drutu, bez twarzy, ale z ciemnymi włosami Ondine.

Dla Picassa to był tylko żart! Malarz twierdził, że Ondine wygląda jak bogini, jak grecki posąg. Wszyscy by się z niej śmiali, gdyby się dowiedzieli, że pozowała do t e g o obrazu i to bez zapłaty, nawet bez podziękowania, tylko w nadziei, że Picasso wskaże jej drogę do lepszego życia.

– On widzi we mnie tylko głupie, brzydkie stworzenie. No, ale przecież moje życie to żart – prychnęła z goryczą. – Zostanę złożona w ofierze *monsieur* Renardowi. Równie dobrze mógłby mnie upiec w jednym ze swoich pieców! Nie, nie pójdę do kościoła i nie poślubię piekarza! Nie zostanę jego niewolnicą. Moi rodzice i on zabili Luca, ale nie jestem ich własnością.

Miała ochotę rzucić się z okna tu i teraz, prosto w szalejącą burzę, i nie przejmowała się, że wiatr zwieje ją prosto w morze. Nagłe pragnienie samounicestwienia było przerażająco rzeczywiste. Ondine zakręciło się w głowie, zachwiała się lekko i rozejrzała za krzesłem albo czymś innym, czego mogłaby się przytrzymać.

– Zzz-zch-zzz. – Z głębi korytarza w ciszy między grzmotami niosło się chrapanie.

Pochmurny, ciemny ranek zapewne zniechęcił artystę do wstawania z łóżka. Tylko mieszkaniec wielkiego miasta mógł sobie pozwolić na luksus spania do późna.

Ondine poszła w stronę, skąd dobiegały odgłosy chrapania, i zajrzała do pomieszczenia.

Picasso spał głęboko, zapewne nawet nie słyszał burzy. Dziewczyna podkradła się bliżej, zatrzymała się w nogach łóżka i tylko patrzyła. Mężczyzna rozkopał się jak dziecko. Leżał na plecach zupełnie nagi, z wyeksponowanym bujnym owłosieniem łonowym i penisem wzniesionym jak włócznia.

– Oto Minotaur – szepnęła Ondine przerażona i jednocześnie zafascynowana. – Pożera każdą kobietę, która ośmieli się wejść do jego labiryntu. Ciekawe, czy umierają w mękach, czy z rozkoszy?

Nigdy nie widziała u mężczyzny *zizi*. Tamtej nocy, kiedy Luc zakradł się do jej sypialni, wyczuwała tylko w ciemności jego przyjazne podniecenie, gdy na nią napierał. Jednak nawet w czułych objęciach Luca skończyło się to inwazją, po której dziewczyna krwawiła.

– Zamiast z okna równie dobrze mogę się rzucić na Minotaura. I nie obchodzi mnie, co potem ze mną zrobi! – mruknęła.

Ondine wyobraziła sobie, jak się na niego nadziewa, zakrwawiona, zmęczona, a mimo to triumfująca. Poczuła nie tylko wściekłość, lecz także wzbierające pragnienie, tłumione wcześniej frustracją i marzeniami o miłości, niezależności i lepszym losie.

– Chcę być bogata i szczęśliwa. Chcę zaznać prawdziwej przyjemności!

Wyzywająco ściągnęła bieliznę, tak jak wcześniej do pozowania. Teraz jednak chciała pozbyć się także niebieskiej sukienki, którą tyle razy nosiła dla Picassa i włożyła do kościoła dla *monsieur* Renarda.

– Nie widzisz mnie takiej, jaka jestem naprawdę – szepnęła do śpiącego mężczyzny, gdy rozpinała guziki przy dekolcie. – Nikt nie widzi!

Jednym ruchem ściągnęła sukienkę przez głowę i cisnęła na podłogę.

– Proszę! Popatrz na mnie! Czyż nie jestem piękna?

Grzmot pioruna niczym wystrzał z armaty wstrząsnął domem po fundamenty. Łomot obudził Picassa, mężczyzna stłumił okrzyk i usiadł gwałtownie na posłaniu.

– Kto tu? – rzucił cicho. Zmrużył oczy i rozejrzał się, odruchowo podciągając pled. – Ondine, to ty? Co się dzieje?

– Wszystko. – Dziewczyna podeszła do łóżka.

– Czego chcesz? – zapytał zaskoczony Picasso. Wciąż próbował ją wypatrzeć w ciemności.

Ondine nie odpowiedziała, lecz z wahaniem wysunęła się z mroku. Była naga, ale Picasso wbił spojrzenie w jej twarz i starał się zrozumieć sytuację. A potem nieoczekiwanie otworzył ramiona. Kiedy się zbliżyła, objął ją mocno. Dziewczynę zaskoczyło bijące od niego przyjazne ciepło.

– *Chère* Ondine – wyszeptał kojącym tonem. – Dlaczego przyszłaś do mnie właśnie dzisiaj?

– Bo chcę... – Urwała, nie mogąc wykrztusić słowa. Spróbowała jeszcze raz: – Bo chcę wiedzieć... chcę czuć. Chcę, chcę... – Tak, tak. Wiem. – Picasso łagodnie odgarnął jej włosy z policzków, a potem znowu ją przytulił.

W jego ramionach poczuła się jak w objęciach Zeusa, ten mężczyzna mógł osłonić ją nawet przed rozszalałą burzą. A jego dotyk, pieszczoty wznieciły iskrę i rozjątrzyły pragnienie, które zapłonęło w dziewczynie jak pożar. W restauracji usługiwała gościom, aby zaspokoić ich apetyty, a teraz zdała sobie sprawę, że sama tłumiła własny, niezaspokojony dotąd apetyt na miłość. Dzisiaj jednak nie musiała się starać ze wszystkich sił, aby zadowolić jakiegoś mężczyznę albo rodziców – nareszcie ktoś pragnął zadowolić ją.

Nie potrafiła powiedzieć, jak to się zaczęło, ale stało się tak, że Picasso ją pocałował, a potem Ondine pocałowała jego. Serce biło jej coraz szybciej, jak w dzieciństwie, gdy wchodziła na drzewo, coraz wyżej i wyżej. Mięśnie jej się napinały, krew pulsowała żywym ogniem, a świadomość ryzyka przyprawiała ją o zawrót głowy – jak wysoko odważy się wspiąć, zanim spadnie?

Picasso całował jej piersi, a Ondine tuliła jego mocny kark. Z zaskoczeniem uświadomiła sobie, że od pewnego czasu żyła w bolesnym stanie podniecenia, podsycanym każdą wizytą w świecie Picassa, każdym namalowanym przez niego obrazem.

Jej ciało uległo radośnie, ogarnęło ją poczucie triumfu, miała wrażenie, że jest niezniszczalna, gdy mężczyzna wbił się w jej miękką, wilgotną płeć. Teraz nic nie mogło Ondine powstrzymać, nawet kiedy Picasso próbował się wycofać, wciąż jeszcze twardy. Przyciągnęła go mocno i zatrzymała, dopóki nie osiągnęła własnej przyjemności, a mężczyzna posłusznie się poddał. I choć raz pożądanie Ondine zatriumfowało nad wszystkimi i nad wszystkim – nad gniewem, nad żalem, nawet nad śmiercią.

Później słyszała tylko szum deszczu, który niczym błogosławieństwo spływającego z nieba alpejskiego potoku zmywał grzmoty i błyskawice, uspokajająco szeptał wśród drzew i potrząsał ich koronami jak kobieta głową, kiedy suszy włosy po kąpieli w błękitnym morzu.

Ondine czuła się nieustraszona, gniew opuścił jej członki, a mięśnie i kości rozluźniły się, gdy powróciła w nie siła. Usiadła i owinęła się kocem, który leżał w nogach łóżka. Podobało jej się, że zwisa z niej luźno, nie była jeszcze gotowa na ograniczenia narzucane przez ubiór.

Mogłaby wstać z posłania i podejść do okna, żeby odetchnąć orzeźwiającym powietrzem, ale Picasso obrócił się na bok i posłał jej promienny uśmiech. Ondine doświadczyła tej idealnej chwili z głęboką wdzięcznością – wiedziała, że nieważne, co się stanie, nic nie zdoła jej odebrać tego wspomnienia spokoju.

Żyję. Jestem osobą, którą należy docenić. Picasso podarował mi tę pewność siebie, dlatego ją przyjmę.

Nachylił się do niej, uniósł długi lok, który opadł jej na czoło, i opuścił go ostrożnie na resztę włosów.

– *Belle* Ondine – szepnął z podziwem.

Westchnęła.

– Piękna – powtórzyła. Przez chwilę milczała, pozwalając, aby słowo wybrzmiało, a potem bezceremonialnie wyznała: – Widziałam, jak mnie namalowałeś.

– Ach – mruknął Picasso. – Nie musisz nic mówić. Wiem, jak myśli większość kobiet. „Czy tak mnie widzi? Przecież wcale tak nie wyglądam". Mam rację? – Wyczekująco wbił w dziewczynę ciemne oczy.

Ondine przetrawiła jego słowa, a potem powiedziała to, co przyszło jej do głowy.

– Przypuszczam, że to bardzo trudne...

– Co? – Artysta zrobił się czujny.

– Wymalować duszę człowieka na jego twarzy – wyjaśniła. – Jak Rembrandt.

W pierwszym odruchu Picasso parsknął śmiechem. Ondine odpowiedziała niepewnym grymasem, a potem wzruszyła ramionami.

– Hm! – oburzył się. – A co ty wiesz o Rembrandcie?

– Widziałam jego obraz. Dziewczynę wyglądającą przez okno.

– Ach, ten! – Picasso skinął głową.

– Też go widziałeś? Patrzyłam na niego każdego dnia w *café*. A jednak ta dziewczyna pozostaje dla mnie tajemnicą. Niesamowite, że można namalować osobę jak żywą, a zarazem sprawić, że wcale nie jest zwyczajna.

– Myślisz, że ja tak nie potrafię? – Zerwał się z łóżka i sięgnął po ubranie. – Idziemy do pracowni! Już!

Spokojnie, wciąż okryta tylko pledem, Ondine ruszyła za artystą. Pod stopami czuła najdrobniejsze ziarnko piasku na drewnianej podłodze, czujna jak każde zdrowe dzikie zwierzę, gdy skrada się przez las.

– Podejdź do tego okna, przez które pada światło! – rozkazał Picasso.

Rzeczywiście, niebo już pojaśniało. Ondine zawahała się, ale wtedy mężczyzna rzucił wyzywająco:

– Przecież chcesz zostać moją nieśmiertelną dziewczyną w oknie, prawda? No to pozuj jak ona, ale ramiona masz mieć nagie.

– Tam jest tęcza! Co za doskonałe kolory... – Ondine nie zdołała pohamować zachwytu.

– Hm – burknął Picasso. – Wiesz, nie jesteś jak większość kobiet, zwłaszcza gdy uprawiasz miłość. Stajesz się zbyt... agresywna, prawie jak mężczyzna. Kobieta może być silna, ale nie w łóżku! – Do jego głosu wkradły się nuty patriarchalnej dezaprobaty. – Nie byłaś dziewicą, co?

Ondine spojrzała mu w oczy wyzywająco.

– Nie psuj tego – nakazała. Nie chciała, aby Picasso odgrywał jej ojca albo pouczał jak ksiądz.

– Więc odwróć głowę bardziej w tę stronę i nie ruszaj się – warknął Picasso i uniósł pędzel.

Na dłuższy czas zapadła cisza, potem jednak Ondine odezwała się z zaciekawieniem:

– Jaki jest Paryż?

– Brudny i wspaniały – mruknął lakonicznie Picasso, pochłonięty malowaniem.

– Gdybym przyjechała do Paryża, czy mógłbyś... – urwała, gdyż mężczyzna spojrzał na nią ostro. – Czy zechciałbyś przedstawić mnie ludziom prowadzącym restauracje? Chcę zostać sławnym szefem kuchni.

– Każdy pragnie chwały i sławy, ale nikomu nie chce się na to zapracować – prychnął artysta. – Nauczenie się rzemiosła wymaga lat... Każdego rzemiosła. Zakładając, rzecz jasna, że ma się talent.

– Nie boję się ciężkiej pracy. Pracuję tak od dawna! I szybko się uczę tego, czego jeszcze nie umiem. Widziałeś to – stwierdziła rzeczowo. – I wiesz, że mam talent do gotowania.

– To prawda – przyznał Picasso. – Ale w Paryżu szefami kuchni są tylko mężczyźni i nie dopuszczają do tak ważnego zawodu kobiet. Zresztą kuchnie dużych restauracji to nie miejsce dla dziewcząt. Pełno tam niegodziwców. Zgwałciliby cię w jakiejś piwnicy, ledwie byś się pojawiła. Co z tobą? Mieszkasz tutaj, to twoje miejsce. Dlaczego chcesz uciec ze ślicznego Juan-les-Pins?

– Rodzice zamierzają wydać mnie za mąż. Za człowieka, którego na pewno nie pokocham! – wykrzyknęła dziewczyna z gniewem. – Muszę od nich odejść i zacząć gotować samodzielnie.

Picasso przerwał malowanie.

– Posłuchaj – zaczął surowo. – Paryż to nie miejsce dla takiej słodkiej dziewczyny z prowincji. Zjedzą cię tam żywcem. Nie znajdziesz pracy ot tak, musisz mieć znajomości.

– Mam. Znam ciebie – zauważyła Ondine. Dostrzegła, że ta uwaga wyraźnie go zaniepokoiła, zapewne nie zamierzał pomagać dziewczynie, gdyby pojechała do Paryża i szukała wsparcia. Ondine przypomniała sobie, co robiły czasami zakonnice, aby pomóc uczennicom znaleźć pracę guwernantki lub pokojówki. – Nie napisałbyś mi przynajmniej listu rekomendacyjnego, w którym powiedziałbyś, że jestem *artiste* w kuchni? Przecież zachwalałeś mnie pannie Dorze Maar... Taki list by mi wystarczył.

Picasso skrzywił się, złapany w pułapkę jak chłopiec, którego psota obróciła się przeciwko niemu. Wrócił do sztalug i mruknął:

– Oczywiście, oczywiście. Napiszę jutro. Ale nie obwiniaj mnie, jeżeli znienawidzisz miejsce, w którym skończysz! W kuchni restauracji zarobki są gówniane. Umrzesz w nędzy i zapracujesz się na śmierć... Chyba że zaczniesz traktować siebie poważnie.

– To znaczy? – Ostatnie słowa zaintrygowały Ondine.

– Jeżeli pragniesz czegoś od życia – Picasso prześwidrował ją spojrzeniem swoich nieustraszonych czarnych oczu – nie możesz grzecznie o to prosić. Nie możesz pisać listów. Musisz zabić.

– Zabić? Kogo?

– Każdego, kto stanie ci na drodze. – Mężczyzna dostrzegł jej powątpiewanie. – Myślisz, że się mylę? Przecież za każdym razem, gdy przygotowujesz dla mnie coś do jedzenia, musisz najpierw zabić. Nieważne, czy to marchewka, czy świnia. Musisz zabijać, żeby przeżyć.

Ondine zastanowiła się nad jego słowami. Łatwo mogłaby wymienić osoby, które z chęcią pozbawiłaby życia. Na początek choćby listonosza.

– Dlatego równie dobrze możesz zostać w Juan-les-Pins. – Odłożył pędzel. – Pozwól, żeby jakiś mężczyzna zabijał za ciebie, podczas gdy ty będziesz rodziła mu dzieci.

Ondine uśmiechnęła się wyzywająco. Dzisiaj nauczyła się przynajmniej jednego – z zaskoczeniem zdała sobie sprawę z siły swoich pragnień i odkryła, że ma kły i pazury.

– Mogę już zobaczyć swój portret? – zapytała, gdy zauważyła, że Picasso przestał malować.

– Nie jest skończony, ale owszem, możesz popatrzeć.

Podeszła do sztalug i spojrzała na płótno.

– Och! Jest p i ę k n y!

Podobnie jak wcześniejsze obrazy, ten też był rozpięty na blejtramie, choć mniejszym. I rzeczywiście przedstawiał dziewczynę w oknie, ale namalowaną przez Picassa. Picassa innego, bardziej czułego, naturalnego, głęboko ludzkiego. Ondine nie widziała wcześniej, aby malował w ten sposób.

Dziewczyna na obrazie miała twarz Ondine, co do tego nie było wątpliwości. Skóra emanowała młodością, zdrowiem i witalnością. W oczach błyszczała ciekawość, usta rozchylały się odrobinę, jakby miały wypowiedzieć myśli, a włosy we wszystkich odcieniach zdawały się odzwierciedlać w każdym pasemku cząstkę duszy dziewczyny.

– Ten obraz tak bardzo różni się od innych twoich prac, które widziałam – przyznała cicho.

– No, tak. Krytycy pewnie powiedzą, że wróciłem do mojego okresu różowego – mruknął Picasso ironicznie.

– Co to znaczy?

– Absolutnie nic. Krytycy są właśnie po to, aby paplać jak przekupki. Potem sprzedawcy będą przekonywać jakiegoś niechętnego biznesmana, żeby kupił takie dzieło sztuki do swojego nowego domu, bo będzie mógł pokazać je znajomym i powiedzieć: „Mam Picassa! Bez obaw, żaden z tych brzydkich obrazów”.

Ondine stanęła przed obrazem i złożyła ręce.

– Jak możesz znieść, że twoje obrazy sprzedawane są ludziom, którzy chcą ich tylko dlatego, że jesteś sławny? – zapytała cicho.

– Gdybym ja namalowała taki obraz, nikomu nie pozwoliłabym go zabrać, chyba że kochałby to dzieło i rozumiał, co je czyni pięknym.

Picasso wyglądał na szczerze wzruszonego.

– Dobrze! Ten obraz jest twój! – Impulsywnie wskazał na płótno. Ondine ogarnęło podniecenie.

– Naprawdę? – upewniła się z zachwytem. – Uwielbiam go! Na pewno przyniesie mi szczęście.

– Ach – prychnął Picasso gniewnie. – Ale j a k i e szczęście?

– Kiedy będzie skończony? – nie wytrzymała Ondine.

– Może jutro. – Picasso wzruszył ramionami. – Ale na razie, *chère* Ondine, zgłodniałem. Nakarm mnie!

14

CÉLINE I CIOTKA MATYLDA
W MOUGINS — 2014

Kiedy obudziłam się pierwszego dnia na południu Francji, nie wiedziałam, gdzie jestem. Zamknięte okiennice tłumiły światło, więc w pokoju panował półmrok, a ja byłam zdezorientowana z powodu zmiany strefy czasu.

Ciotka Matylda szybko przywołała mnie do rzeczywistości. Zerwała się z łóżka, wbiła swoje długie, wąskie stopy w kapcie i otworzyła okno na oścież. Do pokoju wdarł się słoneczny blask, a wiatr od morza przyniósł mocną woń kwiatów.

– Mmm... – westchnęłam, nie otwierając oczu. – Co to za cudowny zapach?

– Chyba jaśmin. – Ciotka wyjrzała na krzewy pod domem. – Z jego kwiatów robi się jedne z najlepszych perfum na świecie. Och, wstawaj, Céline! Popatrz na te widoki!

– Widziałam, gdy jechałyśmy wczoraj z lotniska – wymamrotałam sennie pod nosem.

Zabrałyśmy się hotelowym busem, droga wiodła wzdłuż wybrzeża, a potem na wzgórza Mougins.

– Lazurowe niebo, błękitne morze... Nic dziwnego, że to wybrzeże nazywa się Côte d'Azur. I nic dziwnego, że mama zapragnęła tu wrócić! Zastanawiam się tylko, dlaczego w ogóle stąd wyjechała!

– Co innego zwiedzać okolicę jako turystka, co innego żyć tutaj, dorastać i pracować. Małe miasteczka na całym świecie są takie same – stwierdziła ciotka filozoficznie, po czym odwróciła się od okna. Miała na sobie staromodną koszulę nocną obszytą koronką przy dekolcie i mankietach, przypominała w niej trochę Mary Poppins. – W czasie lotu czytałam biografię Picassa i dowiedziałam się, że jego gosposia w Paryżu pochodziła właśnie z tego miasteczka, z Mougins, a wcześniej pracowała przy zbiorach jaśminu. Pewnie nie uważała zapachu jaśminu za taki cudowny, skoro musiała go wąchać przez całe dnie. Nic dziwnego, że wolała harować dla Picassa.

Na dźwięk słowa „Picasso" zerwałam się z łóżka, ponieważ przypomniałam sobie, po co tutaj przyjechałam. Sytuacja mojej matki dręczyła mnie tak mocno, że trudno mi było o tym nawet myśleć, dlatego chyba jedynym sposobem, aby się oderwać choć na chwilę od zmartwień, było skupienie się na zadaniu, w którym postanowiłam ją zastąpić.

Z mapy wynikało, że od Juan-les-Pins, miasteczka, w którym znajdowała się *café* babki Ondine, dzieliło nas tylko około pół godziny jazdy. Zamierzałam się tam wybrać w przerwie między zajęciami.

– Najpierw weź prysznic – poradziła ciotka Matylda. – I lepiej nie spóźnijmy się na pierwszą lekcję gotowania.

Nie spotkałyśmy jeszcze mistrza kuchni, Gilby'ego Halliwella. Zeszłej nocy przywitał nas tylko konsjerż, chudy Francuz o imieniu Maurice, który oprowadził naszą grupę po tym szykownym hotelu butikowym, urządzonym w *le mas* – prowansalskim wiejskim domu, zbudowanym na planie litery „L", w którego starszym skrzydle trwały jeszcze ostatnie prace renowacyjne. Na kolację podano homara i ravioli z cukinią w sosie cytrynowo-kaparowym. Jedliśmy na tarasie, skąd roztaczał się widok na nieskazitelnie piękny, malowniczy krajobraz terasowych pól.

Już po pierwszym kęsie poznałam, że szef kuchni ma talent, w istocie wszyscy zamilkliśmy i wyrwało nam się tylko chóralne: „Łał!". Gil wzmocnił miejscowe dania czarodziejską mieszanką świeżych przypraw, ziół prowansalskich oraz otartą skórką pomarańczy i limonki.

Podczas tej uczty powitalnej poznałam innych uczestników wycieczki. Pochodzili głównie z dużych, dalekich miast i wszyscy cierpieli jeszcze z powodu jet lagu. Większość była w stylu ciotki Matyldy – starsi, a mimo to pełni wigoru ludzie, dobrze wykształceni, na emeryturze, lecz wciąż ciekawi świata i chętni do podróży.

Mnie i ciotce przydzielono dwuosobowy *chambre*. „Gentlemeni" z naszej grupy nocowali w starszym, dalszym skrzydle, podczas gdy my, czyli „ladies", trafiłyśmy na piętro z już odnowionymi i elegancko wyposażonymi sypialniami.

– Całe szczęście, że nie za bardzo *shabby chic* – stwierdziła z zadowoleniem ciotka Matylda.

W naszym pokoju stały dwa piękne łóżka o wezgłowiach obitych czerwonym aksamitem, krzesło z brokatową tapicerką oraz stolik z książkami, broszurami i koszem świeżych miejscowych owoców. Poszłam do łazienki zalanej porannym światłem, w której czekały zestawy małych, zapakowanych w papier prowansalskich mydeł, buteleczki szamponu oraz dwa białe szlafroki i dwa opakowania rannych pantofli frotté.

Gdy się ubrałam, ogarnęła mnie lekka trema przed spotkaniem z szefem kuchni, posiadaczem gwiazdki Michelina. Matka nauczyła mnie doceniać smaki, jednak niewiele wiedziałam o jej sposobach przyrządzania wspaniałych dań. Po raz pierwszy miałam wrażenie, że nie pasuję do grupy. Uznałam, że warto będzie się trochę przygotować i zajrzeć do przepisów babki.

Ciotka wyszła spod prysznica i zaczęła wybierać z szafy ubrania.

– Co to za notes? – zapytała. – Wyglądasz jak studentka, która kuje do sesji.

– I właśnie to robię – przyznałam skrępowana. – To książka kucharska, podarunek od mamy. Należała do mojej babki Ondine. Jej najlepsze przepisy. Prowadziła *café* w Juan-les-Pins.

Ciotka Matylda, która właśnie szła przez pokój, żeby zabrać szczotkę do włosów, zatrzymała się w pół kroku i zajrzała mi przez ramię.

– Napisała to twoja babka? – Chyba była pod wrażeniem tego, co przeczytała. – Czyli masz kuchnię we krwi. Będziesz najlepsza.

Kusiło mnie, żeby się pochwalić, że babka gotowała te potrawy dla Picassa, ale ugryzłam się w język. Mama nie wspomniała o tym ciotce. Zresztą uwaga Matyldy skupiła się już na śniadaniu, chciała czym prędzej dołączyć do grupy.

– Chodź, dziecinko, zajrzyjmy do tej kuchni i poznajmy naszego sławnego mistrza – ponagliła mnie. – A może powinnam powiedzieć: *Le Grand Fromage*?

Grupa zebrała się w wielkiej nowoczesnej kuchni, całej w chromie, stali i marmurze. Rząd pieców robił wrażenie, podobnie jak stanowiska robocze. W kącie ustawiono bufet z jedzeniem, a wszystkim rannym ptaszkom pewnie ciekła ślina na widok croissantów, *brioches* i ciasteczek, które podaje się tylko we Francji. Panował radosny nastrój gotowości do zajęć.

– Muszę was przestrzec, to wcale nie będzie łatwy kurs – uprzedziła Magda, atletyczna, wesoła kobieta o szpakowatych włosach, właścicielka hodowli psów w Szkocji. – Moja kuzynka w zeszłym roku zapisała się na zajęcia Gila w Londynie i musiała przerwać w połowie. Inna sprawa, że jest leniwa.

– Podobno ten kucharz potrafi doprowadzić dorosłych mężczyzn do płaczu – dodał Joey, łysy starszy pan z Chicago, który wraz z synami prowadził firmę cateringową.

Jego słowa potwierdziły pomruki w grupie, ponieważ wszyscy widzieliśmy program Gila emitowany na kablówce kilka lat wcześniej. Nosił tytuł „Jak znosisz gorąco?" i pokazał jasno, że Gil na pewno źle znosi głupców w kuchni i łatwo daje się sprowokować do wybuchów, a jego temperament budził strach.

– Mówi się, że wszyscy mistrzowie kuchni są na wpół obłąkani – stwierdził Peter, emerytowany sprzedawca win z Londynu, z którym ciotka Matylda zdążyła się już trochę „zapoznać" przy sherry poprzedniego wieczoru.

Elegancki Anglik ze śnieżnobiałymi włosami i wypielęgnowanymi brwiami nosił staromodną granatową marynarkę ze złotymi guzikami i jasne flanelowe spodnie, nienaganną jedwabną koszulę i krawat oraz czerwoną poszetkę w kieszonce, jakby wybierał się na jacht, nie na zajęcia z gotowania.

– Uwaga! – zaanonsowała ciotka Matylda. – Oto i on.

W drzwiach do kuchni stanął wysoki mężczyzna i wydał kilka poleceń swoim pomocnikom. Kursanci zbili się odruchowo w grupę, żeby razem ocenić swojego instruktora.

– Och, przystojniak! Nie wiem, czy będę mogła się skupić na gotowaniu! – szepnęła Lola, szczupła, drobna i mocno opalona bogata wdowa z Dallas. Miała rozjaśnione na blond włosy i mnóstwo złotej biżuterii, lśniącej na szyi, nadgarstkach i palcach.

– Duży facet, nie? – mruknął jej brat Ben, wysoki, dobrodusznie wyglądający mężczyzna. W jego głosie brzmiało nieskrywane zaskoczenie.

Nic dziwnego. W przeciwieństwie do większości celebrytów znanych z telewizji, którzy na żywo okazywali się niżsi i mniejsi niż na ekranie, Gilby Halliwell był większy i bardziej umięśniony, wyglądał zdrowo i atletycznie w wykrochmalonej białej bluzie szefa kuchni i czarnych spodniach. Jedyną oznaką jego statusu osoby sławnej były starannie przycięte jasne włosy. Przyjrzeliśmy się „szefowi Gilowi", jak zwracał się do niego personel kuchni, z czujnym zainteresowaniem.

Jeszcze poprzedniego dnia, podczas kolacji, kursanci podzielili się ze mną i z resztą grupy wieloma informacjami na temat naszego szefa kuchni, dlatego wiedziałam, że Gil pochodził z rodziny robotniczej i mieszkał w Manchesterze, za młodu sprawiał kłopoty, nawet miał na koncie kilka wykroczeń i trafił do poprawczaka, ale potem terminował u imponująco dużej liczby francuskich szefów kuchni w Londynie. Kiedy został zatrudniony w snobistycznym hotelu, aby zajmować się grillem, odniósł wielki sukces, dzięki czemu trafił do niewielkiego brytyjskiego programu rozrywkowego w telewizji, a stamtąd przechwycił go kanał kulinarny telewizji amerykańskiej. Jednak Gil był gwiazdą bardzo krótko. Krążyły plotki, że przez romans z żoną wspólnika i toczące się sprawy sądowe zniknął z ekranu, a załamanie nerwowe doprowadziło potem do zamknięcia jego cieszącej się powodzeniem restauracji w Londynie. W prasie opisano to zniknięcie jako „upadek kolejnej gwiazdy jednego sezonu"; rozpuszczano najrozmaitsze plotki. Jednak dwa lata później Gil zaskoczył kulinarny światek wielkim powrotem – otrzymał gwiazdkę Michelina w niecałe dwanaście miesięcy po otwarciu nowej restauracji, tutaj, w Mougins, w krainie *gastronomie,* gdzie konkurencja między lokalami była naprawdę ostra.

Gil bynajmniej nie spoczął na laurach. Ogłosił, że znalazł cichego wspólnika, który pomoże mu przebudować jego kamienny *mas,* w którym właśnie rezydowaliśmy, i stworzyć hotel z pełnym wyposażeniem. Ponowne otwarcie zapowiadane było na koniec roku. Kursy kulinarne miały pomóc Gilowi rozreklamować to ambitne przedsięwzięcie.

– No, dobrze, chłopcy i dziewczęta! – zawołał szef kuchni, gdy skończył z personelem i podszedł do nas bliżej.

Jego surowa, niemal iskrząca energia wypełniła przestronne pomieszczenie. Kursanci uciszyli się w okamgnieniu. Szef Gil sprawdził nazwiska na liście, oficjalnie nas powitał i wypytał każdego o „cel", jaki chciałby osiągnąć. Wymamrotałam coś o pragnieniu lepszego poznania kultury i kuchni mojej babki.

Na nasz kurs zapisało się trzech „chłopców" i cztery „dziewczęta". Zwracanie się do nich w ten sposób wydawało się absurdalne, bo tylko ja i szef Gil mieliśmy mniej niż siedemdziesiąt lat. Gil puszył się jak paw. Był cholernie pewny siebie...

– Wszyscy patrzą na mnie! – Odłożył listę i klasnął jak kapitan drużyny rugby. Jakbyśmy nie poświęcali mu dość uwagi od początku! – To kuchnia mojej restauracji Pierrot. Nabędziecie tutaj podstawowych umiejętności kulinarnych, a co ważniejsze, nauczycie się miejscowego po-dej-ścia do jedzenia, bo właśnie to podejście czyni kuchnię prowansalską tak wspaniałą. Zajmijcie stanowiska!

Wskazał na długi aluminiowy kontuar na środku sali. Pomocnicy już ustawili tam siedem pojemników z jajkami oraz misy do mieszania, a obok leżało siedem fartuchów i siedem zestawów noży.

– Mamy wiosnę, czas odrodzenia, Wielkanocy, co? Na początku było jajko. – Uniósł jedno. – Dzisiaj poznacie prawidłowy sposób rozbijania go... a potem przyrządzania. Zacznijmy od rozbijania. Robi się to tak! – Z wprawą pokazał, jak rozbić jajko jedną ręką. – Naprawdę świeże jajko pęknie czysto, a skorupka się nie pokruszy – zapewnił. – Chyba że zrobicie to źle. Włóżcie fartuchy, stańcie przy stanowiskach. I... rozbijamy!

Po wielkiej kuchni rozniosły się trzaski rozbijanych jaj. Każdy, kto zachichotał lub próbował mówić, był surowo uciszany przez szefa Gila, który spacerował za naszymi plecami, gotów upomnieć każdego, kto chciał oszukać i używał obu rąk.

Przyłapał mnie, gdy próbowałam ukradkiem rozbić skorupkę o krawędź miski.

– O, rany, rany! – westchnął. – Powiedziałaś, że jesteś tutaj, bo twoja *grand-mère* prowadziła *café* w okolicy. Biedna babcia, gdyby to zobaczyła, chyba by się załamała. Spróbuj jeszcze raz.

Posłusznie sięgnęłam po kolejne jajko.

– Céline, na Boga! – jęknął Gil z irytacją. – To nie jest t r u d n e. Skup się, do cholery!

Pożałowałam, że powiedziałam mu o swoim „celu", bo nie wahał się użyć tych informacji przeciwko mnie. Zaczęłam sobie wyobrażać, z jaką przyjemnością upiekłabym tego nadętego koguta na rożnie. Na szczęście w progu kuchni stanął jeden z jego pomocników. Przyniósł wiadomość. Gil cofnął się, żeby wysłuchać, o co chodzi.

– Gratulacje – szepnęła mi ciotka Matylda. – Jako pierwsza sprowokowałaś go do użycia słowa na „ch". Wiedziałam, że długo nie wytrzyma.

– To brutal! Ale mnie na pewno nie przestraszy – zapewniłam z goryczą.

Do tej pory tak bardzo koncentrowałam się na matce, że mało mnie obchodziło, na co się zapisałam. I trafiłam na kurs prowadzony przez agresywne, nadęte indywiduum. Osobników tego typu zwykle unikałam jak ognia, zaczepki i przekleństwa nieuchronnie budziły we mnie wyparte wspomnienia o ojcu. Gil przeszedł obok mojego stanowiska. Nie mógł spokojnie patrzeć, jak znowu spartaczyłam zadanie, więc ujął mnie za rękę i tak ustawił mi palce, jakbym była tylko marionetką w jego wielkiej dłoni, po czym zmusił mnie do prawidłowego rozbicia jajka. Zaskoczyło mnie, że miał twarde i pobliźnione palce, jednak poruszał nimi ze zręcznością i precyzją jubilera. Jakimś cudem skorupka jajka otworzyła się idealnie.

Potem Gil puścił mnie niczym ojciec, który podtrzymuje córkę uczącą się jeździć na rowerze, a w pewnej chwili cofa rękę i pozwala dziecku samodzielnie utrzymać równowagę. Białko i żółtko spłynęło do miedzianej miski, a ja wciąż triumfalnie trzymałam połówki skorupki.

– Łał! – stwierdziłam, bo mimo wszystko byłam pod wrażeniem.

– Łał dla ciebie. – Skinął głową. – Powtórz to. A potem jeszcze raz. I jeszcze raz.

Odszedł i podniósł głos.

– Posprzątajcie swoje stanowiska, ludzie!

I tak cały ranek spędziliśmy na obróbce jajek. Gotowaliśmy je, smażyliśmy, ubijaliśmy (z octem i wodą), smażyliśmy jajecznicę, najpierw na maśle, potem na oliwie, aby porównać smak i konsystencję. Podrzucaliśmy omlety (mój wylądował mi na przedramieniu), piekliśmy jajka z ziołami, używając natki pietruszki, tymianku, szczypiorku i majeranku. I poznaliśmy ogórecznik, zioło, którego liście miały smak ogórka, a drobno siekane pasowały do lekkich kanapek z jajkami na twardo. Ciemnoniebieskie kwiaty tej rośliny były piękne i nadawały się jedzenia.

– W średniowieczu damy wrzucały kwiat ogórecznika do czary z winem, którym częstowały swoich rycerzy, aby dodać im odwagi – powiedział Gil i mrugnął porozumiewawczo.

– Ten koleś ma o sobie wielkie mniemanie – mruknęłam do ciotki Matyldy.

– Lubię go – odparła, jakby już znała wszystkie zalety i słabości naszego mistrza.

Gil oznajmił potem, że pójdziemy na wycieczkę na targ w Antibes. Poprowadził nas na dwór. Było ciepło i słonecznie, ogrodnicy pracowali przy dłuższym skrzydle domu, pielili i podlewali wspaniałe kwiaty i zioła ciągnące się wzdłuż zakrętu ścieżki obok tarasu, basenu i restauracji z dużym parkingiem.

– Tędy. – Gil wskazał ścieżkę obok starszej części *mas*.

Biegła przy krótszej ścianie, gdzie stało rusztowanie i trwały prace renowacyjne. Dochodził stamtąd wizg wiertarek, stuki i uderzenia młotków.

Widok postępu prac chyba dodał Gilowi energii, o ile było to jeszcze możliwe.

– Ekipy remontowe muszą zrobić, ile się da, zanim zacznie się oficjalny sezon letni – wyjaśnił, po czym pomachał do kierownika ekipy, mężczyzny w kasku pokrzykującego na podwładnych. – A pracy jest sporo. Poprzedni właściciel miał tutaj mleczarnię, bardzo tradycyjną i staroświecką. Dożył sędziwego wieku i nigdy niczego nie zmienił!

Zostaliśmy upakowani do białego busa i wyjechaliśmy przez szeroki główny podjazd, potem minęliśmy kilka rond w Mougins, zanim nareszcie dotarliśmy autostradą do pięknego wybrzeża i do Cannes, które przywitało nas wspaniałymi, nadmorskimi hotelami.

– Patrz, to hotel Carlton, z którego Grace Kelly i Cary Grant wyszli na plażę w filmie *Złodziej w hotelu!* – Ciotka Matylda szturchnęła mnie w żebra i wyciągnęła szyję, a potem zaczęła pstrykać zdjęcia jak szalona. Uniosła słomkowy kapelusz i okulary przeciwsłoneczne, żeby lepiej się przyjrzeć. Widok eleganckich starych hoteli, stylowych samochodów, palm, parasoli przeciwsłonecznych, lazurowych fal liżących piasek plaż oraz kilku motorówek i jachtów leniwie oddalających się od przystani – wzbudzało zachwyt i poczucie luksusu.

Przejechaliśmy przez Cannes, aby się dostać na półwysep Antibes wcinający się głęboko w Morze Śródziemne. Znajdują się tam dwa większe miasta – na zachodnim brzegu leży Juan-les--Pins, rodzinne miasto mojej babki Ondine, lecz my kierowaliśmy się na wschód, do miasta Antibes.

– Nie rozchodźcie się, trzymajcie się blisko mnie! – ryknął Gil, gdy wysiedliśmy z samochodu na ruchliwej ulicy wśród ciasnej zabudowy.

Rozejrzałam się wkoło. Szef kuchni poprowadził nas przez zaułki, małe, wąskie i kręte, ocienione starymi kamienicami i tajemniczymi sklepikami.

– To stara część Antibes. Idziemy na targ. Miejcie oczy szeroko otwarte, ale przede wszystkim używajcie nosa! Korzystajcie ze wszystkich zmysłów. Pamiętajcie, to miejsce inspirowało Picassa, Matisse'a, Goethego i Browninga, a nawet cholernego Nietzschego. Wasza kolej, aby doznać natchnienia, bo dziś wieczorem b ę-d z i e c i e g o t o w a ć!

Gil narzucił mordercze tempo, gdy mijaliśmy kramy dla turystów, aby wreszcie stanąć przed wielkim metalowym łukiem bramy, za którą ciągnęły się stragany z żywnością.

– Na tym targowisku zaopatrują się najlepsi szefowie kuchni, a także najbogatsi na świecie właściciele willi i jachtów – oznajmił nasz mistrz, gdy ciągnął nas od jednego cudownego kramu do kolejnego, otoczonego gromadką stałej klienteli.

Kiedy dotarliśmy do stoiska z rybami, ujrzeliśmy imponujący stos świeżego towaru z porannego połowu.

Gil odwrócił się do nas nieoczekiwanie.

– Gdybyście mieli nauczyć się przyrządzać tylko jedną potrawę z ryby, co byście wybrali? – zapytał, kołysząc się na piętach jak tenisista szykujący się do serwu.

Większość z nas zamarła.

– Bouillabaisse – odpowiedziała ciotka Matylda i skinęła mi głową, bo najwyraźniej widziała przepis w notesie babki Ondine.

W duchu ucieszyłam się, że jednak nie wspomniałam jej o Picassie, ciotka nie należała do ludzi, którzy potrafią dochować tajemnicy, i pewnie wygadałaby się tu i teraz, przed całą grupą.

– Ach! – ucieszył się Gil. – Prawdziwie prowansalska potrawa i godne wyzwanie dla kucharza. Ale najpierw nauczcie się porządnie wymawiać nazwę tej potrawy, wszyscy razem: bouillabaisse!

– Buja-bes! – odpowiedziała grupa chórem.

Gil westchnął ciężko.

– Historycznie rzecz ujmując, istnieje przynajmniej czterdzieści różnych odmian owoców morza, których można użyć do przygotowania tej potrawy. Porządna bouillabaisse powinna składać się co najmniej z pięciu do dwunastu różnych gatunków ryb.

– Jejku... – Magda po raz pierwszy wyglądała na zaniepokojoną.

– Poznajcie rascasse, najbardziej jadowity gatunek ryby na świecie, którego śluz może być śmiertelny. – Gil zaprezentował radośnie pstrokatą, biało-pomarańczową skorpenę.

– To tylko żart – odezwała się Lola z niepokojem. – Prawda?

Gil ruszył już dalej i zaczął wybierać bardziej znajome gatunki ryb.

– Przygotujemy bouillabaisse na podstawie popularnego marsylskiego przepisu. Na wybrzeżu Morza Śródziemnego istnieje wiele wariantów tej potrawy – wyjaśnił z entuzjazmem. – Hiszpanie nazywają ją sabeta i dodają więcej ostrej papryki.

Uniosłam głowę, bo zabrzmiało mi to znajomo, podobny komentarz przeczytałam w skórzanym notesie babki Ondine. Wiele z jej przepisów – wszystkie oczywiście po francusku – zawierało uwagi, jak ulepszyć dania. Przy *bouillabaisse* dopisała zdanie, które przetłumaczyłam jako: „Notabene: następnym razem więcej ostrej papryki".

Gil zapłacił sprzedawcy ryb i ponieśliśmy pełne torby na parking, gdzie francuscy pomocnicy kuchenni stali przy busie i palili papierosy, korzystając z przerwy. Na widok szefa rzucili szybko niedopałki i sprawnie spakowali nasze sprawunki. Ryby i inne łatwo psujące się towary włożyli do srebrzystych pojemników z lodem.

– W porządku, kursanci, moi ludzie zawiozą te wspaniałe zakupy do hotelu. Samochód po was wróci – oznajmił Gil. – Macie trochę wolnego czasu. Skorzystajcie z okazji i kupcie sobie pamiątki, póki jeszcze możecie.

Silny podmuch wiatru szarpnął banerami wiszącymi nad uliczką. Załopotały jak żagle. Unieśliśmy głowy – na każdym widniała twarz Picassa, spoglądająca na nas z góry ciemnymi oczyma, przyzywająco i zarazem niepokojąco. Na Riwierze, jak przeczytałam w przewodniku, zawsze była przynajmniej jedna wystawa prac mistrza. Tę zatytułowano: *Picasso: między wojnami i kobietami*.

Spojrzałam na jego twarz. Łysina sprawiała, że wysokie czoło artysty wydawało się jeszcze wyższe, nos dodawał obliczu zadziornego wyrazu, ale na ustach błąkał się rozbawiony uśmieszek. Zdawało się, że Picasso chce powiedzieć: „Wkraczacie na moje terytorium".

– Tylko nie idźcie na wystawę Picassa – ostrzegł Gil. – Już zarezerwowałem dla całej grupy prywatne zwiedzanie w przyszłym tygodniu! Znajdziecie tutaj sporo innych muzeów i zabytków, mnóstwo sklepów i, co najważniejsze, wiele wspaniałych kafejek i bistr. Koniecznie zjedzcie lunch.

A potem wręczył wszystkim vouchery i euro na posiłki.

Z rykiem silnika jeden z pomocników naszego szefa kuchni wjechał motocyklem na parking. Okazało się, że młody Francuz podprowadził maszynę dla Gila, który chyba tylko na to czekał, bo od razu podszedł i przerzucił nogę przez siedzenie. Zerknął na swój duży zegarek.

– No, dobrze. Bądźcie tutaj punktualnie o trzeciej. Macie wszyscy telefon do *mas*? Świetnie, dzwońcie, gdybyście się zgubili. Każdy, kto nie zjawi się na zbiórce – przesunął palcem po szyi jak przy podrzynaniu gardła – wyleci z kursu.

Klasnął głośno, czym spłoszył podkradające się do nas z nadzieją stadko gołębi.

– Szkoda czasu, więc pamiętajcie o zbiórce i bawcie się dobrze!

Stuknął w tarczę zegarka. Z ulgą i radością rozeszliśmy się grupkami, choć nie bardzo wiedzieliśmy, dokąd się udać. Mimo to czuliśmy, że należy wykazać się entuzjazmem. Gil zdążył już odpalić swój ogniście czerwony motocykl i skierował się na drogę.

Joey pierwszy przełamał lody.

– Prześliczny ducati – rzucił, wyraźnie pod wrażeniem motocykla. Wymawiał markę z wyraźnym chicagowskim akcentem, przez co w jego ustach zabrzmiało to jak „duh-kau-ti".

– Założę się, że ma w mieście dziewczynę, która pomaga spożytkować ten jego nadmiar energii – wycedziła Lola wesoło. – Przecież nad Morzem Śródziemnym zaraz zacznie się sjesta.

– To hiszpański zwyczaj, moja droga, nie francuski – zauważył Ben łagodnie, ale z lekkim grymasem.

– Braciszku, za zamkniętymi okiennicami nie ma żadnej różnicy! Nieważne, jak to się tutaj nazywa... – odpowiedziała Lola.

Wraz z Benem, Magdą i Joeyem skierowali się prosto do sklepów w centrum.

Tymczasem Peter rzucił ciotce Matyldzie nieśmiałe spojrzenie.

– Miałabyś ochotę wybrać się do kasyna?

Dobrali się jak w korcu maku, pomyślałam, gdy ciotka skinęła głową z nieskrywanym entuzjazmem.

– Zjesz z nami lunch, Céline? – zapytała jeszcze.

– Nie przejmujcie się mną. Myślę, że pokręcę się po sklepach – zapewniłam pośpiesznie. Miałam wrażenie, że Picasso przygląda mi się z góry, jakby przypominał, po co naprawdę wybrałam się na Lazurowe Wybrzeże.

Byłam przekonana, że mama tak bardzo chciała tu wrócić właśnie ze względu na Picassa, choć wnioskowałam tylko z tego, co powiedziała mi w Boże Narodzenie. Przypomniałam sobie jej słowa, które potwierdzały moją teorię: „Babka mówiła, że Picasso podarował jej obraz". A jeżeli mama wybrała tę wycieczkę jako pretekst, aby wrócić tutaj i pomyszkować po *café* babki Ondine... i może odszukać zaginiony obraz Picassa?

Śmiałe przypuszczenie. Ale wzdłuż i wszerz Lazurowego Wybrzeża hazardziści wygrywali codziennie, choć szanse mieli o wiele mniejsze. Ożywiona energią bijącą z otoczenia byłam gotowa spróbować i wykorzystać okazję w imieniu mamy. Właśnie dlatego zeszłego wieczoru zajrzałam do internetu i wyszukałam sklep w Antibes, w którym mogłam wynająć rower. Pośpieszyłam tam bez wahania, wskoczyłam na masywny dwukołowiec i wypożyczyłam GPS dla cyklistów. Dzięki temu urządzeniu miałam dokładne wskazówki, jak dostać się najkrótszą drogą do małego miasteczka po drugiej stronie półwyspu, do Juan-les-Pins, gdzie kiedyś mieszkała babka Ondine.

15

ZAGUBIONA W RAJU: CÉLINE
W JUAN-LES-PINS

Jesteś na miejscu – oznajmił mój GPS po doprowadzeniu mnie do centrum Juan-les-Pins, miasteczka mniejszego od Antibes. Było tu sporo klubów jazzowych, skromnych restauracyjek, wciśniętych między sklepiki z pamiątkami albo z ubraniami, tuż obok starych, eleganckich pensjonatów i rezydencji. Czułam się trochę zbita z tropu. Znalazłam zatoczkę przy głównej ulicy, gdzie mogłam zaparkować, i przypięłam rower do jednego ze stojaków. Dalej ruszyłam pieszo do małych kwartałów skrywających się wśród ciasnych zaułków. Na bramach nie było nawet numerów. Kamienne domy tuliły się do siebie i rzucały chłodny cień, zatrzaśnięte okiennice chroniły okna na parterze przed wścibskimi spojrzeniami przechodniów takich jak ja. Wydawały się zamknięte na głucho, zaczynałam się nawet martwić. Możliwe, że lokal babki Ondine dawno został zrównany z ziemią.

Sięgnęłam do torebki, wyjęłam notes babki i zajrzałam do listu schowanego pod zagięciem okładki. Raz jeszcze sprawdziłam adres, z którego został wysłany. Na kopercie został wytłoczony szyld Café Paradis oraz nazwa ulicy – tylko dlatego udało mi się trafić. Wydrukowana rycina w nagłówku papieru listowego pozwalała się domyślać, jak mniej więcej wyglądał lokal za czasów babki. Wyciągnęłam arkusz i przyjrzałam się bliżej szkicowi. Trójkątny taras osłonięty markizą z nazwą restauracji sąsiadował z uroczym wyróżniającym się budynkiem, dlatego łatwo powinnam go znaleźć. Ruszyłam dalej i wreszcie, tuż za rogiem, trafiłam na to miejsce. Niewielki lokal zajmował parter domu z miodowego piaskowca i miał trójkątny taras. Jednak zdawało mi się, że trochę się różni od ryciny z papeterii. Dopiero po chwili zrozumiałam, że brakowało markizy – stoliki były osłonięte parasolami. Reszta wyglądała jak Café Paradis. Usiadłam przy stoliku i wykorzystałam voucher od Gila, aby zamówić lunch. Kelner przyjrzał się kartonikowi, po czym pokazał go kierownikowi sali, który tylko wzruszył ramionami i skinął głową. Inni goście wyglądali na miejscowych, chociaż może znalazłby się wśród nich jakiś turysta. Nie podawano tutaj karty dań, dostawało się po prostu danie dnia, serwowane na prostych talerzach z bladożółtej porcelany w błękitny rzucik, ozdobionych na brzegu malunkami kwok z kurczętami.

Gdy czekałam, promienie słońca przesunęły się po tarasie i wślizgnęły przyjaźnie pod parasol. Na pierwsze danie podano zupę z małży w curry. Nie spodziewałam się niczego nadzwyczajnego, ale kiedy tylko spróbowałam, nie mogłam powstrzymać cichego pomruku zadowolenia. Nie sądziłam, że zupa z małży może być aż tak delikatna. Starszy mężczyzna przy sąsiednim stoliku usłyszał mnie i uśmiechnął się, po czym wrócił do czytania gazety.

Na drugie danie był „błękitny homar", który bardziej przypominał dużą krewetkę. Serwowano go z sosem grzybowym i cienkimi strączkami *haricots verts*. Miałam wrażenie, jakbym po raz pierwszy próbowała fasolki szparagowej, homara czy grzybów. Matka próbowała mi to wyjaśnić kilka razy. „Istnieje coś takiego jak *terroir*. To gleba, woda i powietrze, w których wyrastają winorośl, warzywa, ptaki czy inne zwierzęta. Ten sam szczep winorośli albo gatunek warzywa nie zachowa tego samego smaku, jeśli wyrośnie w innej ziemi i pod słońcem innej krainy", powtarzała. Żałowałam, że nie ma jej ze mną i nie możemy razem cieszyć się tym posiłkiem.

Na kolejnym talerzu dostałam kawałek *confit* z kaczki w słodko-kwaśnym sosie z pomarańczy oraz kruchą sałatę, a także skromny z pozoru zestaw malutkich krążków sera, w tym także ser kozi osypany świeżo pokruszonymi orzeszkami piniowymi. Do lunchu podano mi pół karafki schłodzonego domowego wina z dzikiej róży z brzoskwiniowo-jagodowym posmakiem. Znowu wydawało mi się, jakby po latach pośpiesznego jedzenia w pracy dań na wynos moje kubki smakowe zaczynały się budzić – niczym Rip van Winkle po długim śnie. Chociaż mama gotowała według tych samych przepisów, składniki z Francji miały swój specyficzny, wyjątkowy smak. Dlatego ten posiłek wciąż mnie zaskakiwał, a nastrój spokoju, słona bryza, uwodzicielskie słońce i wino chłodne jak górski potok jeszcze wzmacniały moje oczarowanie.

Może dopadło mnie szaleństwo smakosza, a może po prostu wino uderzyło mi do głowy – trudno powiedzieć. Dość, że postanowiłam śmiało wykonać swoją tajną misję. Zauważyłam dostawców ze skrzynkami krążących tam i z powrotem po uliczce biegnącej za *café*. Gdy skończyłam jeść, zamiast skorzystać z frontowych drzwi, wyszłam przez zaplecze.

Znalazłam się w małym ogródku. Niewielkie patio ocieniała rozłożysta sosna, której powyginane gałęzie obejmowały niemal całą przestrzeń, a guzowate korzenie wystawały spod ziemi i wypychały płyty chodnika.

– Ależ ogromna – szepnęłam z podziwem.

Widziałam takie drzewo, tyle że o wiele mniejsze, na tyłach *mas,* gdy konsjerż oprowadzał nas pierwszego wieczoru. Powiedział, że to sosna alepska.

Mały bury kot przysiadł na kamiennym murku otaczającym pień drzewa. Pochyliłam się, żeby go pogłaskać. Kiedy bryza zaszemrała w koronie sosny, ogarnęło mnie niesamowite wrażenie, jakbym mieszkała tu od zawsze. Aż dostałam gęsiej skórki. Czy miałam *déjà vu*? Przecież nigdy wcześniej tu nie byłam, a jednak to wielkie, powyginane stare drzewo, niski kamienny murek i mruczący kot o jedwabistej sierści wydały mi się znajome.

Tylne drzwi otworzyły się gwałtownie i wypuściły falę gorąca. Usłyszałam brzęk zmywanych naczyń. Szef kuchni, niski, zarumieniony i spocony mężczyzna w poplamionym białym stroju, wyszedł na papierosa. Zaciągnął się i popatrzył w niebo, a potem dostrzegł mnie, częściowo ukrytą za pniem wielkiej sosny.

– *Mademoiselle?* – zawołał nieco nerwowo.

Podeszłam do niego pośpiesznie i zaczęłam chwalić jego potrawy. A potem wyjaśniłam, że moja babka gotowała kiedyś właśnie w tej *café*.

– *J'aimerais voir la cuisine de ma grand-mère* – poprosiłam na koniec. Starałam się, żeby zabrzmiało to ujmująco.

Kucharz wyraźnie się nie spodziewał, że młoda kobieta może okazać jemu i jego kuchni choć cień zainteresowania, więc pochlebstwo podziałało skutecznie. Zadowolony wyrzucił niedopałek i otworzył drzwi, aby wpuścić mnie do swojego królestwa.

Kuchnię wypełniało wilgotne, gorące powietrze. Personel kuchenny i kelnerzy krzątali się żwawo, ustępując sobie nawzajem z drogi w ciasnym pomieszczeniu, mniejszym i o wiele bardziej nowoczesnym, niż się spodziewałam. Stała tam przemysłowa kuchenka z piekarnikiem, na ścianach wisiały aluminiowe półki z garnkami, rondlami i patelniami, misami i innymi przyborami kuchennymi. Już na pierwszy rzut oka widziałam, że nie ma tu naprawdę niczego, co mogłoby należeć do babki Ondine. I na pewno nie dałoby się tutaj ukryć obrazu Picassa.

Szef kuchni odprowadził mnie do frontowej sali. Chociaż nie było gości, pomocnicy już rozkładali białe obrusy i lśniące sztućce na wieczorny posiłek.

– *C'est bon?* – zapytał szef.

Skinęłam głową i podziękowałam. Mężczyzna wrócił do kuchni. Nie chciałam jeszcze wychodzić, więc poprosiłam barmana o espresso ze złotej maszyny do parzenia kawy, która pyszniła się za barem.

Popijając kawę, rozglądałam się po jadalni z pięknym staro-świeckim lustrem. Moje odbicie wyglądało w nim trochę jak duch – można by pomyśleć, że przybyłam tutaj z przeszłości i zaraz zniknę po drugiej stronie.

Kiedy jeszcze w Stanach planowałam ten wyjazd i sekretną misję, przepełniało mnie szaleńcze przekonanie, że znalezienie obrazu Picassa będzie proste – wystarczy, że przejdę się po miasteczku, odnajdę *café* i po prostu przeszukam lokal. Dopiero na miejscu pojęłam, że to czysta donkiszoteria. Zaczęłam się jednak zastanawiać, co się stało z pomieszczeniami na górze. Widziałam wychodzące na uliczkę okna z ozdobnymi kutymi kratami, zupełnie jak na obrazku z nagłówka papeterii babki Ondine. Właśnie tam mieszkała. Gdy rozglądałam się po sali jadalnej, *maître* wyszedł do kuchni. Miałam jedyną okazję, żeby chyłkiem przemknąć się obok jego opuszczonego stanowiska... i postanowiłam z niej skorzystać.

Teraz albo nigdy, powiedziałam sobie w duchu.

– Gdzie jest łazienka? – zapytałam barmana.

Wskazał mi czerwony napis: „Wyjście" na końcu sali. Miałam pretekst, więc poszłam we wskazanym kierunku. Na jednych drzwiach widniał napis: *„Dames"*, na drugich: *„Messieurs"*. Bez trudu odgadłam, że krótki korytarz obok prowadzi na schody. Zagrodzone były czerwonym aksamitnym sznurem z zawieszoną na nim tabliczką informującą w trzech językach: „Pomieszczenia prywatne".

Obejrzałam się przez ramię, a potem szybko przeszłam nad sznurem i ruszyłam na górę. Serce łomotało mi z poczucia winy. Zatrzymałam się na pierwszym piętrze, ale usłyszałam z tyłu ciężkie kroki – ktoś wspinał się za mną po schodach.

Muszę iść dalej, to jedyny sposób, żeby się ukryć, pomyślałam.

Pobiegłam wyżej po krótszych schodach na wyższe piętro. W samą porę, bo w korytarzu poniżej pojawiła się otyła kobieta. Dyszała z wysiłku i coś niosła. Wślizgnęłam się do pokoju na poddaszu i zamarłam. Z pierwszego piętra rozległo się mechaniczne brzęczenie odkurzacza. Sprzątanie na pewno musiało potrwać, więc utknęłam na drugim piętrze.

Pokoju na poddaszu używano jako magazynu na stare, zwinięte parasole z tarasu i wiklinowe krzesła poustawiane w sterty. Pudła skrywały dodatkową zastawę, kubki, filiżanki i spodki. Wyglądały, jakby pochodziły z wyprzedaży w innej restauracji. Z pewnością nie było tu niczego, co mogłoby wiązać się z Picassem albo babką Ondine. Pomieszczenie wyglądało na opuszczone.

Po kilku minutach sprzątaczka na dole wyłączyła wreszcie odkurzacz, dźwignęła go i ciężko dysząc, zeszła na parter. Z ciekawością przekradłam się na pierwsze piętro, po czym zajrzałam do niedużego pokoju dla gości. Był urządzony po spartańsku – łóżko, stolik, lampa, regał, ale żadnej dużej szafy czy garderoby.

Podeszłam do większej sypialni, bardziej luksusowej, z szerokim łóżkiem o wezgłowiu z brązu i z dużym płaskim telewizorem na ścianie. Przypomniałam sobie słowa mamy: „Babka Ondine miała u siebie mnóstwo małych skrytek. Pamiętam zamaskowany schowek pod podłogą garderoby, jej rodzice podczas wojny chowali tam najlepsze szampany, żeby nie znaleźli ich niemieccy żołnierze".

Jednak w tym pokoju nie było garderoby, a jedynym starym meblem okazała się duża szafa z drewna orzechowego, na dodatek niemal pusta, o czym mogłam się przekonać – wisiały w niej tylko dwa czyste czerwone szlafroki, a na półce leżały zapasowe poduszki i koce. Sprawdziłam szuflady i półki, czy nie ma tam tajnych schowków, ale niczego nie znalazłam. Dopiero wtedy pomyślałam, że skoro mama myliła się w sprawie garderoby, mogła również mylić się w kwestii Picassa. I może ta wycieczka była zwykłą mrzonką.

Miałam wrażenie, jakby w jasnym słońcu dzisiejszej Riwiery niknęła przeszłość, nie tylko świat babki Ondine, lecz także mojej matki. Tak bardzo pragnęłam ją uratować, że całą nadzieję opierałam na jednym szalonym domyśle. Ku własnemu zaskoczeniu poczułam ucisk w gardle i przełknęłam smutek, a do oczu napłynęły mi łzy.

Po prostu wróciłam do rzeczywistości, westchnęłam w duchu. Może musiałam przebyć ocean, żeby stawić czoło faktom.

Wtem usłyszałam głośny, rozkazujący głos mężczyzny na schodach. Rozejrzałam się przestraszona. Z sypialni nie było drugiego wyjścia, nie miałam więc wyboru. Wślizgnęłam się do starej szafy i zamknęłam za sobą drzwi.

Ledwie zdążyłam. Mężczyzna wszedł do sypialni i minął moją kryjówkę. Kroki miał ciężkie, nawet szafa zadrżała. Najwyraźniej włączył telewizor, bo pokój wypełniła głośna muzyka, jakaś romantyczna piosenka śpiewana po francusku. Wydawało mi się, że słyszę szum wody w łazience. Mijały minuty, a ja zastanawiałam się, czy uda mi się niepostrzeżenie uciec.

Gdy już zbierałam się na odwagę, żeby wyjrzeć, drzwi szafy nagle się otworzyły. W oślepiającym blasku słońca padającym z okna ujrzałam wysokiego otyłego mężczyznę. Stał przede mną całkiem nagi, ociekający wodą.

– *La-la!* – wykrzyknął zaskoczony i cofnął się o krok.

Był łysy, a jego wysokie czoło sprawiało, że twarz przypominała bardziej pięść z oczami. Duży brzuch zwisał mu w fałdach, przesłaniając nieco przyrodzenie. Mężczyzna nie pofatygował się nawet, aby wziąć ręcznik z łazienki i trochę się okryć, tylko sięgnął po prostu po jeden z wiszących obok mnie szlafroków.

– *Bonjour* – powiedziałam głupio i podałam mu szlafrok, po czym wyszłam z szafy.

– *Qui êtes-vous?* – zapytał podejrzliwie nagus i złapał mnie za ramię. Uścisk miał jak imadło. A co gorsza, nie włożył od razu szlafroka, tylko wykrzyknął: – *Au voleuse!*

– Nie jestem złodziejką! – oburzyłam się odruchowo.

I mimo że zaraz powtórzyłam to po francusku, nie przestał krzyczeć. Do sypialni wpadła sprzątaczka wraz z pracownikami restauracji, w tym również z kierownikiem sali. Nagus wreszcie włożył szlafrok i zaczął się wydzierać na swój personel. Z tego, co zrozumiałam, była to francuska wersja polecenia: „Zajmijcie się tym!", po czym wrócił do łazienki i trzasnął drzwiami.

Tak oto poznałam właściciela *café*. Kierownik sali już rozmawiał przez komórkę, a chociaż nie słyszałam go zbyt dobrze, słowo „policja" wychwyciłam od razu. Nie minęło wiele czasu, a pod oknami zawyły syreny. Mimo wszystko sytuacja przypominała mi bardziej zły sen niż rzeczywistość, więc wciąż nie mogłam uwierzyć, że naprawdę wpadłam w tarapaty. Zaniepokoiłam się dopiero wtedy, gdy kierownik sali ujął mnie pod łokieć i powiedział grzecznie:

– *Mademoiselle,* proszę ze mną.

Zeszliśmy na dół, obok aksamitnego sznura, do sali jadalnej. A tam czekało już na mnie dwóch żandarmów.

– O Boże – jęknęłam pod nosem, pośpiesznie wyjęłam komórkę i zadzwoniłam do ciotki Matyldy.

Nie odebrała. Przypomniałam sobie, że poszła do kasyna ze swoim nowo poznanym przyjacielem. Pewnie wyłączyła telefon, żeby zaoszczędzić na roamingu. Z wahaniem wybrałam numer, który dał wszystkim Gil na wypadek, gdyby ktoś zabłądził. Odebrał Maurice, konsjerż.

– Mam kłopoty – wyznałam. – Chyba zostanę aresztowana.

16

CÉLINE I GIL W JUAN-LES-PINS

Nie można się przygotować na przerażające doświadczenie, jakim jest podejrzenie o przestępstwo. Zwłaszcza gdy nie chce się wyznawać wszystkim wokół całej prawdy. Bo przecież nie mogłam powiedzieć: „Wślizgnęłam się tutaj, bo chciałam ukraść obraz Picassa, panie policjancie". Dlatego próbowałam przekonać francuskiego funkcjonariusza i właściciela *café*, że weszłam na górę tylko po to, żeby zobaczyć pokój, w którym mieszkała kiedyś moja babka. Chyba nikt mi nie uwierzył, zwłaszcza szef Gil, który pojawił się niedługo potem – i wyglądał na wkurzonego.

Powiedział, że był w Antibes u swojego dostawcy, żeby omówić zamówienie na nowe stroje dla kelnerów. Gdy zadzwonił roztrzęsiony Maurice, Gil wskoczył na motor i przyjechał, aby opanować sytuację i zminimalizować straty, ponieważ – jak później wyjaśniła mi ciotka Matylda – „Nie wpłynęłoby to dobrze na reputację Gila, gdyby jedna z jego kursantek trafiła do paki".

Dlatego stanął twardo po mojej stronie. Początkowo okoliczności mi nie sprzyjały, żandarmi widzieli w Gilu tylko popisującego się kucharza z Anglii, na dodatek z dziewczyną sprawiającą kłopoty. Zdaje się, że zaledwie tydzień wcześniej kierowca busa należącego do *café* został aresztowany za handel narkotykami. Dlatego właściciel lokalu – nagus, który znalazł mnie w szafie – podejrzewał oczywiście wszystko, co najgorsze. Policja przeszukała nawet pokoje na piętrze. Ciekawe, co chciała znaleźć? Narkotyki, brylanty, sfałszowane banknoty?

– Policja chyba nie uważa mnie za jakąś przemytniczkę narkotyków, prawda? – zapytałam z przerażeniem.

Podczas rozmowy żandarmi pokazywali na mnie niecierpliwie, jakby od razu chcieli założyć mi kajdanki. Na szczęście Gil ich powstrzymał i ze spokojem starał się logicznie wyjaśnić sytuację, co chyba przekonało starszego z policjantów. Na koniec wdał się w ożywioną dyskusję, w której wyjaśniał, że tego rodzaju nieporozumienia wynikają z zachowania cudzoziemców w ogóle, a w szczególności takich naiwnych Amerykanek jak ja.

– *C'est une vraie Américaine naïve!* – powtarzał z naciskiem, a potem prosił grubego, wciąż mokrego właściciela *café*, żeby ten był *raisonnable*.

Wreszcie grubas z odrazą machnął rękami i zakazał nam kiedykolwiek wracać do jego lokalu. Policjanci wciąż jednak sprawiali wrażenie, jakby chcieli zawlec mnie w łańcuchach do celi – wyobraziłam sobie, jak zostaję zamknięta w warowni na wyspie niedaleko Cannes, w której kiedyś więziony był człowiek w żelaznej masce.

– Chodźmy, zanim się rozmyślą – syknął Gil.

Musieliśmy wyjść przez taras, na którym tłoczyli się zaciekawieni gapie. Kiedy ich mijaliśmy, bez przerwy robili nam zdjęcia komórkami.

Gil szybko włożył ciemne okulary, przez co sprawiał wrażenie celebryty przyłapanego w niezręcznej sytuacji. Wskoczył na motocykl, a ja ruszyłam do miejsca, w którym zostawiłam wypożyczony rower. Dopiero gdy usłyszałam za plecami warkot ducatiego, zdałam sobie sprawę, że Gil jedzie za mną.

– A teraz dokąd znów się wybierasz? – wycedził, gdy się zatrzymałam, żeby odpiąć rower.

Kamienna, zacieniona zatoczka przypominała oazę spokoju w środku miasta. Podniosłam nóżkę roweru i wyprowadziłam swój jednoślad. Wciąż dyszałam jak po biegu maratońskim, ale starałam się opanować.

– Muszę oddać rower do wypożyczalni w Antibes – wyjaśniłam, nie kryjąc irytacji.

Apodyktyczność i szarogęszenie się Gila zaczynały mi działać na nerwy, chociaż pamiętałam, że właśnie ocalił mi skórę.

– Czekaj! A gdy już oddasz rower, jak wrócisz do Mougins? – zapytał podstępnie. A ponieważ zamierzałam ruszyć, chwycił za koło roweru.

Oparłam się o kierownicę, aż rower się przechylił, a torebka wyleciała z koszyka. Zewnętrzna przegródka otworzyła się i wypadł z niej notes babki Ondine, który pośpiesznie tam wepchnęłam po sprawdzeniu adresu *café*.

– Szlag! Patrz, coś narobił! – Zeskoczyłam z roweru, nie przejmując się, że upadł z trzaskiem. Wiatr już szarpał delikatne kartki.

Gil podniósł notes.

– Co z tobą, Céline? – zapytał niecierpliwie. – Moi ludzie bardzo się zmartwili, wysłali mi wiadomość, że do busa wrócili wszyscy oprócz ciebie.

– Czyli wylecę z kursu? – mruknęłam z udawaną obojętnością. – Cóż, trudno. I tak nigdy nie nadawałam się na szefa kuchni.

Usiadłam na krawężniku, żeby sprawdzić, czy notes nie zniszczył się za bardzo. Koperta nadal tkwiła bezpiecznie pod okładką. Przejrzałam kartki, sprawdzając, czy któraś się nie podarła.

– Och, a to co? – Gil z nieoczkiwanym zainteresowaniem złapał arkusik sunący przy krawężniku. – Nie nadajesz się na szefa kuchni? Akurat!

Zerknął mi przez ramię i zorientował się, że notes zawiera przepisy kulinarne.

– Ale książkę kucharską piszesz, tak? A może chcesz otworzyć restaurację?

– Nie twój zakichany interes! – odwarknęłam.

– Cholera, to jest o gotowaniu, a gotowanie to mój zakichany interes! Większość prowadzących kursy uznałaby, że kradniesz ich przepisy. Dla mnie też nie byłby to pierwszy raz. – Gil podejrzliwie zmrużył oczy, jakby naprawdę wierzył, że jestem jakimś kulinarnym szpiegiem. No, bo niby dlaczego zakradałam się do cudzych restauracji?

– Chciałbyś, żeby to były twoje przepisy! – prychnęłam. – Spisała je moja babka. Założę się, że gotowała o niebo lepiej niż ty!

– Doprawdy? – Posłał mi swój promienny, milionwatowy uśmiech. – Mogę zerknąć?

Wyczułam okazję i postanowiłam z niej skorzystać.

– Jeżeli pozwolisz mi zostać na kursie gotowania, pozwolę ci przejrzeć notes – zapewniłam z czarująco bezczelnym uśmieszkiem. – Ale musisz przysiąc na swoją gwiazdkę Michelina, że nie ukradniesz żadnego przepisu.

Wytrzymał moje spojrzenie, gdy odpowiedział z powagą:

– A obiecasz, że nie będziesz się więcej włóczyć samopas? Nie jestem konsjerżem, który zapłaci mandaty za złe parkowanie i zajmie się tobą w razie aresztowania za jazdę po pijaku. Jasne?

– Jasne, jasne. Dobra – zgodziłam się trochę sztywno. Paternalistyczny ton Gila zaczynał mnie już denerwować.

– Świetnie – odpowiedział, siadając obok mnie na krawężniku.

Otworzyłam znowu notes i zaczęłam się zastanawiać, czy Gil mógłby odnieść się jakoś do zapisków. Mężczyzna właśnie gorliwie przerzucał kartki.

– No, no – stwierdził z podziwem. – No, no, no.

Wyczułam przebłysk nienasyconej ambicji.

– Są dobre? – zapytałam z ciekawością.

– Nieźle, naprawdę nieźle – zapewnił, chciwie przeglądając kolejne przepisy. – Tradycyjna kuchnia prowansalska, ale z drobnymi zmianami tu i ówdzie. Może to specyfika regionalna. Albo okres, w którym żyła twoja babcia... Mmm, świetnie, *cassoulet*. A tu prawdziwy *coq au vin,* przyrządzany z kogucią krwią, żeby uzyskać tę ciemną barwę sosu... i przyozdobiony grzebieniem i cynaderkami...

W głosie Gila brzmiał coraz większy entuzjazm.

– Fuj – skrzywiłam się z obrzydzeniem.

– Używa marchewki, żeby go osłodzić – mruczał Gil, ale teraz chyba tylko do siebie. – I mnóstwo tymianku. Ha, i dodaje odrobinę czerwonego wermutu domowej roboty z ziołami alpejskimi. Bardzo interesujące.

Zamknęłam notes, a Gil podniósł głowę i spojrzał na mnie z wyrzutem, wyrwany z krainy marzeń.

– Nie wyjaśniłaś mi jeszcze, po jaką cholerę zakradłaś się na piętro w tej *café*. Czego właściwie szukałaś?

– Nie mogę powiedzieć. – Pokręciłam głową. – To coś, co matka powierzyła mi w zaufaniu. Nigdy nie miała okazji wrócić tutaj, żeby... żeby się pożegnać. – Celowo unikałam szczegółowych wyjaśnień. – Zrobiłam to dla niej. Mam nadzieję, że rozumiesz.

Gil spojrzał na mnie uważnie.

– No dobrze, chyba naprawdę chodzi tu o więzi emocjonalne. Ale nie chcę, żeby właśnie teraz miejscowa policja patrzyła na mnie krzywo i utrudniała mi uzyskanie pozwoleń na prowadzenie interesu! Nie wspomnę, że zamierzam niedługo otworzyć hotel, a cholerni turyści porobili mi zdjęcia i pewnie już zamieszczają je w internecie, plotkując na potęgę.

– Przepraszam. – Naprawdę było mi przykro. – Myślałam, że nieważne jak, byleby mówili... – Nie mogłam się powstrzymać, żeby nie zażartować dla polepszenia nastroju.

Gil zmarszczył brwi.

– Ale nie w kręgach biznesu! Inwestorzy nie znoszą rozgłosu. To zbyt ryzykowne. Nic nie może przeszkodzić mi w otwarciu hotelu. Od tego zależy los moich pracowników. Jeżeli mi się nie uda, niełatwo im będzie znaleźć nową pracę. Dlatego nie mogę sobie pozwolić, aby ktoś przez swoją głupotę lub bezmyślność zepsuł wszystko – ostrzegł znacząco.

– Dobra, rozumiem – mruknęłam. Byłam gotowa jeszcze tego dnia wsiąść do samolotu i wrócić do domu.

Gil dostrzegł moją zniechęconą minę.

– Weź się w garść – rozkazał i spojrzał na zegarek. – Pojadę z tobą do tej wypożyczalni rowerów, a potem odwiozę cię do *mas*.

Nie miałam wyjścia, popedałowałam przez półwysep Antibes, a Gil towarzyszył mi na pyrkającym ducatim. Na drodze samochody mijały nas z rykiem. Obsługa wypożyczalni rowerów ucieszyła się na mój widok. Byłam spóźniona, może martwili się, że uciekłam. Zapłaciłam i wróciłam do Gila. Podał mi kask i od razu włączył silnik.

– No, wskakuj! – ponaglił, przekrzykując ryk motocykla.

Nie miałam wyboru, więc usiadłam z tyłu, objęłam Gila w pasie i starałam się nie oparzyć nóg o rozgrzaną rurę wydechową.

Gdy znalazłam się za szerokimi plecami Gila, musiałam przyznać, że ładnie pachniał – potem, wodą po goleniu, wypraną koszulką i mieszanką bergamotki, cytrusów i kardamonu. Ruszyliśmy z rykiem, omijając główną, krótszą drogę, ponieważ właśnie zaczynała się korkować. Gil wybrał o wiele bardziej malowniczą trasę wzdłuż wybrzeża.

Wtedy po raz pierwszy naprawdę przyjrzałam się krajobrazowi – nie tylko oczami, lecz również sercem. Oto znajdowałam się na jednym z najpiękniejszych wybrzeży śródziemnomorskich, z zielonymi wzgórzami, rozpadlinami w skałach, palmami i plażami nad migotliwym błękitem fal.

Wiatr, który czułam na twarzy, wywiewał mi z głowy dręczące myśli. W głębi duszy cieszyłam się po raz pierwszy od wielu miesięcy. A kiedy mijaliśmy zatoczki i plaże, strome wzgórza i wille ukryte za wysokimi, pastelowymi murami, wyobraziłam sobie babkę Ondine, gdy szła z koszykiem po wijących się ścieżkach – młoda dziewczyna z długimi ciemnymi włosami, targanymi morską bryzą przypominała syrenę wynurzającą się z fal – i niosła cudowne dary, aby zadowolić wymagające podniebienie Pabla Picassa.

17

ONDINE I PICASSO —
ANTIBES, 1936

Z bliżało się lato. Jeszcze nie nadeszło, ale wyczuwało się, że to już wkrótce.

Mieszkańcy Juan-les-Pins zachowywali się radośnie jak zwierzęta po przebudzeniu z długiego zimowego snu – unosili twarze do słońca i głęboko nabierali tchu, chłonąc słoną, rozgrzaną słońcem bryzę, głośno cieszyli się, że wreszcie mogą się pozbyć wełnianych ubrań i nie muszą już walczyć z ostrym wiatrem.

Po morzu leniwie krążyły pierwsze żaglówki, pojawiało się też coraz więcej gości – młodych i bogatych, którzy szukali zabawy, nie stronili od nieprzyzwoitości, upijania się i odwiedzania kasyn albo publicznego flirtowania z cudzymi małżonkami na plaży. Ondine, jak większość miejscowych, kiedyś patrzyła na tych bogatych przyjezdnych z mieszaniną rozmarzenia i zazdrości o takie beztroskie, nawet lekkomyślne życie. Teraz jednak czuła tylko, że ci ludzie są nużąco przewidywalni.

W przeciwieństwie do Picassa – nigdy nie było wiadomo, czego się po nim spodziewać, podobnie jak po Ondine, gdy znalazła się w jego towarzystwie. Dwa dni temu uprawiali miłość, a potem pozowała do portretu! Następnego dnia powitał ją ciepło, iskry w jego oczach zdradzały, że wciąż mu się podoba, i ona poczuła się znowu jak jego bogini. Potem zjadł lunch, pochwalił ją i poklepał po plecach. Jednak zaraz pogrążył się w przeglądaniu korespondencji i poszedł na górę.

– Interesy – mruknął tylko, ale myślami był gdzie indziej. Minął Ondine, potrząsając gniewnie głową.

Dziewczyna nie ośmieliła się pytać, czy skończył już jej portret. Niespecjalnie się tym martwiła. Właściwie niczym się nie martwiła. Przepełniało ją nowo nabyte poczucie siły i może trochę nadmierna pewność siebie. Przyszłość i przeznaczenie Ondine, jej piękno i atrakcyjność, a nawet zyskanie życzliwości całego świata – wszystko nagle wydawało się możliwe, otwierały się przed nią szerokie perspektywy pełne cudownych okazji niczym dar od bogów. Chyba właśnie tak się czuje człowiek, gdy jest bogaty, powtarzała sobie. Wiedziała już, że bogactwo to nie tylko pieniądze. Taka radosna pewność siebie rodzi się z przekonania, że wokół są ludzie, którzy nas doceniają i rozumieją.

Było to niemal jak miłość, lecz nie ta odczuwana w dzieciństwie z wdzięczności za kojącą kołysankę. Nie, to poczucie triumfu nie dawało żadnej gwarancji stabilności, żadnej zabezpieczającej siatki pod cienką liną, po której się stąpało, a jednak płynęło z wnętrza, więc było mocniejsze. Gdy się je brało w cugle, dodawało sił. Co do tego Ondine nie miała wątpliwości.

Tego dnia jej radosne rozmyślania zakłócił chłop z wózkiem, który zablokował drogę do willi Picassa. Nieznajomy nosił wytarty słomkowy kapelusz i brązową kurtkę z postawionym kołnierzem, przez co wyglądał, jakby nie miał szyi, a głowa wyrastała mu wprost z ramion. Osioł, który ciągnął wóz, spocił się z wysiłku w ciepły dzień i cuchnął jak... cóż, jak osioł. Ondine zmarszczyła nos i niecierpliwie czekała, aż będzie mogła przejechać.

– *Allez, allez, mon ami* – ponaglił zwierzę chłop ochrypłym głosem.

Zirytowana Ondine przestała pedałować i czekała, aż wóz przejedzie. Woźnica podjechał bliżej, po czym wychylił się i uszczypnął ją w policzek.

– Umiesz dotrzymać tajemnicy, młoda damo? – zapytał scenicznym szeptem. Teraz jednak głos zabrzmiał bardzo znajomo.

– *Patron?* – szepnęła Ondine z niedowierzaniem. Picasso wykrzyknął radośnie.

– Jeżeli ty nie poznałaś mnie w tym przebraniu, wszyscy inni też się nabiorą! – Biła od niego niecodzienna radość, przypominał chłopca na wagarach. – Dziś nie zamierzam pracować, więc wrzuć rower i kosz na wóz i wskakuj! Pojedziemy do Antibes na procesję ku czci Dziewicy!

Jego fizyczna bliskość wywierała zaskakujący efekt, Ondine była onieśmielona. Zalała ją fala podniecenia, jak wtedy, gdy się kochali – wróciło wspomnienie, zachowane jednak nie w umyśle, lecz w ciele. Zarumieniła się tyleż z przyjemności, co ze wstydu. Zawładnęło nią tak wiele nieznanych emocji, że ledwie mogła ustać. Jednak w jowialnym zachowaniu Picassa było coś niepokojacego. Wciąż błyszczały mu oczy, gdy z aprobatą się jej przyglądał, jednak kiedy się zawahała, zrobił się niecierpliwy – zeskoczył z wozu, pomógł jej podnieść rower, po czym wrócił i siadł na koźle. Nie był pijany, tylko rozweselony i ożywiony, a jego entuzjazm udzielił się Ondine, która usiadła obok niego. Picasso szarpnął lejcami i osioł ruszył powoli.

– Skąd wziąłeś wóz? – zapytała. Wciąż nie mogła uwierzyć w ten karnawałowy nastrój.

– Wybrałem się rano na spacer do Juan-les-Pins i spotkałem chłopa. Jechał tym wozem. Zapytałem, czyby mi go nie pożyczył. Zapłaciłem temu człowiekowi tak dużo, że mógłby sobie kupić nowego osła, ale uparł się, że chce odzyskać tego. – Picasso wydawał się zadowolony z transakcji. – Lubię podróżować w przebraniu – wyjaśnił, gdy skręcili na drogę przecinającą półwysep. – Może ty też powinnaś się przebrać. Zobaczmy, czy w moim worku znajdzie się dla ciebie coś do ubrania. Kapelusz? A może szal? Procesja to chyba jakaś religijna okazja, więc powinnaś mieć nakrycie głowy jak w kościele, prawda?

Z powątpiewaniem spojrzała na worek za siedzeniem. Picasso przysunął go bliżej i wyciągnął stary fioletowy szal.

– Załóż to. Właśnie, o wiele lepiej – ocenił na wpół z aprobatą, na wpół z ironią. Dla niego była to zabawa, ale dzielenie się przyjemnością sprawiało mu taką radość, że Ondine nie miała sumienia psuć mu nastroju.

Po prostu chce się dzisiaj bawić, uznała. Nic dziwnego, przecież ostatnio ciężko pracował, prawie bez przerwy.

Osiołek wlókł się ospale wśród innych wozów i bryczek, samochodów i ciężarówek, śpieszących z codziennymi dostawami świeżych kwiatów, warzyw i ryb z jednego miejsca w drugie. Wzdłuż drogi ciągnął się szpaler sosen i palm niczym pochód pątników wyciągających ręce do słońca. Kiedy wóz dotarł do Starego Miasta w Antibes, Picasso śmiało skierował cuchnącego osła w tłum pieszych. Gdy podjechali bliżej wybrzeża, Ondine poczuła słony, cierpki smak morskiej bryzy i zobaczyła rozbijające się o brzeg fale.

– Popatrz tam! – Picasso wskazał na grupkę rybaków i ich rodziny, prowadzoną przez księdza w poważnej procesji na brzeg.

Mężczyźni dźwigali ozdobioną kwiatami figurę Błogosławionej Dziewicy, kobiety niosły małe świece, a dzieci sypały płatkami kwiatów z koszyków. Na plaży ustawiono szpalerem muszle wypełnione piaskiem, które służyły za podstawy dla świec znaczących drogę do morza. Rybacy wnieśli posąg Madonny do wody i zanurzyli, aż fale sięgnęły jej do szyi. Wtedy podźwignęli świętą figurę na pokład łodzi.

– O co w tym chodzi? – zapytał Picasso.

– Proszą Marię Dziewicę i wszystkich świętych, aby pobłogosławili ich łodzie – wyjaśniła Ondine. – Legenda głosi, że trzech świętych, którzy widzieli ukrzyżowanie Chrystusa, zostało wypędzonych z Jerozolimy, wypchnięto ich w łodzi do morza, żeby utonęli. Jednak zdarzył się cud i ich łódź dobiła do brzegu na południu Francji. Od tamtej pory święci obdarzają nas łaską.

– Wszyscy chcą wierzyć, że Bóg wybrał właśnie ich krainę i obdarzył specjalną łaską – skrzywił się Picasso. – Ale wiesz, Bóg tak naprawdę jest po prostu artystą. Wymyślił żyrafę, słonia i kota. Nie ma żadnego stylu, wciąż próbuje czegoś nowego.

Ondine tylko się uśmiechnęła. W takim dniu jak dzisiaj bez trudu mogła sobie wyobrazić Boga, jak siedzi w pracowni i marszczy brwi, przypatrując się swojemu najnowszemu dziełu, zupełnie jak Picasso.

Artysta w milczeniu obserwował procesję. Dla Ondine wyglądał teraz jak człowiek, który po wejściu do kościoła zanurza palce w misie z wodą święconą, a potem siada w ławce z tyłu, aby pomodlić się lub porozmyślać w ciszy. Chwilę później w odpowiedzi na wewnętrzny sygnał nakazujący mu odejść Picasso zerwał się, trzasnął lejcami, zawrócił wóz i poprowadził osła wzdłuż brzegu.

Zauważył grupkę chłopców bawiących się pod murem starego zamku, pośród kamieni i bujnych chwastów. Wstrzymał osła i wychylił się z wozu.

– Co to za miejsce, w którym się bawicie? – zapytał dzieci.

– Tajemnica – bezczelnie odpowiedziało jedno z nich.

Były to miejscowe dzieciaki, bose i umorusane, ale radosne.

– Lubię tajemnice. – Picasso się uśmiechnął. – Ale to żadna zabawa, chyba że tę tajemnicę komuś się wyjawi.

Dzieci popatrzyły na niego, po czym wzruszyły ramionami.

– Możesz pójść z nami, ale musisz być cicho – z udawaną obojętnością rzuciło któreś.

Picasso zatrzymał wóz na skraju drogi i przywiązał osła do najbliższego drzewa.

– No to chodźmy. – Uśmiechnął się do Ondine. – Te dzieciaki bawią się chyba o wiele lepiej niż rybacy.

Ondine, która wyrosła wśród podobnych dzieci, tym razem nie podzielała jego entuzjazmu.

– Idź sam – odpowiedziała. – Chyba będzie lepiej, jak popilnuję wozu, osła i moich rzeczy.

Wiedziała dobrze, co by się stało, gdyby wróciła do domu bez roweru i kosza na jedzenie.

Picasso już podążał za dziećmi. Ondine rozsiadła się wygodnie pod drzewem, wyprostowała nogi i zaczęła przemawiać łagodnie do osła, ale ani myślała go głaskać czy w ogóle dotykać – sierść miał zmierzwioną, z widocznymi plackami zaschniętego błota. Chyba jednak polubił brzmienie głosu dziewczyny, bo wyglądał, jakby słuchał uważnie, gdy mówiła na przykład:

– Kto wie, czy Picasso w ogóle wróci? Mam nadzieję, że te dzieciaki go nie okradną. Nie wyglądały na złodziejaszków. Jak myślisz?

A potem uświadomiła sobie, że spędza popołudnie na mówieniu do osła. Rodzice nigdy by w to nie uwierzyli, zresztą i tak by im nie powiedziała. Dobrze się bawiła, ponieważ udawała, że jest żoną chłopa, a to jej osioł – najwyraźniej wesoły nastrój Picassa był bardzo zaraźliwy.

Artysta wrócił niedługo potem, ale już bez dzieci.

– Powinnaś była pójść z nami – stwierdził. – Dzieciaki pokazały mi wyłom w murze. Ach, co to za miejsce! Stary rzymski fort. Teraz jednak nazywany jest Château Grimaldi. Podobno należał do jakiegoś średniowiecznego klanu bogatych rzezimieszków. Ktoś urządził w nim muzeum. Ale zamek pamięta lepsze czasy. Kiedyś tu wrócę.

Picasso wsiadł na wóz i jechali dalej wzdłuż wybrzeża, aż znalazł kolejną plażę, przy której mógł się zatrzymać. Tym razem wokół roiło się od letników, na piasku stały pasiaste parasole chroniące przed słońcem i małe przebieralnie. Picasso podjechał bliżej, zatrzymał się i zdjął kapelusz. Ondine uznała zatem, że wolno jej pozbyć się szala. Zasłoniła rower starym pledem leżącym na dnie wozu.

– Widzisz te eleganckie samochody parkujące przy plaży? Nikt nas tutaj nie okradnie – zapewnił artysta, po czym zdjął buty i ruszył na piasek. Ondine poszła za nim.

Po plaży spacerowali przyjezdni, rozmawiali między sobą w różnych obcych językach – kilkoro Rosjan jeszcze z zimy, nieliczni wyniośli Niemcy i Anglicy, a także Amerykanie. Duża rodzina Francuzów bawiła się przy brzegu. Była jeszcze grupka androginicznych młodych Anglików w identycznych granatowych strojach kąpielowych; trudno było odróżnić młodzieńców od dziewcząt, bo zgodnie z najnowszymi trendami mody wszyscy byli chudzi i mieli krótkie chłopięce fryzury – przypominali Piotrusia Pana u progu dojrzewania.

– Przychodziłem tutaj wiele lat temu – wyznał Picasso. – Ale ludzie, których widzę tu dzisiaj, są zupełnie inni niż ci, których wtedy znałem. Murphy'owie, Dos Passosowie, Hemingwayowie i Fitzgeraldowie... Wielu wykruszyło się po krachu na giełdzie. Lubię Amerykanów, ale nie tych tutaj.

Ondine zaczynała czuć się niepewnie, ponieważ rozpoznała jeszcze jedną francuską rodzinę, która rozłożyła się pod lipami. Czy to przypadkiem nie żona rzeźnika, która sprzedawała mięso na targu, oraz jej najbliżsi?

Picasso wskazał na rząd domków plażowych, pomalowanych na jasne, wesołe kolory.

– Wiesz, co to jest *cabana*?

– Oczywiście. – Ondine skrzywiła się z oburzeniem. – Przebieralnia.

Mężczyzna położył jej rękę na ramieniu.

– Właśnie – szepnął. – Wchodzi się do tego ciemnego domku, żeby się przebrać. Zmienić. Niektórzy wchodzą i zmieniają swoje zamiary. Niektórzy zmieniają siebie, mężczyźni przebierają się za kobiety, a kobiety za mężczyzn. Niekiedy ktoś wchodzi młody, a wychodzi stary. Przeważnie wchodzą tam jako szanowani ludzie, a wychodzą jako poganie. Przcbieralnia to magiczne przejście. Idź, chcę zobaczyć, jak ty się zmienisz. Oto mój worek. Na pewno znajdziesz w nim jakiś kostium kąpielowy.

Popchnął ją lekko w stronę domków.

Ondine wciąż jeszcze starała się zrozumieć swoje splątane emocje i jego dziwne zachowanie. Uznała, że jeśli trochę popływa, może rozjaśni się jej w głowie. Weszła do przebieralni. Była to zwykła chatka, słabo doświetlona wąskimi okienkami umieszczonymi wysoko w ścianie oraz promieniami słońca wdzierającymi się przez szpary między deskami. W środku stała ławka, na kołkach wisiały stroje kąpielowe, niektóre już suche, inne jeszcze mokre lub wilgotne. Nie do końca przekonana dziewczyna rozebrała się jednak i odwiesiła ubranie.

Gdy jej wzrok przyzwyczaił się do ciemności, otworzyła worek od Picassa, ten sam, który leżał na wozie. Była tak zajęta szukaniem kostiumu, że nie usłyszała, jak drzwi do przebieralni się otwierają, ani nie zauważyła mężczyzny, który wślizgnął się do środka i stanął za jej plecami. Zamarła dopiero, gdy objął ją w talii i pocałował szybko, aby zdusić odruchowy krzyk dziewczyny. Ondine rozpoznała jednak zapach intruza.

– To tylko ja – wyszeptał Picasso. – Twój sekretny kochanek. Oczywiście w ciemności tak naprawdę nie możesz być pewna, prawda?

Jego dłonie przesunęły się po nagim ciele Ondine, od biustu do bioder, jakby gładził rzeźbę w kształcie klepsydry. Zadrżała. Potem mężczyzna ujął jej piersi i muskając wargami jej ucho, szepnął:

– Ilu kochanków miała Ondine? Jednego, dwóch, trzech? Więcej?

Usiadł na ławce i przyciągnął biodra dziewczyny do swoich ust, po czym zaczął całować ją na skraju włosów łonowych i niżej.

– Powiedz mi, ilu miałaś kochanków – zażądał, a kiedy Ondine nie odpowiedziała, sięgnął językiem między jej uda, aż dotknął płci.

– Och-ch...! – jęknęła dziewczyna, zarumieniona z przyjemności, ale zawstydzona intymną pieszczotą.

– Ilu oprócz mnie? – nalegał Picasso.

– Och... Tylko... jednego – wydusiła.

– Na pewno? – Jego język pieścił ją mocniej i szybciej.

– Tak! – krzyknęła.

– Cii...! – Picasso wstał, obrócił Ondine i pchnął na ścianę. Musiała oprzeć się dłońmi o ścianę, żeby nie upaść. Malarz podjął pieszczoty.

– Musisz być bardzo cicho, choćbyś nie wiem jak chciała krzyczeć. Bo jeżeli krzykniesz, wszyscy mężczyźni z plaży przybiegną ci na ratunek. Kiedy jednak zobaczą cię taką jak teraz, zapałają pożądaniem. I będą cię brali jeden po drugim, a ja nie zdołam ich powstrzymać. Dlatego musisz być bardzo cicho.

Ondine słyszała plusk fal bijących o brzeg, rozmowy i okrzyki ludzi przechodzących lub przebiegających obok przebieralni. Sądząc po okrzykach i hałasach, tłum na plaży wciąż gęstniał. Głosy i kroki dochodziły tuż zza cienkiej ściany z desek. Nikt jednak nie zawołał Ondine ani Picassa, nikt nie zapukał do drzwi przebieralni, kiedy się całowali. Co dziwne jednak, za każdym razem, gdy głosy się przybliżały, dziewczyna czuła coraz większą przyjemność – ryzyko, że zostanie przyłapana, tylko wzmacniało jej podniecenie.

Picasso zasłonił jej usta dłonią. A potem wsunął tam palec. Ondine zaczęła ssać, niezdolna się pohamować.

– Cicho, bądź cicho – powtarzał, gdy drugą ręką ściskał jej pośladek, a potem przesunął dłoń na brzuch. – Wiesz, co robią chłopcy, którzy bawią się na plaży, gdy widzą, jak ładna dziewczyna wchodzi do przebieralni? Podkradają się blisko i podglądają ją przez każdą szparę w ścianie, jaką tylko uda im się znaleźć. Myślisz, że nas też podglądają?

Chwycił ją za biodra i wbił się w nią mocno. Dziewczyna pulsowała już i rozpaczliwie pragnęła, żeby ją wypełnił, była tak wilgotna, że Picasso mógł wejść w nią głęboko. Westchnęli oboje. A potem Ondine doszła jeszcze raz, zanim mężczyzna się cofnął.

Oparli się o ścianę, przez chwilę dysząc ciężko w ciemności. Wreszcie Picasso się odezwał, a w jego głosie znowu zabrzmiały nutki wesołości.

– Właściwie nie mam ochoty na pływanie, a ty?

Ondine pokręciła głową. Nie czuła się na siłach, aby wyjść do ludzi na plaży. Pewnie wiedzieli, co się zdarzyło w przebieralni, i nie miała ochoty widzieć tego wypisanego na ich twarzach. Zwłaszcza jeśli żona rzeźnika wciąż tam była. Do wieczora całe miasto by się dowiedziało, że Ondine jest dziwką Picassa – czy też Ruiza. Jak miałaby się z tego wytłumaczyć rodzicom?

– No to możemy wrócić na procesję Dziewicy – zaproponował żartobliwie Picasso.

– Nie! – Ondine ogarnęło poczucie winy na myśl o powrocie na poważną uroczystość.

– Chcę jechać do domu i malować – zdecydował Picasso.

Przy wyjściu z przebieralni Ondine się zawahała. Rozejrzała się, czy nikt nie patrzy.

– Czemu się ociągasz? – zniecierpliwił się. – Chodźmy stąd.

Osioł wciąż czekał pod drzewem i skubał w cieniu trawę. Wsiedli na wóz i skierowali się do Juan-les-Pins. Picasso zachowywał się serdecznie i uspokajająco, pytał, co Ondine przygotowała mu na lunch, i rozglądał się za dobrym miejscem na postój, gdzie mogliby zjeść w spokoju. Ona uśmiechała się wciąż rozpalona po niedawnej rozkoszy. Wreszcie znaleźli cichy zakątek. Na lunch przygotowała *tartines* z przyprawioną ziołami szynką, serem, przysmażoną ostrą papryką i świeżą rukolą. Picasso był wylewny, chwalił kuchnię Ondine i patrzył jej głęboko w oczy, co wystarczyło, żeby zarumieniła się z dumy.

Jedzenie przywróciło im siły. Ondine się rozluźniła. Uświadomiła sobie, że do tej pory żyła w okowach swojego ciała, jednak teraz miała ochotę rozłożyć ramiona i przyjąć wszystkie otaczające ją przyjemności – otwarte niebo, ciepło słońca, falujące morze, mewy skrzeczące nad głową. Znowu poczuła się niezłomna i niepokonana, lecz także senna. Zdawało jej się, że sen ogarnia ją jak morski prąd, któremu trudno się oprzeć.

Gdy wrócili do Juan-les-Pins, Picasso także ziewnął.

– Tutaj możesz zsiąść – powiedział. – Muszę oddać osła i chyba się zdrzemnę, zanim wrócę do pracy.

Zeskoczyła z wozu i zdjęła rower. Picasso wychylił się, ujął ją za brodę i pocałował lekko.

– *Adieu, Ondine.*

Pogłaskał dziewczynę po policzku, uśmiechnął się, a potem ruszył swoją drogą.

18

NIESPODZIEWANY OBRÓT ZDARZEŃ. ONDINE I PICASSO

Następnego dnia pod oknem Ondine ptaki ćwierkały tak radośnie, jakby chciały ją ponaglić, żeby już wstała. Jednak dziewczyna czuła się skrępowana tym, co wydarzyło się w przebieralni. Miała też poczucie winy, bo przecież było to w dniu Błogosławionej Dziewicy! Kiedy sprawy zaszły tak daleko? Zdała sobie sprawę, że dała się oszołomić – najpierw wyzwaniem, jakim okazało się gotowanie dla patrona i zadowalanie go zgodnie z oczekiwaniem rodziców, a potem odkryciem, że zbliżenie się do tego wolnego ducha przynosi wyzwolenie od codzienności. Ładna pogoda wywabiała na ulice coraz więcej ludzi i Ondine nie chciała się afiszować jako kobieta Picassa. Czy oczekiwał, że będzie na każde jego skinienie, gdy znowu przyjdzie mu ochota na wolny dzień i seks? Musiała przyznać, że było to podniecające, nie chciała jednak skończyć jak kolejna zazdrosna kochanka w haremie artysty, ani walczyć zębami i pazurami o mężczyznę, który – jak zaczynała rozumieć – żadnej kobiety nie traktował poważnie. Dla Picassa liczyła się tylko sztuka. I dlatego właśnie Ondine czuła się bezpieczniejsza i bardziej dowartościowana jako jego modelka.

Muszę mu po prostu jasno powiedzieć, że będę jego kucharką i modelką, ale nie konkubiną, postanowiła.

Na dworze poczuła jednak, że każdy kwiat, każdy liść, pąk, ptak, każde zwierzę czy człowiek promienieje radością życia.

W odpowiedzi serce zabiło jej mocniej. Niosła dla Picassa zimne szparagi i grillowanego pstrąga oraz ciasto, które będzie rozpływać się w jego ustach, podane ze śmietaną i alpejskimi poziomkami, malutkimi, soczystymi i pełnymi słodyczy.

Gdy minęła przystań, wyczuła z oddali zapach świeżej farby. W pierwszej chwili pomyślała, że znajoma woń niesie się z domu Picassa, ale potem zdała sobie sprawę, że to farba do malowania kadłubów, której używali pracownicy zajmujący się przygotowaniem jachtów na lato. Wreszcie Ondine wjechała za bramę willi i ogarnęło ją narastające podniecenie. Czy dzisiaj będzie ją malował? Czy Ondine ulegnie i jednak pozwoli się kochać?

Nagle zatrzymała się zaskoczona. Drzwi frontowe były otwarte na oścież, a na podjeździe stała ciężarówka. Ondine musiała ją ominąć, aby dostać się do tylnych drzwi. A kiedy weszła do kuchni, zastała tam obcą kobietę z włosami przewiązanymi chustą. Nieznajoma zmywała podłogę.

– Co to ma znaczyć? Co robisz w mojej kuchni? Muszę przygotować lunch – odezwała się dziewczyna ostro.

Sprzątaczka nie przerwała pracy, upomniała tylko Ondine, żeby nie wchodziła tam, gdzie już zmyte. Dziewczyna zajrzała do salonu. Po schodach mężczyźni znosili zapakowane w pudła obrazy oraz duże metalowe lampy. Ondine wpadła w panikę, widząc, jak te wszystkie znajome przedmioty, które traktowała jak starych przyjaciół, znikają z jej życia.

– Gdzie jest Picasso? – krzyknęła.

Jeden z tragarzy, ten młodszy, zatrzymał się zaskoczony.

– Kto?

Ondine w porę się poprawiła.

– *Monsieur* Ruiz.

Młody mężczyzna wzruszył ramionami i uśmiechnął się z żalem, że nie może bardziej pomóc ładnej dziewczynie w ten słoneczny majowy dzień. Ondine wbiegła na schody, minęła drugiego z tragarzy i zajrzała do pracowni Picassa. Pomieszczenie było puste. Znowu zmieniło się w zwyczajną sypialnię dla gości, z nowym łóżkiem i stolikiem w miejscu, gdzie wcześniej stały sztalugi. W kolejnym pokoju posługaczka zdejmowała pościel z posłania, na którym Ondine kochała się z Picassem.

– Jesteś służącą nowego najemcy? – zapytała niepewnie.

– Nie! – odparła Ondine bez tchu. – Jestem kucharką *monsieur* Ruiza. Nie zostawił dla mnie listu?

Posługaczka pokręciła głową.

– Nigdy się nie żegnają – stwierdziła oschle. – Jak cyrk, gdy wyjeżdża z miasta. A dla nas zostaje tylko więcej śmieci do posprzątania.

Ondine wolała się jednak przekonać na własne oczy, więc zajrzała do pozostałych pokoi. Po Picassie nie było śladu, nie został nawet niedopałek w popielniczce. Nie było też żadnej, choćby najkrótszej notatki dla niej ani obiecanego listu rekomendacyjnego. Ondine miała nadzieję, że może czeka oparty o misę z owocami, ale misa także okazała się pusta.

Jak mógł mnie tak zostawić bez słowa? – dziwiła się, a w brzuchu czuła bolesny ucisk. Zaszlochała cicho, bo do głowy wkradła jej się straszna myśl: Nigdy już nie przydarzy mi się nic równie cudownego.

Ból ściskał jej wnętrzności, jakby Picasso zabrał ze sobą żywotną jej cząstkę.

– Ale przecież nie wyjechał na dobre – szepnęła.

Zaraz jednak przypomniała sobie wydarzenia z poprzedniego dnia i sygnały ostrzegawcze, które pojęła dopiero teraz. Picasso paradował w miejscu, gdzie, pomimo śmiesznego przebrania, mógł zostać łatwo rozpoznany. Był też w radosnym nastroju – zupełnie jakby cyrk przyjechał do miasta – właściwie zachowywał się tak jak ludzie pod koniec wakacji, gdy ostatniego dnia przed powrotem do domu chcą jeszcze nacieszyć się wszystkimi przyjemnościami. I sposób, w jaki wziął Ondine w ciemnej przebieralni... I jak potem się pożegnał. Łagodnie, z żalem. *Adieu.*

Nie powiedział jak zwykle *au revoir* albo *à demain*. Nieobecność Picassa zdawała się wręcz namacalna. Ondine nie zostało nic...

Wybiegła przed dom i zatrzymała się przy otwartej klapie ciężarówki. Bez wahania wspięła się na pakę pod spojrzeniem zdziwionych i zaintrygowanych tragarzy i zażądała, aby sprawdzić wszystkie pudła z pracami patrona. Większość tych obrazów widziała już wcześniej, ale natrafiła na kilka szkiców, na których pojawiała się raz po raz nowa modelka – panna Dora Maar, fotografka – z tymi przenikliwymi kocimi oczyma i jasną cerą, kontrastującą dramatycznie z ciemnymi, przyciętymi na modnego pazia włosami wyglądała jak żywioł.

Czy ktokolwiek uwierzyłby, że Ondine osobiście znała Picassa, gotowała dla niego, kochała się z nim i pozowała mu? Chciała zobaczyć tylko jeden obraz. Ten, który należał do niej. I którego tutaj nie było.

– Gdzie on jest? – wykrzyknęła, po czym w pośpiechu wróciła do domu.

Miała nadzieję, że pracownicy zajmujący się przeprowadzką nie znaleźli jeszcze *Dziewczyny w oknie*. Nerwowo przeszukiwała szafy, dopóki sprzątaczka nie kazała jej wracać do rodziców. Dopiero wtedy dziewczynie wpadło do głowy, żeby zapytać o adres Picassa w Paryżu, ale starsza kobieta tylko wzruszyła ramionami.

Ondine odwróciła się i zbiegła po schodach do frontowych drzwi, aby to samo pytanie zadać tragarzom, ale zanim do nich dotarła, zdążyli już zamknąć klapę, zawrócić na podjeździe i odjechać w dół zbocza. Dziewczyna wskoczyła na rower i ruszyła w pogoń, chociaż samochód już zniknął jej z oczu.

Kiedy wróciła do *café*, matka powiedziała, że zaraz po odjeździe Ondine zadzwonił mężczyzna pracujący dla Picassa, żeby powiadomić o zakończeniu umowy i dowiedzieć się, ile trzeba zapłacić. Ojciec już policzył należność i wystawił rachunek. I dopiero to naresznie przekonało Ondine, że naprawdę nadszedł koniec.

Picasso wyjechał.

19

ZASKAKUJĄCA WIADOMOŚĆ.
CÉLINE NA STARYM MIEŚCIE —
2014

Kilka dni po tym, jak omal nie zostałam aresztowana, postanowiłam wyjawić ciotce Matyldzie, czego naprawdę szukałam w *café* babki Ondine. Musiała mi jednak przysiąc, że zachowa to wszystko w tajemnicy, bo ostatnio zrobiła się strasznie gadatliwa. Okazało się, że zanim jeszcze wyznałam jej prawdę, opowiedziała kursantom – a także Gilowi – że przeleciałam przez ocean i zapisałam się na kurs gotowania dla mojej biednej matki, która znalazła się w domu opieki i nie mogła wybrać się tutaj osobiście.

– Powiedziałaś to Gilowi? – jęknęłam. – Dlaczego? Przecież on jest jak wrzód na dupie. Wykorzystuje takie informacje, żeby ludzi zawstydzać.

Był ranek i obie szykowałyśmy się na zajęcia.

– Och, źle oceniasz Gila – zapewniła ciotka Matylda beztrosko. – Rozmawiałam z nim i okazał się bardzo miły. Musisz jednak zrozumieć, że ma teraz wiele na głowie. Pilnuje remontu, na który zaciągnął ogromną pożyczkę, a jego cichy wspólnik, który powinien mu pomóc w spłacie kredytu, stawia wiele wymagań i naciska, aby na czas odnowić *mas* i otworzyć hotel.

Rozdziawiłam usta ze zdumienia.

– Jak udało ci się wydobyć z niego te informacje?

Ciotka uśmiechnęła się przebiegle.

– W dzieciństwie stracił matkę, więc jest podatny na kojący wpływ takich starszych pań jak ja. Dorastał wśród twardych chłopaków, więc sam też musiał stać się twardzielem. Na dodatek jego żona popełniła samobójstwo. Oczywiście nie przez niego. Była poetką – stwierdziła, jakby to miało wszystko wyjaśnić.

– Och, to okropne!

– Widzisz? Czy to nie rzuca nowego światła na zachowanie Gila? Czasami ludzie, którzy przeżyli wielką tragedię, robią się nerwowi i odpychający tylko po to, by ukryć swoją ogromną wrażliwość.

Spojrzałam na ciotkę uważnie.

– Ale na pewno nie opowiadał ci o swojej żonie!

– Nie – przyznała. – Przeczytałam o tym w gazecie.

– Wciąż nie rozumiem jednak, dlaczego powiedziałaś mu o mamie – mruknęłam.

– Każdy widzi, jak bardzo troszczysz się o swoją matkę – odparła łagodnie ciotka Matylda. – Masz to wypisane na twarzy, widać to we wszystkim, co robisz. Nieustannie sprawdzasz wiadomości i wyglądasz na zmartwioną.

Miała rację. Kontaktowałam się regularnie z fryzjerką w domu opieki, która powiedziała, że mama zdrowieje wolniej, odkąd zwiększono jej dawki leków. Fryzjerka uważała, że te środki utrudniają mamie samodzielne poruszanie się.

– Gil to rozumie. Wie, że nie można dusić w sobie takich uczuć – wyjaśniła szczerze ciotka. – W kontaktach z innymi istotami ludzkimi, moja droga, trzeba nie tylko brać, lecz także dawać. Osobiste informacje są jak waluta. Coś oferujesz i coś dostajesz w zamian. Gil opowiedział mi o swoich kłopotach, a ja opisałam mu twoje.

– Ale swoich kłopotów nie wykorzystałaś – zauważyłam.

– Nie, ponieważ musiałam zmienić jego nastawienie do ciebie. Gil uważał, że wtedy w *café* w Juan-les-Pins coś knułaś. – Prześwidrowała mnie wzrokiem. – No, to jak? K n u ł a ś coś?

– Oczywiście, że nie! – zapewniłam. Nagle zdałam sobie sprawę, że potrzebna mi jest pomoc. – Posłuchaj, jeżeli powiem ci, co tam robiłam, przysięgniesz, że nikomu tego nie zdradzisz, choćby nie wiem co?

Ciotka Matylda wyczuła, że zapowiada się to interesująco, i gorliwie pokiwała głową. Opowiedziałam jej więc, jak babka Ondine gotowała dla Picassa. Oczywiście ciotkę to zaintrygowało. Wyjaśniłam też, że może – ale tylko może – babka ukryła gdzieś obraz. Czekałam, aż powie mi, że jestem szalona, ale ciotka miała przecież żyłkę hazardzisty.

– A-ach...! To by dopiero było znalezisko. – Zastanowiła się. – Cóż, teraz nareszcie zaczynam rozumieć. Wiesz, kiedy twoja matka zapytała mnie o Picassa, stwierdziła: „To tylko coś, czego chciałam się dowiedzieć... dla Céline". Może miała nadzieję, że znajdzie ten obraz, żeby przekazać ci swoje dziedzictwo.

Ze wzruszenia głos uwiązł mi w gardle.

– Przeszukałam tamtą *café* – wyznałam. – Obrazu tam nie ma.

Jednak ciotka Matylda zmieniła się już w ogara, który złapał trop, chciała od razu wyruszyć na łowy.

– Nie powinnaś się tak łatwo poddawać – pouczyła mnie dziarsko. – Pozwól, że przejrzę ten twój notes. Pewnie coś przeoczyłaś. Masz może we Francji jakichś żyjących krewnych?

Pokręciłam głową. Akurat co do tego nie było żadnych wątpliwości.

– Ludzie... Zawsze należy zacząć od ludzi – zamyśliła się ciotka Matylda. – Czy wiesz, kto najlepiej znał twoją babkę?

– Oprócz Picassa? – Uniosłam brew. – Zastanówmy się. Lekarz, który się nią opiekował, ale nie znam jego nazwiska. Zaraz, zaraz, był jeszcze prawnik. Babka wspomina o nim w liście.

Optymizm ciotki był zaraźliwy. Pokazałam jej list.

– *Monsieur* Gerard Clément, wykonawca testamentu babci. – Sięgnęłam po komórkę i przeszukałam internet. Nic nie znalazłam, nawet strony kancelarii, w której pracował *monsieur* Clément.

– We Francji to dość normalne – pocieszyła mnie ciotka niewzruszona. – Niektórzy prawnicy mają tyle pracy, że nie muszą się reklamować w wielkim świecie.

Rozległ się dzwonek wzywający na śniadanie. Wyszłyśmy z pokoju na spiralne schody prowadzące na parter. Gdy mijałyśmy hol, ciotka Matylda zatrzymała się i powiedziała:

– Idź, weź dla mnie *brioche* i *café au lait,* a ja poszukam adresu tej kancelarii. – Skierowała się do recepcji.

– Przyrzekłaś dochować tajemnicy – przypomniałam jej nerwowo.

– Psujesz zabawę – parsknęła tylko.

Niedługo potem, tuż przed porannymi zajęciami, wręczyła mi skrawek papieru z adresem i numerem telefonu *monsieur* Gerarda Clémenta. Jak się okazało, jego kancelaria mieściła się w starej części miasta Mougins.

– Jak to zdobyłaś? – zdziwiłam się podejrzliwie.

– Po staroświecku, kochana. – Ciotka Matylda rzuciła się na bułkę i kawę. – Z książki telefonicznej.

Zadzwoniłam do Clémenta od razu, ale sekretarka powiedziała mi dość oziębłe, że jej pracodawca jest bardzo zajęty. Obiecała, że przekaże mu wiadomość, ale szczerze w to wątpiłam.

– Uwaga – syknęła ciotka. – Gil nadchodzi.

Nasza grupa gotowała już lepiej. Codziennie uczyliśmy się przyrządzać coraz trudniejsze potrawy, każdego dnia z innej kategorii – jajka, drób, ryby, mięso, sałatki albo desery. Jednak entuzjazm naszego nauczyciela do kuchni francuskiej zaczął ustępować pola zachowaniom bliższym jego naturze: „Jeśli nie potrafisz znieść gorąca, wynocha z kuchni!”.

Nigdy nie było wiadomo, jaki błąd wywoła jego śmiech, a jaki gniewny grymas.

Osoby starsze nasz mistrz traktował łagodnie, ale mnie uznał za łatwą ofiarę, pewnie dlatego, że byłam młodsza i jego zdaniem powinnam wszystko łapać w lot, skoro miałam w rodowodzie szefową kuchni. Raz kazał mi nawet „ruszyć łaskawie mój mały amerykański *cul* i wziąć się do roboty".

– Co to jest „kiu-ul"? – wyszeptała do mnie Lola, po teksańsku przeciągając głoski.

– Tyłek – odszepnęłam z oburzeniem.

– O-och... – rzuciła mi porozumiewawczo. – Lubi cię.

Dzisiaj usłyszeliśmy podniesiony głos Gila jeszcze w korytarzu, a znajomy ciotki Matyldy, Peter, ostrzegł:

– Chyba jest bardziej wkurzony niż zwykle, o ile to w ogóle możliwe.

Niedługo potem dowiedzieliśmy się, dlaczego. Gil wszedł do kuchni w towarzystwie smukłej kobiety ubranej w biały uniform szefa kuchni, z wysoką czapką kucharską.

– Poznajcie Heather Bradbrook, mistrzynię cukiernictwa w Londynie – przedstawił Gil z dumą.

Heather Bradbrook wyglądała krucho. Miała naturalne jasne włosy i zielone oczy. Biła od niej wewnętrzna powaga, która koiła chyba wszystkich, nawet Gila.

– Heather zgodziła się gościnnie poprowadzić dzisiejsze zajęcia i nauczyć was magii pieczenia chleba. – Uśmiechnął się do niej z góry. Przy tej drobnej kobiecie wyglądał na jeszcze wyższego i szerszego w ramionach.

– Ładnie razem wyglądają, prawda? – odezwała się scenicznym szeptem Magda, Szkotka hodująca psy. Była tak dobrze słyszalna, że odsunęłam się zawstydzona, ponieważ nie chciałam, aby ktokolwiek pomyślał, że ten komentarz wyszedł z moich ust.

– A jeżeli chodzi o *pâtisserie* – Gil zawiesił głos – ta mała kobieta ujawni swoją prawdziwą siłę, gdy pokaże wam, jak wałkować ciasto francuskie.

Jeden z panów – chyba Joey z Chicago – mruknął, że ta mała może go wałkować, jak i kiedy zechce. Usłyszawszy taką aluzję od mężczyzny, który mógłby być moim dziadkiem, próbowałam zachować spokój, reszta grupy jakoś nie wyglądała na poruszoną.

– Zostawiam was w dobrych rękach – zakończył Gil. – Ale dostanę szczegółowy raport o każdym z was, więc się zachowujcie! Po czym skłonił się lekko przed Heather i mruknął:

– No, to jadę na spotkanie.

Kobieta skinęła mu głową.

– Powodzenia – szepnęła.

Dwóch młodych pomocników z kuchni Gila wniosło na ramionach wielkie worki mąki i kilka równie sporych toreb cukru.

– No dobrze, podejdźcie bliżej – nakazała Heather grupie. Głos miała przyjemny, ale pełen takiego autorytetu, że wszyscy się od razu uciszyliśmy.

– Chleb to mąka, woda i sól – wyrecytowała jak wielka kapłanka. – Magia tkwi w prostocie. Ale niech was to nie zmyli. Nie można oszczędzać na czasie ani na wysiłku.

Bagietki, pączki, wielowarstwowe ciasto francuskie zrobione z masła i mąki, placek z mąki migdałowej i ciasteczka z siekanymi orzechami. Zajęcia okazały się niespodziewanie zmysłowe – ciepły aromat rosnącego chleba i miękkie ciasto na pączki, przy wyrabianiu uginające się jak ciało. Pracowałam z takim zaangażowaniem, że nie usłyszałam dzwonka telefonu z kieszeni fartucha. Magda szturchnięciem wyrwała mnie z transu.

– Telefon!

Otrzepałam ręce z mąki i sięgnęłam po komórkę. Heather nie umknął wyraz mojej twarzy, gdy zobaczyłam, kto dzwoni.

– Możesz wyjść – zapewniła spokojnie. – Na dziś i tak skończyliśmy, miałam właśnie ogłosić przerwę. Po południu planowane jest wyjście i zwiedzanie upraw wokół *mas*.

– Dziękuję. – Zdjęłam pośpiesznie fartuch i wyszłam na werandę, żeby mieć trochę prywatności.

Dzwonił *monsieur* Gerard Clément.

– O, tak, *bien sûr*, pamiętam pani babkę. – Miał głęboki, melodyjny głos i mówił doskonale po angielsku, z zaledwie cieniem eleganckiego francuskiego akcentu. – Co mogę dla pani zrobić?

Powiedziałam, że muszę się z nim spotkać, ponieważ sprawa jest zbyt osobista, żeby rozmawiać przez telefon.

– No, tak – stwierdził uprzejmie, ale wiedziałam, że nie ma pojęcia, dlaczego jestem taka tajemnicza. – Oczywiście, że możemy się spotkać. Moja sekretarka umówi panią na przyszły miesiąc...

– Och, nie, nie, nie mogę czekać tak długo! – wykrzyknęłam. – Naprawdę musimy się zobaczyć jak najszybciej.

– Ach, ale widzi pani, wyjeżdżam dzisiaj wieczorem na *les vacances*.

– Na wakacje? – jęknęłam. – Więc musimy się zobaczyć jeszcze dzisiaj! Nie będzie mnie we Francji, gdy pan wróci. Moja matka... powiedziała, że należał pan do niewielu osób, którym babcia ufała... – Głos mi się rwał.

– Proszę się nie denerwować – odpowiedział szybko *monsieur* Clément, a w tle usłyszałam szelest kartek. Chyba sprawdzał swój kalendarz. – Jeżeli to takie ważne, możemy się zobaczyć o drugiej czterdzieści pięć...

– *Bon, merci beaucoup* – podziękowałam, chociaż nie miałam pojęcia, jak dojadę do kancelarii w tak krótkim czasie.

– Muszę panią jednak ostrzec, że będziemy mieli zaledwie kwadrans, ponieważ o trzeciej jestem już umówiony – podkreślił stanowczo.

– Do zobaczenia o drugiej czterdzieści pięć – przyrzekłam.

Mecenas podał mi adres i udzielił wskazówek, jak trafić do jego kancelarii.

Gdy się rozłączyłam, wyznałam ciotce Matyldzie, co zamierzam zrobić.

– Powodzenia – życzyła mi i skrzyżowała palce.

Pobiegłam na górę, żeby zabrać z pokoju sweter i torebkę, i wróciłam do recepcji. Dyżurował tam konsjerż Maurice, wysoki Francuz.

– Potrzebna mi mapa Starego Miasta w Mougins – oznajmiłam. – No i samochód, potrzebny mi szybko samochód.

Maurice trochę się żachnął.

– W krótkim czasie trudno będzie znaleźć samochód – ostrzegł, gdy wręczał mi mapę.

A potem wyprostował się czujnie na widok dobrze ubranego mężczyzny, który właśnie wszedł do holu. Przybyły zachowywał się jak gość, stanął przy stoliku obok recepcji i nalał sobie kawy do filiżanki.

Zaskoczyło mnie to, ponieważ część hotelowa *mas* nie została jeszcze otwarta, udostępniono ją tylko dla grupy z kursu gotowania. Maurice zerknął na przybysza i skinął mu głową, ale nie przerwał rozmowy – próbował wynająć dla mnie wóz. Kiedy skończył, zwrócił się najpierw do obcego mężczyzny.

– *Monsieur* Gil wyszedł na spotkanie i nie będzie go przez cały dzień – oświadczył dość pogardliwym tonem.

Potem spojrzał na mnie.

– Przykro mi, *mademoiselle*. Nie ma wolnego samochodu.

– Słuchaj, porażka nie wchodzi w grę – odparłam twardo. – Muszę się dostać na Stare Miasto. I to już.

Obcy mężczyzna napisał wiadomość na kartce wyrwanej z bloczka na kontuarze i podsunął konsjerżowi. Nie pofatygował się, aby ją złożyć i ukryć treść, więc odruchowo przeczytałam.

„Gil, mam jeszcze kilka kwestii związanych z umową. Nie będzie mnie do końca tygodnia. Porozmawiajmy, gdy wrócę".

Maurice pospiesznie wsunął karteczkę do koperty i schował do szuflady.

Nerwowo wyszłam na podjazd. Rozejrzałam się, potem wyjęłam komórkę i zaczęłam szukać taksówki albo firmy wynajmującej samochody, w nadziei, że Maurice coś przeoczył. Byłam tak zajęta, że nie zauważyłam mężczyzny, który wyszedł za mną.

– Jesteś znajomą Gila? – zapytał. Nie mówił jak Brytyjczyk, ale zauważyłam, że Maurice zwrócił się do niego po angielsku. – Pozwól, że pomogę. Z przyjemnością cię podwiozę, i tak będę przejeżdżał obok Starego Miasta.

Dopiero teraz przyjrzałam mu się uważniej. Był chyba z dziesięć lat starszy od Gila i wyglądał na bardzo dobrze sytuowanego – złota opalenizna, eleganckie, szyte na miarę, choć lekkie ubranie z lnu i kaszmiru, drogie rudobrązowe mokasyny, złoty zegarek i sygnety. Mężczyzna nosił dłuższe włosy, starannie przystrzyżone i ułożone w lwią grzywę, ciemne, ale z nitkami siwizny, i miał uważne szare oczy drapieżnika, przyjaznego, a jednak wciąż groźnego.

– Jestem Richard Vandervass – przedstawił się i wyciągnął rękę. Jego skóra była bardziej miękka niż moja, ale uścisk miał mocny. – Jak hotele.

Nie od razu zrozumiałam, o co mu chodziło. Przypomniałam sobie jednak sieć bardzo modnych, nowoczesnych hoteli, rozsianych po całym świecie. Należały do holenderskiego przedsiębiorcy, który rzadko afiszował się publicznie.

– Jakieś pokrewieństwo z właścicielem tych hoteli? – zapytałam żartobliwie.

– Można tak powiedzieć. To moja sieć – wyjaśnił ze skromnym uśmiechem.

– Och. – Zarumieniłam się zmieszana.

Na podjazd wjechała czarna limuzyna. Kierowca w uniformie zatrzymał się tak, aby drzwi znalazły się dokładnie przed Vandervassem i jego skórzanymi mokasynami.

– Znajomi Gila mogą mi mówić Rick. Jedziemy? – Zapraszająco wskazał na samochód.

Kierowca pośpiesznie zerwał się z miejsca i otworzył dla nas tylne drzwi.

– Podaj adres i zaraz będziemy na miejscu.

Wsiadłam i zapadłam się w aksamitne siedzisko. Rick zajął miejsce obok mnie, a kierowca zatrzasnął drzwi i wślizgnął się za kierownicę.

– A zatem Gil wyszedł na spotkanie? – rzucił Rick przyjaźnie, gdy limuzyna zaczęła się oddalać od *mas*. – Z kim?

Wzruszyłam ramionami.

– Nie mam pojęcia.

Leniwy spokój tego mężczyzny stanowił miłą odmianę po wiecznie energicznym Gilu.

– Często tak znika? – Rick posłał mi olśniewający uśmiech. – Ma wiele spotkań?

Pytanie zupełnie mnie zaskoczyło.

– Czy ja wiem...

– Długo znasz Gila? – rzucił kolejne pytanie i wcale się nie przejmował, że jest wścibski, a przynajmniej było to czarujące wścibstwo.

Domyśliłam się, że właśnie tak mam zapłacić za przejażdżkę do Starego Miasta.

– Spotkałam go w tym miesiącu, ale wydaje się, jakby minęła wieczność. – Starałam się nie wdawać w szczegóły. – A jak ty go poznałeś? – rzuciłam, żeby odwrócić od siebie uwagę.

Rick wyglądał na zaskoczonego pytaniem, a potem parsknął śmiechem.

– Nie wspomniał ci o mnie? Jestem wspólnikiem Gila.

– Ach!

Wzbudził tym moją ciekawość. Robił wrażenie jednego z tych uprzejmych i czarujących magnatów, którzy od czasu do czasu lubią zejść z wyżyn, aby przyjrzeć się życiu zwyczajnych ludzi.

– Budowlańcy bywają nieprzewidywalni – stwierdził, spoglądając w okno. Mijaliśmy właśnie pracującą ciężko ekipę remontową. – Myślisz, że skończą przed wielkim otwarciem hotelu?

Znowu wzruszyłam ramionami.

– Gil chyba jest o tym przekonany. – Dałam do zrozumienia, że mało mnie to obchodzi.

– Pewnie uważasz, że jestem strasznie wścibski. – Rick wyszczerzył w uśmiechu doskonałe zęby. Jak na „cichego" wspólnika był bardzo gadatliwy. – Ale znam Gila od dawna, widziałem wszystkie jego wzloty i upadki. Nie należy do ludzi, którzy proszą o pomoc, chyba że nie ma innego wyjścia. Obojgu nam zależy na jego sukcesie i szczęściu, prawda? A kobiety lepiej wyczuwają, gdy dzieje się coś niedobrego.

Zauważyłam spojrzenie, jakim obrzucił mnie kierowca we wstecznym lusterku, zanim porozumiewawczo zerknął na Ricka. Dopiero wtedy zrozumiałam, o co chodzi. Myśleli, że jestem nową dziewczyną Gila. Pewnie widzieli w internecie zdjęcia z tego niefortunnego incydentu w Café Paradis. Zrobiło mi się głupio. Na szczęście rozmowę przerwał dzwonek telefonu obok łokcia Ricka. Dobiegał ze skrzynki, w zasadzie ładowarki z dość ostentacyjną dekoracją z brylantów i szmaragdów, tworzących kształt podkowy. Udało mi się ukryć rozbawienie tym pokazem bogactwa. Rick westchnął wielkopańsko.

– Przepraszam, ale muszę odebrać.

I przez resztę drogi trzymał aparat przy uchu i odpowiadał monosylabami, pewnie żebym nie mogła się zorientować, czego dotyczy rozmowa. Zresztą cieszyłam się, że ktoś odwrócił ode mnie jego uwagę.

Dotarliśmy do Starego Miasta w Mougins na kilka minut przed umówioną godziną spotkania. Z przewodnika wiedziałam, że rozłożoną koliście siatkę sześciokątnych uliczek zbudowali w średniowieczu władcy Genui dla obrony przed najeźdźcami. Próba dostania się tam samochodem pozostawała poza jakąkolwiek dyskusją. Powiedziałam kierowcy Ricka, żeby się zatrzymał na rogu. Marzyłam już tylko o ucieczce. Rick wysiadł ze mną i... pocałował mnie w rękę.

– Dziękuję za podwiezienie!

Pożegnałam go i pognałam między niezliczonymi antykwariatami, galeriami sztuki, sklepikami, kamiennymi portykami, wśród niesamowicie wąskich uliczek, biegnących spiralnie niczym korytarz w muszli ślimaka. Kiedy nareszcie zobaczyłam drzwi kancelarii, z ulgą wpadłam do chłodnej, pogrążonej w półmroku poczekalni. Recepcjonistka, sztywna blondynka w szarej garsonce, sprawdziła terminarz, ale nie znalazła mojego nazwiska na liście spotkań.

Drzwi po drugiej stronie holu otworzyły się, wyjrzał przez nie elegancki mężczyzna po sześćdziesiątce. Kiedy recepcjonistka zwróciła się do niego; „*monsieur* Clément", przywitałam się pośpiesznie.

– *Bonjour.* To ze mną umówił się pan na drugą czterdzieści pięć.

Wyglądał na zirytowanego, dopóki nie podałam nazwiska babki Ondine. Wtedy od razu złagodniał.

– Ach, oczywiście. Proszę.

Weszłam, a on z cichym trzaskiem zamknął za mną ciężkie drzwi gabinetu.

Zajęłam miejsce po przeciwległej stronie imponującego staroświeckiego biurka wyłożonego skórą w kolorze karmelowym.

– Zatem to pani jest wnuczką *madame* Ondine. – Odchylił się na krześle i zmierzył mnie rozbawionym spojrzeniem od stóp do głów. – Pani babka była naprawdę wspaniałą kobietą. Zawsze wiedziała, czego chce.

Uśmiechnął się z rozrzewnieniem do przywołanych wspomnień.

Dopiero teraz mogłam mu się lepiej przyjrzeć. Czy ten siwowłosy dżentelmen naprawdę był „miłym młodzieńcem", którego wiele lat temu wynajęła babka Ondine? *Monsieur* Clément, jakby czytając mi w myślach, odezwał się cicho:

– Pani *grand-mère* była dla mnie bardzo dobra. Jak to się mówi? Ach, już wiem – byłem gołowąsem, gdy mnie zatrudniła. Zająłem miejsce cenionego i lubianego prawnika, który przeszedł na emeryturę. Niektórzy z jego klientów nie byli zadowoleni, że przejąłem praktykę. *Eh bien*, a teraz to ja jestem starszym wspólnikiem. Jak ten czas leci.

Głos miał przyjemnie męski, naturalnie zmysłowy. Wciąż był przystojny i seksowny. Mnie jednak nie interesowały wspominki, chciałam od razu zadać mu dręczące pytanie o zaginiony obraz Picassa, więc zapewniłam tylko:

– Moja babka... i matka zawsze wyrażały się o panu w samych superlatywach.

Skłoniłam go tym do zapytania o zdrowie *madame* Julie. Ze skrywanym bólem, który wywołała ta zwyczajna uprzejmość, przyznałam, że mama była chora, ale teraz czuje się już dobrze. *Monsieur* Clément przyjął to wyjaśnienie i nie indagował o szczegóły.

– A co słychać u pani ojca? – zadał kolejne uprzejme pytanie.

Nabrałam głębiej tchu.

– Zmarł – odpowiedziałam krótko. Nadal trudno mi było w to uwierzyć.

– Moje kondolencje. – W głosie *monsieur* Clémenta nie usłyszałam żalu, lecz współczucie. Okazał się też spostrzegawczy, bo zauważył mieszane uczucia, które odbiły się na mojej twarzy.

– Ojciec był człowiekiem trudnym – przyznałam.

– Tak. Wydał mi się... agresywny. I zawsze rozgniewany. – W ostatnich słowach zabrzmiało zakłopotanie.

– O, tak. Cały on. – Dałam mu do zrozumienia, że nie musi się krępować, gdy mówi o moim ojcu. – Zajmował się spadkiem po mojej babce? – zapytałam wprost.

– Doskonale wiedziałem o niechęci, jaką żywiła wobec niego *madame* Ondine. – Mecenas Clément z galijską delikatnością uniknął odpowiedzi wprost. – Kiedy zmarła, pani ojciec konsultował się ze mną w kwestii ochrony interesów pani matki. Muszę jednak przyznać, że wydał mi się nazbyt lekkomyślny, ponieważ chciał naginać prawo i sprawdzać, jak daleko może się posunąć. Nie czułem się z tym dobrze. Powiedziałem mu jasno, że prawo mojego kraju musi być respektowane co do joty. We Francji zachowujemy rozwagę w takich sprawach. I właściwie nic więcej nie trzeba dodawać.

Obserwowałam go uważnie.

– Jak mówiłam, moja matka miała do pana bezwzględne zaufanie. Jednak pozostała pewna kwestia, której nie udało się jej
rozwiązać. – Udałam, że nie widzę uniesionych brwi mecenasa
i bez owijania w bawełnę przeszłam do rzeczy, zdając sobie sprawę, że minęła już połowa przyrzeczonego kwadransa. – Zdaje się,
że babka Ondine posiadała dzieło sztuki, obraz. Mama nie jest
pewna, co się z nim stało po tylu latach.
    Przygotowałam się na oburzenie i gniew, ale mecenas uśmiech-
nął się tylko z rezerwą.
    – Och, chodzi o Picassa! – przyznał z rozbawieniem. Zachował
się jak prawdziwy zawodowiec, nie obraził się, lecz jedynie zmienił ton na lekko zaciekawiony. – Pani matka spytała mnie o to
ostatnio. W sekrecie, nie chciała budzić nadziei w pani ojcu. Za-
pewniłem ją, że nigdy nie widziałem tego dzieła. Mimo wszystko
po tamtej rozmowie przejrzałem dokumentację raz jeszcze, żeby
się upewnić, że niczego nie pominąłem.
    Czekałam. *Monsieur* Clément wyjaśnił:
    – Oprócz dokumentów powierzonych mi przez *madame* On-
dine zebrałem też te pozostawione przez nią w domu. Wszystko
było w najlepszym porządku. Akty własności, zapisy, oficjalne
certyfikaty. Nie znalazłem w nich ani śladu zakupu lub sprzedaży
obrazu Picassa. Jeżeli *madame* Ondine posiadała taki skarb, a potem go zbyła, musiało się to wydarzyć dawno temu, jeszcze zanim
mnie wynajęła.
    Nazwisko Picassa wymawiał takim tonem, jakby chodziło
o gwiazdkę z nieba. W jego głosie wychwyciłam też szowinistycz-
ną nutę, jakby zwracał się do marzycielskiej trzpiotki, która uwierzyła w nonsensy kładzione jej do głowy przez matkę. Tym razem
to ja musiałam zachować obojętną, niewzruszoną postawę, chociaż w mym sercu szalała burza emocji.
    – Chciałabym mimo wszystko sama się upewnić – nacisnęłam.
    Bez słowa mecenas wstał i zniknął w przyległym pomieszcze-
niu. Minuty ciągnęły się jak wieczność. Zerkałam niecierpliwie

na zegar na biurku, wmontowany w złoty model statku na drewnianej podstawce, i czułam, że mój czas się kończy. Wreszcie *monsieur* Clément wrócił, niosąc grubą teczkę, którą położył na skórzanym blacie i otworzył.

– Tutaj jest spis wszystkich rzeczy należących do pani babki. – Przesunął palcem po stronie. – Doskonale pamiętam tę listę. Przedmioty te z polecenia *madame* Ondine zostały sprzedane wskazanym nabywcom. Nic nie trafiło na aukcję ani nie było sprzedawane pojedynczo. Nie ma tutaj ani jednego dzieła sztuki. Zapewniam, że gdyby *madame* Ondine posiadała tak wartościową rzecz, na pewno by mi o tym powiedziała.

Według zegara na biurku mecenasa została mi nie więcej niż minuta.

– Mogłabym zapoznać się z tym spisem? – poprosiłam.

Drzwi za moimi plecami otworzyły się i sekretarka zajrzała, żeby powiadomić, że klienci umówieni na trzecią już przyszli.

– Świetnie, idę – odprawił ją mecenas. Potem spojrzał na mnie.

– Proszę ze mną. Może pani przejrzeć tę teczkę w archiwum. Gdy pani skończy, proszę zostawić ją na stole.

Zaprowadził mnie do przyległego pokoju; wzdłuż wszystkich ścian ciągnęły się wysokie drewniane regały z książkami i ze skoroszytami, a na środku stał długi stół z wygodnymi krzesłami i lampami jak w czytelni.

– Świetnie – mruknęłam, ale opadły mnie wątpliwości. Nie ma nic mniej podnoszącego na duchu niż sterta dokumentów, zwłaszcza gdy się wie, że to kolejna ślepa uliczka. – A co z tym lekarzem, który opiekował się babcią? Ma pan może jego nazwisko i adres?

– Niestety, zmarł przed laty. Był prawdziwym starym kawalerem. – Mecenas Clément odwrócił się do wyjścia.

– Ostatnie pytanie. – Zatrzymałam go. – Czy oprócz moich rodziców ktoś interesował się domem w Juan-les-Pins po śmierci babki?

– Juan-les-Pins? – powtórzył *monsieur* Clément z ręką na klamce. – Ale pani babka nie zmarła w Juan-les-Pins.

– Nie mieszkała w pokoju nad *café*? – zapytałam zaskoczona.

– Mieszkała przez wiele lat, owszem. Ale nie wtedy, gdy zmarła! Mój Boże, oczywiście, że nie. Chodziła już o lasce i codzienna wspinaczka po schodach sprawiałaby jej trudności. Zatrudniła kogoś, żeby dowoził ją do *café*, bo chciała nadzorować kuchnię, ale pokoje nad lokalem wynajmowała gościom. Nie, *madame* Ondine mieszkała w Mougins i tutaj umarła. W *mas*. Jej sypialnia znajdowała się na parterze.

– *Mas* w Mougins? – wydusiłam.

Nagle poczułam, jakbym stała pod spadającą lawiną. Wszystko zaczęło nabierać większego sensu, kolejne elementy układanki dopasowywały się we właściwych miejscach.

– Tak, w gospodarstwie, które dostarczało niemal wszystkiego, co potrzebne w *café*.

– Pamięta pan adres tego *mas*? – zapytałam, chociaż miałam silne przeczucie, że już wiem, gdzie to jest.

I oczywiście mecenas wskazał mi kartę w aktach, gdzie figurowały adresy restauracji i hotelu Gila.

– Babcia m i e s z k a ł a w tym *mas*? – upewniłam się.

Monsieur Clément skinął głową.

– Więc... Wszystko, co pan mi mówił o jej śmierci, zdarzyło się w Mougins, nie w Juan-les-Pins?

– *Absolument* – potwierdził. – Czy pani matka nie pamięta, że *madame* Ondine zmarła w Mougins?

W jego głosie zabrzmiało powątpiewanie, jakby chciał wskazać, że skoro mama myliła się w tak podstawowej kwestii, tym bardziej nie mogła mieć pewności co do zaginionego dzieła Picassa.

Uświadomiłam sobie jednak, że mama nie sprecyzowała, gdzie właściwie mieszkała babka, gdy się widziały po raz ostatni.

– To mój błąd – wyznałam, wciąż zaskoczona. – Komu sprzedał pan *mas* po śmierci babki Ondine?

– Mleczarzowi, właścicielowi sąsiedniego gospodarstwa. Chciał już wcześniej kupić gospodarstwo *madame* Ondine i połączyć ze swoim. Tak naprawdę interesowała go ziemia, chciał powiększyć areał pól uprawnych. Nawet nie mieszkał w domu *madame* Ondine, używał jej budynków jako magazynów. Nie miał dzieci, a żona odeszła przed nim. Kiedy i on umarł, połączone gospodarstwa zostały w całości sprzedane jakiemuś angielskiemu kucharzowi, o ile mnie pamięć nie myli.

Zastygłam w oczekiwaniu, czy nie ma jeszcze innych rewelacji, którymi mógłby mnie zaskoczyć. Ale mecenas Clément tylko zerknął na zegarek.

– Obawiam się, że nie mogę poświęcić pani więcej czasu – oznajmił. – Mam nadzieję, że jest pani zadowolona.

– Tak, oczywiście – zapewniłam. Teraz zapragnęłam jeszcze bardziej przyjrzeć się dokumentom. – *Bonnes vacances.*

Monsieur Clément skinął mi uprzejmie głową na pożegnanie, po czym zniknął w swoim gabinecie.

Przeglądałam teczkę przez ponad godzinę. Oczywiście, wszystkie dokumenty były po francusku, na dodatek w żargonie prawniczym, co utrudniało mi zrozumienie, udało mi się jednak znaleźć listę wyposażenia, która okazała się w miarę łatwa do odczytania. Niestety, również nużąca – zawierała spis wszystkich garnków, patelni, wazonów i waz z kuchni.

Przede wszystkim rozmyślałam o zaskakującej wieści przekazanej mi przez *monsieur* Clémenta. Nie miałam powodu nie wierzyć, ponieważ mecenas wyrażał się jasno i wprost, w przeciwieństwie do mojej matki, która zawsze krążyła wokół sedna i owijała w bawełnę. Jeśli wszystko, co powiedział, było prawdą, znaczyło to, że wcześniej źle zrozumiałam, a babka dała mojej matce notes nie w Café Paradis, lecz w należącym obecnie do Gila *mas* w Mougins. Przeszukiwanie po raz kolejny restauracji w Juan-les-Pins nie miało najmniejszego sensu, zwłaszcza że jej właściciel zakazał mi pojawiać się w jego progach.

– Dlatego mama tak bardzo chciała się zapisać na ten kurs – szepnęłam do siebie. – Przez wiele lat nie miała jak dostać się do *mas* babki Ondine ani przeszukać gruntownie domu, który stał się cudzą własnością. Ale potem zagrodę odkupił Gil i zaczął tam organizować kursy gotowania, więc cały teren znowu stał się dostępny i mama mogłaby dyskretnie poszukać obrazu Picassa!

Wsparłam głowę na dłoniach i rozważyłam trzy możliwości:

Po pierwsze, babka Ondine mogła sprzedać obraz dawno temu, a pieniądze schować w banku.

Po drugie, ktoś, mleczarz, któryś ze wścibskich sąsiadów albo złodziej, znalazł Picassa i sprzedał już dawno, czyli cała wyprawa na nic.

Po trzecie, babka ukryła Picassa i nikt go nie znalazł, co znaczyło, że obraz nadal znajduje się gdzieś w *mas* Gila, dokładnie w tym samym domu, w którym przez cały czas gotowałam i spałam... A to wiązało się z kilkoma poważnymi utrudnieniami.

– Czy to oznacza, że według prawa ten obraz, o ile wciąż jest tam ukryty, należy teraz do Gila? – jęknęłam.

Czym prędzej odsunęłam od siebie tę myśl. Nie miałam wątpliwości, że gdyby mi się udało odnaleźć Picassa w *mas*, powinnam go oddać matce. Czyli musiałam po prostu wyciągnąć dzieło ze skrytki tak, żeby nikt tego nie zauważył, zwłaszcza Gil.

20

ONDINE WE WRZEŚNIU 1936

Picasso zniknął po prostu z powierzchni ziemi, przynajmniej dla Ondine, ponieważ dla niej Paryż znajdował się równie daleko jak Księżyc. A skoro nie było już artysty, dla którego trzeba gotować, matka trzymała dziewczynę na krótkiej smyczy – Ondine musiała nie tylko pomagać w kuchni, lecz także obsługiwać stoliki, bo w sezonie letnim panował duży ruch. Ojciec oczekiwał, że pod koniec każdego dnia córka odda mu napiwki, które dostała od gości. Rodzice chyba wyczuwali, że muszą nieustannie pilnować Ondine, inaczej nie uda się bowiem doprowadzić jej do ołtarza z Renardem.

Lato minęło, ale nikt nie zauważył, że z Ondine działo się coś jeszcze. Dziewczyna też nie miała o niczym pojęcia, dopóki nie poszła do szwaczki, aby zrobić ostatnie poprawki sukni ślubnej. Okazało się jednak, że zaplanowana krótka przymiarka chyba się przedłuży, ponieważ Ondine nie mogła się dopiąć w talii.

– Będę musiała rozpruć na szwach – stwierdziła szwaczka. Zapadła cisza, zakłócana tylko skrzypieniem nożyczek i szmerem przecinanych nici. – Na moje oko to chyba czwarty miesiąc – dodała wreszcie.

Ondine, która stała na stołku, dostrzegła zaskoczenie na swojej twarzy, odbijające się w otaczających ją lustrach.

– Niemożliwe – szepnęła. – Po prostu za dużo jem i tyle.

Ale w głębi serca wiedziała już, dlaczego ostatnio czuła się tak dziwnie i czasami miała mdłości.

Szwaczka spojrzała na nią przenikliwie i z powagą.

– Takich panien młodych widziałam więcej, niż mogę zliczyć – stwierdziła rzeczowo. – Będziesz miała dziecko.

Ondine spojrzała na nią spanikowana.

– Proszę nikomu o tym nie mówić – szepnęła. Chodziło jej przede wszystkim o to, aby nie dowiedzieli się rodzice.

– Oczywiście, że nie powiem. Możemy dodać tutaj trochę koronki, jak przy baskince na biodrach.

Szwaczka przypięła szpilkami koronkę, żeby pokazać, jak to będzie wyglądało, po czym przysiadła na piętach i spojrzała na dziewczynę ze współczuciem.

Dla Ondine był to tak rzadko doświadczany przejaw uczuć ze strony innej kobiety, że omal nie wybuchnęła płaczem.

– Czy *monsieur* Renard wie? – W pytaniu szwaczki zabrzmiało wyraźne powątpiewanie, ponieważ nikt by chyba nie uwierzył, że sztywno trzymający się zasad piekarz wykorzystał przyszłą narzeczoną.

– Nie! – jęknęła Ondine zdenerwowana.

Mały czarny pies szwaczki, który drzemał przy stołeczku, zerwał się na ten okrzyk, a potem zaskomlał współczująco.

– Czy to dziecko *monsieur* Renarda? – pytała dalej szwaczka.

Rumieniec Ondine wystarczył za odpowiedź.

– A czy ojciec wie?

Ondine przygryzła usta i pokręciła głową. Tygodniami jeździła rowerem w okolice willi Picassa z nadzieją, że może artysta wróci. Niestety. Dom został wynajęty letnikom, a dziewczynie było głupio, gdy pod czujnym spojrzeniem obcych z ponurą miną mijała zaułek. Nie potrafiła pozbyć się wrażenia, że Picasso zabrał ze sobą jej serce, umysł i duszę, a z Ondine została tylko pusta skorupa.

Potem pewnego dnia dziewczyna zobaczyła w gazecie zdjęcie Picassa w Saint-Tropez. U jego boku stała triumfalnie uśmiechnięta fotografka Dora Maar. Chyba nie było już nadziei dla jasnowłosej kochanki i jej dziecka, dla Ondine też nie. Picasso pojawiał się śmiało tam, gdzie chciał, bez zapowiedzi, po czym równie tajemniczo znikał. Jedno było pewne: wyjechał na dobre. A Ondine od tygodni zachowywała się jak lunatyczka – wykonywała polecenia rodziców i nie myślała o tym, co ją czeka.

Szwaczka wstała z podłogi i ostrzegła:

– Zapomnij o ojcu dziecka. Niech *monsieur* Renard myśli, że to jego. Tak będzie lepiej dla was obojga. Słyszałam, że Renard chce mieć dzieci, co najmniej dwóch synów!

Do Ondine nie od razu dotarło, że istnieje tylko jeden sposób, aby przekonać piekarza, że jest ojcem. Będę musiała jeszcze uwieść Renarda? – pomyślała z obrzydzeniem. Szczerze wątpiła, czyby jej się to w ogóle udało, bo piekarz był przecież taki porządny i nadęty.

– Jeżeli przekonasz go, że odebrał ci cnotę, dotrzyma słowa, które dał tobie i twoim rodzicom – zapewniła szwaczka. – Ale musisz się trzymać z dala od innych kobiet, nie rozbieraj się przy nich i nie zdradź się, że masz poranne mdłości. I nie wierz przyjaciółkom, które zapewnią, że możesz się pozbyć kłopotu, skacząc z muru albo wypijając truciznę. Takie morderstwo nie jest wcale łatwe i najczęściej to matka traci życie.

Ondine ledwie rozumiała, co znaczy „pozbyć się kłopotu", ale kiwała głową w odrętwieniu. Kiedy pożegnała szwaczkę, nie poszła do domu, lecz wybrała się na długi spacer do Parc de Vaugrenier i na łąkę, gdzie często spotykała się z Lukiem. Tam rzuciła się na dywan z dzikich kwiatów. Tarzała się i wyła pod niebiosa, rwała trawę jak wściekły pies. Gdy przetoczyła się na brzuch, wydało jej się, że poczuła tę małą istotę rosnącą w niej i żarłocznie karmiącą się jej ciałem.

– Nie prosiłam o ciebie! – jęknęła gniewnie dziewczyna.

Zaczęła się nawet zastanawiać, czy może przygnieść dziecko, udusić je w łonie tu i teraz. Jednak po chwili, gdy jej gorące łzy wyschły, położyła się na plecach i westchnęła. Na błękitnym niebie pojawił się już księżyc i spoglądał na nią z nieboskłonu.

„Maria Dziewica na nas patrzy", powtarzały zakonnice. Ondine miała wrażenie, że właśnie Święta Dziewica mogłaby ją zrozumieć i wybaczyć. Czyż to dziecko w łonie nie było jak ciężki mały księżyc orbitujący wokół Ondine, jakby była ziemią? Musiała się uśmiechnąć. Wiatr zaszeleścił wśród dzikich ziół, a dziewczyna oddychała ich aromatem, głęboko i rytmicznie, dopóki jej myśli się nie uspokoiły i pozostało w nich tylko jedno słowo.

– M o j e – wyszeptała z zachwytem do siebie, do dziecka i do księżyca. Wcześniej nikt do niej nie należał. Było w tym tyle słodyczy, że Ondine zapragnęła pobiec i komuś powiedzieć.

W drodze powrotnej do domu uświadomiła sobie jednak, nie potrafi wskazać nikogo, kto ucieszyłby się z tej nowiny.

– Nie pozwolą mi zatrzymać dziecka – westchnęła. – Zmuszą mnie, żeby oddać je do sierocińca albo jakiejś rodzinie. Nie zaznam snu, wiedząc, że moje dziecko zostało tam bez mamy.

Kiedy dotarła do Café Paradis, przekradła się do swojego pokoju i usiadła na łóżku. Nie mogła się zdobyć na powrót do pracy.

Skoro mam wybierać między dzieckiem a Renardem, wolę dziecko, postanowiła. Ale muszę się zająć tym szybko, zanim rodzice zaczną coś podejrzewać.

Nareszcie wiedziała, po co trzymała spakowaną walizkę pod łóżkiem, a w niej kilka żałosnych skarbów – zdjęcie Luca, notes z przepisami dla Picassa, małą portmonetkę i ulubione ubrania. Jak w transie dorzuciła jeszcze kilka ubrań na wypadek, gdyby pogoda się zmieniła.

Przeliczyła drobne w portmonetce i uznała, że wystarczy na bilet kolejowy, żeby dojechać do opactwa. Powie zakonnicom, że gotowała dla Picassa, i poprosi o znalezienie posady kucharki u kogoś innego, byle jak najdalej stąd. W obcym mieście będzie mogła udawać wdowę i wychować swoje dziecko.

Z płaszczem na ramieniu i walizką w dłoni Ondine wymknęła się z *café* równie niepostrzeżenie, jak przyszła. Słyszała brzęk naczyń dochodzący z kuchni, w której trwała krzątanina. Ale już bez

Ondine. W połowie drogi na stację zobaczyła na ulicy żebraka, który ruszył w jej kierunku. Przypominał trochę tych rzezimieszków, bezczelnie wchodzących na zaplecze restauracji i dopominających się jałmużny. Przygarbiła się odruchowo i spuściła oczy, żeby uniknąć spojrzenia obcego. Wtedy jednak włóczęga uniósł ogorzałą twarz.

– Ondine! – zawołał i pośpieszył bliżej.

Dziewczyna popatrzyła na niego czujnie.

– Nie poznajesz mnie? To ja, Luc!

Zamarła. Myślała, że widzi ducha.

– Luc? – wydusiła wstrząśnięta.

Ubranie miał znoszone i wystrzępione, gęste, ciemne włosy były długie i zmierzwione, do tego pół twarzy zasłaniał mu zarost. Mężczyzna był bardzo chudy, smagły i żylasty. Wyglądał na doświadczonego przez życie i steranego.

– Ondine! – wykrzyknął radośnie, rzucając na drogę podróżny worek.

Patrzył dziewczynie głęboko w oczy, przenikliwie i niepewnie, dopóki nie zobaczył, że jej twarz się rozpromienia. Wtedy nie mógł się już powstrzymać. Objął ją i uniósł w ramionach, a potem opuścił, żeby znowu popatrzeć jej w oczy. Ondine ze szczęścia zaparło dech w piersiach, nie mogła uwierzyć własnym oczom.

Był wyższy, niż pamiętała. Pachniał tytoniem, rybą, ziemią i potem, ale przede wszystkim sobą. Pachniał jak Luc. Oczy, ciemne i bystre, nie zmieniły się ani trochę, podobnie jak wysokie czoło, mocno zarysowany nos i podbródek oraz zmysłowe usta. Luc ujął twarz Ondine w szorstkie dłonie, jakby była najcenniejsza na świecie, a pocałunki, którymi obsypał jej policzki, były słodkie i pełne miłości. Kiedy jednak odnalazł jej usta, jego pocałunek się zmienił – Luc szukał, dawał i znajdował – a Ondine z drżeniem odpowiadała nie tylko wargami, lecz całym ciałem.

– Ondine – powtórzył, jakby to ona, nie on, wróciła właśnie z dalekiej wędrówki.

W oddali kościelny dzwon wybił pełną godzinę.

– Nie możemy iść do *café* – ostrzegła.

– No, to chodźmy gdziekolwiek – odpowiedział po prostu.

Głos mu się nieco zmienił, był niższy i bardziej dźwięczny, jakby dobywał się z pokładu statku sunącego przez morze, ale w tym cudownym brzmieniu słychać było zdrową pewność siebie. Mięśnie na szyi i ramionach Luca przypominały napięte liny, które przetrwały wiele sztormów. Mężczyzna spojrzał na jej walizkę, potem na Ondine i wreszcie zapytał:

– Dokąd się wybierasz? Poznałaś kogoś? – Dopiero teraz na jego twarzy odmalował się niepokój.

– Na stację – wyjaśniła szybko Ondine. Wciąż drżała z radości. – Nie, z nikim się nie spotykam. Po prostu nie chcę już tu żyć.

Luc nie zapytał dlaczego. Jednak po drodze oboje zerkali na siebie badawczo.

– Co się z tobą działo? – zapytała pierwsza. – Gdzie byłeś tyle czasu?

Luc wyjaśnił, że zaraził się tyfusem w Afryce Północnej.

– Musieli mnie wysadzić na ląd. Zostawili w Tangerze, żebym umarł. Uznali, że mogą mi nie zapłacić za ostatnie dni. Żaden inny statek nie zabrałby mnie do domu ani w ogóle nigdzie. Leżałem chory w tanim pokoju na godziny, nie mogłem się ruszyć i ledwie udawało mi się myśleć. Zostały ze mnie skóra i kości, wyglądałem jak trup.

A potem dodał, że gdyby nie burdelmama, naprawdę by umarł. Karmiła go i pielęgnowała, ale kiedy wyzdrowiał, zażądała, aby odpracował koszty opieki. Został więc pomocnikiem kucharza w restauracji Czerwona Papuga, która zaopatrywała w jedzenie dziewczyny z burdelu i ich klientów, głównie marynarzy.

Luc opowiedział też Ondine, czego dowiedział się o świecie i nadchodzących wydarzeniach.

– Nadciąga kolejna wojna. Wszyscy udają, że to nieprawda, ale nie ma wątpliwości, że naziści stają się coraz potężniejsi. Starli się już z naszą flotą w Tulonie. Ostrożni politycy i przedsiębiorcy z Paryża gotowi są oddać Francję faszystom, chociaż zwykłym obywatelom powtarzają: "Nie martwcie się, Linia Maginota nas obroni". Ale Linia Maginota nie wytrzyma, wystarczy zapytać żołnierzy, gdy są dość pijani, żeby mówić prawdę.

– Tutaj nie mówi się o wojnie – zauważyła Ondine z niepokojem.

– Nie kobietom – zgodził się Luc. – Ani dzieciom. I nie głupcom, którzy zachowują się jak dzieci.

Ondine zdała sobie sprawę, że jej plan, aby udać się do zakonnic, nie miał sensu.

– Chcę wyjechać i zostać gdzieś szefem kuchni. Może w Paryżu. – Obecność Luca sprawiła, że ośmieliła się mierzyć w marzeniach trochę wyżej.

– Zły pomysł – ostrzegł Luc. – W Paryżu zrobi się niebezpiecznie, gdy wkroczy tam Hitler. Jeżeli nie wierzysz, zajrzyj do swojego podręcznika do historii. Sporo czytałem. Najpierw na morzu, potem w czasie rekonwalescencji. Podczas minionych wojen oblężeni paryżanie zmuszeni byli żywić się szczurami... Jedli nawet zwierzęta z zoo!

Ondine próbowała sobie wyobrazić Picassa zmuszonego do zjedzenia żyrafy. Cóż, kto jak kto, ale Picasso pewnie by to zrobił. "Musisz zabijać, żeby przeżyć", powiedział jej kiedyś.

– Powinniśmy uciec do Ameryki – oznajmił Luc, a jego wychudzona, brudna twarz rozjaśniła się w uśmiechu. – To miejsce, gdzie można zacząć od nowa.

Ondine pomyślała, że chyba oszalał. Jej nieszczęsny, słodki Luc wrócił tak wychudzony, że wyglądał jak strach na wróble, a gdyby zobaczyła go matka dziewczyny, pewnie przegoniłaby obdartusa miotłą.

Luc chyba czytał jej w myślach.

– Nie wyglądam najlepiej, co? – rzucił wyzywająco. – *Bien sûr,* mógłbym pewnie zatrzymać się gdzieś na chwilę, ogolić i wykąpać. Ale kiedy leżałem bliski śmierci, przysiągłem sobie, że jeżeli wrócę jeszcze do domu, już nic, n a p r a w d ę   n i c, nie powstrzyma mnie od spotkania z tobą, gdy tylko postawię stopę na ziemi Juan-les-Pins.

Przystanął, postawił walizkę, sięgnął do kieszeni i wyjął szmatkę obwiązaną rzemieniem. Położył ją na dłoni Ondine. Zawiniątko było bardzo ciężkie.

– To złoto – wyjaśnił. – Upewniłem się, że jest prawdziwe. Nie wiadomo, jaka waluta będzie najlepsza. Zgłaszałem się do niebezpiecznych prac u każdego, kto dobrze płacił. Czasami były to legalne zlecenia. Czasami nie. Myślałem tylko, jaką minę zrobi twój ojciec, gdy będzie musiał przeliczyć ten skarb!

Nachylił się, aby znowu pocałować Ondine. Przytulił ją tak mocno, że się zachwiała, wciąż półprzytomna ze szczęścia.

Zrozumiała, że Luc odniósł zwycięstwo. Mimo wszystko. I wiernie wrócił do Ondine, jak obiecał. Wrócił, by podzielić się z nią sukcesem.

– Ale... Ondine... Dlaczego nie odpisałaś na żaden z moich listów?

Ruszyli dalej. Teraz dziewczyna opowiadała, co się stało po jego wyjeździe. Wyjaśniła, jak jego listy były przechwytywane i ukrywane oraz dlaczego jej własne nigdy nie opuściły *café*. Opowiedziała, jak ojciec i *monsieur* Renard zaplanowali jej los. Luc słuchał uważnie i nie przerywał, jakby dogłębnie analizował sytuację.

– Tak mi przykro, Luc. Wciąż nie potrafię uwierzyć, że moi rodzice byli wobec ciebie tak okrutni – przyznała na koniec zawstydzona.

Luc pokręcił głową.

– Rodzice to też zwykli śmiertelnicy, wiesz? A ludzie robią to, co myślą, że robić muszą, żeby zdobyć to, czego pragną. Zaskoczyło mnie tylko, jak bardzo się postarali, żeby nas rozdzielić. Jednak los zdecydował przeciwko nim, ponieważ jestem tutaj i ty też tutaj jesteś.

Dotarli do stacji, gdzie kilku podróżnych czekało na ostatni tego dnia pociąg. Zawiadowca już zamykał okienko kasy i zbierał się do domu. Ondine i Luc usiedli razem na ławeczce z dala od peronu, żeby nikt znajomy ich nie zauważył. Luc mówił bardzo spokojnie, a jego plany nabierały dla Ondine sensu i wyglądały na coraz bardziej realistyczne. Słuchała z podziwem, ponieważ ten młody mężczyzna wybrał się w wielki świat i zobaczył jego spory kawałek, a jednak jego ambicje były mocno wrośnięte w ziemię, nie zaginęły wraz z nim na morzu.

– Cóż, Ondine, przykro mi z powodu twoich rodziców, ale pora, abyśmy sami decydowali o sobie, bez nich. Mamy tylko siebie! No, mnie to wystarczy. Jak wszyscy inni mamy prawo robić to, co wydaje nam się konieczne, aby zadbać o siebie, czyli o nas dwoje. – Luc patrzył na nią z takim zaufaniem i radością, że Ondine wybuchnęła płaczem. – O co chodzi? – zapytał z niepokojem. – Nie chcesz ze mną jechać?

Wtedy opowiedziała mu o Picassie. Luc zawsze był dobrym słuchaczem. Nawet teraz słuchał jak muł – cierpliwie, bez przerywania i komentarzy, ale z uwagą, wychwytując najdrobniejsze niuanse w tonacji głosu dziewczyny.

– Będę miała dziecko – wyznała na koniec. Widziała, jak Luc przyjmuje i przetrawia tę nowinę.

Wciąż jednak trzymał Ondine za rękę i nie puszczał.

– Kochasz tego mężczyznę? – zapytał cicho.

Chociaż był jeszcze młody, jednak zdobył już rozwagę i twardość, jaka czasami rodzi się z cierpienia, dlatego wiedział, że nie warto tracić czasu na głupie uprzedzenia ani na sprawy, które niewiele znaczą.

Ondine znała odpowiedź na to pytanie, ponieważ teraz wyczuwała własnym ciałem, jak inna od tamtej jest miłość młodzieńca, który miał dość odwagi, aby zatroszczyć się nie tylko o siebie.

– Nie – odpowiedziała szczerze. – Nie kocham Picassa.

Luc uśmiechnął się triumfalnie.

– Więc to nieważne – stwierdził stanowczo. – Nikt nie musi o tym wiedzieć. Mam tylko dwie prośby. – Pocałował Ondine.

– Jakie? – Do oczu dziewczyny znowu napłynęły łzy.

– To dziecko będzie uważało mnie za ojca. A jeżeli urodzi się dziewczynka, nadamy jej imię po mojej matce. Przyrzekłem jej to, zanim umarła.

Matka Luca była nauczycielką, która bardzo się starała i pilnowała, aby syn nauczył się w szkole, ile tylko mógł. Zmarła, gdy miał czternaście lat, ale nawet teraz jego twarz zdradzała, jak głęboko odczuwał tę stratę. Zapłakana Ondine rzuciła mu się na szyję i przycisnęła mokry policzek do brody Luca.

– Oczywiście – zapewniła. – Jeżeli to dziewczynka, nazwiemy ją Julie.

Uścisnęli się mocno. Potem Luc z powagą oznajmił:

– Jedni Amerykanie wspomnieli mi o mieście, w którym ty i ja moglibyśmy otworzyć własną restaurację. Sporo o tym wiem, bo w jednej pracowałem. Może tam zostaniesz sławną szefową kuchni i spełnisz swoje marzenia.

Dziewczyna ledwie wierzyła w to, co słyszała.

– Co to za miejsce? – Wytrzeszczyła oczy.

– Nazywa się New Rochelle. Blisko Nowego Jorku, tuż nad morzem. Osiedlili się tam Francuzi i nazwali miasteczko na cześć La Rochelle. Pewnego dnia, jeśli zechcesz, wrócimy do Francji. Ale teraz za pieniądze, które zarobiłem, przeniesiemy się do Ameryki i założymy restaurację. Pojedź ze mną i zostań moją żoną.

Ondine wiedziała tylko, że uwielbia melodyjny głos Luca, rezonujący mu w piersi, oraz ciepło, jakie roztacza obecność tego mężczyzny. Wypełniało jej serce radością, o której zapomniała. Amerykańskie miasteczko z francuską nazwą wydawało się bardzo dobrym pomysłem.

– Ale... Ondine, jesteś gotowa opuścić dom? – zaniepokoił się Luc.

Dziewczyna wróciła do rzeczywistości. Owszem, żałowała, że nie będzie już siadać w ogrodzie pod sosną alepską. Pomyślała o krzepiącym widoku matki w oknie kuchni, kiedy wołała Ondine do domu, i o ojcu, który liczył pieniądze w głównej sali. Jednak rodzice nigdy nie pozwoliliby córce poślubić Luca ani tym bardziej zatrzymać dziecka, które nosiła w łonie. Była gotowa uciec z miasta sama. Z Lukiem u boku była gotowa wyruszyć na koniec świata.

Pociąg wjechał na stację. Konduktorzy pomagali wysiadającym na metalowych stopniach wagonów. Z jednego wysiadł znajomy, dobrze ubrany mężczyzna i otarł pot z czoła chusteczką. Na widok *monsieur* Renarda Ondine poczuła ucisk w gardle.

– O, Boże, to on! – jęknęła. – Nie pozwoli nam odjechać.

Luc ścisnął jej dłoń pokrzepiająco.

– Nic nas już nie powstrzyma – przyrzekł.

Monsieur Renard pomachał, sądził chyba, że Ondine na niego czekała. Przez chwilę nawet mu współczuła. Wtedy jednak piekarz zobaczył Luca i jego twarz stwardniała, podobnie jak serce Ondine, gdy Renard ruszył w ich stronę z surową miną.

– Ależ z ciebie łotr, Luc. Pojawiasz się w najmniej odpowiednim momencie! – rzucił piekarz. – Trzymaj się z daleka od Ondine albo jej ojciec i ja poprosimy policję, żeby wyrzuciła cię z miasta raz na zawsze.

Luc nie oderwał oczu od dziewczyny.

– To nasz pociąg – powiedział spokojnie. – Gotowa do podróży?

– Tak – zapewniła. Zaskoczyły ją własna siła i stanowczość w głosie.

– Wracasz ze mną do domu, młoda damo! – zaoponował *monsieur* Renard i chwycił Ondine za ramię.

Zaskoczył ją, bo nigdy wcześniej nie widziała, aby zachowywał się w taki sposób. Renard patrzył jednak na Luca i do niego się zwracał, a Ondine pojęła, że to męskie sprawy, w które nie powinna się wtrącać. Dopóki nie dostrzegła, że Luc napina się i bez lęku mierzy przeciwnika twardym spojrzeniem. Odruchowo położyła dłoń na torsie Luca.

– Nie. Dasz mu tylko pretekst, żeby cię posłać do aresztu – ostrzegła, a potem gniewnie odwróciła się do *monsieur* Renarda.

Przypomniała sobie dzień, gdy odwoził ją do domu swoim ślicznym autem. Minęli wtedy Picassa na niedzielnym spacerze z jasnowłosą kochanką, pchającą dziecięcy wózek, a Renard skrzywił się i wycedził: „Nigdy bym się nie ożenił z kobietą, która miałaby dziecko z innym". Dlatego teraz Ondine przysunęła się do piekarza i wyszeptała:

– Będę miała dziecko. Co na to powie pańska matka? Naprawdę mam za pana wyjść, a potem wyznać wszystkim, że to dziecko nie jest pańskie? A tak właśnie zrobię, rozumie pan? Wykrzyczę to całemu miastu. Jeżeli jednak pozwoli nam pan odjechać, pańskie nazwisko nie zostanie zhańbione.

Monsieur Renard się żachnął, ale potem cofnął ze zgrozą i puścił Ondine.

Dziewczyna popatrzyła po raz ostatni na świat, który zostawiała za sobą. Z niezrozumiałych przyczyn mogła myśleć tylko o kocie i psie, które czekały na nią na podwórzu za domem. Wciąż była dość dziecinna, aby płakać za ukochanymi zwierzątkami.

– Żegnajcie – szepnęła pod wiatr, w nadziei, że poniesie jej pożegnanie pod alepską sosnę i powie zwierzętom, aby nie czekały. – Przekaż im moją miłość.

A potem ujęła Luca pod ramię i wraz z nim wsiadła do pociągu.

21

ODKRYCIE. CÉLINE W MOUGINS —
2014

Z kancelarii mecenasa Clémenta wyszłam nadal zdumiona. Informacja, że to, co opowiedziała mi matka o ostatnich dniach życia babki Ondine, wydarzyło się nie w *café*, lecz w *mas* Gila, otwierała zupełnie nowe, oszałamiające możliwości. Na samą myśl o tym, że przez cały czas stąpałam po śladach babki w *mas*, dostawałam gęsiej skórki. Właśnie t a m powinnam szukać.

Stanęłam wśród labiryntu uliczek Starego Miasta i nagle zdałam sobie sprawę, że nie mam czym wrócić. Uznałam, że najwyższy czas postarać się o jakieś cztery kółka. Spróbowałam w najbliższej wypożyczalni samochodów i... okazało się, że miałam szczęście, ponieważ właśnie zwrócono jasnoniebieskiego peugeota. Gdy jechałam do *mas,* miałam poczucie niezależności i triumfu.

Na miejscu uświadomiłam sobie, że na popołudnie Gil zaplanował dla nas wycieczkę w teren. Ciotka Matylda opowiadała mi potem, że mieli okazję zapoznać się z prawdziwą pracą na roli – doili czujne krowy, karmili kurczaki i świnie, wybierali jajka oburzonym kwokom, zbierali świeże warzywa i owoce.

Maurice przypomniał mi o tych zajęciach, gdy próbowałam przekraść się obok jego stanowiska w holu. Wymamrotałam coś o „sprawach osobistych" i uciekłam do pokoju, żeby zaplanować następny krok. Szukanie obrazu Picassa w *mas* było ryzykowne – do końca kursu zostały tylko trzy dni, na dodatek wypełnione atrakcjami, na przykład nazajutrz wybieraliśmy się do muzeum.

Jeśli zatem wszyscy kursanci wyruszali w teren, stwarzało mi to doskonałą okazję do przeszukania ich pokojów. Nie miałam czego szukać w pokojach kobiet, ponieważ *monsieur* Clément powiedział, że babce Ondine trudno było wchodzić po schodach, więc jej sypialnia znajdowała się na parterze. Zastanawiałam się jednak, gdzie dokładnie. Na szczęście w moim pokoju na stoliku leżała broszura z opisem *mas*. Oprócz zdjęć zawierała także plany całej zagrody, co mogło mi się bardzo przydać w poszukiwaniach. Opisy, choć w pochwalnym stylu, dostarczyły mi sporo informacji.

Typowa prowansalska zagroda, zbudowana z miejscowego kamienia. Zaplanowano ją tak, aby była samowystarczalna, musiała mieć wszystko, co zapewniało mieszkańcom niezależność: warzywnik, sad, pole do uprawy zboża, oborę i kurnik, a także mleczarnię i nawet małą hodowlę jedwabników – magnanerie.

Budynek mieszkalny, le mas, *wzniesiono na fundamencie w kształcie litery „L". Skierowany był frontem na południe, aby uzyskać jak najlepsze nasłonecznienie i osłonę przed wiatrami z północy. W holu dłuższego skrzydła, z dodaną w naszych czasach marmurową posadzką, spiralne schody prowadzą na piętro z pokojami dla gości, lub na dół, do baru, sali jadalnej i kuchni, którą prowadzi Gil Halliwell. Jego restauracja Pierrot otrzymała gwiazdkę Michelina. Zarówno sala jadalna, jak i przestronna, nowoczesna kuchnia zostały zbudowane współcześnie. W oryginalnym* mas *ta część budynku przypominała dużą stodołę lub oborę, w której zimą trzymało się zwierzęta.*

Czyli kuchnia, w której uczyli się gotować kursanci, nie była miejscem, gdzie przyrządzała potrawy babka Ondine! Przyjrzałam się jeszcze raz planom zagrody, po czym wróciłam do czytania.

Druga część mas *– poprzeczka litery „L" – służyła niegdyś jako pomieszczenie mieszkalne, zwłaszcza w porze zimowej. Znajdowały* *się tam tylko dwie sypialnie i kuchnia. W lecie korzystano z pieców i palenisk na zewnątrz, ale zimą domownicy przyrządzali posiłki w kuchni, używając kominka z wbudowanym piecem. Pomieszczenie to pełniło funkcje zarówno kuchni, jadalni, jak i salonu. W tej części domu trwają obecnie prace renowacyjne, podobnie jak w zabudowaniach gospodarczych, służących wcześniej do mielenia zboża oraz przechowywania ziarna, warzyw i owoców, a dzisiaj przekształconych w basen i spa. Oto pierwsze efekty wprowadzanych unowocześnień, które zmienią prowansalską zagrodę we wspaniały zakątek dla wymagających gości.*

Zatem dawne sypialnie znajdowały się w skrzydle, gdzie obecnie mieszkali mężczyźni z naszego kursu. Z planu wynikało, że obie usytuowane były na parterze. Mogłam się założyć, że w jednej z nich sypiała babka Ondine – blisko dawnej kuchni, gdzie gotowała i jadła. I nie było tam żadnych schodów, po których musiałaby się wspinać.

Kobiety z kursu nazywały tę część *mas* męskim dormitorium i żartowały już pierwszego wieczoru, że grupę podzielono według płci. Z pewnością właśnie tę część powinnam spenetrować jak najszybciej. Zastanawiałam się, co może mi się przydać podczas poszukiwań. Miałam w walizce latarkę LED, którą zabierałam na wszystkie wyjazdy, i mały nylonowy plecak. Optymistycznie uznałam, że znajdę Picassa i po prostu schowam obraz do plecaka. Pośpiesznie wyszłam z pokoju i przemknęłam przez hol. Maurice był w biurze, więc mnie nie zauważył.

Przekradłam się po spiralnych schodach na parter, obok Pierrota, restauracji Gila. W części, gdzie serwowano drinki, stał aluminiowy kontuar, a na ścianie wisiało wielkie lustro w stylu art déco z wygrawerowanymi postaciami Pierrota i Arlekina radośnie goniących się w komicznej scence. Przeszłam przez pustą salę o stylowym wystroju w barwach ciemnego burgunda i bladego różu. Nazajutrz miał tu przybyć tłum weekendowych gości; nawet poza

sezonem rezerwacje należało robić z kilkutygodniowym wyprze-
dzeniem, a w okresie wakacyjnym nawet na miesiąc wcześniej.
Popularnością cieszyły się zwłaszcza stoliki na tarasie.

Dalej mieściła się srebrzyście lśniąca i klinicznie czysta kuchnia, gdzie moja grupa uczyła się sztuki gotowania. Nigdy nie
zajrzałam dalej, ponieważ na drzwiach znajdowała się tabliczka:
„Tylko dla personelu”. Tym razem jednak weszłam bez wahania.
Krótki korytarz kończył się kolejnymi drzwiami, które, jak się
okazało, wykonano z trzech przepołowionych pni. Pchnęłam je
i znalazłam się w najstarszej części *mas*.

Zapaliłam latarkę. Długi korytarz, na ile mogłam się zorientować, prowadził do starej kuchni, właśnie remontowanej. Panował
tam głęboki mrok skrywający niebezpieczne rusztowania, o które
łatwo było się potknąć. Dostrzegam dwoje drzwi naprzeciw siebie – jedne po lewej, drugie po prawej stronie.

– Stare sypialnie! – ucieszyłam się, ale na wszelki wypadek
sprawdziłam jeszcze plan z broszury. – A więc tutaj są „dormitoria
chłopców”.

Drzwi po lewej były uchylone. Pchnęłam je. Zobaczyłam przestronny, elegancko urządzony apartament z kominkiem i dwiema
alkowami. W przyległym saloniku również stało łóżko. Zdaje się,
że wszyscy trzej dżentelmeni z mojej grupy mogli się cieszyć pry-
watnością.

Na łóżku w saloniku leżała pidżama z flagą Teksasu wyszytą na
kieszeni bluzy. Czapeczka bejsbolowa Joeya z logo Chicago Cubs
leżała na stoliku w jednej z wnęk, a w sąsiedniej dostrzegłam gazetę z Wielkiej Brytanii, zatem to tutaj umieszczono Petera, sprze-
dawcę wina, z którym zaprzyjaźniła się ciotka Matylda.

Podeszłam do wielkiej garderobianej szafy w apartamencie,
otworzyłam ją na oścież; ubrania wisiały na wieszakach i leżały
poskładane na półkach. Zawstydziłam się, że szperam w rzeczach
znajomych z kursu. Zaraz jednak pomyślałam o matce w tym
okropnym domu opieki. Kucnęłam i zajrzałam pod leżące na dole

puste walizki. Wyjęłam je i przyjrzałam się listwom przypodłogowym. Jedna z nich, w kącie, wystawała ponad inne, mimo to niełatwo było ją podważyć. Gdy wreszcie mi się udało, poświeciłam latarką i zajrzałam.

Serce zabiło mi mocniej, gdy przypomniałam sobie znowu słowa mamy o zamaskowanym schowku pod podłogą garderoby, gdzie jej rodzice podczas wojny ukryli najlepsze szampany, żeby nie znaleźli ich niemieccy żołnierze.

Pod podłogą ujrzałam pustą przestrzeń na tyle dużą, że mogło się w niej zmieścić wiele butelek.

– Tak jak powiedziała! – wyszeptałam podniecona.

Musiałam się położyć, żeby lepiej przyjrzeć się skrytce. Znalazłam tylko jedną rzecz, wciśniętą głęboko w kąt. Poświeciłam latarką na boki, żeby sprawdzić, czy nie zalęgły się tam myszy, po czym wyciągnęłam zawiniątko i położyłam na podłodze.

– Och! – westchnęłam z niedowierzaniem.

Była to celofanowa tuba, sucha i pomarszczona, zapewne od leżenia w wilgotnej skrytce. Otworzyłam ostrożnie i wysypałam zwiniętą w rulon zawartość – pasy papieru, grubego i tłoczonego. Na wewnętrznej stronie znajdowały się rysunki o mocnych czarnych konturach, wypełnione ostrymi kolorami czerwieni, żółci, błękitu i zieleni.

Palce mi drżały, gdy wygładzałam arkusze, które spoczywały w skrytce bez wątpienia od dłuższego czasu. Prawie nie dało się ich wyprostować. Arkuszy było co najmniej pięć, może sześć, zwiniętych ciasno razem... Powoli rozwinęłam ten na wierzchu i spojrzałam na dzieło sztuki...

– Tapety – stwierdziłam na głos.

Kawałki tapet, pewnie próbki. Z klaunami. I psami oraz kotami, również w strojach klaunów, z kokardami i spiczastymi czapeczkami. Autor tych wzorów może nawet zyskał popularność, ale na pewno nie był to Picasso.

– *Merde!* – warknęłam.

Zniechęcona zwinęłam tapety, wsunęłam do tuby, którą włożyłam z powrotem do skrytki. Zatrzasnęłam deskę parkietu, ułożyłam walizki i zamknęłam szafę, po czym zajęłam się podłogą pod łóżkami. Niestety, nic nie znalazłam.

Świetnie, pomyślałam z niechęcią.

Wstałam, ułożyłam wszystko tak, jak zastałam, po czym przeszłam do mniejszej sypialni, po drugiej stronie korytarza. Gdy zajrzałam do łazienki, zobaczyłam tapetę z klaunami. Wbrew własnej woli parsknęłam śmiechem, widząc jeszcze więcej wymyślnych klaunów w stylu art déco na tle czarno-białej szachownicy. Tapeta pokrywała ściany sypialni. Stały tu tanie nowoczesne meble skandynawskie, czyli nic, co pochodziłoby z czasów babki Ondine. W szafie nie było ubrań, nie zauważyłam też niczego niezwykłego. Nikt tu chyba nie mieszkał.

Zastanawiałam się, czy to właśnie tapeta natchnęła Gila, aby nazwać swoją restaurację Pierrot. Pokój był przestronny, ale nie za duży. Ciekawe, do czego wykorzystywała go babka Ondine. Pewnie jako pokój dla gości. Może właśnie tutaj sypiali moi rodzice, gdy przyjeżdżali w odwiedziny. Jeżeli jednak tata tutaj spał, było to ostatnie miejsce, w którym babka ukryłaby swój skarb. Przecież nie chciała, aby mój ojciec się o nim dowiedział!

Dla pewności jednak sprawdziłam, czy pod łóżkiem nie ma żadnych luźnych klepek w podłodze.

Kiedy wstałam, ogarnęło mnie niepokojące uczucie, że nie jestem sama. Odwróciłam się i zobaczyłam w progu małego chłopca z walizką. Uśmiechnął się uprzejmie, ale nie ukryło to zaskoczenia na jego twarzy.

– Cześć – przywitał się. – Co robisz w moim pokoju?

Mówił z wyraźnym brytyjskim akcentem.

– Och... Och, cześć. – Musiałam się uśmiechnąć, bo chłopiec wyglądał tak słodko.

Przyjrzał mi się uważnie.

– Wkradłaś się tutaj i szukasz czegoś, tak? – zapytał.

Nie wiedziałam, co powiedzieć. Chłopiec wyszczerzył się radośnie.

– Nie powinnaś tu wchodzić, prawda?

Opanowałam się na tyle, że udało mi się wydusić:

– A kim ty jesteś i co tutaj robisz?

– To mój pokój. Bawialnia – wyjaśnił z powagą. – Mam na imię Martin, a ten dom należy do mojego ojca.

Musiałam przetrawić jego słowa. Czy to znaczyło, że ten chłopak był synem Gila? Jasne, że tak! Nawet wyglądał jak miniaturowy Gil – jasnowłosy, wścibski, z przenikliwym, nieco smutnym spojrzeniem. Nosił czarne dżinsy i czarną koszulkę, zupełnie jak Gil. Oszacowałam, że miał około dziesięciu lat.

– Śpię w gołębniku – dodał z dumą.

Nie miałam pojęcia, o czym mówi.

– Jak masz na imię? – zapytał.

– A umiesz dotrzymać tajemnicy? – Spojrzałam na niego z powagą. – Zgubiłam coś i zajrzałam tu, żeby sprawdzić, czy mogę to znaleźć. Nie wiedziałam, że tu wejdziesz. Myślałam, że pokój jest pusty.

Martin się zastanowił.

– No, dobra – powiedział bez przekonania. – Ale jak ci na imię?

– Céline.

– Miło mi, Céline. – Wyciągnął rękę, żeby wymienić ze mną uścisk dłoni.

Zachowywał się tak ujmująco. Uścisk miał całkiem mocny, choć palce delikatne. Mimo to wydał mi się... kruchy. A potem przypomniałam sobie, co mówiła ciotka Matylda. Podobno żona Gila popełniła samobójstwo. Biedny dzieciak.

– Umiesz grać w karty? – Martin spojrzał na mnie ufnie. – Mam nowiutką talię.

– Umiem – zapewniłam łagodnie. – Ale nie mogę teraz zagrać. Za to znam parę osób, które uwielbiają karty. Poznam cię z nimi przy następnym spotkaniu. Teraz muszę już iść.

– Och. – Martin nie ukrywał rozczarowania. – No, trudno. Naprawdę był słodki.

Postanowiłam, że ze względu na mamę dokończę poszukiwania. Cofnęłam się do nowej kuchni Gila, potem wyszłam na dwór za tarasem i ruszyłam udeptaną ścieżką, która oddalała się od głównego budynku, wiła przez terasy sadu, skąd rozciągał się widok na zagajnik drzewek oliwnych, winnicę i pola uprawne. Wzdłuż ścieżki stały mniejsze kamienne budynki z terakotowymi dachówkami – przypominały miniaturowe wersje głównego domu, wyglądały jak zabawki.

– Podejrzewam, że babka mogła ukryć obraz w jednym z nich – mruknęłam bez przekonania.

Zajrzałam do kilku. Proste kamienne chaty z klepiskiem lub cementową wylewką zamiast podłogi mogły zimą służyć do przechowywania żywności albo narzędzi, ale raczej nie byłyby dobrą skrytką dla dzieła Picassa.

Zbliżałam się do większego budynku – wyglądało na to, że lepiej nadawał się na kryjówkę. Przypominał stodołę, całkiem sporych rozmiarów. Na trawie pod ścianą stał stary rozkładany stół. Sądząc po zaciekach z kawy i okruszkach, ekipa remontowa jadła tu posiłek. Robotników nie było, zaczęli pracę o świcie, więc na dziś skończyli, ale zostawili kilka maszyn. Przyśpieszyłam kroku, zanim jednak doszłam do drzwi, usłyszałam charakterystyczny warkot motocykla.

Gil zbliżał się na swoim ducatim. Pomachał mi, więc nie mogłam się już ukryć. Zamachałam w odpowiedzi, pośpiesznie szukając wiarygodnego powodu swojej obecności w tym miejscu. Gil zaparkował i popatrzył na mnie przenikliwie.

– Wszystko w porządku? Jak się udały zajęcia? – Podszedł do drzwi. Zdaje się, że był w lepszym nastroju niż ostatnio.

– Świetnie. Heather jest wspaniała – zapewniłam radośnie. – Nie wiedziałam, że jest tutaj tak dużo składzików! Wyglądają ślicznie, jak domki dla lalek...

Paplałam z zachwytem w głosie. Nie wiedzieć czemu uwagę każdego mężczyzny łatwiej jest odwrócić, gdy się udaje głupszą. Pochlebstwa też działają całkiem nieźle.

Gil od razu się rozpromienił i uśmiechnął z entuzjazmem jak chłopiec, który chce się pochwalić kolekcją kart z wizerunkami bejsbolistów.

– Tam dalej jest stary młyn wodny, w którym mełło się zboże zebrane z tych pól. – Wskazał w dal.

Był tak ucieszony moim zainteresowaniem, że poczułam się zawstydzona. Udawałam jednak dalej zafascynowaną, wytrzeszczyłam nawet oczy.

Gil wskazał mi inne budynki.

– Tam przechowywano ziarno, dalej były kurnik i wędzarnia...

Słuchając, skreślałam kolejne domki z listy potencjalnych skrytek babki Ondine. W końcu pozostał już tylko jeden.

– A dom, przed którym stoimy? – zapytałam z pozoru obojętnie. – To stodoła?

– Nie, to *pigeonnier*. – Machnięciem ręki wskazał na rząd małych okienek tuż pod okapem dachu. Wszystkie były zamknięte, ale kiedyś pewnie właśnie tamtędy przylatywały i wylatywały stada gołębi. – Gołębnik.

– Cały budynek dla gołębi? – powtórzyłam z niedowierzaniem. Zastanawiałam się, po co babka Ondine hodowałaby gołębie. – Ludzie je jedli, jak bażanty?

– Pewnie tak, ale w tym przypadku chodziło raczej o ich odchody – wyjaśnił Gil.

Skrzywiłam się z odrazą, ale zapewnił, że to prawda.

– Poważnie! To znakomity nawóz. *Pigeonnier* stanowił symbol statusu od czasów rzymskich. Kiedy określało się wartość domu czy posiadłości, wliczało się również ilość zbieranych tam odchodów gołębi. Oczywiście teraz to bez znaczenia. Zmienimy ten gołębnik w dom dla VIP-ów. Prace potrwają jeszcze z rok, musimy go trochę powiększyć i urządzić. Na razie używam *pigeonnier* jako biura. Dzięki temu mam trochę prywatności, zwłaszcza w sezonie, gdy przyjeżdża dużo ludzi.

Wątpliwe, żeby babka Ondine schowała Picassa w ptasim łajnie, pomyślałam, ale dla pewności zapytałam:

– Jak ten *pigeonnier* wyglądał w środku? Dużo musiałeś zmieniać?

– W zasadzie w środku nie różnił się od stodoły. – Gil wyjął z kieszeni klucze. – Trzeba było zrobić podstawowe przeróbki: wstawić okna i przesuwne drzwi, położyć przewody elektryczne, ogrzewanie i zamontować klimatyzację. Kończymy kanalizację i łazienki. Ale już wygląda nieźle. Chodź, sama zobacz.

Wpuścił mnie, jakby mu pochlebiało, że przyszłam do jego prywatnego schronienia. Pomieszczenie było duże, otwarte, niczym ogromny loft z wysokim sufitem i widocznymi belkami konstrukcyjnymi. Oczywiście położono nową posadzkę. Wnętrze gołębnika było prawie puste – stały tam tylko dwa łóżka, stół i kilka rozkładanych krzeseł. W wydzielonym już pokoju z oknem znajdowały się biurko, lampa i komputer.

– Mało mebli jak dla VIP-ów – zauważyłam żartobliwie.

– Tylko na razie – zapewnił Gil trochę zawstydzony. – Niewiele tu zostało. Mleczarz, który sprzedał mi to gospodarstwo, zostawił po sobie trochę starych mebli w wiejskim stylu. Mój wspólnik wziął je na przechowanie. Niektóre będzie można odnowić.

Przerwał mu dzwonek telefonu, Gil cofnął się, żeby odebrać. Usłyszałam tylko, jak mówi:

– Tak, Maurice. Co tam?

Wędrowałam po gołębniku i rozglądałam się uważnie, choć tak naprawdę niewiele było do oglądania. Wątpliwe, abym znalazła tam cokolwiek po babce Ondine.

– Rick dziś tu był? – Usłyszałam podniesiony głos Gila. – Czemu, kurwa, nie zadzwonił? Jaki liścik? Co napisał?

Na chwilę zapadła cisza, a potem zirytowany Gil rzucił:

– Tak, p r z e c z y t a j mi!

W wyobraźni zobaczyłam, jak Maurice pochyla się nad biurkiem i czyta notkę Ricka. Oczywiście Gil wpadł we wściekłość. Wysłuchał, co mówił konsjerż, po czym rozłączył się i popatrzył na mnie z gniewem.

– Jesteś zajęty – rzuciłam pośpiesznie. – Do zobaczenia jutro.

– Czekaj! – Gil przyglądał mi się nadal. – Właśnie się dowiedziałem od personelu, że kręciłaś się po moim *mas*. Łatwo się domyślić, co kombinujesz!

Przez chwilę myślałam, że Gil dowiedział się o ukrytym gdzieś tutaj obrazie Picassa. Potem uświadomiłam sobie, że to jednak mało prawdopodobne.

– Nie mam pojęcia, o czym mówisz – stwierdziłam czujnie. Zastanawiałam się tylko, czy jego syn, Martin, doniósł na mnie obsłudze tylko dlatego, że nie zagrałam z nim w karty.

– Co robiłaś w skrzydle dla mężczyzn? – zapytał ostro Gil.

Teraz miałam już pewność, że wydał mnie Martin.

– Wybrałam złe drzwi – odparłam obronnym tonem. – Twój syn, Martin, jest słodki, ale po prostu się zgubiłam i tyle.

Wzmianka o synu odniosła natychmiastowy skutek. Zdawało się, jakby Gilowi spadła maska twardziela, bo twarz mu złagodniała.

– Spotkałaś Martina? – odezwał się zupełnie innym tonem.

– Tak. – Zdałam sobie sprawę, że się pomyliłam, stało się jasne, że to nie dzieciak mnie wydał. – Wygląda zupełnie jak ty. Powinieneś przedstawić go kursantom. Będą zachwyceni.

– Wiem – mruknął Gil. – To dobry chłopak. – Zaraz jednak sobie przypomniał, o czym rozmawialiśmy wcześniej, i wrócił do tematu. – Ale wciąż nie rozumiem, co tam robiłaś. W korytarzu zamontowane są kamery monitoringu. Dzisiaj zagrałaś w nich główną rolę!

Podszedł do biurka i włączył komputer, żeby mi pokazać.

Zerknęłam na ekran. Oczywiście, byłam na nagraniu i bez wątpienia skradałam się przez korytarz i remontowane pomieszczenie z latarką i małym plecakiem. Wyglądałam jak rasowa włamywaczka.

– Kim ty naprawdę jesteś? Dziewczyną Ricka Vandervassa? Dlatego zbierasz przepisy, myszkujesz po miejscowych restauracjach i węszysz po moim *mas*?

– Żartujesz? – prychnęłam z oburzeniem, ale i z ulgą, że na razie nie odkrył, co robię. – Spotkałam go dzisiaj po raz pierwszy! W holu!

– Powiedz prawdę – naciskał Gil. – Moi ludzie widzieli, jak wychodziłaś z Rickiem. Podobno wyglądaliście, jakbyście się znali od dawna. Szpiegujesz dla niego? Nie pierwszy raz mi się to zdarza. Miałem już barmanów bukmacherów, kelnerki, które okazały się blogerkami kulinarnymi w przebraniu, a nawet kucharzy, którzy ukradli mi najlepsze przepisy i sprzedali konkurencji, więc możesz przekazać swojemu zleceniodawcy, żeby cmoknął mnie w tyłek!

– Nie żartuj! Tak się złożyło, że musiałam się dostać do miasta i pilnie spotkać z prawnikiem w sprawie spadku po babce – wyjaśniłam. – I z przykrością muszę powiedzieć, że Maurice nie zdołał mi znaleźć samochodu. Rick zaproponował podwózkę. I tyle. Ale, co tu kryć, nawet gdybym wyszła z kimś na randkę, wciąż nie byłaby to twoja sprawa. Ja cię nie wypytuję o twoją dziewczynę, prawda?

– Jaką dziewczynę? – spytał zaskoczony.

– Heather, specjalistkę od wypieków – warknęłam. Przeraziło mnie moje zachowanie. Heather była bardzo uprzejma. Dlaczego to powiedziałam?!

– Mało prawdopodobne – uspokoił się Gil. – Nie jestem w jej typie.

– Hę? To znaczy, w jakim? – zapytałam odruchowo.

– Męskim.

Spojrzałam na niego, nie rozumiejąc.

– Och, na Boga, Heather woli kobiety. – Przyglądał się z satysfakcją, gdy docierał do mnie sens jego słów.

– Uch – zdołałam wydusić. Nie podobało mi się, że podjęłam tę krępującą wymianę zdań. – Wszyscy szefowie kuchni są takimi paranoikami jak ty?

– Większość – przyznał o wiele spokojniej. Pewnie myślał, że wyszedł przy mnie na głupca, bo dał się wciągnąć w opowieści o swojej pasji, o *mas,* o *pigeonnier* i reszcie. Chciał się tylko dowiedzieć, dlaczego myszkuję. Przecież wciąż się wykręcałam. – No... to o czym rozmawiałaś w limuzynie z Rickiem?

Wciąż przyglądał mi się podejrzliwie, ale ta podejrzliwość chyba bardziej dotyczyła jego wspólnika niż mnie.

– Zachowywał się tak samo jak ty. Wypytywał mnie, jak długo cię znam, czy często wychodzisz na spotkania, jak idą remonty i czy moim zdaniem uda ci się otworzyć hotel na czas – odpowiedziałam szczerze.

– I co mu powiedziałaś?

– A co m o g ł a m mu powiedzieć? – prychnęłam. – Przyznałam, że to piękne miejsce i interesy chyba idą ci świetnie.

– Ale... ale dlaczego w ogóle chciał z tobą rozmawiać? – zdziwił się Gil.

Przypomniałam sobie, jak szofer spojrzał porozumiewawczo na Ricka we wstecznym lusterku.

– Sądzi, że jestem twoją nową dziewczyną – mruknęłam z irytacją. – Strach pomyśleć.

A Gil się zarumienił.

– Bywa gorzej. – Skrzywił się. – Ale czemu w ogóle przyszło mu to do głowy?

Wolałam nie wspominać o incydencie w Café Paradis i o turystach, którzy robili zdjęcia, gdy Gila i mnie odprowadzała policja, dlatego tylko wzruszyłam ramionami.

– Coś knujesz, czuję to – zawyrokował Gil. – Twoja ciotka wspomniała, że masz tu sprawy osobiste, ale najwyraźniej chodzi o coś więcej, o czym jej nie powiedziałaś!

Tym razem to mnie dopadła paranoja.

– A co dokładnie powiedziała ci o mnie ciotka Matylda?

– Że przyjechałaś tu zamiast matki, która zachorowała – odrzekł łagodnie. – Co wyjaśnia, dlaczego kobieta, którą mało obchodzi gotowanie, zapisała się na moje zajęcia.

Posłałam mu swój najbardziej enigmatyczny uśmiech w stylu Mona Lizy.

– No dobrze, odprowadzę cię do głównego budynku – zdecydował Gil.

Wyszliśmy z gołębnika, Gil zamknął drzwi na klucz. Zaskakujące, ale ten spacer był kojący – mój towarzysz, choć tryskający energią, okazał się również zdolny do przyjaznego milczenia. Od czasu do czasu słychać było tylko monotonne pogwizdywania sówek, z których słynie południe Francji.

Kiedy znaleźliśmy się na zakręcie ścieżki prowadzącej do frontowych drzwi, z kapryśnego obłoku spadł lekki deszcz. Rozprysnął się wśród gałęzi drzewa, pod którym właśnie przechodziłam. Krople deszczu strącały wilgotne i aromatyczne płatki ślicznych różowych kwiatów, które zaczęły opadać i wirowały wokół mnie. Jedyne, co mogłam zrobić, to się zatrzymać i z dziecinnym zachwytem oddychać tym zapachem. Uniosłam głowę, nawet nie próbowałam się osłaniać. Wszystko skończyło się po kilku sekundach, ale było to tak niespodziewane i zmysłowe, że zastygłam oszołomiona tym pachnącym śródziemnomorskim deszczem, a potem się roześmiałam.

Zaraz zza chmur wyjrzało słońce. Gil też przystanął, ale szedł po zewnętrznym łuku ścieżki, więc nie znalazł się pod drzewem. Uśmiechnął się tylko.

– To było cudowne – westchnęłam z zachwytem.

Wydawało mi się, że Gil patrzy, jakby mnie widział po raz pierwszy.

Podszedł bliżej, wyciągnął rękę i strącił kilka zaplątanych płatków z moich włosów.

– Piękne – powiedział cicho.

Chyba odruchowo cofnęłam się nieco i nastrój prysł. Gil rzucił mi porozumiewawcze spojrzenie i stwierdził żartobliwie:

— Muszę pamiętać, żeby dodać kwiatowy deszcz do oferty spa.

W holu *mas* nasze drogi się rozeszły. Wróciłam na piętro do swojego pokoju, żeby się przebrać. Na wspomnienie wyrazu twarzy Gila poczułam się dziwnie obnażona i siłą nawyku analizowałam, na ile się odsłoniłam. Przypominało to przeszukiwanie kieszeni, żeby sprawdzić, czy nie zgubiłam kluczy do domu. Przynajmniej nie wygadałam się o obrazie Picassa. Trochę żałowałam, że matka podzieliła się ze mną swoimi szalonymi pomysłami. Najlepsze, co mogłam zrobić w tej sytuacji, to przestać myszkować po *mas*, zacząć zachowywać się jak normalna kursantka i po prostu ukończyć warsztaty. Jednak wbrew mojej woli z pamięci wypłynęło wspomnienie matki, gdy siedziała w kuchni swojego domu w Nowym Jorku i cerowała. Powiedziała wtedy: „Kiedy kończy ci się nitka, zrób supeł, żeby się trzymała".

Westchnęłam i poszłam do łazienki po ręcznik. Zaczęłam wycierać włosy. Opowieści matki, notes babki – chwytałam się tego jak liny ratowniczej. I nie potrafiłam puścić, ponieważ po drugiej stronie tej liny widziałam swoją matkę, bezgranicznie optymistyczną kruszynę, daleko, daleko stąd. Wciąż się trzymała.

22

ONDINE W AMERYCE (CZĘŚĆ I) — 1940

W idzieliście Picassa?
Ondine nadstawiła uszu. Zapadał zimowy wieczór i właśnie wyszła z kuchni Chez Ondine, uroczej restauracyjki z różową markizą. Kupili ją z Lukiem w nadmorskim mieście New Rochelle. Przetrwanie w Ameryce nie należało do łatwych, zwłaszcza pierwsze trzy lata okazały się trudne. Wszystko w tym kraju było większe, bardziej przestronne i rozległe. Jeździło tu więcej samochodów, które robiły więcej hałasu, a wokół mieszkało więcej ludzi i wszystkim się wydawało, że wiedzą, dokąd zmierzają w życiu.

Kiedy Ondine i Luc przypłynęli do Ameryki, udali się prosto do pensjonatu, którego adres dostali od pewnego żeglarza na statku. Położony był niezbyt daleko od portu, więc mogli dotrzeć tam pieszo. Po drodze przyglądali się kutrom rybackim kursującym po Long Island Sound. Oboje wiedzieli, że ich oszczędności nie wystarczą na długo, dlatego Luc, który wśród rybaków czuł się jak w domu, przyłączał się do nich, gdy tylko potrzebowali dodatkowych rąk do pracy.

Ondine początkowo niewiele miała do roboty, chodziła więc z Lukiem na długie spacery po mieście, poznając okolicę. Chciała wczuć się w nowe otoczenie. New Rochelle, mimo że uchodziło za przedmieścia Manhattanu, było jednak samodzielnym miastem, dużym i pełnym życia. Osadę założyli przybyli z Francji hugenoci, ale w gotyckim zamczysku zbudowanym przez jakiegoś dziewiętnastowiecznego hotelarza mieściła się katolicka szkoła dla dziewcząt. Obok wznosiły się duże, piękne, otoczone zielenią rezydencje kapitanów statków handlowych.

– Popatrz na barwy liści na tych dębach i klonach! – zachwycała się Ondine, gdy przechadzali się tam pewnej niedzieli. Trzymali się za ręce i podziwiali odcienie szkarłatu, oranżu, złota i zieleni. – Jesień tutaj jest o wiele bardziej kolorowa niż we Francji!

Od rybaków Luc dowiedział się, że w mieście jest do wynajęcia pokój z łazienką, tuż nad kwiaciarnią. Mieszkanie było ciasne, ale zapewniało więcej prywatności niż pensjonat. W centrum Ondine znalazła targowisko warzywno-owocowe, na którym sprzedawano zdumiewająco dużo odmian jabłek, doskonałych na *tarte Tatin* – podobno wypieku „równie amerykańskiego jak szarlotka".

Hurtownicy prowadzili swoje interesy na torach kolejowych, mieli własne wagony wypełnione żywnością na sprzedaż. W Ameryce nawet produkty rolne zwożono z daleka – brzoskwinie z Oregonu, ziemniaki z Maine, pomarańcze, cytryny i grejpfruty z miejsc o tak egzotycznych nazwach jak Floryda czy Kalifornia, a steki z Oklahomy i Teksasu. Zastanawianie się, jak wielki jest ten kraj, przyprawiało o zawrót głowy, a na ulicach kłębiły się tłumy przepychających się ludzi.

Luc uczył Ondine, jak walczyć o swoje marzenia i zwyciężać. Znalazł wystawiony na sprzedaż bar, zniszczony, ale przestronny, ze sporym parkingiem i usytuowany w dobrym miejscu, niedaleko linii kolejowej i tramwajowej. Zainwestował prawie wszystkie pieniądze w naprawy i remont. Wiedział, jak targować się z dostawcami i jak czarować urzędników udzielających koncesji na sprzedaż alkoholu. Potem szybko oszacował, jakich potencjalnych klientów może przyciągnąć taki lokal.

– Będziemy mieli niskie ceny – zdecydował. – Bo początkowo będziemy gotować głównie dla miejscowych, którzy pracują w mieście. Polubią twoje zupy *bonne femme* i gulasze, a potem będą je zachwalać innym!

Skromne zyski szły na rozwój bistro i wynagrodzenie dla pomywacza i kelnera.

Ondine gotowała, ale wkrótce przybyło jej obowiązków. Pięć miesięcy po przybyciu do Ameryki urodziła dziecko. Dziewczynce nadano imię Julie, po matce Luca. Teraz miała już trzy lata. Ondine opiekowała się córką i wszędzie ją ze sobą zabierała, nawet w niedziele, gdy wraz Lukiem mozolnie uczyli się angielskiego w piwnicach pobliskiego kościoła. Mąż i córka, sprawiali, że Ondine czuła się bezpieczna i kochana jak nigdy w życiu.

Jednak bywały też noce, gdy nie mogła zasnąć ze zmartwienia. Zastanawiała się, czy nie powinni po prostu włożyć pieniędzy do banku i znaleźć pracy, zamiast walczyć o niezależność. Mimo to Ameryka była cudowna, nawet wtedy, gdy – jak to ujął Luc – „kopała cię w tyłek".

Luc miał rację w bardzo wielu sprawach. Zwłaszcza przyjazd do Ameryki, aby przeczekać tutaj nadchodzącą drugą wojnę światową, okazał się wyjątkowo mądrą decyzją. Coraz więcej uchodźców, którzy zaglądali do Chez Ondine, twierdziło, że ledwie udało im się zbiec – francuskie guwernantki, niemieccy naukowcy, polscy muzycy, rosyjscy tancerze. Ta nowa, o wiele bardziej wymagająca klientela, pracująca na pobliskich uczelniach i w teatrach, odkrywała dopiero to, co miejscowi już wiedzieli – że gorące dania Ondine były pyszne, sycące i miały rozsądną cenę.

Tego wieczoru starszy francuski profesor i jego żona właśnie kończyli wołowinę *daube,* gdy młodsza, bardziej elegancka para Amerykanów zatrzymała się przed restauracją, zajrzała przez okno i dostrzegłszy znajomych, z podnieceniem zastukała w szybę. A potem tych dwoje wbiegło do środka, wnosząc z sobą podmuch zimna. Strzepnęli śnieg z ramion i butów i szczęśliwi dołączyli do profesorostwa. Ondine pomyślała, że pewnie dopiero co wysiedli z pociągu. Zaledwie tydzień minął od Nowego Roku, a jej już kończyły się zapasy mięsa i ryb. Prawdę powiedziawszy, okres świąteczny zaczął się jeszcze w listopadzie, od tego niewiarygodnego Święta Dziękczynienia, gdy ludzie nie chcieli jeść nic innego oprócz indyka.

Luc podszedł do Amerykanów, z przepraszającym uśmiechem tłumacząc, że kuchnia została już zamknięta. Wymuskany młody mężczyzna, który zdążył właśnie zdjąć jedwabny cylinder i odstawić laskę ze srebrną główką, machnął tylko ręką i usiadł przy stoliku profesorostwa.

– Och, proszę się nie przejmować, jesteśmy po kolacji. Brr! Chętnie napilibyśmy się espresso i koniaku, żeby trochę się rozgrzać.

Luc skinął głową, a młody Amerykanin uśmiechnął się z wdzięcznością.

– O tej porze tylko tutaj jeszcze palą się światła. Co za szczęście!

Ondine wślizgnęła się za bar, żeby zaparzyć kawę, a Luc nalał koniaku dla mężczyzny i jego szczupłej, atrakcyjnej żony w atłasowej sukni i pelerynie obszytej futrem. Początkowo obie pary wymieniały cicho uprzejmości, ale wkrótce ich rozmowa ożywiła się i stała głośniejsza.

I wtedy Ondine usłyszała, jak wspomnieli Picassa.

– Naprawdę nie widzieliście jego retrospektywnej wystawy w Museum of Modern Art? – Młoda Amerykanka zamachała dłonią migoczącą od brylantów. – Właśnie stamtąd wracamy! Wystawa nosi tytuł „Picasso: czterdzieści lat pracy artystycznej". Ale... Och, co za szkoda, w Nowym Jorku pokazywano ją tylko do dzisiaj! Potem będzie w Chicago. Poczekajcie, mam katalog.

– To największa wystawa prac Picassa po tej stronie oceanu – wyjaśnił jej rozradowany mąż starszemu Francuzowi. – Ponad trzysta obrazów i szkiców! Przypuszczam, że tutaj są bezpieczniejsze niż w Europie.

Obaj mężczyźni przeszli do dyskusji o wojskach Hitlera, o wojnie i okupacji niemieckiej, a także o niebezpieczeństwie czyhającym na takich artystów jak Picasso, którego naziści uważali za degenerata.

Jak udaje mu się przeżyć? O malowaniu nawet nie wspomnę, martwiła się Ondine. Podziwiała Picassa, że miał odwagę pozostać w okupowanym przez Niemców Paryżu.

Gdy obie pary zbierały się do wyjścia, młoda Amerykanka dłonią w rękawiczce sięgnęła do stołu po lśniącą od srebrnych paciorków torebkę, ale nagle zatrzymała się i rozejrzała z aprobatą po restauracji.

– Chez Ondine. Co za przytulne, miłe miejsce. Nie wiedziałam, że lokal ma nowego właściciela. Przecież wcześniej był tu taki okropny stary bar, prawda?

– Ale już nie! Nowi właściciele to Francuzi – zapewniła starsza kobieta, zadowolona, że wie coś, o czym młodsi znajomi nie mieli pojęcia. – Ich potrawy to prawdziwa kuchnia z Prowansji, a zapewniam, że jest *excellente*. I niedroga. Jadamy tutaj dwa razy w tygodniu!

– Hm... – Młoda kobieta spojrzała znacząco na męża, który ruszył już do wyjścia. – Będziemy musieli kiedyś tutaj zajrzeć. Czyż to miasto nie jest cudowne?

Wyszli pod rękę, nucąc broadwayowską piosenkę o New Rochelle: „Tylko czterdzieści pięć minut drogi od Broadwayu, a popatrz, ile to zmian"...

Dzwonek od sań, który Luc zawiesił nad drzwiami, zadzwonił po raz ostatni tego wieczoru. Ondine rzuciła mężowi rozbawione spojrzenie.

– Och, oczywiście, New Rochelle wiele zmieniło w moim życiu! – Nie mogła się powstrzymać od komentarza. – I zarazem tak niewiele. Tutaj też gotuję w *café*, zupełnie jak *maman*.

Ondine niejeden raz uświadamiała sobie tę ironię losu, zwłaszcza gdy zdarzało jej się zachować jak niegdyś matka, na przykład kiedy brudną od mąki dłonią odgarniała włosy z policzka. Pisała do rodziców, żeby się dowiedzieć, jak sobie radzą, ale oni nigdy nie odpowiedzieli córce, która okazała im nieposłuszeństwo, uciekła i zostawiła ich na pastwę wojny. Ciążyło to Ondine, ale nie żałowała opuszczenia Francji, rodziców ani nawet Picassa. Miała teraz własną rodzinę i przede wszystkim o nią musiała się troszczyć. A mąż nie traktował Ondine jak służącej, lecz jak wspólniczkę w interesach i miłość swojego życia.

Gdy sprzątali lokal przed zamknięciem, Ondine uśmiechnęła się do swojego przystojnego, wysokiego mężczyzny. Luc odpowiedział szerokim uśmiechem.

– Nie martw się, ten rok będzie dla nas bardzo dobry – obiecał. Objął żonę i pocałował, a w niej jak zwykle wezbrała fala miłości, namiętnej i zarazem czułej.

Wciąż ją zaskakiwało, że jest zdolna do takich uczuć wobec męża. Przez chwilę całowali się i tulili, potem Ondine pogłaskała go po policzku i westchnęła. Oderwali się od siebie i wrócili do pracy. Luc schylił się, żeby podnieść coś z podłogi.

– Patrz, zgubili to. – Podał Ondine broszurę.

Był to katalog z wystawy Picassa. Ondine przejrzała zdjęcia obrazów. Zatrzymała się przy jednym, zatytułowanym *Guernica*. Obraz przedstawiał przerażającą rzeź po zbombardowaniu hiszpańskiego miasta przez faszystów. Wśród tylu dzieł nie znalazła jednak portretu, który Picasso nazwał swoją *Dziewczyną w oknie*.

Czy tylko mi się to śniło? – zastanawiała się. Po powrocie do mieszkania nad kwiaciarnią pierwszą rzeczą, jaką ujrzała Ondine, był niepodważalny dowód na to, że jej przygoda z Picassem wydarzyła się naprawdę. Mała Julie w łóżeczku uniosła sennie głowę i wyciągnęła rączki na powitanie.

Dziecko było wciąż drobne jak na swój wiek. Miało czarne oczy Picassa, przez które Ondine często nazywała je małą „czarnooką fasolką". Julie, zamiast bawić się z rówieśnikami, wolała chować się pod stołem w kuchni restauracji i rysować lub kolorować rysunki w książeczkach dla dzieci. Czasami bezczynnie siedziała przez wiele godzin i patrzyła w dal, chichocząc do siebie od czasu do czasu.

– Wszystko z nią w porządku – zapewnił lekarz matkę. – Z natury po prostu jest introwertyczna i zawsze będzie mniejsza niż jej rówieśnicy. To dziedziczne. Czy ma pani w rodzinie kogoś podobnego?

Ondine tylko wzruszyła ramionami z poczuciem winy, ale o słowach lekarza nie wspomniała Lucowi, który małą wprost uwielbiał.

– To marzycielka – mówił czule i całował ją w czoło, a ona patrzyła na „papę Luca" z absolutnym oddaniem i uwielbieniem.

W święta Bożego Narodzenia Luc przyniósł jej szopkę. Julie z radością układała w żłóbku na sianie małego Jezusa, a obok figurki Maryi i Józefa.

– To my, prawda? – zapytała z zadowoleniem. – My też jesteśmy świętą rodziną.

– Tak, *ma petite*.

Ondine była zdumiona, jak wielką, wręcz trudno wyobrażalną opiekuńczość budziła w niej córeczka. Po narodzinach Julie lekarze orzekli, że Ondine nie będzie miała już więcej dzieci.

– I tak mamy szczęście – skwitował sprawę Luc.

Miesiąc później Luc wpadł do bistro, wymachując triumfalnie nowojorską gazetą.

– Napisali o nas! – wykrzyknął. – Kioskarz powiedział, że to wspaniała nowina, i nalegał, żebym ci pokazał.

Ondine zajrzała mu przez ramię. Rozpoznała na fotografii autora artykułu.

– To ten młody człowiek w jedwabnym cylindrze! – przypomniała Lucowi. – Był tu z żoną tuż po Nowym Roku, mówili o wystawie Picassa. W zeszłym tygodniu przyszli z przyjaciółmi na kolację, pamiętasz?

– „Fantastyczna francuska kuchnia w Chez Ondine – czytał na głos Luc. – Jadałem w najlepszych restauracjach na świecie, a jednak ze zdumieniem odkryłem, że szefowa kuchni w Chez Ondine przyrządza dania, które mogą śmiało rywalizować z *crème de la crème* kulinarnego świata"...

Luc podniósł głowę, w jego oczach lśniła duma.

– Powinniśmy pomodlić się za starego mnicha, *père* Jacques'a, który w opactwie nauczył mnie sekretów kuchni! – wyszeptała zdumiona Ondine.

– Niedługo poznasz moc pochlebnej recenzji – odpowiedział Luc i pocałował ją mocno. – Przy odrobinie szczęścia zaczną przychodzić do nas goście z opery i teatrów na Manhattanie. Teraz wszystko się zmieni.

Jednak Ondine nie była pewna, czy ta dobra wiadomość naprawdę ją cieszy. Na jej twarzy odbiły się zapewne mieszane uczucia, ponieważ Luc uśmiechnął się i uścisnął żonę pocieszająco.

– Nie przejmuj się tym, co mówiły stare baby na targu w Juan-les-Pins! Bały się nie tylko dobrej zmiany, lecz także złej. Przesądy, co tu kryć! Nosiły talizmany chroniące przed urokiem złego oka zazdrości!

Nie trwało długo, a parking przed Chez Ondine wypełnił się samochodami, którymi przyjeżdżali zaciekawieni klienci nie tylko z odległych zakątków hrabstwa, lecz nawet z Connecticut, Manhattanu i aż z New Jersey. Zauważyli to również dostawcy, i oczywiście właściciele innych restauracji, którzy prowadzili swoje lokale od lat, a nigdy nie zdołali przyciągnąć takich tłumów gości.

– Jesteśmy z b y t popularni – zmartwiła się Ondine, ponieważ zyski z restauracji nie przeszły niezauważone przez zupełnie inny rodzaj klienteli.

Do Chez Ondine zaczęli przychodzić obcy, drapieżni mężczyźni o beznamiętnych twarzach. Przesiadywali przy barze, popijali gorzką kawę i obserwowali Luca, podobnie jak czynili to, gdy jakiemuś nowemu imigranckiemu właścicielowi sklepu, sprzedawcy warzyw i owoców czy piekarzowi zaczynało się lepiej powodzić.

Ondine z niepokojem przyglądała się, jak komplikują się interesy Luca, przez ludzi, z którymi musiał je prowadzić. Z troską zauważyła, że po niedzielnych wieczornych spotkaniach na „pogawędki" albo grę w karty mąż wraca do domu coraz bardziej napięty i zmartwiony. I kiedy wreszcie udało im się osiągnąć zyski na tyle duże, aby założyć rachunek oszczędnościowy w banku, ci obcy, groźnie wyglądający mężczyźni zaczęli się domagać części profitów w zamian za „ochronę" przed złodziejami, chuliganami czy podpalaczami.

– Co to za brednie! – oburzyła się Ondine, gdy Luc powiedział jej o doli, którą musiał oddawać co tydzień. – Mamy płacić gangsterom za ochronę przed nimi samymi?

– Właśnie – przyznał Luc spokojnie. Siedzieli przy liczarce i sumowali tygodniowy zarobek. – Inaczej niektórzy z naszych dostawców wina, mięsa i ryb podniosą nam ceny i zaczną sprzedawać tylko najgorszy towar! Wszyscy są powiązani. Podobno nazywa się to mafią.

– Jak to możliwe? A co na to policja?

Luc tylko pokręcił głową.

Więc płacili. W obliczu sytuacji, nad którą nie mogła zapanować, Ondine szukała pociechy, wymykając się do kościoła, gdy był pusty. Podchodziła do figury Maryi Dziewicy. Pod posągiem stał żeliwny stojak na świece wotywne. Ondine wrzucała monetę do metalowej skrzynki i za pomocą jednego z cienkich patyczków leżących na wąskiej drewnianej półeczce stojaka przenosiła płomyk z innej świeczki na swoją, po czym zamykała oczy i modliła się żarliwie o ochronę.

23

PICASSO W PARYŻU —
1943

Gestapo kolejny raz zjawiło się z niespodziewaną wizytą w pracowni Picassa, jednak jak zwykle nie wiedziało, czego szukać w legowisku Minotaura. Picasso wprowadził się do eleganckiego apartamentu przy Rue des Grands-Augustins kilka lat przed wojną. Dom, który wynalazła dla niego Dora Maar, był istnym labiryntem i doskonale pasował do tajemniczej, skrytej natury artysty.

Najpierw trzeba było przejść przez Sabartésa, sekretarza mistrza, podejrzliwego Hiszpana, który niechętnie przepuścił niemieckich funkcjonariuszy do przedpokoju – dziwnego, chaotycznego holu, gdzie pośród ptaków w klatkach i kolczastych egzotycznych roślin każdego dnia tłoczyli się marszandzi, kolekcjonerzy, żurnaliści, debiutujący artyści oraz wielu innych, próbujących wkraść się w łaski Picassa.

– Dlaczego tylko Niemcy mają pojęcie o porządku? – zapytał młody jasnowłosy funkcjonariusz i popatrzył na swojego starszego zwierzchnika, gdy wchodzili do kolejnego pomieszczenia, ciaśniejszego i pełnego starych mebli, szafek zawierających książki, gazety i fotografie, kapelusze, garnitury, buty, obrazy, instrumenty muzyczne, kamienie i muszle oraz wszystko, co kiedyś przyciągnęło uwagę Picassa, a teraz cała ta przypadkowa kolekcja leżała tam, zbierając kurz.

W trzecim pomieszczeniu stało sporo dużych rzeźb. Przechodziło się tamtędy na schody prowadzące do pracowni malarza na piętrze, gdzie właśnie zastali malarza Niemcy. Picasso lubił wmawiać gościom, że ta pracownia zainspirowała Balzaca do napisania słynnej opowieści o artyście, którego dzieła ożyły.

Dwaj funkcjonariusze gestapo nie mieli pojęcia, kim był Balzac, ale też usłyszeli ową dykteryjkę. Potem starszy z surowym i pogardliwym grymasem rzucił:

– Gdzie twój przyjaciel Jacques Lipchitz? Był tu dzisiaj?

Było to ulubione pytanie gestapo, które zadawali przy każdej wizycie.

A Picasso, czujnie mrużąc czarne oczy, odpowiadał tak samo jak zawsze, gdy próbowano się dowiedzieć od niego czegokolwiek o tym żydowskim rzeźbiarzu:

– O ile mi wiadomo, uciekł do Ameryki.

Nawet gdyby wiedział, do którego miasta udał się Lipchitz, nie powiedziałby tego Niemcom.

Zresztą gestapowcy doskonale wiedzieli, że Lipchitza od dawna tu nie było.

– A co z tobą? – rzucił szyderczo ten starszy. – Przecież też jesteś Żydem, prawda?

– *Non* – odparł Picasso krótko.

– Och? – prychnął arogancko gestapowiec. – No, to zobaczmy twoje dokumenty.

Pomimo jawnie okazywanej obojętności Picasso zawsze miał przygotowane wszystkie dokumenty. Po ich sprawdzeniu nieuchronnie rozpoczynało się przeszukanie. Gestapowcy otwierali kredensy, komody i szafy, a potem oglądali obrazy.

Picasso się zabezpieczył. Wiele jego prac trafiło do sejfów i schowków. Malarz ukrył również zapas węgla i drewna na opał, którego brakowało na rynku, a w starej walizce, wśród mydeł z Marsylii, trzymał sztabki złota na czarną godzinę.

Dora Maar mieszkała w apartamencie za rogiem, a Marie- -Thérèse w innym, nieco dalej, lecz na tyle niedaleko, że wizyty nie były uciążliwe. Żadnej z jego kobiet nie wolno było odwiedzać pracowni bez zaproszenia. Oczywiście czasami panie łamały tę zasadę, lecz zazwyczaj malarzowi udawało się nad nimi zapanować.

W czasach, gdy wszystko, co miało wartość, było ściśle racjonowane, dostarczał im cennych rzeczy, na przykład dbał o dostawy węgla dla Marie-Thérèse, aby ich córka, Maya, nie marzła.

Całe szczęście dla Picassa, że gestapo odwiedziło go właśnie tego dnia, a nie wtedy, gdy w domu pojawiali się hiszpańscy uchodźcy albo bojownicy francuskiego ruchu oporu, prosząc o pieniądze i wszelką pomoc, jakiej tylko mógł im udzielić.

– Co to ma być? – Młodszy z gestapowców wskazał na abstrakcyjny obraz. Słyszał, że Picasso to wielki artysta, ale wpisany na listę „degeneratów", i wystawianie jego prac było zakazane.

Picasso wzruszył ramionami. Mimo to oburzony Niemiec pytał dalej:

– Dlaczego tak malujesz?

– Nie wiem – odparł Picasso, udając typowego przedstawiciela cyganerii. – Bawi mnie to.

Zdawało się, że twarz młodego gestapowca pojaśniała.

– Ach! Więc to fantazja, *ja*?

Starszy funkcjonariusz nie był jednak w nastroju do zabawy w kotka i myszkę. Podniósł kolejne płótno.

– Czy to twój obraz? – zapytał groźnie.

– Owszem, ale nie ja go namalowałem – odrzekł Picasso. – Dostałem go. To Matisse.

– A te? – Starszy gestapowiec zbliżył się do wąskiego przejścia zastawionego płótnami.

– To Renoir.

– A to też namalował Renoir?

– Nie, to Cézanne. Już raz pan go spisał.

– Czyżby? Na pewno? – Młodszy z Niemców nerwowo sprawdzał w notesie.

– O, tak – zapewnił Picasso nieszczerze. – Ale zapomniał pan o tym tutaj.

I tak to przebiegało – starszy z gestapowców przeglądał składowane obrazy i rozkazywał młodszemu, żeby wszystko dokładnie spisywał. Po pewnym czasie obaj byli zdezorientowani i otępiali. Picasso na to właśnie liczył, gdy podczas całego przeszukania zapewniał, że spisali ten czy inny obraz, ale przeoczyli inny. Gestapowcy wreszcie zaczęli się w tym gubić. Kiedy pytali, ile jest warte któreś z dzieł sztuki, Pablo podawał zaniżone ceny. Wierzyli mu tylko dlatego, że zupełnie się na tym nie znali – wiedzieli, jak oszacować kawałek złota z zęba Żyda albo kolczyk Cygana, znali sumy depozytów w skarbcu każdego banku w Paryżu, ponieważ skonfiskowali ich zawartość zaraz po wkroczeniu do miasta... Jednak sztuka nowoczesna stanowiła dla nich tajemnicę, której nie potrafili zgłębić.

Wreszcie przy jednej z ostatnich stert płócien młody oficer zatrzymał się nad nietypowym portretem. Obraz różnił się od innych kompozycji. Przedstawiał dziewczynę przy oknie – z uniesioną głową patrzyła na świat, jakby sama mogła rzucić go na kolana. Jej młodą twarz rozjaśniał leciutki uśmiech.

– A to kto namalował? – zapytał młodszy gestapowiec, starając się ukryć uczucia. Coś w wizerunku tej młodej kobiety sprawiło, że w sercu Niemca wezbrała tęsknota za domem i za ślicznymi dziewczynami, które kiedyś znał.

Mroczne spojrzenie Picassa przesunęło się po portrecie. Szczerze mówiąc, nie pamiętał, kiedy go namalował. Zaraz jednak przypomniał sobie syrenę, a może ondynę – dziewczynę znad morza, którą poznał w spokojniejszych czasach, gdy prywatność była łatwo dostępna, zupełnie inaczej niż teraz, gdy stała się rzadka jak rubiny. Nieoczekiwanie Pabla ogarnęło głębokie wzruszenie i zapragnął powrócić do tamtych dni w Juan-les-Pins, gdy Francja zdawała się niemal tak niewinna jak ta promienna panna z obrazu.

– Ach, ten – odpowiedział najbardziej obojętnym tonem, na jaki umiał się zdobyć. – To tylko dziewczyna, którą kiedyś poznałem.

Młody gestapowiec pokiwał głową.

– Tak! – Jego dłoń wciąż dotykała płótna. – To dobry obraz.

Picasso poczuł nagły przypływ lęku, że ten nieopierzony gestapowiec weźmie obraz pod pachę i wyjdzie. Nie byłby to pierwszy raz w Paryżu, że zwycięzca bierze, co chce.

Jednak starszy z funkcjonariuszy, którego serca nie poruszała już ani miłość, ani nic czystego i delikatnego, odezwał się krótko, lecz ostro:

– No, tak, to raczej dość staromodny obraz, *ja*? Przypuszczam, że nie jest wart tyle co te wymyślne współczesne malunki.

Młodszy Niemiec zaczerwienił się zawstydzony, odstawił portret i cofnął się szybko.

– Ach, cóż dzisiaj warte są obrazy? – odpowiedział Picasso z westchnieniem. – Sztuką nie można podgrzać wody do kąpieli ani nakarmić dzieci.

Później, gdy gestapowcy się wynieśli, Picasso wybrał się do pobliskiej czarnorynkowej *café*, aby ukoić nerwy lampką wina i kolacją. Przy jego stoliku siedziała już Dora Maar i kilku znajomych.

– Słyszałeś o Cocteau? – zapytała Dora *sotto voce*. – Naziści pobili go na Champs-Elysées tylko dlatego, że nie oddał im honorów.

Picasso ze smutkiem pokręcił głową. Zbyt wiele razy słyszał takie historie o ludziach, których znał. Wszyscy oni czuli, że z dnia na dzień świat, który kochali, mniej lub bardziej znikał.

Dlatego Pablo postanowił poprawić nieco nastrój znajomym przy stoliku. Aktorka Simone Signoret słuchała uważnie, gdy opowiadał zdarzenie, które później miało się stać jego najsławniejszą anegdotą – o tym, jak gestapo robiło inspekcję w jego pracowni.

– I wtedy jeden z gestapowców, ten starszy, zobaczył leżące na stole zdjęcie mojego obrazu o faszystowskim bombardowaniu Guerniki – opowiadał Pablo. – Na widok tamtej rzezi ów nazista spytał mnie: „To twoje dzieło"?, a ja mu na to: „Nie, wasze"!

I wszyscy wybuchnęli gromkim śmiechem, drwiąc z tego, jak Picasso zmusił nazistę, aby dostrzegł zniszczenia dokonane przez armię Hitlera.

Nagle Pablo zauważył młodą dziewczynę o ciemnorudych włosach. Siedziała przy sąsiednim stoliku w towarzystwie przyjaciółki i mężczyzny, którego Picasso znał. Za każdym razem, gdy artysta zerkał na rudowłosą, napotykał jej promienny uśmiech. Opowiadał więc dalej anegdoty i popisywał się, byle tylko ujrzeć go znowu. Wreszcie zostawił Dorę, wstał od stołu, zabierając z sobą miskę wiśni.

– No? – ponaglił znajomego, który siedział z dziewczętami. – Nie przedstawisz mnie? – Postawił miskę przed rudowłosą i spojrzał wyczekująco.

Znajomy dokonał prezentacji.

– A to Françoise Gilot. Studiowała prawo na Sorbonie, ale teraz woli zostać malarką.

Picasso parsknął śmiechem.

– Dawno nie słyszałem czegoś równie zabawnego. Dziewczyna z taką urodą nie może być malarką.

Lecz Françoise nie była skromnisią. Była dobrze wykształconą córką przedsiębiorcy, który odnosił sukcesy i nauczył ją myśleć samodzielnie, dyskutować i rywalizować. Dlatego teraz uniosła podbródek i poinformowała Picassa, że zarówno ona, jak i jej przyjaciółka nie tylko są malarkami, lecz także miały w tym tygodniu wspólną wystawę w szanowanej galerii. Może Picasso powinien się na nią wybrać? A potem uśmiechnęła się i włożyła wiśnię do ust.

– Ach, tak? – Picasso uniósł lekko brew. – Dobrze się składa, bo też jestem malarzem. Może odwiedzi mnie pani w pracowni i obejrzy moje prace?

– Kiedy? – Françoise miała tylko dwadzieścia jeden lat, ale wyczuła, że los podarował jej wyjątkową okazję.

– Jutro. Pojutrze. Kiedy pani zechce – zapewnił Picasso.

Dziewczyna z powagą zwróciła się do przyjaciółki, aby uzgodnić jej i swoje plany.

– Możemy przyjść w przyszły poniedziałek – zdecydowała.

– Jak pani sobie życzy. – Picasso skłonił się uprzejmie, po czym wymienił uściski dłoni z pozostałą dwójką, wreszcie zabrał misę z wiśniami i wrócił do swojego stolika.

A Dora Maar z całego serca żałowała, że tego dnia nie wybrała innego lokalu na kolację.

24

ONDINE W AMERYCE (CZĘŚĆ II) — 1952

Gdy Julie miała piętnaście lat, Chez Ondine prosperowała już tak, że rodzice mogli posłać córkę do prywatnej szkoły. Niewielka rodzina Ondine dawno wyprowadziła się z malutkiego pokoju nad kwiaciarnią. Wynajmowali wiktoriański dom z werandą w nadmorskim zaułku o nazwie Sans Souci. Nieme łabędzie pływały tam majestatycznie z pisklętami, czekając na rzucane im kawałki chleba.

Latem, w dni wolne od pracy Luc zabierał córkę i żonę na łódkę. Pływali wokół Glen Island Park i eleganckiego budynku klubu z kolumnadą.

Ondine, Luc i Julie do zachodu słońca bawili się na piasku, kąpali i piknikowali. Potem przysłuchiwali się jeszcze muzyce niosącej się z klubu, a Julie i Ondine podpatrywały, co noszą modne kobiety.

Pewnego wieczoru, w dniu trzydziestych trzecich urodzin Ondine, Luc przygotował dla niej niespodziankę. Wynajął stolik dla dwojga w klubie. Zjedli na obiad homara z ryżem szafranowym i solę *amandine,* a potem weszli na piętro. Znajdowała się tam wielka sala taneczna. Przeszklone drzwi otwierały się na prywatne balkony z widokiem na morze, a złoty księżyc podziwiał swoje migoczące odbicie w ciemnych falach.

– Widzisz? Nasze gwiazdy wciąż świecą. – Luc wskazał na niebo, a potem wziął żonę w ramiona.

Ondine przycisnęła policzek do jego twarzy i razem słuchali *Sonaty Księżycowej* i *Walkin' My Baby Back Home*. Nucąc ulubione piosenki w swingowym rytmie, tańczyli do późnej nocy.

– Gdzie się nauczyłaś tych kroków? – zdziwił się Luc, gdy Ondine spróbowała nieco innego układu.

– Julie mi pokazała. – Ondine się uśmiechnęła. – Dzisiaj dziewczęta tańczą trochę inaczej nasze tańce.

– Pewnego dnia wrócimy z nią do Francji i przedstawimy ją twoim rodzicom – obiecał mąż.

Było to ich wspólne marzenie, nawet plan. Chociaż Ondine nadal nie dostawała odpowiedzi na swoje listy, Luc zakładał, że rodzice żony nie oprą się jedynej wnuczce.

Julie była śliczna, tyle że wciąż drobna, przez co wyglądała na młodszą. Jak inne dzieci imigrantów dorastała, mówiąc w szkole po angielsku, a językiem rodziców w domu, przez co nigdy tak naprawdę nie była pewna, w którym z tych języków formułować swoje myśli. Rodzice kochali ją bezwzględnie, ale mieli swoje tajemnice i popadali czasem w zły nastrój. Julie rozumiała, że ich zmartwienia wiążą się z interesami, i mimo że nie mówili jej nigdy, o co dokładnie chodzi, widziała, że za każdym sukcesem rodziców czaił się niepokój.

W szkole Julie powoli przezwyciężała swoją nieśmiałość, znajdowała przyjaciółki i nabierała pewności siebie. Zachowywała się coraz bardziej jak amerykańska nastolatka, naśladując radosny optymizm swoich znajomych. Ondine lubiła słuchać rozmów córki z rówieśniczkami, gdy wracały ze szkoły w jednakowych wełnianych marynarkach i kraciastych spódniczkach, z książkami w rękach. Włosy miały zaplecione w warkocze i związane kolorowymi kokardami lub spięte błyszczącymi spinkami.

Pewnego niedzielnego popołudnia, gdy Luc wyszedł na karty, a Julie z przyjaciółkami siedziała za domem i przeglądała czasopisma o modzie, na podwórze wszedł elegancko ubrany mężczyzna z bombonierką dla Julie i bukietem dla jej matki. Pachniał drogą wodą kolońską i miał nienaganne maniery. Poklepał Julie po policzku, a potem wszedł do domu, aby porozmawiać z Ondine.

Po jego wyjściu Julie zapytała:

– Kim był ten miły pan?

– Nie jest miły. Nigdy więcej z nim nie rozmawiaj. Jeżeli go zobaczysz, od razu powiedz ojcu – nakazała ostro Ondine.

Zdenerwowała się wizytą mężczyzny, który bezszelestnie przedostał się przez zamkniętą tylną furtkę, wszedł do domu i jak duch pojawił się w salonie. Głos miał tak cichy, że Ondine początkowo nie była pewna, czy go usłyszała. Nigdy nie powtórzyła Julie, co powiedział gość. „Masz śliczną córkę. Jeżeli chcesz, aby dziewczynka dożyła własnego ślubu, zapłacisz tyle, o ile moi ludzie prosili twojego męża. Jeżeli nie, córkę spotka straszny wypadek, po którym będziesz zbierać jej szczątki z całego miasta".

– Każ swoim przyjaciółkom iść do domu – powiedziała cicho Ondine do córki. – A potem szybko tu wracaj.

– Nie mogę ich tak po prostu wyprosić! – oburzyła się Julie.

– Wymyśl coś miłego, ale pozbądź się ich – rozkazała Ondine tonem ostrzejszym niż zwykle.

Julie westchnęła rozgniewana, ale posłuchała. Gdy tylko znalazła się bezpiecznie w domu, Ondine pozamykała wszystkie drzwi i okna.

Potem wrócił Luc. Z radością i pewnością siebie oznajmił, że znalazł właśnie nowego dostawcę ryb.

– Przypomina rybaka, dla którego pracowałem w Juan-les-Pins, szczery, rzeczowy, sól ziemi. Możemy mu zaufać.

Ondine zdołała tylko pokiwać głową, ale niezwłocznie opowiedziała o niezapowiedzianej wizycie. Luc od razu wiedział, kim był nieznajomy – bossem mężczyzn pobierających haracz za ochronę.

– Ten drań przyszedł do domu? – warknął, marszcząc gniewnie brwi. – Groził naszemu dziecku? Na Boga, załatwię go!

Wyprostował się groźnie i spojrzał z dumą i bez lęku, tak jak Ondine pamiętała z tamtego dnia na stacji, gdy *monsieur* Renard chciał ich powstrzymać przed opuszczeniem Francji. Ostatnio ten wyraz twarzy pojawiał się u Luca bardzo często. Mąż Ondine, jak mawiali znajomi, umiał wiele znieść, ale gdy cierpliwość mu się wyczerpywała, wpadał w niepohamowany gniew. Zawsze jednak ulegał żonie, gdy go uspokajała.

– Czego właściwie chciał od nas ten człowiek? – zapytała cicho.

Luc ponuro pokręcił głową.

– Wciąż tego samego. Żąda więcej, zawsze tylko więcej! I nigdy nie będzie miał dość, dopóki nie odbierze nam wszystkiego. Ma sieć barów z tłustym żarciem i traci klientów przez takich jak my. Zaproponował, że nas wykupi, ale za śmiesznie niską cenę.

– Nic mi o tym nie mówiłeś – odparła z wyrzutem Ondine.

Ostatnio trudno było odróżnić znajomych Luca od jego wrogów, jedni i drudzy wyglądali na tak samo twardych i bezwzględnych. Luc wzruszył ramionami i usiadł.

– Nie chciałem cię martwić. Wydawało się, że ten gość tylko dużo gada. Chyba jednak zdał sobie sprawę, że nie może nas kupić, więc próbuje wygryźć z interesu. Cóż, są w Bronksie ważniejsi niż on. Dzisiaj spotkałem jednego, który może nas ochronić przed miejscowymi cwaniaczkami. Mam dość. Załatwię to jeszcze dziś wieczorem.

Ondine podała mężowi kolację. Zjadł ze spokojem przy stole pod oknem, z którego rozciągał się widok na Long Island Sound.

– Co zamierzasz zrobić? – zapytała Luca, gdy skończył.

– Będziemy musieli związać się z tym bossem z Bronksu jako naszym „inwestorem". Ale to w porządku. – Mąż mówił tak, jakby dawno wszystko dokładnie przemyślał. – Ten przynajmniej jest prawdziwym biznesmenem. Może zapewnić nam lepsze dostawy wszystkiego oprócz ryb, ale jak ci mówiłem, sam już się tym zająłem.

Ondine położyła mu dłoń na ramieniu.

– Nie wychodź dzisiaj – poprosiła. – Poczekaj do rana. Bezpieczniej jest załatwiać sprawy za dnia.

Napięcie opuściło Luca, skinął głową na zgodę. Kiedy położyli się do łóżka, Ondine przytuliła się do jego ciepłego torsu. Mąż zasnął szybko, był wyczerpany. Ondine spała niespokojnie.

Następnego ranka Luc wyszedł wcześnie. Najpierw odprowadził Julie do szkoły, a potem wybrał się na Bronx. Ondine zajęła się przygotowaniem lunchu w restauracji, ale kiedy mąż nie wrócił na czas, aby odebrać córkę, sama poszła do szkoły. Luc uprzedzał, że może się spóźnić.

– Och, *maman,* o co wam chodzi, że znowu traktujecie mnie jak małe dziecko? – jęczała Julie. – Oboje robicie mi tylko wstyd przed znajomymi.

Ondine i Luc ustalili, że nie będą niepokoić córki i nie powiedzą jej o groźbie porwania. Dlatego Ondine odparła tylko:

– *Chère fille,* zabierz podręczniki do pani O'Malley i zostań u niej, dopóki po ciebie nie przyjdę.

Pani O'Malley była sąsiadką, życzliwą kobietą i żoną emerytowanego trenera bejsbolu. Ondine opowiedziała starszemu małżeństwu o groźbach pod adresem Julie, dlatego zgodzili się pilnować dziewczynki, gdy jej matka będzie w pracy. O'Malleyowie mieli dwóch przystojnych synów, więc Julie nie narzekała.

Kiedy Ondine wróciła do restauracji, aby przygotować dania na kolację, zadźwięczał telefon. Dzwonił jeden z kelnerów, który często towarzyszył Lucowi na rampę rozładowni, gdzie kupowali świeże produkty do restauracji. Do końca życia Ondine zapamiętała słowo w słowo, co powiedział.

– Tak mi przykro, *madame* Ondine. Przy torach była straszna bijatyka. Wielu ludzi zostało rannych. Ale Luc... Luc nie żyje.

– Nie. – Ondine gwałtownie pokręciła głową. – Nie Luc. To jakaś pomyłka. Przecież nie wybierał się po zaopatrzenie, poszedł na Bronx.

– Tak, wiem. Ale potem wszyscy mieli duże spotkanie przy stacji kolejowej. Nie było mnie tam, gdy to się stało, ale rozmawiałem z ludźmi, którzy to wiedzieli. Rywalizujące gangi miały się dogadać, ale chyba coś nieprzyjemnego wyszło na jaw i skończyło się walką. Nie wiem, czy bossowie tych gangów zaplanowali, że zabiją pani męża, czy po prostu znalazł się w krzyżowym ogniu... – Mężczyzna mówił szybko, jakby chciał jak najszybciej mieć to już za sobą. – Wezwano lekarza. Powiedział, że Luc... dostał w głowę.

– Idę tam. Muszę go zobaczyć. – Ondine ściągnęła fartuch. Wciąż miała nadzieję, że to pomyłka, jak w Juan-les-Pins. Przecież tam też wszyscy uważali, że Luc nie żyje.

– Proszę tego nie robić – ostrzegł mężczyzna z taką stanowczością, że Ondine zamarła. – Tam była prawdziwa jatka, to nie miejsce dla kobiety. Proszę mi wierzyć, ludziom, którzy próbowali mówić za wiele, przydarzały się straszne wypadki... jednemu z mężczyzn spadła na głowę sterta skrzyń z ciężarówki, przy której stanął. A gliniarze... cóż, bossowie mają wielu z nich w kieszeni. Zajmę się tym za panią. Policja zapewne i tak panią wezwie, więc proszę powiedzieć jej prawdę, czyli że nic pani nie wie.

– Chcę zobaczyć Luca! – krzyknęła gniewnie Ondine.

– Wiem. Wezwałem przedsiębiorcę pogrzebowego. Już zabrali ciało.

Słuchawka wypadła Ondine z dłoni i uderzyła o podłogę. Kobieta zachwiała się w progu. Krzyk, który wyrwał się jej z gardła, zabrzmiał jak ryk ranionego zwierzęcia. Ondine przycisnęła dłonie do ust, przerażona, że może usłyszeć go ponownie.

Przedsiębiorca pogrzebowy z powagą poprowadził Ondine do słabo oświetlonej sali. Luc leżał na stole. Kiedy asystent odsłonił prześcieradło, stało się jasne, że zadbano o to, aby ciało dobrze wyglądało. Piękne włosy Luca zostały uczesane i wygładzone brylantyną, chociaż on nigdy jej nie używał. I zrobiono przedziałek w innym miejscu. Jak się później dowiedziała Ondine, trzeba było wyciąć część włosów sklejonych zakrzepłą krwią ze śmiertelnej rany na głowie. Co dziwne, twarz Luca nie zdradzała żadnego śladu cierpienia, była blada, ale wciąż zdawało się, że pozostał na niej wyraz determinacji, tak dobrze znany Ondine – jakby mąż czekał na nią i zamierzał powiedzieć coś zwyczajnego, jak co dzień.

– Luc – szepnęła, siadając na krześle. – Nie zostawiaj mnie.

Odruchowo pomyślała to co zawsze, gdy napotykała problemy: „Zapytam Luca, gdy wróci do domu". W duchu nie potrafiła porzucić przekonania, że pokonają tę przeszkodę jak wszystkie inne – razem, czerpiąc siłę od siebie nawzajem. Chciała opowiedzieć mężowi, jakie straszne popołudnie przeżyła po telefonie od kelnera.

Funkcjonariusz policji rzeczywiście przyszedł do restauracji i zadawał szczegółowe pytania. Ile lat miał Luc? Czym się zajmował? Czy miał amerykańskie obywatelstwo? Ondine odpowiadała machinalnie. Kiedy policjant wyszedł, wstała jak lunatyczka, wywiesiła tabliczkę „Zamknięte", zgasiła światło i zatrzasnęła drzwi.

A potem pośpieszyła do domu pani O'Malley, gdzie czekała Julie. Dziewczynka tak się załamała wieścią o ojcu, że pani O'Malley musiała wezwać lekarza, który podał małej środki uspokajające. Zasnęła, więc do domu pogrzebowego Ondine poszła sama.

A teraz siedziała przy zwłokach męża w tej ciemnej sali. W odrętwieniu słyszała dzwony z pobliskiego kościoła, wybijające godzinę, jakby odliczały jej smutki. Ujęła dłoń Luca i dopiero to straszne, przenikliwe zimno jego ciała przekonało ją, że straciła go na zawsze. Miała wrażenie, jakby sama również znalazła się w bloku lodu. A jednak pragnęła tylko pozostać tutaj na wieki, w tej ciszy obok męża – i czekać, że może Luc się przebudzi, jak mityczny heros, któremu udało się pokonać nawet śmierć.

Lecz Luc leżał nieruchomy i niemy. Ondine zamknęła oczy. Wspomniała list, który przesłał jej, gdy był za morzem i zachorował na tyfus. Napisał wtedy, że prosi tylko, aby Ondine zachowała kącik w swoim sercu, gdzie mogłaby spocząć jego dusza.

– Tak, zostań ze mną – szepnęła Ondine.

Nie mogła sobie pozwolić na płacz. Łzy wydawały się luksusem, na który nie było jej stać – mogłaby w nich utonąć.

Później, gdy minie niebezpieczeństwo, które grozi mojej córce, pozwolę sobie na słabość, postanowiła.

Myśl o Julie wyrwała Ondine z zadumy. Kobieta wstała. Wtedy rozległo się uprzejme pukanie i do sali wszedł przedsiębiorca pogrzebowy. Wyszeptał, że do Ondine ktoś przyszedł i nalega, że musi się z nią widzieć.

– Zna pani Sala Miucciego? – zapytał.

– Nie – odpowiedziała Ondine, chociaż imię wydało jej się mgliście znajome.

Mężczyzna czekał przy tylnych drzwiach. Był młody, wysoki i miął w dłoniach kapelusz.

– Możemy porozmawiać na osobności? – Zerknął na przedsiębiorcę pogrzebowego. – Na zewnątrz?

– Będę w swoim gabinecie, gdyby mnie pani potrzebowała – zapewnił z naciskiem przedsiębiorca.

Ondine i nieznajomy wyszli na parking przed budynkiem.

– Mówią na mnie Duży Sal – powiedział nieznajomy, mnąc kapelusz, a na jego twarzy malowało się głębokie współczucie. – Może pani mąż o mnie wspominał. Sprzedałem mu ryby. Mieszkam w Bostonie. Luc prosił, żebym się panią zaopiekował, gdyby coś mu się stało.

Ondine nie odpowiedziała, tylko słuchała jego głosu i starała się wyczuć, po czyjej stronie stoi ten obcy.

– Luc obawiał się, że gdy go zabraknie, zostanie pani bez ochrony, a miejscowi spróbują panią zastraszyć i wymusić pieniądze, których nie chciał im dać – wyjaśniał Duży Sal. – Powiedział, że wtedy ani pani, ani córka nie będziecie już bezpieczne. I miał rację. Kazał mi zabrać was z miasta. Powiedział, że zna pani plan kryzysowy.

Dopiero po tych ostatnich słowach Ondine uwierzyła, że Luc zaufał temu mężczyźnie. Wiedziała, ponieważ kiedy gangsterzy dopiero zaczynali żądać haraczu za ochronę, Luc usiadł z Ondine przy stole w kuchni i oznajmił, że muszą porozmawiać właśnie o tym – o „planie kryzysowym". Nieustraszenie spojrzał żonie głęboko w oczy, aby się upewnić, że słucha go uważnie. „Jeżeli coś mi się stanie, wiesz, gdzie chowamy gotówkę. Zabierz Julie natychmiast. Słuchasz mnie, Ondine? Nie zwlekaj. Nawet nie próbuj iść do banku, aby wziąć więcej. Schowaj gotówkę, którą mamy, pod podszewkę płaszcza, i spakuj tylko jedną walizkę. A potem odejdź. Nie mów nikomu, dokąd się wybierasz, i nie oglądaj się za siebie".

– Mogę panią wyprowadzić z miasta szybko i po cichu – powiedział Sal. – Zabiorę panią swoim kutrem do portu w Nowym Jorku. Stamtąd można odpłynąć do Francji. Luc zapewnił, że szybko się pani przygotuje do podróży.

– Nie mogę go zostawić – szepnęła Ondine. Dopiero teraz uświadomiła sobie, że drży, i to już dość długo, ale nie może przestać. Splotła i ścisnęła dłonie, żeby je uspokoić.

– Nie dajmy nikomu czasu, żeby zdążył porwać Julie i wymusić okup – ponaglił Sal. – Proszę powiedzieć przedsiębiorcy pogrzebowemu, że nie chce pani pochówku. Niech ustali wszystko ze mną; dostarczę pani prochy Luca. A potem niech pani idzie do domu i przygotuje się zgodnie z planem. Ale proszę nie spać dziś u siebie. Może pani przenocować u sąsiadów? Świetnie. Jutro o świcie odpłyniemy.

Ondine zrobiła, jak kazał Sal, i wydała polecenia przedsiębiorcy pogrzebowemu. Zanim jednak opuściła dom żałobny, wróciła jeszcze do sali i po raz ostatni pocałowała zimne usta Luca. Gdy na niego popatrzyła, wiedziała, co by powiedział, gdyby mógł: „Postępuj zgodnie z planem".

Wymknęła się szybko. W aksamitnych ciemnościach wróciła do restauracji i otworzyła tylne drzwi, nie odważyła się jednak zapalić światła. Poruszała się bez trudu po dobrze znajomej kuchni, zupełnie jak niewidoma po swoim mieszkaniu. Wreszcie dotarła do właściwego miejsca. Przykucnęła i wyjęła zawiniątko z pieniędzmi ukryte pod podłogą spiżarki. Pieniędzy było więcej niż wtedy, gdy ostatnim razem sprawdzała – zaledwie kilka dni temu.

– Luc musiał zabrać je z banku dla mnie! – szepnęła Ondine, a do oczu napłynęły jej łzy, których nie mogła powstrzymać. Chyba były to ich wszystkie oszczędności.

Drżącymi rękami zawinęła pieniądze w mniejsze zawiniątka i schowała pod podszewką płaszcza, po czym szybko zszyła rozprucie.

Właśnie kończyła, gdy usłyszała brzęk tłuczonej szyby, a zaraz potem hałasy w sali od frontu. Restauracją wstrząsnął wybuch. Ondine odruchowo padła na podłogę. Z jadalni buchnęły kłęby dymu i płomienie. Wiedziała, co to jest, słyszała opowieści o śmiercionośnych „butelkach z koktajlem", których gangsterzy używali do wzniecania pożarów. Zdołała doczołgać się do tylnych drzwi, a potem niezdarnie zerwała się na równe nogi i pognała przez mrok do domu.

Pan O'Malley nalegał, aby obie spędziły noc u niego. Gdy wróciła i opowiedziała, co się stało, sąsiad wysłuchał w ponurym milczeniu, a potem zapewnił, że jego synowie będą trzymać wartę i sprawdzać, czy ktoś obcy nie czai się w ciemności.

Wczesnym rankiem Ondine obudziła Julie. Dziewczynka miała mnóstwo pytań, ale była bardzo zdenerwowana i ledwie rozumiała druzgocące słowa pośpiesznie rzucane przez matkę.

– Twój ojciec został wczoraj zabity przez ludzi, którzy żądali od niego pieniędzy. Nikomu o tym nie mów. Nie jesteśmy już tutaj bezpieczne. Obiecałam twojemu papie, że zabiorę cię do Francji.

Wstrząs był tak wielki, że Julie nie przyszło do głowy choćby pisnąć. Chodziła za matką krok w krok, jakby się bała, że Ondine również może nagle zniknąć.

Szybko się ubrały i spakowały najpotrzebniejsze rzeczy. Julie czekał kolejny szok, gdy dowiedziała się, w jaki sposób opuszczą miasto – miały się wymknąć ukryte na pace ciężarówki jakiegoś rybaka, którą podstawiono pod same drzwi garażu państwa O'Malleyów. Synowie sąsiadów wyglądali tak poważnie, gdy żegnali się z Julie, że było to dla niej wymowniejsze niż słowa matki.

Wciąż otumaniona po środkach uspokajających Julie wsiadła za matką na stary kuter. Gdy łódź mijała trzy wysepki przy wybrzeżu New Rochelle, przenikliwe krzyki mew wytrąciły Ondine z równowagi; kobieta przycisnęła dłonie do uszu i pozostała tak, dopóki nie ujrzała Manhattanu. Tam matka i córka dostały bilety trzeciej klasy na jeden ze starych statków cumujących przy zatłoczonej przystani.

Bilety załatwił kuk i właśnie on pomógł Ondine i Julie wejść na pokład. Przyjął zapłatę z drżących rąk kobiety i zaprowadził ją wraz córką do małej kabiny. Julie szła za matką półprzytomnie jak lunatyczka, która zaczęła się budzić, gdy statek opuścił port i z żałobnym jękiem syreny popłynął do Francji.

25

CÉLINE W MUZEUM —
ANTIBES, 2014

Cała nasza grupa zasiadła w białym busie, by wyruszyć na prywatne zwiedzanie wystawy dzieł Picassa. Ciotka Matylda była podekscytowana niczym koń wyścigowy szykujący się do gonitwy.

– Nie do wiary, że zgromadzono wszystkie te obrazy w jednym miejscu! – chichotała. – Wiesz, jakie mamy szczęście, że możemy to zobaczyć? Taka okazja nadarza się raz w życiu!

Reszta kursantów zachowywała się jak dzieci na szkolnej wycieczce. Gil nie przyjechał z nami, wybrał się na kolejne tajemnicze spotkanie. Zresztą i tak nie umiałabym sobie wyobrazić, żeby tak energiczny człowiek wytrzymał w galerii.

Nasza przewodniczka, szczupła i elegancka Francuzka w średnim wieku, czekała już przed muzeum. Ubrana była w grzeczną granatową garsonkę, na nogach miała szykowne lśniące czółenka na niskim obcasie, a na nosie okulary w drucianych oprawkach.

– Tędy, proszę – rzuciła dziarsko, jakby chciała zaznaczyć, że nie będzie tolerować żadnego marudzenia, i zgrabnie obróciła się na pięcie.

Ciotka Matylda przyjrzała się jej z taką podejrzliwością, że musiałam stłumić chichot. Zanosiło się na to, że na tej wycieczce będziemy oglądać pojedynek znawczyń sztuki. Przeczuwałam to już wtedy, gdy ciotka Matylda przyglądała się plakatom wystawy: „Picasso – między wojnami i kobietami".

– Przede wszystkim – mruknęła, zasłaniając usta – nie było żadnej wyraźnej przerwy między jedną kobietą a kolejną. Niewiele się o tym mówi, ale Picasso trzymał je w zawieszeniu i rozgrywał jedną przeciw drugiej, aby wzbudzić w nich zazdrość.

– Och, Tyldo, tylko spokojnie. Po prostu cieszmy się wystawą, dobrze? – Peter starał się załagodzić nastroje. Anglik o nienagannych manierach prawie cały czas towarzyszył mojej ciotce, która twierdziła, że ten łagodny mężczyzna to „prawdziwa bestia w pokerze i brydżu". Uważała to za komplement.

Z podziwem sunęliśmy przez sale wystawowe. Ekspozycję istotnie zaaranżowano w porządku pojawiania się kolejnych kobiet w życiu Picassa. Ja jednak miałam własną oś czasu – notes babki Ondine. Miałam nadzieję, że ta wycieczka pomoże mi wyjaśnić, co się działo z Picassem, gdy moja babka mu gotowała. Tego ranka szybko przejrzałam przepisy i ich daty, a teraz niecierpliwie wypatrywałam dzieł z okresu, który naprawdę mnie interesował – od kwietnia do maja 1936 roku.

W pierwszej sali znajdowały się wcześniejsze prace, nazwane dziełami z okresu Olgi. Były tutaj piękne, dostojne portrety rosyjskiej baleriny, żony Picassa, oraz ich syna. Potem portrety żony stawały się coraz brzydsze – zaczynała na nich wyglądać jak żałosna wiedźma, zwłaszcza na obrazie *Naga kobieta na czerwonym fotelu*, który nasza przewodniczka skomentowała:

– Olga popadła w nerwicę, gdy jej małżeństwo się rozpadło. Na tym portrecie Picasso zredukował ją do nagiej, zdenerwowanej i narzekającej sterty ludzkiego mięsa. Przyznał nawet, że dla kobiety musi to być bolesne, gdy z obrazu dowiaduje się o odrzuceniu.

– Dobry Boże – mruknęła Magda ze Szkocji, gdy patrzyliśmy na bezlitosną karykaturę Olgi, przypominającą amebę leżącą na fotelu. – Żonom artystów trzeba współczuć, prawda?

– Następna sala poświęcona jest okresowi Marie-Thérèse. – Przewodniczka poprowadziła nas do ekspozycji prac diametralnie różnych tematycznie, poczynając od utrzymanych w tonacji błę-kitno-szarej portretów miłej młodej dziewczyny po Amazonkę olbrzymkę, pędzącą przez plażę, i szkice Minotaura z jego nagą jasnowłosą kochanką. Była tam też seria karykaturalnych prac przedstawiających dziewczynę z głową w kształcie penisa – starsi kursanci zareagowali na nią jak na lubieżny rysunek uczniaka.

– To ma być k o b i e t a? – wycedziła Lola sceptycznie.

– Dla mnie wygląda jak penis z oczami – mruknął Joey do in-nych mężczyzn. – Ale hej! Jestem z Chicago, co ja mogę wiedzieć?

– To tak zwana *femme-phallus* – wtrąciła ciotka Matylda. – Dziewczyna i penis jako jedność.

– A co się stało z Marie-Thérèse? – zapytał z angielską uprzej-mością Peter.

– Niedługo po śmierci Picassa popełniła samobójstwo. Powie-siła się – odpowiedziała przewodniczka.

Kursanci westchnęli z przerażeniem.

– Ale stało się to wiele lat po tym okresie – zapewniła pośpiesz-nie przewodniczka.

– Jakim kochankiem był Picasso? – zapytała prowokacyjnie Lola.

– Podobno czerpał perwersyjną przyjemność z odmawiania ko-chankom przyjemności orgazmu. – Ciotka Matylda się uśmiech-nęła.

Kobiety zachichotały, a przewodniczka udała, że nie słyszy.

– A teraz coś całkiem innego – oznajmiła i poprowadziła nas do kolejnego pomieszczenia. – Prace z zagadkowego okresu, któ-ry Picasso spędził właśnie tutaj, na naszym drogim Côte d'Azur, wiosną tysiąc dziewięćset trzydziestego szóstego roku.

Ciotka Matylda szturchnęła mnie swoim kościstym łokciem.

– Picasso przestał malować, zapewne z powodu zawirowań w życiu osobistym – wyjaśniła przewodniczka. – W wielkiej ta-jemnicy skrył się wówczas na Riwierze. I coś, nie wiadomo co, w naszym małym miasteczku Juan-les-Pins przyniosło mistrzowi spokój i natchnienie, którego tak rozpaczliwie potrzebował – dodała z dumą.

– Co za dziwne obrazy. – Peter zatrzymał się przy czterech dziełach na ścianie. – Hm... Wszystkie namalowane w pierwszym tygodniu kwietnia. Widzicie? – Z prawdziwie naukowym zainteresowaniem sprawdzał daty, wyciągając szyję.

– Och! Średnio wychodzi chyba jeden obraz dziennie! – przyznał Ben z podziwem, zaglądając mi przez ramię.

Ochoczo podeszłam do grupy, żeby z bliska przyjrzeć się umieszczonym na każdym obrazie czarnym znakom namalowanym zamaszystymi pociągnięciami pędzla. Pierwsza praca nosiła datę *2 Avril XXXVi*, co od razu pobudziło moją pamięć – właśnie tamtego dnia babka Ondine ugotowała dla Picassa *bouillabaisse*! Z podnieceniem zaczęłam studiować obraz. Pastel wykonany w barwach antracytowych szarości na beżowym tle na pierwszy rzut oka wydawał się bohomazem – połowa twarzy oświetlona i połowa skryta w mroku niczym Księżyc na karcie tarota – lecz im dłużej się przyglądałam, tym mocniej działała na mnie magia. Wychwyciłam cudownie niebiański, a zarazem ciepły aspekt ludzki, dostrzegłam nawet kapelusz na surrealistycznej głowie postaci.

Kolejne prace datowane były na trzeciego, czwartego i piątego kwietnia. Powstały w pierwszym tygodniu pracy babki Ondine u Picassa – w swoim notesie babka zapisała, że podała wtedy wołowinę *miroton, rissole* z jagnięciny i pasztet z cielęciny.

– Uwielbiam jego poczucie humoru – szepnęła ciotka Matylda. – Widzisz, jak na kolejnych płótnach z tej serii przetwarza twarz z pierwszego obrazu? Tutaj rozbija ją na części i umieszcza na plaży – muszla, róg obfitości, łono. Oko stąd staje się łechtaczką tam. Pierś zamienia się w zbocze góry. Picasso kochał naturę. Rozkwitające wiosną kwiaty, zwierzęta podczas godów, gwiazdy, słońce... Z tego wszystkiego czerpał!

W rzeczy samej kolejne płótno kipiało kolorami – migotliwym śródziemnomorskim błękitem, radosnymi, pastelowymi odcieniami różu, żółci i zieleni – tworzącymi pejzaż wybujałych biustów, wzgórz, drzew i morza... jakby Picasso celebrował kobiecą moc ziemi zdolnej do płodzenia i powtórnych narodzin.

Zastanawiałam się, czy babka widziała te obrazy. I czy któryś z nich był właśnie tym podarowanym jej przez Picassa. A może gdzieś znajdował się jeszcze jeden, którego brakowało w tej serii?

– *Postać z muszlą* – przeczytała Magda tytuł na mosiężnej tabliczce pod ostatnim płótnem z serii. – Wygląda jak twarz namalowana na latawcu, prawda? A te rękawiczki wiszące na dole to ogon latawca. Znaczy, mam nadzieję, że to rękawiczki!

Spojrzała na bezwładne dłonie na obrazie.

– Lubię Picassa, ale muszę przyznać, że ten facet miał w sobie coś z Kuby Rozpruwacza! – zaśmiał się Joel.

– Należy patrzeć na te pokawałkowane kompozycje w kontekście historii dwudziestego wieku – zauważył cicho Peter. – Szybki postęp nauki, medycyny, psychologii, podróży... i uzbrojenia. Dwie straszliwe wojny światowe, które zniszczyły miasta, zabiły mnóstwo ludzi i zwierząt. Wszyscy widzieliśmy coś, czego na pewno nie chcieliśmy zobaczyć.

Zerknęłam na Petera. Wyglądał elegancko w jasnym flanelowym garniturze i ze starannie przystrzyżonym zarostem, ale wyobraziłam go sobie jako dziecko, które uciekało przez ulice Londynu podczas niemieckich bombardowań miasta. W jego łagodności krył się smutek... Już wiedziałam dlaczego.

Na przeciwległej ścianie znajdował się obraz datowany na szóstego kwietnia. Nosił tytuł *Minotaure tirant une charette*. Gdy przyglądałam się rozbawionemu Minotaurowi, ciągnącemu wóz pełen rozmaitych przedmiotów, przypomniałam sobie, że wtedy babka Ondine przygotowała dla niego *cassoulet* na przyjęcie dla trzech osób. Dość zagadkowo dopisała też: „P., M. i C. byli zadowoleni".

Przeszliśmy dalej, aby obejrzeć więcej obrazów z Juan-les-Pins, w tym portret Marie-Thérèse w żywych, niemal cyrkowych kolorach.

Przy ostatnim dziele z tego zestawu nasza przewodniczka oznajmiła:

– A tutaj coś zupełnie innego, martwa natura z tego okresu. Bochenek chleba, misa zmysłowych owoców, wazon z ekspresyjnymi, żółtopomarańczowymi kwiatami i...

Powstrzymałam okrzyk zaskoczenia. Zobaczyłam coś tak znajomego, że zamarłam.

– Dzban mamy w niebiesko-różowe pasy! – wyszeptałam do siebie.

Ciotka Matylda również wytrzeszczyła oczy ze zdumienia, a potem spojrzała na mnie przenikliwie.

– Widzisz to co ja? – zapytała cicho.

Oszołomiona skinęłam głową. Pięknego prowansalskiego dzbana, chociaż przesadnie powiększonego, nie można było pomylić z żadnym innym. Mama zabrała go do Ameryki, gdy uciekła z ojcem. Ten dzban oglądałam przez całe życie, dumnie pysznił się na półce w naszej kuchni... dopóki Deirdre go nie wyrzuciła. Ale oto zobaczyłam go znowu, triumfalnie przetrwa na wieki w Picassowskim świecie.

Stałyśmy z ciotką i gapiłyśmy się na obraz.

– A tutaj mamy niezwykłą parę obrazów, również z tego tajemniczego okresu w życiu Picassa. Wydaje mi się, że tworzą pomost między okresem Marie-Thérèse i Dory Maar – oświadczyła przewodniczka.

Powiodła nas do niszy, w której powieszono obok siebie dwa obrazy, chyba ze względu na ich podobieństwo. Ciemnowłosa dziewczyna w niebieskiej sukience siedziała na podłodze i spoglądała w lusterko.

Stanęliśmy półkolem przy pierwszym płótnie, datowanym na *30 avril XXXVi*. Obraz wydawał się tak dziwny, że nie można było oderwać od niego oczu.

– Bardzo mocny, ale dziwny, nawet jak na Picassa. Szyja tej dziewczyny wygląda jak otwieracz do puszek – skomentowała

Lola. – Którą z jego seksualnych niewolnic jest ta nieszczęsna dziewczyna?

– Nie wiadomo, kim była modelka – odpowiedziała przewodniczka. – Niektórzy znawcy twierdzą, że musi to być Dora Maar, bo ma ciemne włosy. Inni upierają się, że Marie-Thérèse ze względu na krągłości i zmysłowość. A może modelką była ciemnowłosa siostra Marie-Thérèse. Pewnie nigdy się tego nie dowiemy.

Przecisnęłam się bliżej, aby przyjrzeć się dokładniej obrazowi. A chociaż kształty i twarz modelki zostały zniekształcone, dostałam gęsiej skórki na ten widok. Kobiecy wdzięk, gracja i postawa wydały mi się znajome, podobnie jak długie ciemne loki opadające na szyję... Przypominały gęste falujące włosy babki Ondine. W przedziwny sposób ten obraz mówił więcej o mojej babce niż fotografia. Ogarnął mnie głęboki zachwyt nad młodzieńczym urokiem pozy nóg, wzruszyła czułość i wrażliwość w nachyleniu głowy dziewczyny.

– *Femme à la montre* – przeczytał Peter na głos tytuł obrazu z tabliczki na ścianie.

– Kobieta z zegarkiem – przetłumaczyła ciotka Matylda i wskazała zegarek na nadgarstku modelki.

Czy to naprawdę mogła być babka Ondine? Patrzyłam i niemal słyszałam cykanie namalowanego zegarka. Picasso na swój ironiczny, zdystansowany sposób namalował zarys pośladków w kształcie serca, zaznaczający się pod niebieską sukienką dziewczyny, jakby padające z tyłu światło czyniło tkaninę przezroczystą. Zastanawiałam się, dlaczego mama nie powiedziała mi, że babka p o z o w a ł a Picassowi. Może nic o tym nie wiedziała...

– Jeśli chodzi o drugi obraz, *Femme dans un intérieur*, pozowała ta sama modelka – powiedziała przewodniczka.

Dostrzegłam, że na płótnie Picasso zamieścił datę: *2 mai XXXVi.*

– Proszę zauważyć, że w jej lusterku nie ma już odbicia, za to kopia, która wygląda jak duch, siedzi naprzeciwko modelki, *doppelgänger* z identycznymi włosami.

O, tak, znowu te charakterystyczne ciemne loki. Jeżeli babka Ondine naprawdę pozowała do tych obrazów, mogła również dostać jeden od Picassa. Nie wydawało się to aż tak nieprawdopodobne.

– Jest jeszcze trzecie studium z tą modelką? – Starałam się, aby mój głos zabrzmiał obojętnie.

Przewodniczka wzruszyła ramionami.

– Nie, o ile mi wiadomo. – Poprowadziła nas do kolejnej sali. – Jednak od czasu do czasu pojawia się nieznany obraz Picassa.

Weszliśmy do pomieszczenia.

– Tutaj znajdują się obrazy z okresu Dory Maar. Była intelektualistką i fotografką. We wczesnych, bardziej naturalistycznych portretach widzimy ją szczęśliwą i ożywioną. Jednak Picasso nazywał ją „płaczką" i rzeczywiście na późniejszych obrazach uchwycił w niej wyraz głębokiej rozpaczy i smutku.

– Na Boga, tylko proszę nie mówić, że ta też się zabiła! – rzuciła ponuro Magda.

– Nie – zapewniła ją Matylda. – Ale podobno Picasso czasami bił Dorę do nieprzytomności. A kiedy ją porzucił, przeżyła załamanie nerwowe.

Kursanci jęknęli. Przeszliśmy do ekspozycji dzieł okresu powojennego.

– To już ostatnie dwie ważne kobiety w życiu Picassa. Pierwsza to kochanka i malarka, Françoise Gilot, z którą miał dwoje dzieci, Palomę i Claude'a – oznajmiła przewodniczka. – Oraz Jacqueline, druga żona Picassa. Miała dwadzieścia pięć lat, gdy spotkała mistrza. Picasso skończył wtedy siedemdziesiąt jeden. Przeżyła męża, ale niezbyt długo. Zastrzeliła się.

– Jezu! – skomentował Joey. – Dwa samobójstwa, dwa załamania nerwowe... niezbyt dobrze to o nim świadczy.

Byłam dumna, że babka Ondine zdobyła miejsce wśród bogiń na tej wystawie, ale po tych słowach poczułam się trochę niepewnie. Jak udało się jej p r z e ż y ć spotkanie z Picassem?

Zwiedzanie się skończyło, dotarliśmy do frontowych drzwi.

– Jakieś pytania? – zapytała przewodniczka.

– Czy Picasso dawał swoje obrazy w prezencie osobom, które dla niego... e-e... pracowały? – odezwałam się niepewnie.

– Och, oczywiście. Picasso bywał nadzwyczaj hojny, jeśli akurat miał taki kaprys. Zapewniał, że dał swoje prace szoferowi, lekarzowi, gospodyni, nawet swojemu fryzjerowi. Ale zdarzały się też procesy sądowe, w których oskarżył kilka osób, że nie dostały od niego obrazów w prezencie, jak twierdziły, lecz je ukradły.

– Ile są dzisiaj warte obrazy Picassa? – zapytał pragmatyczny brat Loli, Ben.

– Na ostatniej aukcji – odpowiedziała ostrożnie przewodniczka – wystawiono tylko jeden obraz Picassa i sprzedano go za sto siedemdziesiąt dziewięć milionów czterysta tysięcy dolarów.

Joey gwizdnął z podziwem.

– Mało mnie obchodzi, jak bogaty i sławny był Picasso – prychnęła Lola, gdy wychodziliśmy. – Powinno się rozstawiać wokół niego tabliczki z ostrzeżeniem: „Drogie panie, uwaga, zły pies".

Kiedy stanęliśmy w mocnym południowym słońcu, odetchnęłam głęboko. Prowansalski pejzaż budził we mnie nowe siły. Przypomniałam sobie, jak mecenas Clément wyśmiał przypuszczenie, że babka Ondine mogłaby mieć obraz Picassa. Dałam sobie wmówić, że gonię za jakąś mrzonką. Nie powinnam była. Losy mojej babki skrywały więcej, niż wiedział Clément albo nawet moja matka.

Wtedy właśnie przyszło mi do głowy, że przeoczyłam jedną osobę, która mogłaby odpowiedzieć przynajmniej na część moich pytań. Korzystając z chwili, gdy kursanci czekali na przyjazd busa, usiadłam na ławce i wysłałam prawnikowi babki SMS-a z prośbą o informację. *Monsieur* Clément był na wakacjach i mógł to zignorować, ale oznakowałam wiadomość jako pilną.

Szanowny Panie Mecenasie,

matka powiedziała mi, że w dniu śmierci babki Ondine jej sąsiadka wezwała lekarza. Czy może wie Pan, kim była ta kobieta? Jeżeli tak, proszę podać mi jej nazwisko, adres i numer telefonu. Każda dodatkowa informacja będzie dla mnie bardzo pomocna, ponieważ uważam, że powinnam się jak najszybciej skontaktować z tą osobą.

W drodze powrotnej do *mas* zerknęłam na ciotkę Matyldę pogrążoną w rozmowie z Peterem. Zastanawiali się, dokąd mogliby się wybrać, gdy grupa będzie miała znowu „czas wolny" pod koniec kursu. Nie znalazłam odpowiedniej chwili, aby powiedzieć ciotce, że *mas,* w którym mieszkamy, należał niegdyś do babki Ondine. Kiedy wróciłam ze spotkania z Clémentem, a ciotka Matylda zapytała, jak mi poszło, przyznałam tylko, że mecenas chyba nic nie wie o zaginionym obrazie Picassa. A skoro już przeszukałam *mas* i nic nie znalazłam, obarczanie gadatliwej Matyldy kolejnym sekretem mamy nie wydało mi się konieczne.

W *mas* zaproponowano nam masaże w spa pod białymi namiotami, skąd rozciągał się widok na bujne pola i lazurowe niebo. Leżąc na stole do masażu, zastanawiałam się, jakich jeszcze rodzinnych tajemnic nie znała moja matka. Właśnie obejrzałam dwa obrazy z modelką patrzącą w lusterko i czułam, że pozowała do nich babka Ondine. A dzban z martwej natury rozpoznała nawet ciotka Matylda. Przeczuwałam, że jestem na właściwym tropie, ale to, co przekazała mi matka, nie zaprowadzi mnie już dalej.

Bryza trzepotała połami namiotu, francuska masażystka z wprawą uciskała moje mięśnie i wcierała w nie olejek z miejscowych cytryn i migdałów, a spod prześcieradła, na którym leżałam, pachniały zgniecione płatki fiołków, jaśminu, róż i lawendy. Zastanawiałam się, czy to właśnie nowa usługa zainspirowana niespodziewanym deszczem z płatków kwitnących drzew. Uśmiechnęłam się na wspomnienie wyrazu twarzy Gila, gdy wyjmował mi te płatki z włosów. Trochę wytrącona z równowagi zamknęłam oczy, odetchnęłam głęboko ciepłym, aromatycznym powietrzem i zatopiłam się we własnych myślach.

Jeżeli mam znaleźć ten obraz, muszę przestać myśleć jak mama, uznałam. Muszę myśleć bardziej jak babka Ondine, jeżeli chcę rozwiązać tę zagadkę.

A może będę musiała również – w ten czy inny dostępny sposób – nauczyć się myśleć jak Picasso.

26

ONDINE I JULIE W JUAN-LES-PINS — 1952

Julie znielubiła Francję od pierwszego wejrzenia. Ondine powtarzała jej, że ten kraj został zniszczony przez kolejną już wojnę światową, ale dziewczynka nie potrafiła pojąć, dlaczego ktokolwiek chciałby tu powrócić.

Zaczęło się od okropnej podróży statkiem w trzeciej klasie, razem z płaczącymi dziećmi i ich udręczonymi matkami oraz brutalnymi mężczyznami, pijącymi za dużo i lubieżnie spoglądającymi na Julie. O warunkach jedzenia, spania i *toilette* lepiej nie wspominać! Potem było wyjście na brzeg w zimną, niemiłosiernie ulewną noc. Znad oceanu nadciągał siekący deszcz, jakiego Julie nie znała, w niczym nie przypominał ciepłej letniej mżawki znad tego samego Atlantyku, którego fale rozbijały się o plaże Nowego Jorku.

I na domiar złego, zanim mogły dostąpić zaszczytu wejścia do przedziału trzeciej klasy w nocnym pociągu, obie z matką musiały przejść przez kontrolę graniczną i odpowiedzieć na pytania strasznego mężczyzny, który śmierdział rybą i tytoniem. W ich wagonie tłoczyli się obrzydliwi Europejczycy paplający w najrozmaitszych językach i strzegący swoich bagaży, oraz starsze, zaniedbane dzieci... Na dodatek wszyscy śmierdzieli, jakby nie brali kąpieli od stu lat.

To była Francja? Ten raj, który rodzice obiecali pokazać kiedyś Julie? Ojciec ciężko pracował i ciułał grosz do grosza, a w końcu poświęcił życie, aby jego żona i córka dotarły z takim trudem tutaj?

Biedny papa. Julie nawet teraz nie mogła uwierzyć, że zginął. W głębi duszy wciąż była przekonana, że ojciec ukrywa się w Ameryce. Wydawało się niemożliwe, żeby pozostała po nim tylko garść popiołu zamkniętego w małej drewnianej skrzynce. I dlaczego chciał, aby jego prochy zostały rozsypane w morzu przy jakiejś prowincjonalnej mieścinie Juan-les-Pins?

Ondine również miała obawy, gdy dotarła wreszcie do rodzinnego miasta. Wszystko tutaj wydawało się mniejsze i ciaśniejsze, niż pamiętała. A kiedy stanęła z córką przed Café Paradis, od razu wyczuła, że coś jest nie tak. Przede wszystkim na tarasie krzesła wciąż były poustawiane na stołach, a przecież dochodziło już wpół do pierwszej po południu. Czy w restauracji nie podawano lunchu? Do tego na środku tarasu arogancko rozparł się zaniedbany kot, ale ani trochę nie przypominał zwierzęcia z dzieciństwa Ondine.

Julie wyczuła niepokój matki.

– Tutaj mieszka dziadek i babcia? Niemożliwe – stwierdziła płaczliwie. Była zmęczona, właściwie wykończona jak nigdy w życiu. Z całego serca pragnęła tylko znaleźć się teraz w New Rochelle.

Ondine długo milczała, zanim zdołała wydusić słowo.

– Tak, to tutaj. – W jej głosie zabrzmiały ostre tony. – Nie marudź. Bądź miła i grzeczna dla dziadków.

Ondine nie wiedziała, czy rodzice powitają ją z otwartymi ramionami, czy też od razu wyrzucą na ulicę. Lecz gdyby nawet chowali urazę, przecież nie odwrócą się plecami do małej Julie, ich jedynej wnuczki, prawda?

– Chyba się mylisz, *maman* – pisnęła Julie. – Popatrz na szyld nad drzwiami. Tam nie jest napisane „Café Paradis", tylko coś innego.

Dziewczynka zmrużyła oczy i przeliterowała napis na szyldzie.

– "Ca-fé Re-nard". – Poczuła ulgę, że zrujnowany budynek z dziurą w ścianie nie był celem ich wędrówki.

– Markiza! Nie ma markizy! – zauważyła zaskoczona Ondine i postawiła walizkę przy frontowych drzwiach.

Julie, jak zwykle posłuszna, zrobiła to samo ze swoim bagażem. Brudny kot wstał, przeszedł obok walizek, obwąchał je wyniośle, a potem z lekką niechęcią wrócił na środek tarasu. Ondine pchnęła drzwi. Julie nie miała wyjścia, musiała pójść za matką.

Sala jadalna była pusta. Podłoga nie została wyfroterowana, właściwie wyglądała na zaniedbaną.

– No, a czego można się spodziewać, przecież była wojna – mruknęła Ondine do Julie, która skrzywiła się na zatęchły odór starych posiłków.

Białe obrusy wyraźnie pożółkły i nawet ich nie wyprasowano. Zastawa i szklanki nie pasowały do siebie. Lustro na ścianie, kiedyś lśniące, teraz wydawało się przydymione. A *Portret dziewczyny w oknie* Rembrandta zniknął ze ściany.

– *Allô!* – zawołała Ondine śmiało i ruszyła do wahadłowych drzwi wiodących do kuchni. Te nieoczekiwanie otwarły się i wyszedł przez nie pulchny mężczyzna z podejrzliwym wyrazem twarzy.

– Kto tu? – zapytał głośno.

Ondine zamrugała zaskoczona, ponieważ w półmroku głos rozpoznała wcześniej niż twarz.

– Dobry Boże, to on. To piekarz, za którego miałam wyjść – wyszeptała z przerażeniem do Julie.

Wcześniej na stacji Ondine rozpoznała zawiadowcę, a także policjanta Rafaella oraz kilku sąsiadów, teraz stwierdziła, że tylko *monsieur* Renardowi udało się przytyć podczas wojny. Przyszło jej do głowy, że ludzie, którzy tak dobrze się wtedy odżywiali, musieli zapewne, jak określiłby to Luc, „grać w jednej drużynie z faszystowskim najeźdźcą".

Julie od razu poczuła głęboką odrazę.

– Dziadek chciał, żebyś wyszła za tego paskudnego grubasa? Zamiast za papę? – zapytała z niedowierzaniem.

Podczas podróży do Francji Ondine opowiedziała jej, jak wraz z Lukiem uciekli do Ameryki, i dlaczego.

– Cii...! Tak – potwierdziła Ondine, po czym z najbardziej promiennym uśmiechem, na jaki mogła się zdobyć w tej sytuacji, powitała Renarda.

– Pani jest Ondine? – powtórzył grubas, bacznie się w nią wpatrując, po czym skinął głową w stronę Julie.

Kiedy jednak Ondine zapytała o swoją matkę, na twarzy mężczyzny odmalowały się panika i zaskoczenie jej niewiedzą. Wreszcie wyjaśnił, że rodzice Ondine nie przeżyli wojny.

– Okazało się, że okupacja to dla nich za wiele. To było straszne. Najpierw włoscy żołnierze, potem niemieccy... wszystko to odbiło się na pani ojcu. Miał słabe serce. Umarł przed końcem wojny. Pani biedna matka żyła jeszcze kilka lat, ale zachorowała na grypę, Była, jak wielu ludzi, osłabiona i wycieńczona. Nie ma pani pojęcia, jak ciężko musieliśmy pracować, żeby przeżyć! Brakowało porządnego jedzenia, które można by podać klientom. Nie mieliśmy nawet ryb, bo naziści nie pozwalali wypływać łodziami w morze. Wszystko trzeba było zdobywać na czarnym rynku. A pani matka musiała piec *tartes* i gotować gulasz z rzeczy, których przed wojną nie dalibyśmy świniom.

Julie zauważyła, że grubas nie zaprosił ich nawet, żeby usiadły, chociaż Ondine była blada i wyglądała na wyczerpaną i przytłoczoną przygnębiającymi wieściami. Dziewczynka obrzuciła *monsieur* Renarda oburzonym spojrzeniem i podprowadziła matkę do stolika przykrytego poplamionym obrusem. Musiała zdjąć drugie krzesło, bo pierwsze się chybotało.

– Usiądź, *maman* – powiedziała z naciskiem.

Ondine jak we śnie opadła na siedzisko. *Monsieur* Renard niewątpliwie dostrzegł miażdżące spojrzenie Julie, teraz zdjął dla niej krzesło, a sam usiadł na tym rozchybotanym.

– *Désolé!* – wymamrotał współczującym tonem zwrócony w stronę Ondine. – Bardzo mi przykro, że musiałem przekazać tak smutne wieści!

Julie nie uważała, żeby naprawdę było mu przykro. Nie zaproponował im żadnego poczęstunku, nawet szklanki wody. I jakby się obawiał, że zrozpaczona kobieta, która właśnie wróciła z Ameryki, jest nędzarką i zamierza prosić o jałmużnę, pośpiesznie wyjaśnił Ondine, jaka jest sytuacja restauracji. Poszedł nawet do gabinetu na zapleczu i przyniósł dokumenty, które potwierdzały, że stał się jedynym właścicielem lokalu jej rodziców.

– Wszyscy straciliśmy majątki podczas wojny – wyjaśnił Renard. – Ale pani rodzicom zupełnie zabrakło pieniędzy. Dlatego musieli przepisać na mnie swoją połowę *café*.

Ondine słuchała w milczeniu. Starała się nie poddawać panice, która zaczęła w niej narastać, gdy dotarło do niej, że straciła restaurację i dom rodzinny. Kiedy Renard przerwał, aby nabrać tchu, Ondine wyprostowała się, przełknęła dumę i zaproponowała, że zostanie dla niego szefową kuchni. Zapewniła, że w Ameryce odniosła spory sukces, a jej potrawy były powszechnie chwalone.

Jednak Renard nie chciał o tym słyszeć.

– Nie potrzebuję pani pomocy! Mam świetnego młodzieńca, który dla mnie gotuje. Mogę go pani przedstawić – oznajmił wyniośle.

Ondine wstała drżąca i poszła za Renardem. Rozglądała się przy tym lękliwie, a Julie deptała jej po piętach i zastanawiała się, czy wypada zatkać nos i nikogo tym nie obrazić. Sala jadalna w *café* była trochę zaniedbana, ale dalej było tylko gorzej – o czym Julie się przekonała, gdy poszła do toalety i zobaczyła nieszczelne instalacje sanitarne oraz cuchnące sprzęty.

Tymczasem Ondine w milczeniu przyglądała się brudnej kuchni. Wszystko tu zionęło śmiercią – zatęchłe ryby i gnijące resztki mięsa, które zapewne spadły za kuchenkę i nie zostały sprzątnięte, rozkładające się truchła szczurów i karaluchów uwięzionych w ścianach, zgniłe warzywa, które należałoby wyrzucić na kompost, zamiast podawać niepodejrzewającym niczego klientom.

Szefem kuchni okazał się jasnowłosy, rozczochrany młodzieniec, przystojny, lecz trochę arogancki. Ondine na pierwszy rzut oka mogła ocenić, że jego gusta kulinarne skłaniały się raczej ku nastawionej na turystów garkuchni. Jednak Renard uśmiechał się szczęśliwy, oprowadził Ondine po lokalu, a potem skierował ją do drzwi.

– Do widzenia, do widzenia! – Pomachał jej chusteczką, jakby żegnał się z nią na przystani i odprowadzał na statek, który zabierze obie kobiety tam, skąd przypłynęły.

Julie uznała tę sytuację za nieznośnie upokarzającą.

– Dlaczego wróciłyśmy do Francji? – jęknęła, gdy wyszły. W pociągu, którym miały dojechać do opactwa, powtarzała te słowa jak litanię. – Nikt nie jest dla nas tak miły jak w Ameryce, gdy papa żył! – skwitowała.

Ondine tylko westchnęła i przymknęła oczy. Im dłużej trwała podróż, tym bardziej Julie narzekała i mocniej przyciskała swoją walizkę, jakby kryły się w niej wspomnienia szczęśliwszych dni w New Rochelle. Nie potrafiła wybaczyć matce, że opuściły Amerykę. I po co? Żeby żyć z zakonnicami w opactwie, w którym Ondine chodziła do szkoły.

Dojechały późnym wieczorem, świat spowijały egipskie ciemności. Nigdzie ani światełka.

– Bądź wdzięczna za schronienie, jeżeli zakonnice zechcą go udzielić – szepnęła ostrzegawczo Ondine i zapukała do bramy. Głowa i nogi ciążyły jej tak bardzo, że nie miała siły się ruszyć.

Z furty wyjrzała młoda zakonnica. Ondine zdołała tylko wydusić z siebie, kim jest, i dodała, że chętnie zapłaci za naukę Julie w klasztorze oraz że, jeśli to możliwe, pomoże w kuchni.

Wszystko to było zbyt trudne do udźwignięcia, i powstrzymywana przez całą podróż fala głębokiego smutku pochłonęła teraz Ondine, przełamując zaporę jej woli niczym wzburzona rzeka.

Luc, słodki Luc. Powrót do Francji bez niego wydawał się zdradą. A przecież to miał być jego triumf. Dopiero teraz Ondine uświadomiła sobie z całą wyrazistością, że Luca nie ma na tym świecie. Mroczny powrotny prąd przyboju porwał wszystko i wszystkich, których kochała. Rodzice także nie żyli, a Ondine się tego nawet nie domyślała. Już nigdy nie będzie miała szansy się z nimi pogodzić i przedstawić im Julie.

– Proszę pani? – zaniepokoiła się zakonnica. Otworzyła szerzej furtę i wyszła.

Ondine poruszyła ustami, ale nie słyszała swego głosu, zagłuszonego dudnieniem w uszach. Nagle jej wola i odwaga osłabły, nogi się pod nią ugięły i Ondine jak szmaciana lalka osunęła się na ziemię tuż przed kamiennym progiem opactwa.

27

OBCY W KUCHNI. CÉLINE — 2014

Dasz wiarę, że to ostatni dzień kursu? – usłyszałam. Wszyscy powtarzali to sobie nawzajem od samego rana. Wszyscy zrobili się sentymentalni, ale mnie ogarnęła panika, bo zostało mi niewiele czasu na wykonanie misji.

Bezwstydnie przeszukałam pokoje kobiet, chociaż byłam pewna, że babka Ondine ich nie używała. Niczego nie znalazłam. Musiałam znaleźć dogodną chwilę, aby przeszukać ostatnie miejsce, do którego wcześniej nie miałam okazji zajrzeć – starą kuchnię *mas*. Co gorsza, mogłam to zrobić tylko nocą, gdy robotnicy budowlani już sobie pójdą. Jeżeli tam nie znajdę obrazu, wrócę do domu z pustymi rękami.

– Zrobię to dzisiaj – przyrzekłam sobie.

Tymczasem syn Gila, Martin, panoszył się po całym *mas*. Uznał zapewne, że wszystkie te zadbane ścieżki i przejścia to doskonały tor do jazdy na deskorolce, którą manewrował z zaskakującą zręcznością, ale i przerażającą brawurą. Cierpliwość spokojnego francuskiego personelu wystawiona bywała na ciężką próbę, gdy Martin przemykał obok, dosłownie zataczając kręgi wokół jednego z nich.

– Chodź tutaj, dziecko – rozkazała wreszcie ciotka Matylda, gdy dopadła Martina podczas jednej z rzadkich przerw, jakie robił na złapanie oddechu. Zaprosiła chłopaka, żeby z nią usiadł, to razem poczekają na Gila. – Céline wspomniała mi o tobie. Lubisz karty? Mogę nauczyć cię grać w makao. Patrz uważnie, jeśli chcesz wygrać. – Tasowała karty jak profesjonalistka.

Martin usłyszał w jej głosie nieznoszące sprzeciwu nauczycielskie tony, więc usiadł potulnie, wyraźnie zaciekawiony.

– No dobra, kolego, rozdajemy – oznajmiła żwawo ciotka Matylda.

Pomimo swej hiperaktywnej natury Martin, jak większość dzieci, uwielbiał, gdy dorośli poświęcali mu uwagę. Do tego był miły i bystry, co sprawiło, że wszyscy mieliśmy do niego słabość. Lubiliśmy częstować go smakołykami, które przygotowywaliśmy na zajęciach. Jako syn Gila wyrobił sobie doskonały smak, więc od razu potrafił powiedzieć, czy nasze wysiłki się opłacały i wyszło nam coś dobrego, czy wręcz przeciwnie. A tego dnia tuż przed wyjściem na ostatnie zajęcia wręcz podsunął nam kilka wskazówek, jak zadowolić Gila.

– Tata nie cierpi używać natki do dekorowania potraw – wyjawił mi, po czym wyprostował się, naśladując dorosłego. – Ale ja lubię pietruszkę wszędzie, nawet na talerzu.

Po wielu dniach w poczuciu beznadziei i niezdarności uczestnicy kursu zaczęli dostrzegać, że rygorystyczna dyscyplina Gila jakimś cudem przynosi rezultaty. Wszyscy nauczyli się całkiem nieźle gotować i nabrali pewności siebie w kuchni.

Wszyscy oprócz mnie. Och, sporo się nauczyłam, ale wciąż nie umiałam wyczuć właściwego momentu, kiedy należy zakończyć gotowanie sosu, przypiekanie kotleta czy smażenie steku.

– Po prostu nie masz „czerwonego palca" – przyznał dziś Gil.

– Mam! – Z oburzeniem uniosłam oparzony kciuk. – Popatrz na ten bąbel!

W odpowiedzi Gil uniósł swoją dłoń i przysunął do mojej.

– Czujesz to? – Pokazał mi siatkę kraterów i rozcięć, szram i pęcherzy oraz sińce pod paznokciami. – Jesteś charakteryzatorką, masz do czynienia z kolorami i teksturą, substancjami suchymi i wilgotnymi. O to samo chodzi w gotowaniu.

Naprawdę starał się pomóc.

– Mieszasz składniki, aby stworzyć coś nowego.

Wróciłam do żwawego ucierania ząbków czosnku z bazylią i oliwą do prowansalskiego specjału – sosu *pistou,* ale Gil mnie powstrzymał.

– Większość ludzi nie rozumie czosnku. – Wziął jeden ząbek i uniósł go między opuszkami palców. – Należy traktować go jak subtelny kwiat. Zgniatać delikatnie. Kiedy używam czosnku do sałatek, wcieram tylko odrobinę w salaterkę, a resztę zostawiam, wykorzystując do innej potrawy. I nigdy nie smażę go szybko na dużym ogniu. To by było jak szybki numerek.

Zerknęłam na kursantów, ale wszyscy już przywykli do seksualnych porównań Gila. Zaśmiali się tylko z prowokacyjnej aluzji, ponieważ jego zaangażowanie i pasja były oczywiste, zwłaszcza w takich chwilach, gdy kazał nam obchodzić się z kawałkami kurczaka albo ryby, „jakby to były ciała waszych kochanków". Gil naprawdę kochał gotować, najchętniej dania kuchni prowansalskiej. Sama zapunktowałam u niego dzisiaj, gdy pozwoliłam mu wykorzystać na zajęciach jeden z przepisów babki Ondine. Mieliśmy przygotować *daube à l'orange.*

– Uważa się, że *daube* wywodzi się od hiszpańskiego słowa *dobar,* co znaczy „dusić". I właśnie to będziemy robić – powiedział Gil na zajęciach. – Przygotujemy to według przepisu pozostawionego Céline przez jej babcię. Będziemy dusić wołowinę w czerwonym winie z ziołami prowansalskimi (ale, dzięki Bogu, bez lawendy), pomidorami, cebulą, czarnymi oliwkami, pieczarkami, specjalnym dodatkiem otartej skórki pomarańczowej oraz tym, czyli nóżką cielęcą. – Wskazał na blat.

– O Boże – jęknęłam, bo zrobiło mi się słabo. – Biedactwo.

Gil spojrzał na mnie z powagą.

– Spokojnie! Tak, aby podtrzymać własne siły witalne, gotujemy i jemy coś, co było żywe, zarówno rośliny, jak i zwierzęta. W zamian musimy dotrzymać naszej części umowy, czyli traktować to, co żyje, humanitarnie i z najwyższym szacunkiem, a kiedy przyjdzie pora na nas, przyjąć śmierć z wdzięcznością i dobrą wolą, abyśmy stali się pokarmem dla przyszłych bujnych roślin i zwierząt na ziemi. Dzisiaj zatem świętujmy życie, dopóki żyjemy i gotujemy, dobrze?

Przy naszych stanowiskach pracy zapadła pełna zadumy cisza. Gil po prostu miał talent do odkrywania sacrum w zwyczajnych czynnościach. A kiedy spokój i medytacyjny nastrój niemal nas uśpiły, okazało się, że instruktor przygotował dla nas niespodziankę na wieczór.

– Dziś, dziewczęta i chłopcy, będziecie pracować w mojej restauracji. Weekend zapowiada się dość spokojnie, nie musicie się obawiać, że czeka was próba ognia. Każde z was zostanie przydzielone do któregoś z moich zawodowców. Pamiętajcie jednak, ci ludzie pomogli Pierrotowi wygrać pierwszą gwiazdkę Michelina, a w tym roku spróbujemy zdobyć drugą! Dlatego nie życzę sobie kłopotów. Nie dyskutujcie. Nie pytajcie, dlaczego macie zrobić to czy tamto. Słuchajcie po prostu ich poleceń i wykonujcie je co do joty, a najważniejsze jest skupienie. Jasne? Oto wasze zadania. – Wyciągnął rękę ze skrawkami papieru, jakbyśmy mieli losować.

– Szlag, myślałem, że na koniec tego kursu będzie impreza – zaprotestował brat Loli, Ben. Duży Teksańczyk w kucharskim fartuchu wyglądał na tak załamanego, że Gil musiał się uśmiechnąć.

– Impreza będzie jutro. W nagrodę. Jednak dziś wieczór będziecie musieli na nią zasłużyć – wyjaśnił Gil. – No to zostawiam was teraz w rękach mojej asystentki Lizbeth i konsjerża Maurice'a.

Gil poprzydzielał zadania jak najmniej pasujące do naszych osobowości. Flegmatyczna Lola miała stać się serdeczną gospodynią, która wita gości, sztywny Peter trafił do obsługi baru, natomiast bezpośredni i szorstcy Joey z Magdą mieli pracować przy delikatnych wypiekach Heather w sekcji cukierniczej.

– A co z nami? – zaniepokoiła się ciotka Matylda, gdy bez przydziału zostali tylko ona, Ben i ja.

– Będziecie podawać do stołu – odpowiedział Gil na odchodnym.

Przebraliśmy się w uniformy i zabraliśmy się do pracy. Poranek minął na przygotowaniach. Gil pojawiał się przy każdym stanowisku i znikał – sprawdzał, smakował i nieustannie szukał błędów. A potem nieoczekiwanie bomba poszła w górę.

– *Ouvert!* – zawołał kierownik sali.

– Co on powiedział? – syknęła do mnie Magda.

– Że mamy otwarte – przetłumaczyłam i poczułam gęsią skórkę na ramionach.

Dobrze ubrani goście pojawili się wkrótce potem, śmiejąc się i rozmawiając w radosnym oczekiwaniu. Niektórzy zatrzymali się przy barze na drinka, ale większość od razu zajęła miejsca przy najlepszych stołach na tarasie z widokiem na pachnący ogród i spokojny pejzaż pól i winnic.

– Céline, zajmiesz się stolikiem numer dwa. Tylda, stół numer dziewięć – oznajmił starszy kelner, Francuz, który posługiwał się nieskazitelnym angielskim i pomagał przy gościach mówiących w innych językach. Rozdał nam menu. – Naprzód – rozkazał.

– „Jak ma nie pognać w «Śmierć sześciuset mężnych»?" – Ciotka Matylda cytowała pod nosem fragment *Szarży Lekkiej Brygady* sir Tennysona*.

Najpierw przybyli elegancko ubrani Francuzi. Zasiedli w grupach po dwie lub cztery pary. Byli dystyngowani i zaskakująco cisi, przez cały czas rozmawiali stłumionymi głosami. Nawet czarny pudel, który towarzyszył jednej z par przy ośmioosobowym stoliku, zachowywał się wzorowo, ułożył się pod krzesłem i uprzejmie żuł ciastko, które jego pani wyciągnęła ze swojej torebki od Hermèsa. Pojawiły się też pary Anglików i Amerykanów, wszyscy w średnim wieku i dobrze ubrani, a potem również niemieckie i rosyjskie rodziny pod przewodnictwem dumnych siwowłosych matron – tych sadzaliśmy przy wielkich okrągłych stołach.

_____

*　Przekład: Stanisław Barańczak.

Nagle do restauracji weszła wymalowana kobieta w obcisłej czerwonej sukience, obwieszona biżuterią i w wysokich szpilkach. Najpierw wypiła kilka drinków przy barze, a potem poszła za Maurice'em, który zaprowadził ją do stolika dla jednej osoby. Zanim jeszcze otworzyła usta, wyczułam, że będą z nią kłopoty.

– Och, czy Gil już się ponownie ożenił? – zapytała, mierząc mnie wzrokiem, gdy wręczałam jej menu.

Zaprzeczyłam, a kobieta pokiwała głową z uśmieszkiem. Kiedy wróciłam do jej stolika z winem i przekąskami, zapytała, od jak dawna pracuję dla „wielkiego maestro". Wreszcie wbiła mi długie, pomalowane na czerwono pazury w ramię i rzuciła przeciągle:

– Gdzie, kurwa, jest Gil? Czy w ogóle wie, że tu jestem?

– Jest na zapleczu – odpowiedziałam odruchowo. – Niedługo przyjdzie.

Chwiejąc się nieco na krześle, wpatrywała się we mnie uważnym wzrokiem.

– Wiesz, kim jestem? Nie? No to pozwól, że cię oświecę. Gil gotował dla mnie i mojego męża w naszej restauracji – wycedziła. – Ale on wykorzystuje ludzi, wiesz? Zwłaszcza kobiety. Och, uwielbia kobiety. Ale umawia się tylko z tymi, które mają pieniądze. Całą swoją karierę zbudował na wykorzystaniu łańcuszka hojnych dam... – Nieznajoma bębniła palcami po blacie stołu. – Jest jak żaba, która skacze z jednego liścia nenufaru na drugi. Gdy tylko położy swoje kucharskie łapy na twoich pieniądzach, kotku, cóż... zniknie, dziecinko, po prostu zniknie.

Mówiła coraz głośniej. Zerknęłam nerwowo na swojego zwierzchnika. Starszy kelner opanował sytuację, uspokoił kobietę, używając swego francuskiego wdzięku, pomógł wybrać „najlepsze" danie główne, a potem przekazał do kuchni, aby jak najszybciej zrealizować to zamówienie. Zaraz potem odprowadził kobietę w czerwieni do „prywatnej biblioteki Gila". Tam, jak mi później powiedział, Gil „osobiście podał jej orzechowo-karmelowego *crêpe*, po czym wsadził ją do taksówki".

W całym tym rozgardiaszu i gwarze rozmów podnieconych gości ciotka Matylda i ja starałyśmy się jak najlepiej wykonywać krótkie polecenia obsługi.

– Posadź tę dwójkę przy stoliku numer pięć!

– Gdzie jest rezerwacja na stolik trzy?

– Butelkowana woda *gazeuse*!

– Rany, co to jest *gazeuse*? – jęknęła ciotka.

– Gaz – odparł przechodzący obok kelner.

– Bąbelki – przetłumaczyłam. – Woda gazowana.

Wciąż biegałyśmy z chłodnego tarasu do gorącej kuchni. Przypominało to wędrówkę Dantego z raju do piekła, niekiedy z przystankiem w czyśćcu baru, aby zabrać tacę z drinkami. W pewnej chwili wśród tych wszystkich gości ciotka Matylda wypatrzyła znanego blogera kulinarnego, który anonimowo zamówił stolik na trzy osoby. Nazywano go Blogerskim Rzeźnikiem ze względu na jego potężne wpływy – podobno mógł nawet lobbować u sędziów smaku Michelina, chociaż nie było na to dowodów.

– Idź, ostrzeż Gila – szepnęła do mnie ciotka Matylda. – A ja zajmę Rzeźnika koktajlami.

Pognałam do kuchni, ale nie od razu znalazłam Gila. Wreszcie jednak go dostrzegłam – spacerował po chłodni. Drzwi nie były domknięte. Gil schował się tam pewnie, żeby zyskać trochę prywatności, ale gdy się zbliżyłam, usłyszałam jego podniesiony, zdesperowany głos – rozmawiał przez telefon komórkowy.

– Chrzanić to! Powiedz Rickowi, że chyba żartuje! – krzyknął z oburzeniem. – Tuż przed podpisaniem kontraktu zamierza stawiać kolejne warunki? Czytałeś to gówno? Dzięki temu Rick stanie się wyłącznym właścicielem *mas,* nowego hotelu i restauracji. A ze mnie zrobi wynajętego kucharza, nic więcej! Cholera jasna, jesteś moim prawnikiem, nie mów mi o przyszłych zyskach! – Gil zamilkł i chwilę słuchał, po czym znowu wybuchnął: – Przechodziliśmy przez to sto razy. Zgadzaliśmy się na kolejne rewizje warunków umowy, o jakie prosił. Nie obchodzi mnie, że jego prawnik domaga się, abym natychmiast złożył swój pieprzony podpis, bo jest jasne jak słońce, że nie podpiszę tego gówna! – Kolejna pauza, a potem wybuch: – Nie pytaj mnie, cholera, czy to zerwanie umowy. Wiesz, że tej umowy nie można zerwać! Nie rozumiesz, co do ciebie mówię? Rick ma przelać sześć milionów euro na mój rachunek, zanim w czwartek Gus przyśle tutaj swoich osiłków po zwrot pożyczki. Nie pytaj mnie, jak zmusić Ricka, aby podpisał zeszłotygodniową wersję umowy, tylko załatw to jeszcze dzisiaj, do diabła!

Rozłączył się gniewnie i wypadł z chłodni.

– Chryste, Céline, co tu robisz? – rzucił ponuro, ujrzawszy mnie skuloną w kącie.

Czym prędzej powiedziałam mu o znanym blogerze kulinarnym.

– No, kurwa, pięknie, po prostu pięknie – wymamrotał pod nosem.

Zjawiła się ciotka Matylda.

– Rzeźnik jest głodny jak wilk! – Uniosła swój bloczek zamówieniowy. – Jego goście wzięli dania z menu, ale on powiedział: „Przekaż Gilowi, żeby podał mi to, co najlepsze. I niech mnie zaskoczy czymś wyjątkowym na deser".

Nigdy nie zapomnę, jak szybko zmienił się wyraz twarzy Gila, który w okamgnieniu odłożył na bok swoje problemy i zerwał się do akcji. Sprawdził u kucharzy, które dania główne można jeszcze przygotować. Dostał kilka szybkich propozycji „specjalności kuchni", do wyboru. Kiedy jednak zapytał o desery, jeden z kucharzy wyszeptał mu coś do ucha.

– Co to znaczy, że nie ma już *gavotte au chocolat*? Do ciężkiej cholery! No, dobra, niech to szlag, oto, co podamy: zaczniemy od homara *amuse-bouche* z kawiorem, potem zupa *pistou*, ravioli ze szpinakiem na owczym mleku z miodem śródziemnomorskim, a na główne danie *daube à l'orange* babci Ondine. A jeżeli chodzi o cholerne „coś wyjątkowego" na deser, zostawcie to mnie.

– Tak, szefie! – odkrzyknęli chórem kucharze.

Jak przez mgłę pamiętam, co było potem. Na szczęście dla ciotki Matyldy i dla mnie cały personel pośpieszył nam z pomocą, więc dania serwowaliśmy sprawnie. Rzeźnik miał nastroszoną kozią bródkę i czujne spojrzenie drapieżcy. Początkowo zachowywał kamienną twarz, ale wspaniałe miejscowe wina i wyborna kuchnia szybko sprawiły, że maska sfinksa opadła. Zwłaszcza gdy Gil, ubrany w nienaganny śnieżnobiały strój szefa kuchni, podał bardzo słodkie ciasto *vol-au-vent* z nadzieniem czekoladowym i kremem karmelowym, polane bananowo-koniakowym sosem *flambé,* który Gil osobiście i z wprawą showmana podpalił, zanim przelał z rondla na talerz.

Było to jak pokaz fajerwerków na finał, Gil dostał owacje na stojąco od gości restauracji. Usłyszałam nawet, jak jedna z kobiet szepcze:

– Nie do wiary, że mieliśmy okazję to zobaczyć!

Gil przyjął aplauz z nieskrywanym zadowoleniem. A ja wreszcie zrozumiałam, co czyniło go tak wyjątkowym nawet wśród innych mistrzów kuchni – był nieustraszony jak linoskoczek, wiedział, kiedy wykorzystać swój talent, i dawał z siebie wszystko.

– Gil jest jak doskonały koń wyścigowy. Ma serce – podsumował go przyjaciel ciotki, Peter.

Po tym pokazie zrobiło się trochę spokojniej, a chociaż zjawiło się jeszcze kilku gości, wiedzieliśmy, że wieczór dobiega końca. Gil zwolnił kursantów z obowiązków i podziękował serdecznie za wsparcie przy tak niespodziewanym wyzwaniu, a potem oznajmił, że w bibliotece czeka na nas późna kolacja z sherry. Nareszcie mogliśmy odetchnąć.

Jednak ciotka Matylda przyłapała mnie na zerkaniu w stronę remontowanej części *mas* i zapytała:

– Coś cię dręczy, Céline?

Odciągnęłam ją na bok i podzieliłam się zaskakującą informacją od *monsieur* Clémenta o tym, że właśnie ten *mas,* w którym odbyliśmy kurs gotowania, należał do babki Ondine.

– Och-ch... – westchnęła zaskoczona ciotka. – To dlatego twoja matka tak bardzo chciała tutaj przyjechać. Teraz już rozumiem! Na szczęście nie zapytała, dlaczego zwlekałam i nie powiedziałam jej tego wcześniej. Przyznałam się, że przeszukałam sypialnie.

– W tej remontowanej części jeszcze nie byłam. Muszę tam pomyszkować dzisiaj w nocy – dodałam.

– No to ruszaj. Ale bądź ostrożna. W razie czego będę cię kryć. A potem wszystko mi opowiesz.

Uśmiechnęła się na widok Petera, który stanął w drzwiach, by odprowadzić ją na kolację do biblioteki. Ja poszłam do pokoju, zabrałam latarkę i wymknęłam się niepostrzeżenie.

Za dnia zrobiłam mały rekonesans, więc wiedziałam, że w remontowanej części *mas* nie ma kamer monitoringu. Unikałam korytarzy hotelowych – po prostu wyszłam z budynku, żeby od zewnątrz dostać się do starej kuchni.

W mroku nocy dawna kuchnia wyglądała mało zachęcająco. Gdzieniegdzie zerwano podłogę, aby zamontować nowe rury i przewody, miejscami podłoże głęboko się zapadło, odkrywając czarną otchłań. Pole widzenia miałam ograniczone do kręgu światła z latarki, więc poruszałam się bardzo ostrożnie, żeby nie trafić na jakąś wyrwę. W duchu powtarzałam sobie, że jestem na dobrym tropie. Przecież babka Ondine spędzała mnóstwo czasu w tej kuchni.

Gdy wzrok przywykł do ciemności, rozpraszanej tylko snopem światła z latarki, ujrzałam wielkie pomieszczenie z niskim sufitem i nierównymi kamiennymi ścianami w intensywnym odcieniu żółci. Było tam dość miejsca na gotowanie, jedzenie i odpoczynek. Duży kominek pozostał nietknięty, a wokół głównego paleniska dobudowano z cegieł mniejsze piece. Według folderu reklamowego służyły one do wypieku chleba w czasie zimy. Sprawdziłam każdy. Puste. Sąsiednie murowane półki znajdowały się w różnych stadiach rozpadu, a ziejąca dziura w suficie wskazywała, którędy wyprowadzono kiedyś komin. Dostrzegłam też niszę, która zapewne służyła za spiżarnię, tam również zerwano podłogę. Szukałam we wszystkich zakamarkach, ale niewiele nadawało się na schowki. Nagle zaczęło padać, drobne krople dostawały się do środka i z monotonnym plum-plum-plim, plum-plum-plim rozbijały się na różnych powierzchniach.

I właśnie tam, przy tym ołtarzu przeszłości, uświadomiłam sobie, że świat babki Ondine chyba obraca się pył. W tej sytuacji mogłam zrobić tylko jedno – przywołać zdrowy rozsądek i przyznać się do klęski.

– Żegnaj, babciu – powiedziałam cicho. Zaskakujące, ale naprawdę poczułam żal.

Niepocieszona odwróciłam się, aby odejść. Wtedy jednak usłyszałam rumor dochodzący z korytarza prowadzącego do *mas*. Ostrożnie podkradłam się bliżej.

Z kuchni Gila wypadły trzy osoby. Pchnęły ciężkie drzwi z bali i zatrzymały się w jasnym świetle korytarza. Rozpoznałam Gila, a za nim dwóch rosłych mężczyzn, roztaczających złowrogą aurę. Ubrani byli w ciemne garnitury z grubej wełny, wyraźnie różniące się od jasnych lekkich strojów noszonych na Riwierze.

– Nie musieliście wchodzić za mną do kuchni – rzucił im gniewnie Gil. – Mogliście poczekać, aż zamknę.

Zabrzmiało to tak groźnie, że wcisnęłam się głębiej w ciemność.

– Gus przysłał nas, żebyśmy się upewnili, czy dobrze rozumiesz sytuację – odparł jeden z obcych mężczyzn.

Był Anglikiem, głos miał wyjątkowo cichy i spokojny. Tym bardziej zaskoczyło mnie, kiedy jego partner brutalnie pchnął Gila i przycisnął go do ściany.

Na twarzy Gila nie odmalowały się jednak żadne emocje.

– Wasza obecność w mojej restauracji jest niepotrzebna. I przede wszystkim to chamstwo! – rzucił wyzywająco.

– Nie mówisz tego, co powinienem usłyszeć – odparł osiłek.

Gil popatrzył na obu zbirów, jakby gotował się do walki.

Drugi z mężczyzn przysunął się do niego bliżej i wycedził:

– Czwartek. Rozumiesz, co to jest czwartek?

– Oczywiście. Gus dobrze wie, że dostanie swoje pieniądze – prychnął Gil z pogardą.

– Całość – dodał osiłek spokojnym głosem. – Powtórz za mną: W czwartek, całą sumę.

A Gil w swojej niezrównanej mądrości odpowiedział:

– Co do funta i na czas. A to oznacza, że wy dwaj możecie spierdalać.

Drugi osiłek cofnął się nieco i uderzył go w brzuch z taką siłą, że odruchowo zrobiłam jedyne, co mogłam, aby to przerwać – wrzasnęłam tak głośno, że Gil i jego towarzysze aż podskoczyli. Na szczęście ostatni goście wyszli już z restauracji. Ktoś jednak usłyszał mój krzyk i wbiegł w korytarz z kuchni lokalu.

– Hej! Jest tam kto?

Ciotka Matylda rozglądała się podejrzliwie. Trzymała pod rękę Petera, jakby oboje wybierali się na spacer.

Potem wyjaśniła mi, że od razu zauważyła tych dwóch zbirów, najpierw kręcili się przy barze i szukali Gila w restauracji, a potem poszli za nim do kuchni. A ponieważ ciotka Matylda była, jaka była, od razu ruszyła do akcji i skrzyknęła przyjaciół. Za jej i Petera plecami wyrośli Ben z Lolą oraz Magda z Joeyem.

– Tutaj, Gil, hej! – rzucił tubalnie Ben ze swoim teksańskim, przeciągniętym akcentem. – Zdaje się, że potrzebujesz wsparcia?

Lola wychyliła się zza ramienia brata.

– Drużyna A przybyła na wezwanie – oznajmiła.

– Ben właśnie nam mówił, że jest emerytowanym agentem FBI z Dallas – dodała Magda znaczącym tonem.

Peter wysunął się nieco naprzód.

– Wywiad marynarki brytyjskiej – oznajmił z godnością.

– Amerykańskie siły powietrzno-desantowe – dodał Joey, po czym udał, że dopiero teraz zobaczył intruzów. – Jakiś problem, panowie?

Zbiry rozglądały się już za najbliższą drogą ucieczki. Gilowi udało się dojść do siebie po brutalnej przepychance, a twarz rozpromieniła mu się w triumfalnym uśmiechu.

– Wspominałem – wycedził – że w tych korytarzach są kamery ochrony? I wtedy otworzyły się kolejne drzwi, te prowadzące z pomieszczenia wytapetowanego we wzór z klaunami. W progu stanął Martin z procą.

– Tato? – zapytał w jak najbardziej dorosły sposób. – Potrzebujesz pomocy?

I chyba właśnie widok Martina wreszcie zmusił osiłków do działania.

– Tędy, panowie – oznajmił Peter stanowczo, a grupa rozstąpiła się, aby zrobić przejście.

Zbiry pośpiesznie ruszyły do wskazanych drzwi, ale ten pierwszy, cichym, łagodnym głosem, nie omieszkał jeszcze powtórzyć z naciskiem:

– Do czwartku.

Nikt nie odezwał się słowem, ale wszyscy wyszliśmy przed budynek i patrzyliśmy, jak tych dwóch wsiada do samochodu i odjeżdża po żwirowej ścieżce.

Gil przyciągnął Martina, wziął go w ramiona, a potem powiedział opiekuńczym tonem:

– Chodź, synu, czas do łóżka.

Martin spojrzał na nas.

– Tata i ja śpimy w gołębniku! – wyjaśnił podniecony.

– Jesteśmy we Francji, więc mówi się *pigeonnier* – napomniał go Gil. Zanim jednak odszedł z Martinem, zwrócił się do kursantów: – Ogromnie dziękuję. A teraz wszyscy spać, jasne? Jutro wieczorem impreza.

28

ONDINE I JULIE W VALLAURIS — 1952–1953

Ondine mgliście pamiętała, jak matka przełożona wezwała lekarza, który stwierdził, że chora zasłabła przez zapalenie płuc. Zapewne nabawiła się go podczas podróży statkiem z Ameryki. Lekarz szybko wysłał Ondine do sanatorium w górach, gdzie osłabiona chorobą i smutkiem miała dochodzić do siebie. Musiała więc płacić za opiekę dla siebie i za szkołę Julie. Pieniądze, które udało się jej zaoszczędzić, szybko topniały.

Gdy oszczędności się wyczerpały, zakonnice umieściły Julie w rodzinie zastępczej – u rolnika i jego żony, którzy potrzebowali „odrobiny pomocy". Tak naprawdę szukali darmowej służącej, która będzie wstawać rano, karmić kury, doić krowy i sprzątać gołębnik.

Rolnik był odrażający, zwłaszcza gdy wpadał w gniew po pijaku. Julie nigdy nie miała do czynienia z kimś równie brutalnym, ale szybko zrozumiała, dlaczego jego żona tak się ucieszyła, że w domu zamieszka ktoś jeszcze, kto może stać się kozłem ofiarnym jej męża.

Rolnik zwykle dużo krzyczał, ale pijany był naprawdę groźny. Julie szybko poznała wszystkie możliwe kryjówki w zagrodzie – za belami siana w stodole, za stertą twardej ziemi pod gankiem, w szczelinie za piecem. Jednak pewnej nocy mężczyzna wszedł do jej pokoju, gdy już spała. Szarpnięciem podniósł ją z posłania, pchnął na kolana, rozpiął rozporek i wbił się w usta dziewczyny. Była tak wstrząśnięta, że zamarła, co mężczyznę wreszcie zadowoliło.

Dławiąc się, Julie odpełzła z powrotem na posłanie, ukryła się pod pledem i zaczęła modlić o śmierć. A był to dopiero początek upokorzeń.

– Jeżeli komuś powiesz – groził oprawca po każdym takim zdarzeniu – następnym razem będzie gorzej.

Kiedy Ondine wreszcie poczuła się lepiej i dowiedziała się, że córka trafiła do rodziny zastępczej, z trudem dźwignęła się z łóżka i postanowiła wrócić do gotowania, żeby mieć stały dochód i móc odzyskać dziecko. Matka przełożona pomogła jej znaleźć pracę kucharki u owdowiałego starego prawnika, który mieszkał niedaleko zakładów ceramicznych w Vallauris, w pobliżu Cannes i Antibes.

– Wszystko już będzie dobrze – obiecała Ondine córce.

Po tak długiej rozłące ledwie rozpoznała swoje dziecko. Włosy Julie obcięto nierówno, dziewczynka straciła sporo na wadze, a jej skóra zrobiła się strasznie blada, jednak najgorszy był sposób, w jaki lękliwie spuszczała głowę, jakby bała się spojrzeć komukolwiek w oczy. Nie odzywała się, chyba że zmuszona, ale nawet wtedy mamrotała pokornie pod nosem, co denerwowało ludzi, więc odruchowo zwracali się do niej ostrzejszym tonem. Mimo to Julie nie chciała opowiedzieć matce o swoim życiu w rodzinie zastępczej.

Kiedy zamieszkały w domu prawnika, Ondine była bezgranicznie wdzięczna i przez chwilę wydawało się, że znalazły z córką azyl, w którym obie dźwigną się po trudach, jakich ostatnio doświadczyły. Jednak po kilku miesiącach gospodyni wdowca przyniosła złe nowiny.

– Stary głupiec znowu się żeni! A jego narzeczona sprowadzi własną służbę z Bordeaux, więc nas wszystkich wyrzuci na bruk co najwyżej z miesięczną odprawą. Będziesz musiała poszukać posady kucharki gdzie indziej, Ondine.

Podczas pogawędki wśród służby Ondine znowu usłyszała nazwisko Picassa. Pozostawiał po sobie ślady w najbardziej nieprawdopodobnych miejscach. W tysiąc dziewięćset czterdziestym szóstym roku wrócił do Antibes i otworzył sklep w Château Grimaldi, w tym samym zamku, który zwiedził podczas ostatniej wycieczki z Ondine na wozie ciągniętym przez osła. Grupa dzieciaków namówiła go wtedy, żeby zajrzał z nimi do starej budowli, zmienionej w muzeum.

Po wojnie, niezrażony brakiem płótna i farb, używając farb do konserwacji łodzi, stworzył Picasso energetyzujące dzieła bezpośrednio na ścianach zamczyska, a nawet przemalował kilka starych obrazów, które znalazł w środku.

Potem, jak zwykle ukradkiem, wyjechał w poszukiwaniu kolejnych inspiracji. Ondine dowiedziała się, że wynajął dom w Vallauris, ponieważ zaintrygowała go miejscowa ceramika. W natchnieniu zaczął wytwarzać własne fantastyczne dzieła i mimochodem uratował bankrutujące zakłady ceramiczne, ponieważ dzięki niemu interes znowu zaczął kwitnąć.

Ondine usłyszała to wszystko od gospodyni swojego pracodawcy, która pokazała jej poświęcone tym wydarzeniom artykuły w różnych czasopismach. Uwagę Ondine przyciągnęła szczególnie jedna fotografia – Picasso na plaży udawał niewolnika i przytrzymywał parasol nad swoją panią, dumnie kroczącą przed nim piękną kobietą o imieniu Françoise. W artykule napisano, że studiowała na Sorbonie, a Pabla spotkała w Paryżu podczas wojny. Kolejna fotografia przedstawiała ich dwoje dzieci.

Oboje mają oczy Picassa! – pomyślała Ondine. Przeczytała, że artysta ma już czworo dzieci – syna z pierwszą żoną, Rosjanką, córkę z jasnowłosą Marie-Thérèse oraz tę uroczą dwójkę małych elegantów.

– Krążą plotki, że stosunki Picassa z żoną bardzo się popsuły – wyjawiła znaczącym, cichym tonem gospodyni.

– Gdzie znajduje się dom Picassa? – Ondine nie potrafiła stłumić ciekawości.

– Niedaleko. Nazywa się Villa La Galloise.

29

PICASSO W VALLAURIS — WRZESIEŃ 1953

Pablo Picasso nigdy w życiu nie czuł się tak obrażony. Siedział sam w ciemnym pokoju i palił. Doszedł do wniosku, że kobiety po prostu są nieludzkie, i tyle. Daje się im wszystko – miłość, dzieci, porządny dom – dlaczego więc zmuszają mężczyznę, żeby czuł się winny tylko dlatego, że jest mężczyzną? One wszystkie są nieznośne, pomyślał, rozpamiętując swoją urazę.

Weźmy choćby Olgę. Pozostała jego żoną – wciąż tytułowała się „*madame* Picasso" – i zdobyła lwią część jego majątku, ale to jej nie wystarczyło, musiała jeszcze śledzić kochanki Pabla, krzyczeć na nie, szczypać je i powtarzać, że nic nie zyskają na romansie z Picassem.

Marie-Thérèse potrzebowała nieustannego pocieszania i podnoszenia na duchu, dlatego Pablo pisał do niej i przysięgał w listach, że jest jedyną kobietą, którą naprawdę kocha. Regularnie, dwa razy w tygodniu, odwiedzał ją, aby zobaczyć się z dzieckiem. Jednak ostatnio Marie-Thérèse nalegała, żeby wreszcie spełnił obietnicę i się z nią ożenił.

I jeszcze nieszczęsna Dora Maar. Cóż, niektórzy ze znajomych Picassa winili go za jej załamanie, twierdzili, że zniszczył jej ducha, wzbudzając w niej zazdrość swoimi manipulacjami, gdy paradował przed nią z innymi kobietami, a potem wracał tylko po to, aby znowu ją porzucić. Przyjaciele znaleźli ją włóczącą się ulicami Paryża i mamroczącą do siebie bez ładu i składu. Picasso wezwał lekarza, który nakazał Dorze odpoczynek w domu i przepisał terapię elektrowstrząsami. Pełna życia, ciemnowłosa intelektualistka nigdy już nie była taka sama – zwróciła się ku religii, a gdy Picasso spotkał ją w Paryżu, wykrzyczała mu, że zapłaci on za swoje grzechy, chyba że zaraz uklęknie i będzie błagał Boga Wszechmogącego o przebaczenie.

– To nie moja wina, że kobiety są takie słabe! – protestował Pablo na wyrzuty znajomych.

Przecież Bóg wciąż go nagradzał coraz większymi pieniędzmi i sławą oraz nową, młodą kochanką... Picasso sądził, że z Françoise będzie inaczej. Młoda paryżanka z falującymi, ciemnorudymi włosami była tą debiutującą artystką, której kiedyś podsunął w kafejce miskę wiśni, jeszcze za czasów, gdy miastem rządziło gestapo. Po wojnie sprzeciwiła się bogatemu ojcu oraz wielkodusznej babce i zamieszkała z Picassem w Vallauris.

– Pozwoliłem, aby dzieliła ze mną życie i talent przez całą dekadę – prychał Pablo z oburzeniem. – I jak mi za to podziękowała? Co powiedziała mi śliczna, miła Françoise? „Wybacz, Pablo, ale chcę żyć ze swoimi rówieśnikami i zajmować się problemami m o i c h czasów".

I dodała, że już nie czuje się szczęśliwa w ich związku.

Pablo ryknął wtedy z oburzeniem:

– Twoim zadaniem jest pozostać u mojego boku, poświęcić się dla mnie i dla dzieci. Nie obchodzi mnie, czy czujesz się szczęśliwa, czy też nie!

Nie zauważył jednak, że oddana dziewczyna wyrosła na elegancką kobietę z własnym rozumem... Przecież dopiero co skończyła trzydziestkę, a Picasso był już po siedemdziesiątce.

Czuję się przez nią jak stary kozioł, pomyślał wściekły. Jego obrazy wypełniały teraz nagie młode modelki, obojętne na zaloty żałosnych karłów i klaunów, którzy pragnęli się kochać z tymi pięknymi nimfami.

Françoise nie odeszła od razu, więc Pablo nie uwierzył, że naprawdę tego chciała. Próbował nawet odważnie żartować z tej sytuacji wśród przyjaciół.

– Françoise zamierza mnie wkrótce opuścić – oznajmił pewnego razu. – Może już dziś? A może jutro. – O, ja nieszczęsny – powtarzał. – Jestem mężczyzną bez miłości.

Przez chwilę to nawet działało, bo przyjaciele naciskali na Françoise i błagali, aby nie była dla mistrza tak okrutna.

Wkrótce wieść przeciekła do prasy, a dziennikarze zaczęli tłoczyć się u drzwi, żeby zapytać Françoise, czy plotki są prawdziwe. Kobieta uciekła do Paryża, ale wkrótce wróciła do Pabla na południu Francji.

Żadna kobieta nie zostawia takiego mężczyzny jak ja, wmawiał sobie Picasso. Tak naprawdę jednak nie miał pojęcia, co zrobić z niezależnie myślącą, młodszą i nowoczesną kobietą, i w ogóle z całą tą sytuacją.

Dlatego gdy chwila wreszcie nadeszła, Pablo nie był emocjonalnie przygotowany. W piękny pod każdym innym względem wrześniowy dzień Françoise spakowała walizki, zabrała torebkę, wzięła syna i córkę za ręce i poprowadziła do czekającego samochodu. Kierowca zabrał bagaże, a dzieci wsiadły i zaczęły wyglądać przez tylną szybę, jakby wybierały się na niebezpieczną, lecz pełną intrygujących przygód wyprawę, ich czarne oczy błyszczały psotnie.

– Jeszcze wrócisz – powiedział Picasso do Françoise z udawaną obojętnością i wzruszeniem ramion, co miało podkreślić, że mało go to wszystko obchodzi. Ale gdy tylko kochanka wsiadła z dziećmi do samochodu, pognał po schodach na dół jak wściekły byk. Zanim dobiegł do drzwi, samochód ruszył.

Pablo wyjrzał gniewnie, jakby samym spojrzeniem mógł nakazać kobiecie, aby się zatrzymała. Françoise w odpowiedzi popatrzyła wyzywająco i stanowczo. Kierowca zwolnił niepewnie.

– Jedź! – ponagliła go Françoise. Szofer dodał gazu, aż opony zabuksowały na żwirze. Samochód odjechał.

– *Merde!* – ryknął Pablo, grożąc pięścią odjeżdżającym. Potem z papierosem w palcach przeszedł kilka kroków i tylko patrzył, jak auto znika, a na jego twarzy malowały się skrajna wściekłość i poczucie zdrady.

W przygnębiającej ciszy Picasso zaciągnął się głęboko dymem, a potem rzucił papierosa na ziemię i rozdeptał, jakby miażdżył coś więcej niż tylko żarzący się niedopałek.

Wreszcie odwrócił się na pięcie, wszedł do domu i zatrzasnął za sobą drzwi.

Następnego dnia obudził się tuż przed południem. Okna były zasłonięte, w domu panowały ciemność i cisza. Pablo był sam. Wiedział, że prędzej czy później musi wstać i zadzwonić do przyjaciela lub pracownika w Paryżu, aby pomogli mu przejść przez zmiany, ruszyć się, coś zrobić.

Picasso nigdy nie zamierzał nauczyć się prowadzić samochód, ponieważ obawiał się, że zniszczy sobie ręce. Nienawidził nowoczesnych urządzeń, dotyczyło to nawet telefonu, jednak tego dnia skorzystał z niego, by wezwać na pomoc syna, którego urodziła mu Olga.

Nie należał do ludzi, którzy dobrze się czują w samotności. Leżał w ciemnym pokoju i palił. A potem wydało mu się, że słyszy przed domem głosy. Wyobraził to sobie? Było za wcześnie, żeby syn zdążył przyjechać. Wsłuchiwał się w cichy, melodyjny odgłos.

Co to mogło być – rozmowy ludzi czy śpiew ptaków? Westchnął znużony, podniósł się, podszedł do okna, rozsunął zasłony i wyjrzał.

Do domu zbliżały się dwie osoby. Pablo cofnął się, aby nie zostać zauważonym. Z nawyku czekał, że ktoś inny się tym zajmie, zaraz jednak przypomniał sobie, że w domu nie ma ani kochanki, ani przyjaciela, którego można by posłać do drzwi frontowych, aby sprawdził, co się dzieje.

Dzisiaj musiał zająć się tym sam. Albo to zignorować.

Niepohamowana ciekawość pchnęła go jednak do działania. Wsunął stopy w sandały i zszedł schodami najciszej, jak się dało. Zatrzymał się przy frontowych drzwiach i przyczaił. Czuł się jak szpieg, nasłuchując, jak nieznajoma para zbliża się do drzwi. Wychwycił kobiece głosy – ciche, melodyjne i przyjemne. Mimo to zaskoczyło go ostre pukanie, gdy jedna z przybyłych użyła kołatki. Po holu poniosło się echo, ale Pablo nie ruszył się z miejsca.

Wstrzymał oddech, usilnie zastanawiając się, co zrobić. Wreszcie jednak podjął decyzję.

30

ONDINE W VALLAURIS — WRZESIEŃ 1953

Początkowo Ondine nie była pewna, czy rzeczywiście trafiła pod dom Picassa. Wraz z Julie zatrzymały się przed szerokimi kamiennymi stopniami, otoczonymi z dwóch stron dzikim ogrodem, rozłożonym na terasach zbocza. Schody prowadziły do dość skromnej willi na szczycie wzniesienia.

– *Maman*, czy naprawdę muszę wchodzić po tych schodach? Z tym koszykiem? – zapytała niechętnie Julie.

– Tak. – Ondine spojrzała w górę.

– A muszę wyglądać jak Czerwony Kapturek? – marudziła Julie. – Mam już szesnaście lat!

Jest prawie w tym samym wieku co ja, gdy spotkałam Picassa, pomyślała Ondine.

– Kogo właściwie odwiedzamy? Dlaczego jest taki ważny?

– Poznałam go kiedyś w Juan-les-Pins. Jest bardzo bogaty i może zechce nam pomóc – wyjaśniła Ondine ostrożnie, wspomniawszy obietnicę, którą złożyła Lucowi, że nigdy nie powie Julie o Picassie.

Ale nie obiecywałam, że nie powiem Picassowi o Julie! – uznała w duchu.

– Skoro to twój przyjaciel, dlaczego ja muszę wręczyć mu koszyk? – oburzyła się Julie.

– Ponieważ on woli młode kobiety – odparła Ondine bardziej do siebie.

Rano przyjrzała się swojemu odbiciu. Miała trzydzieści cztery lata i twarz, z której biła odwaga. Życie jednak ciężko ją doświadczyło, i z lustra patrzyła kobieta, która nie obawia się spojrzeć innym prosto w oczy.

Przekonajmy się, czy Picasso też tak potrafi, pomyślała.

Z czułością wygładziła fałdkę na szwie rękawa sukienki Julie i mocniej ścisnęła kokardę w jej włosach.

– Pamiętaj, aby zwracać się do niego per *patron*. Uśmiechaj się i dygaj ładnie. Wyglądasz zbyt ponuro, gdy zapominasz się uśmiechnąć.

Julie źle zrozumiała ostatnią uwagę i oburzyła się w duchu.

Nawet moja matka uważa, że nie jestem dość ładna, pomyślała z urazą. W istocie miała miłą twarz i ciepłe, ciemne oczy oraz wspaniałe kasztanowe włosy, ale wydawało się, że nikt nie zauważa tego nieśmiałego stworzenia z nieustannie spuszczoną głową.

Posłuszeństwo było jedynym sposobem na przetrwanie, jaki Julie zdołała opanować.

– Tak, *maman* – odpowiedziała.

Ondine dostrzegła oburzenie córki i nie dała się nabrać. Wszyscy uważali Julie za miłą i potulną, zwłaszcza że dziewczynka była małomówna, niekiedy wręcz zupełnie milcząca.

Obwinia mnie za to, co się stało po śmierci Luca, powiedziała sobie w duchu Ondine.

Kiedy wspinały się po kamiennych schodach do domu Picassa, słyszały brzęczenie pszczół w wysokiej trawie na terasach ogrodu. Jak na wrzesień dzień był upalny. Gdy znalazły się bliżej, Ondine wydawało się, że widzi ruch zasłony w oknie. Podeszła śmielej do drzwi.

– Może twojego znajomego nie ma w domu? – Julie miała taką nadzieję.

Kosz był ciężki i najchętniej zostawiłaby go na progu, a potem uciekła. Nie wyobrażała sobie, że zapuka do tych drzwi, dygnie i zaproponuje poczęstunek zupełnie obcemu człowiekowi.

Ondine przygotowała *lapin aux tomates, olives et moutarde* – królika duszonego z cebulą, musztardą, pomidorami, białym winem, czarnymi oliwkami, kaparami i ziołami. Podprowadziła Julie pod same drzwi. Musiały pukać dwukrotnie, zanim usłyszały ciężkie kroki w środku. Po długiej ciszy drzwi wreszcie uchyliły się nieco i Minotaur wyjrzał przez szparę. Jego ciemne oczy zalśniły.

– Kim jesteście? – Picasso przesłonił oczy dłonią przed rażącymi promieniami słońca. – Podejdźcie bliżej, nie widzę was.

W jego głosie brzmiała irytacja, pod pachą trzymał zwiniętą gazetę.

Ondine wystąpiła odważnie naprzód.

– *Bonjour, patron.* Jestem Ondine, twoja kucharka sprzed wielu lat. Pracowałam w Café Paradis w Juan-les-Pins. Moja córka ma dla ciebie prezent.

Picasso przyjrzał się jej uważnie, a potem szerzej otworzył drzwi. Julie zobaczyła niskiego, muskularnego mężczyznę, ubranego w szorty i rozpiętą koszulę z krótkim rękawem, odsłaniającą szeroki tors. Nieznajomy był smagły, nawet łysinę miał opaloną na brąz. Marszczył groźnie brwi i świdrował dziewczynę i jej matkę czarnymi jak węgiel oczyma. Chociaż jednak wydawał się silny i wysportowany, wyglądał bardziej na dziadka.

– On jest strasznie stary! Nie tak mi go opisałaś – szepnęła Julie zza pleców Ondine, ponieważ matka powiedziała, że ten „znajomy" to ciemnowłosy, bardzo męski *patron,* a nie ktoś, kto chyba przekroczył już siedemdziesiątkę.

– Cii...! – syknęła matka.

Julie przerażona podeszła bliżej i w milczeniu wręczyła mężczyźnie kosz piknikowy. Picasso wydawał się zaskoczony, ale nie oparł się pokusie, aby zajrzeć do środka i powąchać. Aromat jedzenia od razu przykuł jego uwagę, tak jak przewidziała Ondine.

Każdy mężczyzna lubi być rozpieszczany, pomyślała z satysfakcją. Skorzystała z okazji, żeby przyjrzeć się malarzowi bliżej. Wydawał się jeszcze niższy, niż pamiętała, a czarne włosy zupełnie mu posiwiały, do tego mocno wyłysiał. Mimo to serce Ondine od razu odpowiedziało na znajomą, magnetyzującą bliskość tego mężczyzny.

Picasso zerknął na matkę, a potem popatrzył na córkę, jakby jej młoda twarz była balsamem dla jego zranionej dumy.

– No i czemu nie? – stwierdził, po czym wpuścił obie kobiety i zamknął drzwi. – Nikt inny nie pomyślał, aby przygotować dla mnie dzisiaj posiłek! Zjem w ogrodzie. Chcesz go zobaczyć, młoda damo?

Julie uśmiechnęła się z ulgą, zmiana tonu głosu Picassa była zachęcająca. Ruszyły za nim. Obeszli dom, za którym ustawiono stół z kutego żelaza i pasujące do niego krzesła. Mężczyzna zajął jedno z nich, a Ondine rozpakowała i podała delikatnego królika, tak miękkiego, że można go było kroić widelcem. Gdy nałożyła porcję, Picasso rozparł się niczym cesarz pozwalający swoim poddanym czekać. Potem zaczął jeść z apetytem i wyglądał na coraz bardziej zadowolonego.

Ondine skinęła głową na Julie, która zrobiła to, o co wcześniej poprosiła ją matka – zostawiła dorosłych, aby mogli spokojnie porozmawiać jak starzy znajomi. Odeszła taktownie w głąb ogrodu, podziwiając kwiaty, Picasso podążył za nią spojrzeniem, po czym zaintrygowany popatrzył na Ondine.

– Przypomnij mi... Jak dobrze się znaliśmy? – zapytał. Wyraźnie próbował sobie przypomnieć coś, co w jego pamięci stanowiło tylko ulotną chwilę, a tak bardzo zaważyło na życiu Ondine.

– Było to w roku tysiąc dziewięćset trzydziestym szóstym w Juan-les-Pins. Przywoziłam ci posiłki na rowerze. Pozowałam dla ciebie w niebieskiej sukience i z twoim zegarkiem. Jestem Ondine, twoja *Femme à la montre*.

Starała się stłumić w sercu ból. Wypatrywała choćby śladu zainteresowania, które kiedyś budziła w tym mężczyźnie.

– Ach, Ondine – powtórzył Picasso zdziwiony, jak człowiek, który zbudził się ze snu. – Tak, tak! Dziewczyna z włosami jak morskie fale! Wciąż gotujesz w tej *café*? Poślubiłaś jakiegoś miejscowego bohatera?

Więc jednak ją pamiętał, w jego głosie zabrzmiała nawet nutka sympatii. Ondine poczuła rumieniec na policzkach. Absurdalny w jej wieku.

– Owszem, wyszłam za mąż – przyznała ostrożnie. – I wyjechałam do Ameryki. Otworzyliśmy tam własną *café*... w mieście New Rochelle. Ważni ludzie z Manhattanu ustawiali się w kolejce, żeby spróbować mojej *bouillabaisse*.

Nie mogła powstrzymać dumy w ostatnich słowach.

– *Bon!* Lubię przebywać w towarzystwie zwycięzców, nie przegranych – stwierdził Picasso. Oderwał kawałek chleba, aby wytrzeć resztę sosu. – A kim jest twój mąż, jaki to człowiek?

– Dobry. Niestety, nie żyje – odparła cicho.

Picasso chyba nie miał ochoty rozmawiać o zmarłych, zwłaszcza o kimś, kogo nie znał, więc szybko zmienił temat.

– A ty? Co robisz w Vallauris?

– Pracuję jako kucharka. Kiedy dowiedziałam się, że mieszkasz w sąsiedztwie, postanowiłam cię odwiedzić. – A potem przyznała niepewnie: – Mój chlebodawca zaczyna nowe życie. Może przydałaby ci się kucharka?

Picasso stanowczo pokręcił głową i zwracając się bardziej do siebie niż do Ondine, oznajmił sucho:

– Nie, wezwałem już swojego kucharza z Paryża. Zresztą nie zostanę długo w tym domu. Bo niby czemu miałbym? Pora ruszać dalej!

– Często o tobie myślałam – wyznała cicho Ondine. – Zwłaszcza od tamtego dnia, gdy przyjechałam do twojej willi w Juan-les-Pins tylko po to, żeby zastać dom pusty. Wyprowadziłeś się tak nagle. Tęskniłam za tobą! I wszędzie szukałam portretu, który dla mnie namalowałeś, ale on też zniknął. Jednak zostawiłeś mi najcenniejszy dar naszej miłości. Uważam, że powinieneś to wiedzieć. Córka ma oczy po tobie, jak widzisz.

Zapadła długa cisza, przerywana tylko śpiewem ptaków i brzęczeniem owadów w trawie. Picasso zmrużył oczy.

– I przyszłaś do mnie po tylu latach? To nieprawdopodobne. Ondine ani myślała dawać za wygraną.

– Julie to twoja córka, ale mój mąż kochał ją jak własną. Dlatego obiecałam mu, że nigdy jej o tobie nie powiem. I dotrzymam słowa – zapewniła. Chciała jasno dać do zrozumienia, że nie zamierza stawiać nierozsądnych żądań.

– To mądrze – zgodził się Picasso stanowczo, po czym ściągnął serwetę, którą wsunął sobie pod brodę, aby łatwo wycierać usta przy jedzeniu. – Dzisiaj ludzie zwykle chcą ode mnie jednej z dwóch rzeczy. Jedni pragną zostać unieśmiertelnieni na obrazie, drudzy, zupełnie obcy, pukają do moich drzwi i proszą o pieniądze. Wyobrażasz sobie? Za kogo mnie uważają? Za bankiera? Mam czworo dzieci i daję im, co chcę i kiedy chcę. Ale one przynajmniej wiedzą, że lepiej nie żądać ode mnie więcej.

Ondine słyszała w jego głosie parskanie rozdrażnionego byka. Znowu marszczył brwi. Odczytała ostrzeżenie, serce jej zamarło, jednak pomyślała o Julie, która wciąż przechadzała się po ogrodzie i zbierała kwiaty. Nie mogę jej zawieść, powtórzyła sobie w duchu.

Picasso z namysłem przyglądał się twarzy Ondine.

– No, a czego ty chcesz? – zapytał szorstko.

Nie ośmieliła się powiedzieć: Chcę, żebyś pokochał Julie i zadbał o nią jak ojciec! Z pewnością uznał Ondine za kobietę bezbronną, pozbawioną wpływowych męskich krewnych, którzy mogliby zażądać sprawiedliwości dla Julie i jej matki. Dlatego Ondine postarała się wymyślić jakąś akceptowalną odpowiedź, jakby rozmawiała z dżinnem mogącym spełnić tylko jedno jej życzenie. Rozważyła swoje możliwości bardzo ostrożnie, były delikatne i kruche jak skrzydła motyla.

– Chcę odebrać portret, który dla mnie namalowałeś po tym, jak się kochaliśmy – powiedziała spokojnie. – Rozmawialiśmy

wtedy o Rembrandcie, a potem pozowałam ci do twojej *Dziewczyny w oknie*. Obiecałeś, że dostanę ten obraz.

Czy Picasso w ogóle to pamiętał? I czy jeszcze miał ten obraz?
Jego twarz pozostała nieprzenikniona. Ondine przywołała wspomnienia.

– Powiedziałeś, że obraz jest mój. A wiem, że dotrzymujesz
słowa. To dla mnie ważne, ponieważ teraz ten obraz może stać się
posagiem dla twojej córki – wyznała szczerze.

– Będę musiał to przemyśleć. Kiedy zapada decyzja, ktoś wygrywa, ktoś przegrywa. Dlatego na podłodze zawsze jest krew. –
Wyglądał, jakby to jego dręczył ten dylemat. Po chwili pogroził
Ondine palcem. – Ale pamiętaj, jeśli postanowię, że dam ci ten
obraz, będzie to prezent. A prezentów nie wolno sprzedawać.

Uśmiechnął się przebiegle. Ondine zastanawiała się, czy bawił
się z nią w kotka i myszkę. Możliwe, że już dawno sprzedał obraz.
Najwyraźniej jednak ją sprawdzał.

– Sądzę, że nie będę musiała go sprzedawać – obiecała ostrożnie. – Samo posiadanie takiego dzieła sztuki wystarczy, aby wy-
wrzeć wrażenie na rodzinie kawalera. Chcę, żeby nasza córka dobrze wyszła za mąż i miała przyzwoity start w życiu.

– Jeżeli dam ci ten obraz, czy na tym się skończy? – zapytał
surowo Picasso. Jego beznamiętne spojrzenie wskazywało jasno,
jaka powinna być odpowiedź.

Ondine oceniła sytuację. Wiedziała, że musi przyjąć ofertę, zanim Picasso się wycofa.

– Tak.

Z drogi dało się słyszeć chrzęst żwiru pod kołami samochodu
wjeżdżającego na wzgórze. Picasso zerwał się od stołu. Ondine
również wstała, a artysta machnął ręką w stronę domu, jakby rzucał rękawicę.

– Kto wie, gdzie jest ten obraz? Ten dom pęka od dzieł sztuki,
nie potrafię ich już zliczyć. Ludzie wciąż próbują mnie „zorganizo-
wać". A ja maluję, rysuję, rzeźbię... a potem muszę kupić większy

dom tylko po to, żeby mieć gdzie to wszystko trzymać! Niektóre obrazy zostały przysłane tutaj z mojego mieszkania w Paryżu. Niektóre sprzedałem, niektóre rozdałem. Może była wśród nich *Dziewczyna w oknie*. Nie mam teraz czasu jej szukać. Ale jeżeli się na nią natknę, dam ci znać. Do widzenia – zakończył twardo. Ondine się rozejrzała. Julie musiała powędrować w dół ogrodu, ponieważ właśnie wracała, zarumieniona i onieśmielona, w towarzystwie przystojnego rudowłosego młodzieńca, wysokiego chyba na sześć stóp. Właśnie przyjechał i – sądząc po minach obojga – flirtował z dziewczyną.

– To mój najstarszy syn – powiedział Picasso. – Ponieważ nie znalazł na razie żadnej dobrze płatnej pracy, zatrudniam go jako szofera.

Ondine pomyślała, że to chyba żart. Ten wysoki, płomiennowłosy młodzieniec ma być synem niskiego, ciemnowłosego Picassa? Szybko jednak poszukała w pamięci i uznała, że to zapewne dziecko, które urodziła mu żona Rosjanka.

– Samochód gotowy – powiedział młodzieniec.

Picasso zerknął na Julie, która podeszła i pamiętała, żeby dygnąć, po czym wręczyła mu bukiet. Artysta wyglądał na wzruszonego, nawet dumnego, niemal wbrew swojej woli. Ondine wstrzymała oddech, gdy ta czarnooka para popatrzyła na siebie nawzajem.

– Tak, tak, to miłe – mruknął nieco szorstko Picasso, ale przyjął kwiaty. Zaraz jednak odwrócił się i poszedł za synem.

Ondine spakowała kosz i podała go Julie. Picasso wsiadł tymczasem do swojego luksusowego samochodu. Nawet się nie obejrzał.

– Wracamy do domu? – zapytała Julie.

Ondine skinęła głową, ale kiedy ruszyły do wyjścia, ociągała się nieco. Samochód Picassa minął je i wzbijając tumany kurzu, zniknął za zakrętem.

Szły przez wysoką trawę, w której oszałamiająco grały cykady. Ondine zerknęła na Julie i nagle widok młodej dziewczyny uginającej się pod ciężarem kosza z brudnymi talerzami po obiedzie Picassa stał się nie do zniesienia. Nie zasługiwała na taki los.

– Julie, zapomniałam czegoś – oznajmiła Ondine zdecydowanym tonem. – Idź do domu, nie czekaj na mnie.

Julie westchnęła ciężko i poszła dalej sama. Ondine cofnęła się pośpiesznie do willi, rozglądając się czujnie, żeby nie zauważył jej nikt ze służby i nie wezwał policji. Jednak dom był cichy jak grobowiec. Wspięła się po kamiennych stopniach. Duże przeszklone drzwi były zamknięte, niektóre okna zasłaniały nawet okiennice. Kobieta szukała jednak uparcie, aż natrafiła na wąskie okno kuchenne, które pozostawiono otwarte.

Ondine wdrapała się na okno, raniąc sobie przy tym dłonie. Przecisnęła się do środka i zeskoczyła na kuchenny blat. Skradając się na palcach, zaglądała do ciemnych pokojów, nim wreszcie dotarła tam, gdzie chciała – do pomieszczenia bez mebli, wypełnionego dziełami sztuki. Obrazy stały w rzędach, niektóre poskładane według wielkości, inne przypadkowo powiązane sznurkiem albo rozłożone na stołach, albo po prostu jeden na drugim oparte o ściany. Były ich tu chyba setki.

Muszę się pośpieszyć, nakazała sobie Ondine i włączyła niewielką lampę. Uklękła i zaczęła przeglądać najbliższą stertę. Płótna były rozpięte na drewnianych ramach. Ondine przeglądała je systematycznie i zręcznie, a przy tym starała się, aby dziwne piękno tych dzieł, pełnych życia i energii, nie rozproszyło jej uwagi. Niektóre z prac były datowane, inne nie. Niektóre pogrupowano według określonego roku powstania albo tematu, innych zaś nie.

Wiele obrazów przedstawiało elegancką kobietę, którą Ondine widziała na zdjęciach w czasopismach. W miarę przeglądania płócien jej nadzieja słabła, mimo że daty wskazywały na coraz starsze dzieła, jeszcze z lat czterdziestych, które zapewne Picasso namalował, aby uczcić koniec wojny – przedstawiały radośnie brykające kozy i konie, pląsające nimfy i faunów oraz inne mityczne stworzenia.

Gdy przebijała się coraz głębiej, natykała się na coraz bardziej zakurzone płótna, niektóre oplątane nawet pajęczynami z truchłami much. Ondine z obrzydzeniem przerywała dłonią te stare sieci. Dawniejsze prace Picassa były bardziej surrealistyczne i trudniejsze do zrozumienia.

Aż nagle dostrzegła znajomą twarz – tę, która przypominała latawiec.

– Ach! – wykrzyknęła, natrafiwszy na kolejny obraz w barwach Wielkanocy, a potem jeszcze jeden, wszystkie z pierwszego tygodnia po poznaniu Picassa. Pamiętała te obrazy, choć czas o nich zapomniał. Nie znalazła jednak Minotaura ciągnącego wóz ani też martwej natury z dzbanem. Sięgnęła po ostatnie, mniejsze płótno, wciśnięte w kąt i odwrócone do ściany. Kiedy je zobaczyła, wyrwał się jej z ust zduszony okrzyk. Było to jak spojrzenie w czarodziejskie lustro, które pokazywało przeszłość. *Dziewczyna w oknie* patrzyła prosto na Ondine, pełna nadziei i triumfu, i rozchylała usta, jakby zaraz miała coś powiedzieć.

– Czy naprawdę tak wyglądałam? – szepnęła Ondine.

Ledwie mogła sobie przypomnieć, że była kiedyś tym podlotkiem, który wierzył w swoją niewyczerpaną siłę. Przysiadła na piętach, w ciszy łącząc się z utraconą cząstką siebie. Zaraz jednak usłyszała nadjeżdżający samochód. Wstrzymała oddech. W życiu niczego nie ukradła, nawet gdy była małą dziewczynką. Wspomniała jednak słowa Picassa: powiedział, że ten obraz jest mój. Przecież nie cofnie słowa. Choćby tyle może zrobić dla Julie. Powiedział, że kiedy zapada decyzja, ktoś wygrywa, ktoś przegrywa. A ja mam dość przegrywania.

Obraz nie był duży, zaledwie pół metra wysokości i jeszcze mniej szerokości, Ondine mogła go zabrać. Pośpiesznie zawinęła płótno w starą gazetę, którą znalazła między ramami.

W panice dopiero wtedy zdała sobie sprawę, że będzie musiała wyjść z drugiej strony domu. Biegła przez kolejne pokoje z zamkniętymi okiennicami. Musiała uważać, by nie narobić hałasu i nie zwrócić na siebie uwagi. Wreszcie znalazła okno, które dało się cicho otworzyć. Najpierw wyrzuciła obraz na trawę, po czym sama wyślizgnęła się do ogrodu. Słyszała, że samochód podjeżdża już pod dom. Podkradła się i wyjrzała zza węgła. To nie był samochód Picassa. Z ciężarówki wysiadł ogrodnik i zaczął wyładowywać pakę. Ondine obserwowała, jak mężczyzna kręci się wokół samochodu i po ogrodzie. Kiedy się odwrócił, pobiegła w wysoką trawę za domem. Ostrożnie schodziła po terasach, najpierw kładła niżej płótno, potem zeskakiwała sama. Wreszcie dotarła do drogi.

Gdy tylko znalazła się w domu, ukryła obraz pod ubraniami w szufladzie komody. Przez kilka dni wyczekiwała nerwowo, wierzyła jednak, że płótno przyniesie jej szczęście. Przede wszystkim dlatego, że Picasso najwyraźniej za nim nie tęsknił – policja nie pojawiła się, żeby aresztować Ondine.

Niedługo potem, gdy wciąż rozpaczliwie próbowała znaleźć posadę, Ondine usłyszała, że Café Paradis, czy raczej Café Renard, jak nazywał się wówczas lokal, znajduje się w poważnych tarapatach. Postanowiła sprawdzić i przekonać się na własne oczy, ale kiedy przyjechała, zastała tabliczkę „ZAMKNIĘTE", wywieszoną na frontowych drzwiach.

Przysłoniła oczy i zajrzała do wnętrza. Piekarz siedział zgarbiony przy stoliku w kącie. Otworzył w milczeniu drzwi, a Ondine weszła za nim do środka. I nie mogła uwierzyć własnym oczom – po twarzy Renarda płynęły łzy.

– Co ci się stało? – zapytała.

– Rzucił mnie! – Renard ciężko opadł na krzesło. – Mój szef kuchni uciekł do Rzymu z jakimś włoskim arystokratą! I pomyśleć, że zaniedbałem własne interesy, żeby dać mu wszystko, czego pragnął. Mówię ci! – wybuchnął, po czym zaczął szukać po kieszeniach chusteczki. – Nie zostawił nawet listu. Po prostu wymknął się o świcie jak złodziej. Dowiedziałem się dopiero od zawiadowcy stacji.

Nieoczekiwanie wszystko stało się dla Ondine jasne. Zrozumiała, dlaczego tak długo Renard był starym kawalerem i zgodził się na ożenek tylko dlatego, że pomogłoby mu to w interesach. Ach, nieszczęśnik, w końcu się zakochał... w tym niewdzięcznym chłopaku! – pomyślała. Wzruszyła się, ale dostrzegła również szansę dla siebie. Dlatego po raz pierwszy zwróciła się do Renarda tak, jakby byli przyjaciółmi.

– Wiesz, Fabiusie – powiedziała łagodnie, gdy mężczyzna znalazł wreszcie chusteczkę i wytarł oczy. – Ciesz się, że masz trochę miłych wspomnień z tej miłości. Szczęścia nie można jednak zatrzymać na zawsze, a takie próby kończą się tylko utratą nadarzających się okazji.

Renard znieruchomiał i ucichł, ukojony jej poufałym, opiekuńczym tonem.

– Jakich okazji? – mruknął z zainteresowaniem i wydmuchał nos.

– Przede wszystkim ten chłopak kosztował cię za dużo – stwierdziła Ondine. – Nie był dobrym kucharzem, a ty pozwoliłeś mu zaniedbać lokal. I nie kłóć się, wiesz, że to prawda. Przez niego straciłeś wielu klientów. Sam powiedziałeś, że interesy idą słabo.

– To prawda – przyznał ze smutkiem Renard.

– Myślę, że los ci mnie zesłał. Najwyższy czas, żebyśmy połączyli nasze talenty.

Renard czujnie podniósł wzrok.

– Nie mówię o małżeństwie – zapewniła go Ondine. – Oboje mamy złamane serca. Ale jesteś dobrym piekarzem, a ja umiem gotować. Znam tę *café* i jej miejscową oraz przyjezdną klientelę jak własną kieszeń. Razem możemy sprawić, że znowu zacznie przynosić zyski.

– To zajmie lata... i całe nasze zyski, żeby doprowadzić ten lokal do stanu, w jakim był przed wojną – ostrzegł Renard. – Ale masz rację, nikt nie umiał gotować jak ty i twoja matka. Z pewnością mogłabyś przyciągnąć więcej klientów.

– Tak – przyznała Ondine ostrożnie. – Tak, będę tutaj gotować, ale nie jako wynajęta kucharka. Chcę być wspólniczką jak mój ojciec.

Renard otworzył usta, żeby coś powiedzieć, ale nie pozwoliła mu na to.

– Wciąż masz ten *mas* w Mougins?

– Tak, ale zagroda lepsze czasy ma już za sobą – przyznał.

– Ach, pomogę ci odbudować gospodarstwo – zapewniła odważnie Ondine. Luc nauczył ją tego i owego o targowaniu się i wykorzystywaniu każdej nadarzającej się okazji.

– Dlaczego chcesz to zrobić? – zdziwił się piekarz.

– Ponieważ ten *mas* to życiodajna siła dla *café*, a ty nie wykorzystujesz go jak należy. Włożę w to całe serce i wysiłek, aby nasza restauracja odniosła sukces. Ale nie zamierzam być wynajętym pracownikiem. Będę twoją legalną wspólniczką albo zapomnij o sprawie.

– Ale co to dokładnie oznacza, że będziesz wspólniczką?

– To znaczy, że zyski będziemy dzielić po równo, a jeżeli umrzesz, cały interes przejdzie na mnie, jakbym była twoją żoną – wyjaśniła twardo Ondine. – Ludzie pewnie uznają nas za parę, ale będziesz mógł spotykać się, z kim chcesz, i kochać, kogo zechcesz, o ile zachowasz dyskrecję i nie narazisz na szwank moich praw do *café* i *mas*. Nie będziesz ode mnie wymagał wypełniania obowiązków małżeńskich, jednak będziemy traktować się uprzejmie. Zgoda?

Pokazała mu recenzje wycięte z amerykańskich gazet, które przyniosła, aby przekonać Renarda do zaoferowania jej posady. Tym razem zmusiła go do przeczytania wszystkich. Piekarz przejrzał wycinki, a potem zmierzył Ondine zamyślonym spojrzeniem. Nieprzewidywalna, krnąbrna dziewczyna wyrosła na inteligentną, ambitną kobietę. A Renard miał nosa do interesów, niezależnie od tego, z kim zawierał umowę. Wreszcie skinął głową. Na jego twarzy odmalował się zarówno podziw, jak i ulga.

– Poproszę prawnika, dla którego gotowałam, aby spisał odpowiednie dokumenty. I jeszcze jedno. Chcę, aby moja córka, Julie, została zatrudniona jako kelnerka w naszym *café*. Dziewczyna musi mieć więcej kontaktów z ludźmi, żeby pokonać nieśmiałość.

– Och, dobrze – zgodził się Renard. – Możesz zacząć od razu?

Tego dnia Ondine dokonała odkrycia, gdy zakasała rękawy i zabrała się do sprzątania kuchni *café* i spiżarni. W stercie starych pudeł znalazła dzban swojej matki w niebiesko-różowe pasy, który miała dostać w posagu.

– To znak, że Julie wyjdzie za mąż – uznała.

Postanowiła jak najprędzej pokazać dzban córce, aby i ona uwierzyła w lepszą przyszłość.

Jednak Ondine nie była gotowa powiedzieć jej o portrecie. Kiedy wraz z Julie przeprowadziły się do większej sypialni nad *café*, poczekała, aż córka pójdzie wziąć kąpiel, i dopiero wtedy rozpakowała obraz. Ukrywała go na dnie walizki, frontem do góry, pod ubraniami.

– Picasso miał rację, gdy powiedział, że nie wolno cię sprzedać – szepnęła do *Dziewczyny w oknie*. – Przynosisz mi szczęście.

Ostrożnie wsunęła płótno do poszewki poduszki i położyła w szufladzie komody, a potem przykryła ubraniami i zamknęła szufladę. Dopiero później zorientowała się, że tym razem położyła obraz frontem w dół.

Niedługo potem jej los ponownie się odmienił.

31

CÉLINE I WRÓŻKA — VENCE, 2014

Céline, kochanie – rzuciła radośnie ciotka Matylda. – Potrzebny mi twój talent artystki makijażu, nominowanej do Oscara.

Uczestnicy kursu gotowania mieli pozować do zdjęć na tle basenu i ciotka Matylda zażądała, abym ją odpowiednio umalowała na tę okazję.

– Tylko nie zrób ze mnie potwora – zastrzegła.

Sięgnęłam więc po swoje pędzle i słoiczki z kosmetykami i rozświetliłam jej policzki, podkreśliłam podbródek, rozjaśniłam oczy, „wyrzeźbiłam" nos. Kiedy uniosłam przed nią lusterko, była mocno zaskoczona nowym wizerunkiem.

– O-och, podoba mi się to, co zrobiłaś bielą! – pochwaliła z podziwem. – Wyglądam tak wspaniale... I czuję się dziesięć lat młodsza!

Zeszłyśmy do basenu i dołączyłyśmy do reszty kursantów, którym wyczerpały się już plotki o Gilu i jego *mas,* więc przeszli do radosnych rozmów o planach na pozostałe kilka dni pobytu.

Maurice zrobił zdjęcia, a potem Lizbeth oznajmiła:

– Przez resztę popołudnia macie basen dla siebie, a wieczorem jesteście zaproszeni na kolację z szampanem, tutaj, pod pergolą.

Wszyscy radośnie pobiegli po kostiumy kąpielowe, żeby jak najszybciej wskoczyć do wody. Mnie zatrzymało wibrowanie telefonu. Dostałam e-mail od prawnika babki Ondine.

Chère Céline, w odpowiedzi na Pani prośbę zorganizowałem spotkanie z madame Sylvie, sąsiadką Pani Babki. Rozmawiała z madame Ondine tuż przed jej śmiercią. Madame *Sylvie uważana jest za osobę jasnowidzącą i zgodziła się odczytać Pani przyszłość dzisiaj o 14.00, o ile to Pani odpowiada. Proszę do niej zadzwonić pod podany niżej numer. W przypadku gdyby nie mogła się Pani pojawić, proszę ją powiadomić; madame Sylvie ma bardzo napięty grafik i nie umawia się z nowymi klientami wcześniej niż pod koniec roku.*

> *Z poważaniem,*
> *Gerard Clément*

— Dobry Boże — westchnęłam niechętnie. — Nie prosiłam o przepowiadanie przyszłości. I jeszcze pewnie będę musiała zapłacić za tę wizytę?

Wciąż miałam samochód z wypożyczalni i nic do stracenia.

— Chcesz się wybrać do wróżki, żeby przepowiedziała ci przyszłość? — zapytałam ciotkę Matyldę, wyjaśniwszy, dokąd się wybieram.

Ciotka spojrzała na basen i na mężczyzn pochłoniętych grą w *boules* na pobliskim placyku.

— Ta gra to skrzyżowanie krykieta z rzutem podkową — stwierdziła ze znudzeniem. — Oni będą w to grać godzinami. Jasne, że jadę z tobą.

Madame Sylvie mieszkała w Vence, wysoko na wzgórzach nad Niceą. Na przedmieściach kilka razy zabłądziłam, a potem trafiłam w ślepą uliczkę, do tego tak wąską, że nie dało się zawrócić — musiałam powolutku wycofać samochód na drodze będącej właściwie półką nad klifem. Zamykał ją stary cmentarz.

— Założę się, że spoczywają tu przyjezdni z czasów wiktoriańskich, którzy spadli z klifu — powiedziała z przerażeniem ciotka Matylda.

Wreszcie jednak udało nam się odnaleźć wróżkę. Mieszkała w centrum miasta, w jednym z wielu przylegających do siebie domów obwieszonych skrzynkami z dorodnym geranium. Przez wąskie, skrzypiące drzwi frontowe weszłyśmy do małego, ciemnego salonu, w którym *madame* Sylvie przyjmowała klientów. Wyszła nam na powitanie; na jej widok o mało nie wykrzyknęłam: Nie wyglądasz jak wróżka! – Żadnych cygańskich szali ani nic podobnego.

Madame Sylvie miała niewiele ponad dwadzieścia lat, gdy umarła babka Ondine, więc teraz dobiegała sześćdziesiątki. Wciąż była smukła, miała jasnoblond włosy i zielone oczy. Nosiła elegancki beżowy żakiet, zapewne uszyty na miarę, oraz nienagannie dobrane spodnie. Przedstawiłam jej ciotkę Matyldę, a potem usiadłyśmy przy okrągłym stoliku. Na jego blacie z czarnego marmuru leżała talia kart.

– Miło mi poznać wnuczkę Ondine, ale dlaczego mnie pani szukała? – zapytała *madame* Sylvie. Długimi, zręcznymi palcami rozłożyła karty po siedem w trzech rzędach.

Ciotka Matylda obserwowała to z czujną fascynacją, ponieważ sama uwielbiała grać w karty.

Nie mogłam się powstrzymać, żeby nie przetestować zdolności *madame* Sylvie.

– Czemu sama pani nie odczyta, o co mi chodzi?

Niemal oczekiwałam, że drgnieniem powieki, zaciśnięciem ust zdradzi się z poczuciem winy i wyzna, że to właśnie ona ukradła Picassa mojej babki. Jednak *madame* Sylvie przyjrzała się tylko kartom, a potem odpowiedziała otwarcie:

– Tak, rozumiem, że pragnie pani chronić matkę. Ale widzę też, że ona nie broniła pani przed pierwszym mężczyzną w pani życiu. Zmuszając panią do przyjęcia roli jej obrończyni – przed pani ojcem, który powinien opiekować się wami obiema – matka obrabowała panią z radości bycia tą młodszą i niewinną. Przybyła pani do Francji, aby odzyskać swoje prawo do bycia kochaną i docenioną jako kobieta. Pani matka ma własny los. I pragnie tylko, aby pani odnalazła własne przeznaczenie.

Ciotka Matylda wymownie skinęła głową. Doznałam takiego szoku, że zaparło mi dech w piesiach, czułam, jakby moja twarz miała opaść ze mnie niczym maska.

– Proszę pani – wybuchnęłam. – Nie chcę, żeby przepowiedziała mi pani przyszłość. Przyszłam tutaj, ponieważ się dowiedziałam, że była pani ostatnią osobą, która widziała moją babkę żywą, i chciałabym się dowiedzieć, co się zdarzyło tamtego dnia.

– Tamtego dnia pani urodziła się przed terminem. – *Madame* Sylvie uśmiechnęła się życzliwie. – Pani rodzice byli już w szpitalu, gdy przyszłam odwiedzić Ondine. Wypiłyśmy herbatę, a pani babcia bardzo się cieszyła i przejmowała pani losem. Tego samego dnia Bóg ją zabrał... – Urwała i spojrzała na mnie przenikliwie. – A teraz pani próbuje poznać sekrety Ondine. Dlaczego?

– Chciałabym się dowiedzieć tylko jednego, żeby uspokoić moją matkę – przyznałam. – Czy babka Ondine miała obraz Picassa?

Na chwilę zapadła cisza.

– To możliwe – powiedziała spokojnie *madame* Sylvie.

Ośmieliłaby się to powiedzieć, gdyby ukradła obraz? – zastanawiałam się. Jasne, dlaczegóż by nie? Może nawet ten Picasso wisi w jej sypialni.

Wątpiłam w to jednak, choć opierałam się tylko na przeczuciu. Podejrzewałam, że babka po prostu ukryła ten przeklęty obraz w jakiejś skrytce bankowej, a potem nie zdążyła powiedzieć o tym mojej matce.

– A czy... widziała pani ten obraz? – zapytałam ostrożnie. – To znaczy, nie w wizji, lecz w rzeczywistości?

– *Non*. Ale Ondine powiedziała, że Picasso dał jej cenny „dar". Martwiła się, jak go chronić.

– I co się stało z tym obrazem? – wtrąciła niecierpliwie ciotka Matylda.

Twarz *madame* Sylvie pozostała spokojna i życzliwa.

– Nie wiem. Ondine nie wspomniała o tym ani razu. Nie wydaje mi się, żeby tamtego dnia spodziewała się śmierci – dodała cicho, po czym popatrzyła na mnie. – Nawet osoba tak praktyczna jak pani babka wierzyła, że przeżyje o jeden dzień dłużej. – Wpatrzyła się w dal i stwierdziła z podziwem: – Ondine niczego nie robiła zwyczajnie. Była nieustraszona, gdy musiała stawić czoło niespodziewanym okolicznościom i ze wszystkim sobie radzić. To czyniło z niej nie tylko wyjątkową kucharkę, lecz przede wszystkim *une femme formidable*.

– Potrafiłaby pani... zobaczyć, gdzie jest ten obraz? – zapytałam.

Zaskoczył mnie mój błagalny ton. *Madame* Sylvie posłusznie zamknęła oczy, odetchnęła głęboko i znieruchomiała. Zrobiło się tak cicho, że słyszałam chyba jaszczurkę przemykającą pod jej otwartym oknem.

– Włożyła go do... *placard...* – urwała, szukając odpowiednika po angielsku i naśladując ruch otwierania drzwi.

– Kredens – podpowiedziałam zaskoczona.

– Pomalowany na niebiesko – dodała *madame* Sylvie, otworzywszy oczy.

– O Boże. – Przypomniałam sobie zdjęcie babki Ondine w kuchni restauracji na tle jasnoniebieskiego kredensu. – Ale tego kredensu nie ma już w Café Paradis...

Przestraszyłam się, że został może sprzedany na targu staroci. *Madame* Sylvie żywo pokiwała głową.

– Tak, tak. Widzę go w *mas*.

To miało sens, babcia zabrała kredens ze sobą, gdy przeprowadziła się z Juan-les-Pins do Mougins. Cynicznie pomyślałam również, że nasza wróżka zapewne właśnie tam ten mebel widziała i po prostu teraz sobie przypomniała.

Madame Sylvie zebrała i przetasowała karty. Wyczułam, że nie mogę jej zajmować więcej czasu, więc przeszłam do rzeczy.

– Ale w *mas* też nie widziałam tego kredensu, więc gdzie dokładnie mam go szukać?

Madame Sylvie przesłoniła twarz dłonią.

– *Il s'est déplacé.*

– Został przeniesiony? – dopytywałam. – Obraz czy kredens? A może i to, i to?

Wbrew sobie miałam nadzieję, że jej nadprzyrodzone moce działają jak GPS. Ale wróżka pokręciła głową.

– Tylko tyle mogę pani powiedzieć. Nic więcej nie widzę.

Znowu rozkładała karty, ale tym razem, gdy się im przyglądała, zerknęła ze współczuciem na ciotkę Matyldę. Nie od razu zwróciłam na to uwagę. *Madame* Sylvie znowu pochyliła się nad kartami, chyba jednak nie po to, żeby je odczytywać, lecz żeby uniknąć mówienia.

– Niewiele mi zostało czasu, prawda? – stwierdziła ciotka oschle.

– To zależy – odparła łagodnie *madame* Sylvie. – Musi się pani nauczyć, żeby się nie zamartwiać. Kiedy w pani sercu zapanuje spokój, może pani pożyć dłużej, niż można by się spodziewać.

Ucieszyłam się, gdy wreszcie opuściłyśmy mroczny salon *madame* Sylvie. Byłam wstrząśnięta głęboko tym, co tam usłyszałam, i chciałam jak najprędzej uciec spod domu tej dziwnej kobiety, ponieważ przytłaczało mnie poczucie nieuchronności. I dręczyło mnie to, co wyszło na jaw w sprawie zdrowia ciotki Matyldy.

– O co chodzi? – zapytałam, gdy tylko wsiadłyśmy do samochodu.

Ciotka Matylda odetchnęła głęboko, po czym wzruszyła ramionami.

– Słyszałaś ją. Serce. Lekarz powiedział mniej więcej to samo: mam unikać stresów.

– Jakich stresów? – naciskałam. Zawsze uważałam, że jej życie było tak spokojne, jak na to wyglądało.

– Z braku pieniędzy.

Przypomniałam sobie jej słowa, gdy opowiedziałam, co zawarł ojciec w swoim testamencie. Ciotka stwierdziła wtedy: „Nie powiem, że mnie to zaskakuje. Mój ojciec zrobił to samo mnie i mojej matce".

– Ale przecież co roku wyjeżdżałaś na wakacje... Zawsze myślałam, że nie musisz się tym przejmować – wyznałam z zaskoczeniem.

Ciotka uśmiechnęła się cierpko.

– Och, wszystko było dobrze, gdy jeszcze uczyłam. I przez jakiś czas emerytura jeszcze mi wystarczała. Ale potem rachunki za leczenie wzrosły i musiałam wziąć kredyt na hipotekę. Zabawne, i tak przeżyłam więcej, niż mi zapowiadano. Kiedy twoja matka zapytała, czy wybiorę się z nią do Francji, wyczułam, że potrzebuje przyjaciółki. I pomyślałam: Do cholery, a co mi tam? Równie dobrze mogę odejść z przytupem.

Przysunęłam się i objęłam ją mocno, mimo że siedziałyśmy w samochodzie. Ciotka pozwoliła mi się ściskać przez chwilę, po czym rozkazała:

– Och, jedźmy już! Ruszaj!

Im bardziej oddalałyśmy się od Vence, tym lepiej czułyśmy się w jasnym słońcu i przyjemnej słonej bryzie. Jakbyśmy wracały z martwej przeszłości do żywej teraźniejszości.

– Przynajmniej obraz naprawdę istnieje i przetrwał w *mas* przez wiele lat – stwierdziła ciotka Matylda pocieszająco.

– Według *madame* Sylvie! A jeśli go znajdziemy, ciociu, będzie dość pieniędzy, żeby pomóc mamie i zapewnić ci spokój w twoim domu! – odparłam stanowczo.

Nie zamierzałam pozwolić, żeby po prostu zniknęła z mojego życia.

– Świetnie. Chętnie przyjmę twoją pomoc – zgodziła się, ale zaraz dodała znacząco: – Ale wiesz, że jest ktoś jeszcze, kogo powinnaś wziąć pod uwagę? Gil. Widziałaś tych goryli, z którymi musiał sobie radzić.

Obawiałam się, że prędzej czy później trzeba będzie uwzględnić Gila i jego prawa do wszystkiego, co znajduje się w *mas,* w tym również do obrazu Picassa.

– Ten obraz należał do babci – odpowiedziałam z niepokojem. – Jeżeli naprawdę został schowany w *mas,* należy teraz do mojej matki. Nie do mnie ani nie do Gila. A co będzie, jeśli Gil dowie się o portrecie i postanowi go zatrzymać dla siebie? Jego nie obchodzi moja mama.

Ciotka Matylda przyjrzała mi się z namysłem.

– Posłuchaj, może ta *madame* wróżka, która odczytała ci przyszłość z kart, miała rację. Najważniejsze, żebyś odnalazła siebie, nie tylko ten obraz.

– No jasne – mruknęłam skrępowana.

– Myślę, że tak naprawdę szukasz kogoś, komu mogłabyś zaufać – zauważyła ciotka Matylda.

– Mam ciebie.

– I jak słyszałaś, nie będę żyła wiecznie! Wiesz, Céline, ludzie nie muszą koniecznie z a s ł u ż y ć na twoje zaufanie. Zaufanie to wybór, którego dokonuje każdy z nas. Czasami trzeba po prostu zaryzykować.

Kiedy wróciłyśmy do *mas,* ciotka Matylda oznajmiła:

– Chyba trochę popływam i wypiję drinka.

Uśmiechnęłam się, bo wiedziałam, że chce się zobaczyć z Peterem.

– Śmiało. – Zatrzymałam samochód przed frontem. – Zaparkuję i potem do ciebie dołączę.

Odjechałam i znalazłam miejsce na parkingu. Rozmyślałam o tym, czy babka Ondine zmarła, zanim zdążyła powiedzieć mamie, że ukryła Picassa w swoim niebieskim kredensie, a potem ktoś inny, choćby mleczarz, który kupił *mas,* znalazł obraz i sprzedał go po kryjomu. A może jednak portret wciąż znajdował się w tym kredensie? Ale gdzie był kredens?

Dopiero kiedy podeszłam do frontowych drzwi i zobaczyłam wychodzącego z *mas* Ricka, przypomniałam sobie, co powiedział Gil: „Mleczarz, który sprzedał mi to gospodarstwo, zostawił po sobie trochę starych mebli w wiejskim stylu. Mój wspólnik wziął je na przechowanie". Czyli pewnie Rick ma kredens! – wywnioskowałam.

Kiedy podeszłam bliżej, zauważyłam, że mężczyzna wyglądał na bardzo zadowolonego z siebie. Zaciekawiło mnie, czy skłonił Gila do podpisania umowy.

– Cześć, Rick – przywitałam się z najbardziej czarującym uśmiechem, na jaki mogłam się zdobyć.

Rick zerknął na mnie z zaskoczeniem i zadowoleniem, które ogarnia mężczyznę, gdy kobieta, wcześniej niedostępna, nagle staje się dla niego miła.

– Cześć – odpowiedział. – Co u ciebie?

– Próbuję przekonać Gila, żeby wykorzystał do wystroju *pigeonnier* trochę tych ślicznych wiejskich mebli – rzuciłam bezczelnie. – Ale znasz Gila, jest t a k i uparty.

– To na pewno – zgodził się Rick porozumiewawczo.

– Pomyślałam, że może lepiej pokażę Gilowi, zamiast mu tłumaczyć. No, wiesz, wystarczyłoby wziąć kilka lepszych mebli i ustawić tutaj, żeby go przekonać. Chyba wspominał, że zabrałeś stare meble z *mas* na przechowanie. Trzymasz je daleko stąd?

Rick zastanowił się w milczeniu.

– Och, te starocie. Są w Monaco – stwierdził niedbale. – Czterdzieści pięć minut jazdy, jeśli nie ma korków. Nie mogę cię tam dzisiaj zabrać, mam kilka spotkań. Ale co powiesz na jutro po południu?

Mówił niskim, seksownym tonem, jakby właśnie zapraszał mnie na randkę.

– Świetnie. – Uśmiechnęłam się i ku własnemu zaskoczeniu zaraz konspiracyjnie nachyliłam się do Ricka. – Ale, proszę, nie mów nic Gilowi. Chcę mu zrobić niespodziankę.

Mężczyzna parsknął śmiechem.

– Nie pisnę ani słowa, mała – obiecał, po czym ruszył do limuzyny, która właśnie po niego podjechała.

Weszłam do holu. Maurice był tak pochłonięty pracą przy komputerze, że podniósł głowę dopiero, gdy się przywitałam. Popatrzył na mnie półprzytomnie.

– Przy basenie podają właśnie pożegnalną kolację – powiedział.

– Maurice, co się dziś stało z Gilem? Wszystko w porządku? – zapytałam cicho.

– Mamy szczęście. Recenzja restauracji na blogu wypadła *très bien.*

– Ale przed chwilą był tu Rick. Czy to znaczy, że on i Gil doszli do porozumienia? – upewniałam się, bo przecież wiedziałam, że Gil musi spłacić pożyczkę do czwartku. A była niedziela.

Maurice rozejrzał się szybko, żeby sprawdzić, czy nikogo nie ma w pobliżu.

– Sprawa wcale się nie skończyła – szepnął, jakby temat zbyt mu ciążył, aby o tym milczeć. – Wydaje mi się nawet, że doszliśmy do *la crise.*

Sytuacja kryzysowa. Zresztą nie tylko dla Gila, ponieważ wyglądało na to, że ja również mam ostatnią szansę, żeby znaleźć obraz Picassa.

Przebrałam się w strój kąpielowy i zeszłam, aby dołączyć do reszty grupy.

Koło basenu ustawiono bar, przy którym serwowano drinki, więc wszyscy byli już nieco rozbawieni i trochę podchmieleni. Joey, Magda, Lola i Ben kołysali się na dmuchanych fotelach, na tackach stały ich napoje. Ciotka Matylda i Peter siedzieli pod pergolą na bliźniaczych *chaises longues*, skubali przekąski i popijali szampana. A Martin zgrabnie manewrował na deskorolce dookoła basenu i prezentował śmiałe kaskaderskie sztuczki, zachęcany aplauzem starszych.

– Gil zajrzał na chwilę, ale znowu gdzieś poszedł – powiedziała ciotka Matylda. – Domyślam się, że sprawy nie toczą się dla niego zbyt pomyślnie?

Potwierdziłam skinieniem głowy. Nie za bardzo mogłam się skupić, rozpraszał mnie Martin, który znikał z jednej strony, by zaraz potem pojawić się z zupełnie innej.

Tym razem jechał prosto w kierunku basenu. Nawet opanowana ciotka Matylda wyprostowała się czujnie.

– Chyba nie próbuje wykonać salta do wody? – zapytała z obawą w głosie.

Niestety, właśnie to zamierzał zrobić Martin. Jak nam potem wyznał, raz już udała mu się ta sztuka, ale wtedy w basenie nie było ludzi. Przechodzący i kąpiący się dorośli chyba mu trochę przeszkodzili i chłopak wybił się odrobinę za późno. Wyskoczył z deską w powietrze, ale wylądował zbyt blisko. Z krzykiem wpadł do wody, a kiedy się wynurzał, oberwał w głowę spadającą deskorolką.

Nikomu innemu w basenie nie stała się krzywda, wszyscy zdążyli odskoczyć. Ciotka Matylda zerwała się na równe nogi, ale ja już rzuciłam się do wody i zanurkowałam. Rozejrzałam się za Martinem. Uderzenie go oszołomiło i zaczął tonąć. Chwyciłam go pod ramię, przyciągnęłam do boku i wypłynęłam. Joey, Ben i Peter pomogli mi wyciągnąć chłopaka na brzeg jak małą fokę.

– Zna się ktoś na pierwszej pomocy? – zapytał Ben z niepokojem, sprawdziwszy puls Martina. – Mały chyba nie oddycha.

Przypomniałam sobie szkolenie z pierwszej pomocy i pochyliłam się nad drobną twarzą chłopca. Rytmicznie uciskałam mu mostek raz po raz i widziałam, że Martin nadal nie oddycha, potem zacisnęłam palce na jego nosie, rozchyliłam mu usta i wdmuchnęłam powietrze do płuc. Musiałam to powtórzyć kilka razy, zanim zobaczyłam, że klatka piersiowa chłopaka lekko się uniosła. Jak to często bywa w podobnych sytuacjach, zdawało mi się, że czas się zatrzymał.

Wreszcie Martin się zakrztusił, zacharczał i nabrał tchu. Otworzył oczy, ale nie od razu zrozumiał, co się dzieje. Gdy wreszcie to do niego dotarło, powiedział pośpiesznie:

– Tylko nie mówcie tacie.

– Akurat – rozległ się znajomy głos za moimi plecami.

Ktoś zapewne zatelefonował do Gila, a ten natychmiast przybiegł na basen. Ojciec Martina drżał z emocji, ale synowi powiedział tylko:

– Masz cholerne szczęście, że jeszcze żyjesz, gówniarzu.

32

CÉLINE I GIL: RYZYKOWNY GAMBIT W MOUGINS

Następnego dnia mieliśmy już wolne. Ponieważ kurs się skończył, grupa szykowała się na różne wycieczki. Lola i Ben chcieli jeszcze odwiedzić kilka miejsc na wybrzeżu i dotrzeć do Saint-Tropez. Magda, Joey i Peter zaprosili ciotkę Matyldę na nocny wypad na Korsykę.

– Przyłączysz się? – zaprosiła ciotka.

Opowiedziałam jej o swoim rendez-vous z Rickiem.

– Hm... Właściwie mogłabym zostać i poczekać w pobliżu na wypadek, gdybyś potrzebowała przyzwoitki, ale jeżeli nie popłynę, Magda zacznie podrywać Petera – stwierdziła z powagą.

Któż by się spodziewał, że u rówieśników ciotki Matyldy dynamika zalotów będzie taka sama jak ta, którą pamiętałam z liceum? Jakby czytając w moich myślach, ciotka powiedziała:

– Im się jest starszym, tym bardziej niedojrzałe staje się nasze zachowanie, bo zostaje coraz mniej czasu.

Pocałowałam ją w policzek.

– Baw się dobrze!

Niedługo potem zeszłam do holu, gdzie powitała mnie zaskakująca cisza.

Ricka nie zauważyłam, zaczęłam się więc zastanawiać, czy dotrzyma słowa i zabierze mnie do Monako. Na dodatek nie miałam jak się z nim skontaktować bez wzbudzania podejrzeń. Nawet w recepcji nie było nikogo.

Wyszłam przed *mas*, żeby zaczerpnąć świeżego powietrza i coś wymyślić. Ku mojemu zaskoczeniu natknęłam się na Gila, który siedział zgarbiony na murku przy schodach do głównego wejścia. Wyglądał na pokonanego. Trzymał kubek z kawą i wpatrywał się w dal, rozmawiając przez komórkę. Gdy podeszłam bliżej, dostrzegłam, że się nie ogolił. Skończył rozmawiać, zanim się przy nim znalazłam.

– Jak się czuje Martin? – zapytałam.

Francuski lekarz, którego wezwano, nalegał, żeby położyć chłopaka na obserwacji w szpitalu, na wypadek gdyby miał wstrząśnienie mózgu albo w płucach została mu woda.

– Nic mu nie jest – zapewnił Gil ze smętnym westchnieniem. – Zabieram go dzisiaj do domu.

Zamilkł, po czym spojrzał na mnie.

– Chciałbym ci gorąco podziękować, że od razu wkroczyłaś do akcji. Głupi dzieciak. Ma wobec ciebie dług. No, ja też.

– Podziękowałeś mi już wczoraj – zapewniłam. – I nic nie jesteś mi winien.

Jednak Gila wyraźnie coś dręczyło. Słyszałam to w brzmieniu jego głosu, pełnym rezerwy tonie. Usiadłam obok.

– Co się dzieje? Chodzi o *mas*? – zapytałam z obawą.

– Czemu nie zapytasz swojego chłopaka? – Gil nie powstrzymał się od goryczy. Spojrzałam na niego zdziwiona.

– Wiesz, o kim mówię.

Od razu zrozumiałam, że Rick wypaplał mu o moim zainteresowaniu starymi meblami z zagrody. Zarumieniłam się z poczucia winy, ale pokręciłam głową.

– Nie wiem, o co ci chodzi.

– Powiedział mi, że wczoraj odbyliście miłą pogawędkę. Rick uważa, że będziesz świetną kierowniczką hotelu. O tak, przewiduje dla ciebie świetlaną przyszłość w swoim najnowszym przedsięwzięciu. – Gil uśmiechnął się ironicznie, jakby chciał, żebym zaprzeczyła.

Wyglądało na to, że Rick nie wspomniał o planowanym wypadzie do Monako.

– Jego nowym przedsięwzięciu? – powtórzyłam.

– Właśnie. – Gil skrzywił się ironicznie. – W czwartek, gdy podpiszę ten cholerny kontrakt, Rick stanie się właścicielem tego miejsca, z całym dobrodziejstwem inwentarza. Jak widać, postawiłaś na właściwego konia.

– Co się stało, Gil? – zapytałam wprost. – Nie jesteście już wspólnikami?

– Wspólnikami? – Gil roześmiał się głucho. – Okazało się, że nigdy nie mieliśmy być wspólnikami. Rick wiedział, jak mnie rozegrać. Kiedyś trudno mi było dostać kredyt w banku, więc jedynym sposobem zdobycia środków na remont *mas* była pożyczka od lichwiarzy. Zaciągnąłem ją, ponieważ Rick zapewnił, że jeżeli przyjmę go na wspólnika, sprzeda jedną ze swoich nieruchomości, żeby na czas zdobyć gotówkę i spłacić moje długi u...

– Tych dwóch goryli! – przerwałam mu przestraszona.

– U ich szefa, Gusa – poprawił. – A Gus nie ma najmniejszego zamiaru przedłużyć mi terminu spłaty, nieważne, ile razy bym prosił. I teraz, po kilku miesiącach przepychanek między prawnikiem Ricka i moim, którzy mieli „tylko dopracować szczegóły" naszego dobrowolnego porozumienia, nieoczekiwanie, za pięć dwunasta, Rick oznajmia mi, że nie dostanę od niego obiecanych pieniędzy, chyba że zmienimy umowę i dodamy nowy paragraf, aby zadowolić bankierów. I dopiero teraz dowiedziałem się, że cały czas Rick chciał tylko przejąć mój piękny, odnowiony *mas* i po prostu dodać go do swojej sieci hoteli. Stanie się wtedy, jak to określił, „kolejną perłą w koronie".

– A co z tobą? – zapytałam z niedowierzaniem.

– Ha! – prychnął Gil ponuro. – Rick chce, żebym został i „gotował dla niego". Cholernie zależy mu na mojej renomie szefa kuchni. W zasadzie chce mnie po prostu wynająć. Czyli jak to ujął: „Ty, Gil, wykaż się kreatywnością, a interesy zostaw mnie".

– To niedorzeczne! – wykrzyknęłam z oburzeniem. – Nie musisz przyjmować tej beznadziejnej umowy.

– Owszem, muszę – przyznał Gil ciężko. – Ponieważ tylko pod tym warunkiem Rick pójdzie do banku i przeleje dość pieniędzy, żebym mógł spłacić pożyczkę na remont. Muszę podpisać kontrakt jutro, żebym w czwartek mógł przekazać pieniądze złym chłopcom, inaczej będę wąchał kwiatki od spodu. A jeżeli nie przyjmę warunków Ricka, *mas* zostanie przejęty przez lichwiarza. Tak czy inaczej stracę go. Rzecz w tym, że to miejsce wkrótce będzie warte o wiele więcej, niż jestem dłużny! Właściwie to może powinienem pozwolić, żeby Gus je przejął.

Zmarszczył brwi.

– Nie ma nikogo oprócz Ricka, kto mógłby ci pomóc? – zapytałam z troską.

Gil posłał mi miażdżące spojrzenie.

– A myślisz, że co robiłem, gdy zacząłem przeczuwać, że Rick nie ma zamiaru się wywiązać z naszej pierwotnej umowy? Jednak dla większości potencjalnych inwestorów zostało za mało czasu na decyzję. Wyszedłem na skończonego głupca, bo uwierzyłem, że Rick negocjował w dobrej wierze i zmieniał tylko drobiazgi w umowie, by zadowolić swoich inwestorów. Przeklęty drań od początku chciał mnie oszukać, zwodził obietnicami dobrych warunków, żebym nie szukał nikogo, z kim zawarłbym lepszy kontrakt. No cóż, tym większy ze mnie głupiec, że tego nie przewidziałem.

Zrozumiałam, że Rick był zbirem, tyle że lepiej ubranym, niczym się jednak nie różnił od lichwiarza. Był nawet gorszy, bo nadużył zaufania Gila. Cichy głosik w głowie – bardzo podobny do głosu ciotki Matyldy – powtarzał mi, że jeżeli będę miała do czynienia z Rickiem zamiast z Gilem, równie dobrze mogę się pożegnać z obrazem Picassa.

– N i e! – wykrzyknęłam. – N i e p o d p i s u j! Nie możesz sprzedać *mas*!

Gil wyglądał na zaskoczonego.

– Dlaczego tak bardzo cię to obchodzi? – Prześwidrował mnie wzrokiem. – Wyjaśnisz mi przynajmniej, po co w ogóle przyjechałaś do Francji? Chcę tylko usłyszeć prawdę. Chociaż od jednej osoby! Rick wyjechał do Londynu i zostawił mnie po uszy w gównie, chyba że spełnię jego żądania.

– Rick jest w Londynie? – powtórzyłam. – Ale... kiedy tu będzie z powrotem?

– Nigdy, chyba że podpiszę jego cholerną umowę – stwierdził beznamiętnie Gil.

– Ale... Ale... Jesteś pewien, że wyjechał?

– Jasne, że tak – w głosie Gila znowu zabrzmiała irytacja. Zaraz się jednak opanował. – Hej, to nie twój problem. Ale dzięki, że się zainteresowałaś.

Zdałam sobie sprawę, że Rick raczej nie wróci tylko po to, żeby dotrzymać słowa i zabrać mnie do magazynu ze starymi meblami. Zresztą czemu miałby go obchodzić wystrój *mas,* skoro Gil wzbraniał się przed podpisaniem kontraktu? No i jak miałam znaleźć niebieski kredens, zanim nastąpi przejęcie? Widziałam, że dotarłam do granicy, skąd nie ma już powrotu. Mogłabym albo zaangażować w sprawę Gila, albo wracać do domu i zapomnieć o wszystkim.

– Możliwe, że znam kogoś, kto ci pomoże – powiedziałam ostrożnie. – Szansa jest niewielka, ale będziesz musiał obiecać, że bez względu na to, co się wydarzy, jeżeli się uda, prawa do własności *mas* będą podzielone pół na pół.

Gil popatrzył z powątpiewaniem.

– Równy podział z kimś, kogo nawet nie znam? Kogo masz na myśli?

– Siebie – powiedziałam z większą śmiałością, niż naprawdę czułam.

Gil spojrzał na mnie z namysłem.

– Przyznaję, myszkowałaś po tym domu, ledwie wysiadłaś z samolotu. Od początku chodziło o interes, hę? Większości ludzi chodzi o pieniądze. Ale nie wiedzieć czemu sądziłem, że ty masz mniej przyziemne cele, a pieniądze nie są dla ciebie najważniejsze.

– Tak było... Ale nie mogę już sobie pozwolić na takie nastawienie – wyznałam. – Jeżeli dam ci pieniądze, nieważne skąd, pięćdziesiąt procent w s z y s t k i e g o w *mas* będzie należało do mnie, zgoda?

– Zamierzasz obrabować bank w Monte Carlo czy co?

– Nie musisz znać szczegółów.

– Zamierzasz załatwić te pieniądze legalnie?

– W zasadzie tak. Dlatego musisz przysiąc, że na pewno dotrzymasz naszej umowy.

Gil wyglądał, jakby dopiero teraz dotarło do niego, że mówię poważnie. Z jego twarzy zniknęła desperacja, w jej miejsce pojawił się błysk w oku.

– Jeżeli rzeczywiście załatwisz pieniądze do czwartku, umowa stoi. – Wyciągnął do mnie rękę.

– Tylko nie próbuj mnie wykiwać jak Rick ciebie – ostrzegłam, zanim pozwoliłam mu ścisnąć mi dłoń. Przyjrzałam się jego twarzy, chyba nigdy w życiu nikomu się tak dobrze nie przyglądałam.

– Nie wykiwam – obiecał ze swoim najbardziej przekonującym, triumfalnym uśmiechem. – Przysięgam na Boga.

– Zapisz to na serwetce – prychnęłam.

Gil rzeczywiście zapisał nasze uzgodnienia na serwetce, którą miał przy kubku z kawą. A potem podpisał. Nie mógł się jednak powstrzymać od pytań.

– Zamierzasz sprzedać jacht albo sznur pereł?

– Coś w tym rodzaju – przyznałam. – Jeżeli chcesz tych pieniędzy, będziesz musiał mi pomóc je zdobyć.

Popatrzył na mnie podejrzliwie.

– Wiesz, gdzie Rick schował meble z *mas*? – przeszłam od razu do rzeczy.

– Jasne – mruknął z niedowierzaniem. – W Monako. Czemu cię to interesuje?

– Masz klucze do tego magazynu?

– Nie ma kluczy, tylko kod. Ale myślę, że mogę go zdobyć. Po co?

Musiałam mu powiedzieć.

– Rick trzyma tam coś, co należy do mojej matki.

– O ile wiem, Rick zabrał tylko stare meble mleczarza z *mas* – zdziwił się Gil. – Co to ma wspólnego z twoją mamą?

Zdaje się, że sama bliskość Monte Carlo budzi w ludziach żyłkę hazardzisty. Wiedziałam, co powiedziałby mój prawnik, gdyby się dowiedział, jak wielkie ryzyko zamierzam podjąć. Ale dawno już się przekonałam, że prawnicy nic nie wiedzą o życiu. Jak powiedziała ciotka Matylda: czasami trzeba po prostu zaryzykować.

– Posłuchaj uważnie, Gil, i nie krzyw się na mnie. Ten mleczarz, od którego kupiłeś *mas*... Wyobraź sobie, że odkupił go od mojej babki.

Gil był całkowicie zaskoczony. Zaraz jednak się rozpromienił, jakby wszystko nareszcie nabrało sensu.

– Więc o to c h o d z i! Nic dziwnego, że się tutaj kręciłaś. Wiedziałem, że to na pewno nie z powodu miłości do gotowania. Ale do czego ci potrzebne stare meble? Czy któryś z tych gratów to jakiś cenny antyk?

Pokręciłam głową.

– Mam powód wierzyć, że babka zostawiła coś niesamowicie wartościowego dla mojej matki. A mama rozpaczliwie tego teraz potrzebuje – wyznałam cicho. – Babka nie chciała, aby znalazł to mój ojciec albo ktoś inny. Myślę, że ukryła to w niebieskim kredensie. Pamiętasz może, czy go widziałeś?

Gil przyglądał mi się, jakby obawiał się o moje zdrowe zmysły, po czym stwierdził zmieszany:

– Ale ten kredens był pusty, kiedy go oglądałem...

Przypomniałam sobie, co mama powiedziała o babce Ondine: „...miała u siebie mnóstwo małych skrytek”.

Powtórzyłam to Gilowi.

– Dlatego muszę sama sprawdzić – nalegałam. – Inaczej będzie mnie to prześladować do końca życia, tak samo jak moją matkę.

Wyjaśniłam mu, że czekała mnie konfrontacja w sprawie opieki przeciwko rodzeństwu.

– Jeżeli znajdę ten przedmiot, pewnie będę mogła go sprzedać za o wiele więcej, niż potrzebujesz, a mnie będzie stać na prawnika, żeby walczyć o mamę.

– Och – mruknął Gil łagodniej, ale zaraz z powątpiewaniem zmrużył oczy. – I właśnie tak zamierzasz zdobyć też pieniądze na ocalenie *mas*? Opierasz się na wątłej szansie, że odnajdziesz tu rodzinną pamiątkę?

– Tak – przyznałam. – Możesz się śmiać, ale zabierz mnie do tego magazynu, i to jak najszybciej.

– No dobra, kurwa! – mruknął Gil pod nosem. – Zasłużyłem sobie na to.

– A masz inne wyjście? – wytknęłam.

Gil zastanowił się nad tym, a potem przyznał:

– Żadnego. Jedźmy.

33

NIESPODZIANKA OD PICASSA.
ONDINE — 1967

Początkowo Ondine trzymała obraz Picassa schowany w sypialni. Nikomu go nie pokazywała. Cały czas i energię poświęcała pracy w *café* i *mas* Renarda, które nareszcie zaczynały przynosić zyski. Na Riwierę nigdy nie przyjeżdżało tak wielu turystów jak teraz. Wszystko dzięki Brigitte Bardot, przechadzającej się po plażach w skandalicznym bikini, aby reklamować swoje filmy, oraz Grace Kelly, która wyszła za księcia Rainiera z Monako, a ich bajkowy ślub sfilmowano i pokazywano na całym świecie. Kiedy interesy w *café* i *mas* zaczęły kwitnąć, Ondine wciąż uważała, że *Dziewczyna w oknie* jest rozsądną inwestycją, a z czasem nabierze tylko wartości i posłuży córce za wiano.

Widoki Julie na zamążpójście niestety bardzo szybko malały. Najpierw nieszczęsna dziewczyna zakochała się w chłopaku z sąsiedztwa, który w końcu złamał jej serce i uciekł do Tuluzy z inną kobietą. Gdyby Julie miała pewność siebie swoich hardych rówieśniczek, łatwo by się z tego otrząsnęła i znalazła sobie nowego chłopaka, jednak, jak zauważyła Ondine, córka wolała pogrążyć się w żałobie po stracie i uparcie unikała ryzyka, że inny młody człowiek złamie jej serce.

Co gorsza, tej wiosny po kąpieli w pobliskim strumieniu Julie dostała wysokiej gorączki. Jej stan był tak poważny, że wezwano księdza, aby udzielił ostatniego namaszczenia. I chociaż dziewczyna wyzdrowiała, straciła dużo włosów, wychodziły jej całymi kępkami, i wiele miesięcy minęło, zanim odrosły i wyglądały w miarę dobrze.

– Tyle przeszła, a teraz jeszcze to – martwiła się Ondine.

Przez cały ten czas żaden chłopak nie próbował zalecać się do Julie, ona zresztą nie chciała się nikomu pokazywać. Ze swoim wyglądem nie mogła też obsługiwać klientów, trzymała się więc na zapleczu i pomagała w kuchni. Miała wrażenie, że pokutuje za grzech, którego nie popełniła. Tak przywykła spuszczać głowę ze wstydu, że nawet kiedy włosy jej odrosły i wróciła do kelnerowania, zapominała ją podnosić i uśmiechać się do gości.

Aż pewnego dnia do *café* weszła grupa biznesmenów – dwóch Niemców, dwóch Franuzów, jeden Anglik i jeden Amerykanin, którego nowojorski akcent przyciągnął uwagę Julie, przypomniał jej bowiem o szczęśliwym dzieciństwie w New Rochelle.

– Boun-żur, ma'am-zell! – zawołał przystojny Amerykanin.

Miał jasne włosy, oczy niebieskie jak Irlandczyk i zaskakująco równe, drobne, białe zęby. Dla Julie wyglądał jak gwiazdor filmowy z Hollywood, śmiały, bezpośredni, towarzyski i wesoły. Kiedy dziewczyna nachyliła się, żeby przetłumaczyć mu menu, popatrzył na nią z taką wdzięcznością, że zarumieniła się z zadowolenia. Amerykanin pożartował ze swojej francuskiej wymowy, a potem zapytał Julie, jak ma na imię, i sam przedstawił się jako Arthur, prawnik, który umówił się tutaj ze znajomymi z „francuskiej filii" swojej kancelarii.

– Powiedz, Julie, wybierzesz się ze mną do kina dziś wieczorem? Widziałem plakat filmu z wielkim Johnem Wayne'em! – kusił.

Dziewczyna wyglądała na tak szczęśliwą, gdy mówiła matce, dokąd się wybiera, że Ondine prawie się rozpłakała. Jednak ogarnęły ją także złe przeczucia.

Noc była ciepła i po seansie Arthur i Julie poszli na spacer po mieście. Mężczyzna kupił jej lody. Opowiedział o swoim dzieciństwie i o tym, że myślał kiedyś, aby zostać księdzem. Wspominając o zmarłej żonie, przedstawił siebie jako dzielnego męczennika.

– Ale mam dwoje dzieci i sądzę, że dobry Pan chce, abym znalazł sobie żonę. Wtedy rodzina będzie w komplecie – stwierdził, jakby wierzył, że jego życie miało wielkie znaczenie dla Wszechmogącego.

Pewnie jest bardzo pobożnym człowiekiem, pomyślała Julie z podziwem. Pławiła się w cieple jego spojrzenia.

Po tej pierwszej randce Arthur pojawiał się w *café* co wieczór, zabierał Julie i razem wychodzili. Naprawdę lubił dziewczynę i wzruszająco starał się nią opiekować, jakby obawiał się, że Julie się nim znudzi i już nie będzie chciała go widywać. Za każdym razem, gdy ją zapraszał, wydawał się szczerze oddany. Wyznał też, że jej delikatny, kojący dotyk po raz pierwszy w życiu obudził w nim poczucie prawdziwej z kimś „bliskości".

Istniał jednak pewien problem – matka Julie.

Ondine próbowała polubić Arthura, ale życie nauczyło ją, żeby nigdy nie ignorować rzeczywistości, bez względu na to, jak bardzo pragnęłoby się jej nie dostrzegać.

– Arthur to mężczyzna z tych, którzy nie potrafią znieść brzmienia głosu innego niż własny – powiedziała Renardowi.

Zauważała to za każdym razem, gdy ktoś inny opowiadał anegdotę albo dowcip. Arthur bębnił wtedy palcami o stolik, niecierpliwie czekając na swoją kolej, niczym zły aktor, który czeka, kiedy wreszcie wygłosi swoją kwestię. A żarty, które opowiadał, bardzo często wyśmiewały innych, nawet Julie.

– Ten mężczyzna wpędziłby każdą kobietę w rozpacz, a dla Julie, która nie potrafi się sprzeciwiać ani odgryźć, taki mąż to prawdziwa katastrofa!

– Och, pozwól się jej zabawić – radził Renard. – To tylko flirt. Ten gość wyjedzie za tydzień, a dziewczyna zachowa przyjemne wspomnienia i zyska trochę wiary w siebie. Gdybyś zabroniła randek, uznałaby, że zrujnowałaś jej życie i do końca życia miałaby ci to za złe.

Ondine wiedziała, że to mądra rada.

Pewnego popołudnia podsłuchała Arthura, gdy jadł w *café* kolację z amerykańskimi znajomymi. Julie obsługiwała innego gościa, więc rachunek przyniósł jeden z pomocników, który nie mówił po angielsku. Ondine, niezauważona za barem, obserwowała, jak Arthur wyszczerza się w sztucznie szerokim uśmiechu przy wręczaniu młodemu Francuzowi pieniędzy i mówi po angielsku:

– Proszę bardzo, i wsadź je sobie w tyłek.

Pomocnik widział tylko uśmiech i nie zrozumiał obelgi.

– *Merci*. – Ukłonił się grzecznie.

Arthur zawył ze śmiechu, podczas gdy jego znajomi tylko kręcili głowami.

– A oto moja dziewczyna. – Wskazał znajomym przechodzącą Julie. – To Francuzka, ale już nauczyłem ją posłuszeństwa. – Po czym zawołał do Julie: – Załóż kapelusz i płaszcz, kochana. Idziemy dziś na tańce. Pośpiesz się!

Julie szybko zdjęła fartuszek i poszła po płaszcz.

– Julie, muszę z tobą porozmawiać – zaczepiła ją ostrym tonem Ondine.

Julie wyczuła, że matka zaraz powie coś, czego ona wolałaby nie słuchać, i po raz pierwszy w życiu ta mała potulna myszka twardo się postawiła.

– Spóźnimy się na tańce, *maman*! – krzyknęła i włożyła kapelusz. – Porozmawiamy, jak wrócę.

Dopiero co odkryty upór dał jej siłę, uradowana swoją śmiałością Julie wyszła z *café* wyprostowana i z wyzywającym spojrzeniem.

Ondine patrzyła za nimi i miała złe przeczucia. Rzeczywiście, gdy tylko wrócili, Arthur teatralnym tonem oznajmił na cały lokal, że Julie zgodziła się zostać jego żoną. A dziewczyna z promiennym uśmiechem uniosła lewą dłoń, aby każdy mógł podziwiać pierścionek ze sporym brylantem.

Obsługa i goście zaczęli klaskać, nawet sztywny *monsieur* Renard nalał wszystkim szampana, aby wznieść toast za Julie i jej narzeczonego. Ondine nie mogła uwierzyć, że Renard jest tak głupio sentymentalny, zwłaszcza że znał jej obawy. Może zapragnął odegrać rolę zastępczego ojca, a może trochę bał się agresywnego Amerykanina.

Ondine uznała, że Arthur rozegrał to bardzo przebiegle – ogłosił zaręczyny publicznie, aby nie mogła zaprotestować, bo wtedy upokorzyłaby Julie przed wszystkimi. Nie ośmieliłby się zastosować takiej taktyki, gdyby żył Luc. Do diabła, nie pozwolę mu poślubić Julie! Po moim trupie! – postanowiła.

Kiedy mężczyzna wreszcie wyszedł, a Julie wspięła się po schodach do sypialni, którą dzieliła z matką, Ondine oznajmiła stanowczo:

– Julie. Ten egoista nie nadaje się dla ciebie na męża.

Przestraszona, że matka może jej pomieszać szyki, dziewczyna pisnęła:

– Nie znasz go tak dobrze jak ja!

Bo przecież Arthur zwierzył się jej z tylu spraw. Wyznał, że w swoim kraju nie cieszył się większym powodzeniem u pań, a jego pierwszej żonie bardziej zależało na jego pieniądzach i sukcesach niż na daniu mu szczęścia.

– Ludzie są zdemoralizowani – stwierdził i dodał, że już prawie stracił nadzieję, aż poznał Julie.

A kiedy się oświadczał, miał w oczach łzy. Ujął Julie za rękę i oznajmił szczerze:

– Jesteś najsłodszą istotą ludzką, jaką spotkałem. Poruszę niebo i ziemię, aby zapewnić ci dobre życie, ponieważ zasługujesz na więcej niż to, co masz.

Była to tak intymna chwila, że Julie nie potrafiłaby jej opisać matce. A Ondine, chociaż wiedziała, że z tym mężczyzną będą kłopoty, wyczuwała, że może jednak między nim a jej córką zrodziło się coś szczerego i prawdziwego. Dlatego zapytała:

– Jak cię traktuje, gdy jesteście sam na sam? Pyta czasem, czego chcesz? Jest łagodny? Powiedział ci, że jesteś piękna i że cię kocha, *ma chérie*?

Przez chwilę Julie czuła się skonfundowana dociekliwością matki, bo Arthur, choć okazywał dziewczynie uczucia, trzymał ją za rękę, uśmiechał się miło i niecierpliwie czekał na każde spotkanie, jednak chyba nie wspominał o miłości. Julie nie mogła sobie przypomnieć, żeby o tym mówił. Ale czy na pewno tak było? Zresztą, niektórzy mężczyźni nie lubią wypowiadać słowa „miłość" czy „kocham". Zaraz jednak przyszło jej do głowy, że tak naprawdę matka pyta o coś innego.

– Och, nie martw się, Arthur tylko mnie pocałował. Nic więcej. – Radośnie pomachała dłonią z migoczącym pierścionkiem zaręczynowym. – Nie poprosiłby mnie o rękę, gdyby mnie nie kochał! Arthur jest jak papa Luc, tylko bogatszy – rzekła z dumą. – Powiedział, że jego żona nigdy nie będzie musiała pracować!

– Cieszę się, że jest dobrze sytuowany – odparła Ondine ostrożnie. – Ale kobieta powinna zarabiać i mieć własne pieniądze. Jeżeli będziesz polegała tylko na jego zarobkach, staniesz się całkowicie zależna od męża i zdana na jego łaskę. Nawet gdy mężczyzna kocha, nie należy dawać mu takiej władzy nad sobą. Nie tak wielkiej.

Jednak myśl o całkowitym poddaniu się mężowi wydała się Julie nader ekscytująca. Czyż nie tak właśnie przedstawiano miłość w baśniach, filmach i operach? Przecież miłość to jak rzucenie się z klifu z wiarą, że morze w dole przyjmie skaczącego... i gotowość, by umrzeć, jeżeli tak się nie stanie.

Tej nocy Ondine nie spała, wsłuchiwała się w równy oddech śpiącej córki. Wreszcie zrozumiała, co musi zrobić. Wyślizgnęła się z łóżka, żeby wyciągnąć obraz z szuflady, po czym, stąpając na palcach, wyniosła go do kuchni i położyła na stole.

– Może to był błąd i nie należało polegać na portrecie! Gdybym go sprzedała, mogłybyśmy przeprowadzić się z Juan-les-Pins. Wysłałabym Julie na uniwersytet, a wtedy nigdy nie spotkałaby tego okropnego człowieka... – Ondine skrzywiła się z niechęcią. –

Cóż, w c i ą ż mogę go sprzedać i wykorzystać pieniądze na podróż z Julie. Wtedy może spotka kogoś lepszego.

Z poczuciem winy przypomniała sobie, co Picasso powiedział o sprzedawaniu prezentów. Ale czemu miałby się przejmować, co Ondine zrobi z obrazem? Przecież miał ich więcej, niż potrafił zliczyć! Trzymał je w domu jak w królewskim skarbcu.

– Łatwo mu mówić, że nie wolno sprzedawać prezentów. A kiedy ostatni raz musiał pracować za psie pieniądze, żeby tylko nie umrzeć z głodu? Zapomniał, że życie bywa trudne – tłumaczyła sobie Ondine. – Ciekawe, ile jest wart ten obraz. – Spojrzała na *Dziewczynę w oknie*. – Ale co będzie, jeżeli Picasso powiedział wszystkim marszandom, że obraz został skradziony? Gdy tylko spróbuję go sprzedać, zostanę złapana i trafię do aresztu!

Trudno, musiała podjąć ryzyko. Przypomniała sobie, że krewniak starego prawnika, jej pracodawcy w Vallauris, właśnie otworzył galerię sztuki w Antibes. Poproszę go o wycenę obrazu już jutro, postanowiła, po czym opakowała portret w szary papier, przewiązała sznurkiem i schowała w szafie.

Następnego ranka wstała wcześnie, aby ugotować wszystko dla *café*. Dzięki temu mogła zostawić Julie wydawanie śniadania i lunchu. Pod pretekstem, że wybiera się na targ, Ondine wymknęła się, gdy wszyscy w restauracji byli zbyt zajęci i nie zauważyli pakunku, który zabrała ze sobą. Wezwała taksówkę i pojechała ze swoim skarbem do galerii.

– Picasso? – powtórzył Pierre, marszand o twarzy cherubina. Ostrożnie i z powątpiewaniem przyjrzał się obrazowi. A potem zawołał asystenta.

– André! Zerknij na to, dobrze?

Asystent skończył rozmowę z innym klientem i dołączył do zwierzchnika i Ondine.

– Przyjrzyj się i powiedz, co widzisz – rozkazał Pierre.

Ondine wstrzymała oddech. Coś było nie w porządku, ale co? André pochylił się nad portretem.

– Hm... – mruknął w zamyśleniu.

– Kto to namalował? – zapytał marszand.

Asystent zmarszczył brwi.

– Nie wiem – przyznał. – Nie ma podpisu.

Ondine nigdy tego nie zauważyła. Jednak rzeczywiście – Picasso nie złożył podpisu ani nie zamieścił na płótnie daty i charakterystycznych rzymskich cyfr, które widziała na innych jego pracach.

– A jak myślisz, kto mógł to namalować? – indagował Pierre.

André wymienił nazwiska artystów, o których Ondine nigdy nie słyszała.

– Nie wspomniałeś Picassa – zauważył Pierre.

André pokręcił głową.

– Nie, raczej nie on – zapewnił.

– Dziękuję, André.

Asystent skinął głową i wyszedł na zaplecze.

– Widzi pani? – odezwał się Pierre cicho. – Tak jak myślałem. Ten obraz jest piękny, ale ludzie nie tak wyobrażają sobie prace Picassa. A właściwie, kto pani powiedział, że to dzieło Picassa? Byłbym bardzo ostrożny z takimi stwierdzeniami!

– Byłam jego modelką! – oburzyła się Ondine. – Gotowałam dla niego. Podarował mi ten obraz w prezencie.

Pierre popatrzył na Ondine, potem na obraz i się zadumał.

– Czy Picasso dał pani list albo potwierdzenie, że to jego praca? – zapytał z nadzieją. Ondine pokręciła głową.

Marszand wzruszył ramionami.

– Bez jego podpisu nie można sprzedać dzieła. Picasso na pewno o tym wie.

Ondine aż zatkało. Czy Picasso ją przechytrzył? Czy może los karał ją za to, że ukradła obraz?

– Ale... Na pewno znajdzie się ktoś, kto zechce go kupić! – zaprotestowała.

– Ludzie będą kwestionować jego autentyczność, tak jak ja – ostrzegł Pierre. – Lepiej niech pani wróci do Picassa i poprosi, żeby złożył podpis. Ale muszę panią uprzedzić, że Picasso jest bardzo drażliwy. Słyszałem o kobiecie, która poprosiła, żeby podpisał swoje starsze dzieło, a on odpowiedział, że nie złoży dzisiejszego podpisu na obrazie namalowanym dwadzieścia lat temu. A kiedy indziej zgodził się spełnić podobną prośbę i złożył podpis na obrazie, a jakże – tyle razy, że praktycznie zamazał całe płótno i zniszczył dzieło!

– Nie zrobi niczego podobnego na tym obrazie – zapewniła Ondine.

Z poczucia winy serce waliło jej jak młotem. Bóg raczy wiedzieć, co Picasso zrobi złodziejce, zwłaszcza takiej, która bezczelnie poprosi go o podpisanie skradzionego dzieła.

– Picasso może też powiedzieć, że ta praca nigdy nie została „skończona" – zauważył Pierre. – Albo uznać, że obraz jest słaby, poniżej jego standardów, i nie podpisał go, ponieważ zamierzał zniszczyć. To potężny człowiek, nikt w świecie sztuki nie chce zadrzeć z wielkim Picassem. Jeżeli mistrz „wyrzeknie się" obrazu... cóż...

– Co wtedy? – zapytała Ondine z lękiem.

– Z pewnością obraz straci na wartości rynkowej – stwierdził Pierre oficjalnym tonem. – Bardzo mi przykro, *madame*.

34

CÉLINE I GIL W MONAKO —
2014

Do Monako pojechaliśmy białym busem z *mas*, ponieważ na motocykl raczej nie moglibyśmy zapakować obrazu, a samochód oddałam już do wypożyczalni.

– Picasso! – wykrzyknął Gil. – To dla niego gotowała twoja babcia?

– Tak. – Sięgnęłam do torebki i wyjęłam notes babki Ondine. Otworzyłam i pokazałam mu stronę tytułową. – Widzisz? „P" jak „Picasso". Każdy przepis w tym notesie był dla niego.

– Niesamowite – zdumiał się Gil. – Nic dziwnego, że zachowała ten zeszyt na całe życie.

– Mama powiedziała, że Picasso podarował babce jeden ze swoich obrazów. Założę się, że to również zachowała na całe życie – przekonywałam. – Nie sądzę, żeby go sprzedała. Nie chciała tylko, żeby o obrazie dowiedział się mój ojciec, ponieważ dzieła Picassa już wtedy były warte fortunę. Myślę, że zadała sobie sporo trudu, żeby ukryć swój skarb.

Gil słuchał tego z podziwem.

– I myślisz, że go wytropiłaś?

– Właśnie. – Pokazałam mu zdjęcie babki Ondine na tle kredensu.

Cieszyłam się jednak, że duży ruch na autostradzie odwracał uwagę Gila, wolałam mu nie wspominać, że na ślad naprowadziła mnie wróżka.

Kiedy dotarliśmy do zatłoczonego Monte Carlo, Gil skręcił w prawo, minęliśmy kasyno, luksusowy Hôtel de Paris i drogie, ekstrawaganckie butiki oraz zwodniczo skromnie wyglądające budynki, w których mieściły się jedne z najdroższych na świecie apartamentów. Gil skierował się w stronę przedmieścia, przemknął obok lądowiska dla helikopterów i podjechał pod bardzo dużą, niczym niewyróżniającą się halę. Kiedy zaparkował na tyłach, rozejrzałam się niepewnie.

– Co to jest? Prywatny hangar?

– Bynajmniej. Patrzysz na jeden z najbardziej luksusowych budynków magazynowych na świecie. Za tymi ścianami znajdują się bezcenne skarby: dzieła sztuki, antyczne meble, rzadkie klejnoty, najpiękniejsze perskie dywany, kolekcje starych win warte miliony dolarów, starożytne rzeźby, kość słoniowa i Bóg jeden wie, co jeszcze.

– Poważnie? – Uniosłam brwi. – W takim garażu?

– Ten „garaż" to najnowocześniejsza forteca – zapewnił Gil, wyłączając silnik. – Każda skrytka ma osobną kontrolę warunków wewnętrznych i jest wystarczająco duża, aby pomieścić, co tylko zechcesz. Na dodatek każdą z nich w razie potrzeby można przewieźć wielką windą towarową na poziom showroomu, gdzie znajdują się specjalne pomieszczenia do urządzania prywatnych pokazów dla wybranych kupców, których tam właśnie się zaprasza. Albo można przyjść tu samemu, usiąść w swojej skrytce i podziwiać własne łupy.

Podeszliśmy do budynku.

– Wygląda szaro, niczym się nie wyróżnia – stwierdziłam z powątpiewaniem.

– Chodzi o dyskrecję, moja droga. – Gil się uśmiechnął. – Nikt nie podejrzewa, że wewnątrz znajdują się przedmioty o nadzwyczajnej wartości. Kolekcjoner może się tutaj pojawić niezauważony, spakować szybko swoje skarby i przenieść je, powiedzmy, do podobnego magazynu w Szwajcarii, RPA albo Dubaju.

Wreszcie dotarło do mnie to, co istotne.

– Czyli klientela tego magazynu pozyskała swoje cenne przedmioty niezbyt legalnie? Są tutaj zrabowane znaleziska archeologiczne czy dzieła sztuki zagrabione przez nazistów albo kupione na czarnym rynku?

– Ciszej, bo usłyszy cię ochrona – ostrzegł Gil. – Udawaj, że masz prawo tu być. Resztę zostaw mnie, dobrze?

Drzwi frontowe otworzyły się automatycznie, a gdy tylko weszliśmy do holu, zamknęły się za nami z głośnym sykiem. Trzech muskularnych ochroniarzy stanęło w gotowości. Gil wpisał się przy recepcji pod czujnym okiem czwartego strażnika. W foyer panował chłód jak w piwnicy win, ale czuło się tam zapach pieniędzy, podobnie jak w bankach. Wszystko wykonane było ze stali, chromu i szkła.

Za kontuarem recepcji znajdowały się dwie windy – jedna z bardzo wąskim wejściem, druga z szerokim. Gil wybrał tę pierwszą. Weszliśmy do kabiny.

– Ciasno tu – zauważyłam. – Co z tą większą windą?

– To winda towarowa – mruknął Gil półgębkiem.

– Jak to możliwe, że nikt cię nawet nie spytał, dokąd idziesz?

– Moje dane są w komputerze. Ochrona wie.

– Hej, ale tu nie ma guzików z numerami pięter. – Rozglądałam się w panice.

– Recepcja. Zdalne sterowanie – szepnął Gil.

Zamilkłam i liczyłam piętra. Jedno, drugie, trzecie, czwarte. Wreszcie winda zatrzymała się i otworzyła. Znaleźliśmy się w słabo oświetlonym holu, którego wystrój był bardziej elegancki niż na dole – welurowe i skórzane fotele, złote stoliki ze szklanymi blatami, miękkie dywany – przypominało to lobby bardzo drogiego domu aukcyjnego.

– Tędy, proszę.

Kobieta w prostym czarnym garniturze i z włosami zaplecionymi w ciasny warkocz pojawiła się jakby znikąd i najwyraźniej dokładnie wiedziała, gdzie nas zaprowadzić. Szła wyprostowana, z rękami założonymi za plecami i z odwiedzionymi łokciami, w typowo militarnym stylu. Nadludzkim wysiłkiem woli stłumiłam chichot.

Szliśmy za naszą przewodniczką bezszelestnie po miękkiej wykładzinie korytarza. Mijaliśmy wielu strażników pod bronią, ukrytą w skórzanych kaburach. Spojrzałam znacząco na Gila. Raz czy dwa przeszedł obok nas jakiś kolekcjoner ze swoim klientem, by zniknąć za drzwiami swojej skrytki. Wszyscy poruszali się tak lekko i cicho, że przypominali bardziej duchy, które przenikają przez ściany. Kobieta zatrzymała się przed drzwiami oznaczonymi trzema cyframi z brązu. Właśnie wtedy jej walkie-talkie zacharczało i strażniczka odeszła na bok, żeby porozmawiać.

Gil podszedł do drzwi skrytki. Nie miały klamki, tylko panel z klawiaturą numeryczną, na której należało wpisać kod. Gil wcisnął sekwencję cyfr. Diodka nad klawiaturą zapłonęła czerwienią.

– Szlag! – szepnął Gil. – Rick zmienił kod. Niech go cholera!

Zauważyłam, że do naszej przewodniczki podeszło dwóch strażników. Rozmawiali przyciszonymi głosami. O nas? Czy ktoś z dołu nakazał im czujność?

Odwróciłam się do Gila i syknęłam rozpaczliwie:

– Lepiej wymyśl, jaki może być ten nowy kod, zanim Brunhilda każe nas aresztować.

– To były cztery ostatnie cyfry jego telefonu, tego, który trzyma w samochodzie – powiedział Gil, po czym wbił kod jeszcze raz, na wypadek gdyby poprzednio się pomylił.

Panel znowu rozbłysnął na czerwono. Przypomniałam sobie dzień, gdy Rick zaproponował mi podwózkę swoją limuzyną.

– Jego telefon? – powtórzyłam. – Z podkową ze szmaragdów i brylantów?

– Nie widziałem tego modelu. Może kupił sobie nowy, gdy jego koń wygrał derby. Rick wpadł wtedy w ekstazę, nie mógł przestać o tym mówić.

– Jak się nazywa ten koń?

– Tancmistrz. – Gil pokręcił głową. – Za dużo znaków jak na kod.

– A data? Kiedy wygrał derby?

Gil spojrzał w sufit, próbując sobie przypomnieć. Ponagliłam go, ponieważ jeden z ochroniarzy ruszył w naszą stronę. Gil głęboko nabrał tchu i wpisał kolejne numery.

Klawiatura przyjęła kod.

A potem, dokładnie w chwili, gdy Brunhilda już się do nas zbliżała, dioda nad klawiaturą rozbłysła na zielono.

Drzwi skrytki rozsunęły się bezszelestnie.

35

CÉLINE I GIL W MONTE CARLO

O rany! Rick sporo tutaj naskładał – szepnęłam niepewnie.
Ogarnął mnie niepokój.

– Ale my szukamy tylko niebieskiego kredensu, prawda? – odparł Gil.

Minęliśmy wielkie, tajemnicze skrzynie z napisami: „Safari – Afryka", „Ming – porcelana" i „Aukcja – Grand Hotel, Szwecja". Zauważyłam również podbijaki do polo i zabytkowe siodła oraz ręcznie rzeźbione szachy z kości słoniowej, zamknięte w szklanym pudle.

– Są! – Gil triumfalnie wskazał na stertę prowansalskich mebli.

Zobaczyłam czerwony fotel bujany, żółtą szyfonierę, biało-niebieski stół oraz sześć białych krzeseł z jasnoniebieskimi pikowanymi poduszkami.

– To na pewno meble z *mas* – potwierdził Gil. – Wrzuciliśmy je po prostu do busa, a Rick je tu przywiózł. Pamiętam to pudło z garnkami i patelniami.

Obeszłam żółtą szyfonierę.

– Popatrz! – zawołałam podekscytowana, bo oto znalazłam się przed niebieskim kredensem. – Wygląda tak samo jak na zdjęciu babci.

– Świetnie. Sprawdź go. I lepiej się pośpiesz – ostrzegł Gil.

Przyjrzałam się kredensowi dokładnie. Opukałam drzwiczki z zabawnymi uchwytami, i dopiero otworzyłam. Sprawdziłam wszystkie cztery półki w nadziei, że trafię na ukrytą szufladę albo schowek. Opukałam dokładnie ścianki, bo przecież obraz mógł zostać wsunięty między deski albo ukryty pod podwójnym dnem. Nic. Ani śladu, że kredens w ogóle należał kiedyś do babki Ondine. To był po prostu ładny, dębowy mebel, pomalowany na jasnoniebiesko.

– Pusty. – Gil poczuł konieczność powiedzenia tego, co oczywiste. – Jesteś pewna, że twoja babcia nie schowała tego w innym meblu?

Niczego nie byłam już pewna. No, może tylko tego, że jeśli jeszcze kiedyś spotkam na swojej drodze *madame* Sylvie, z przyjemnością skręcę jej kark za wzbudzenie we mnie nadziei na sukces tej szaleńczej misji.

– Chyba lepiej będzie sprawdzić wszystkie meble – zgodziłam się ponuro.

Gil posłusznie pomógł mi rozstawić przedmioty ze sterty. Musieliśmy się śpieszyć, ale wkrótce stało się jasne, że na pewno w żadnym z nich nie ukryto obrazu. Otrzepałam ręce z kurzu. Nie potrafiłam spojrzeć Gilowi w oczy po tym, jak sprowadziłam go na manowce, dając fałszywą nadzieję. Na szczęście mój towarzysz pochłonięty był sortowaniem pudeł z miedzianymi garnkami i patelniami oraz innymi przyborami kuchennymi, które wcześniej znajdowały się w *mas*. Wybrał wszystko, co mogło mu się przydać w kuchni, i spakował do jednego z pudeł.

– Przynajmniej nie wyjdziemy stąd z pustymi rękami – oznajmił z ironią.

Wróciliśmy do drzwi, ale kiedy przed nimi stanęliśmy, zauważyłam, że nie mają klamki.

– Jak wyjdziemy z tej graciarni? – zapytałam z niepokojem.

Wykryły nas jednak czujniki i drzwi rozsunęły się automatycznie. Wyszliśmy na korytarz wyłożony miękką wykładziną i jak wszyscy inni goście, którzy tutaj zaglądali, nie odezwaliśmy się słowem, nawet gdy windą towarową zjechaliśmy już do holu na parterze. Wstrzymałam oddech, bo ochroniarz zatrzymał Gila, ale pudło z *mas* miało kod kreskowy na jego nazwisko, więc wystarczyło tylko złożyć podpis, aby wynieść garnki i rondle na parking. Gil wpakował wszystko do busa i siadł za kierownicą. Wyglądał, jakby to wydarzenie nie zrobiło na nim wielkiego wrażenia.

– No, śmiało, powiedz, że jestem bezgranicznie głupia – westchnęłam żałośnie.

– Nie, tylko rozpaczliwie pragniesz pomóc swojej mamie – odpowiedział z rezygnacją, jakby dopiero teraz, w świetle słonecznego dnia, musiał znowu stawić czoło ponurej rzeczywistości. – Spójrzmy prawdzie w oczy, może twoja babcia gotowała dla Picassa, ale to nie znaczy, że miała jeden z jego obrazów.

– Jestem przekonana, że go miała – upierałam się. – Wciąż c z u j ę, że tak było.

– No, to dlaczego n i e c z u j e s z, gdzie ten cholerny Picasso jest? – rzucił złośliwie Gil.

Raz jeszcze wróciłam myślami do spotkania z *madame* Sylvie, a potem uznałam, że Gil ma rację, w obecnej sytuacji poleganie na intuicji prowadziło donikąd.

Przez resztę drogi powrotnej milczeliśmy ponuro i patrzyliśmy przed siebie, pogrążeni we własnych niewesołych myślach. Gil z pewnością przypomniał sobie, że będzie się musiał zgodzić na warunki Ricka albo oddać swoją restaurację lichwiarzowi.

W *mas* czekał na Gila zdenerwowany Maurice i setki wiadomości. Poszłam do swojego pokoju, rzuciłam torebkę na krzesło.

– No, cóż, babciu – powiedziałam na głos. – Zdaje się, że moja misja właśnie się zakończyła.

Wiedziałam, że powinnam przestać mówić do zmarłej babki. I wiedziałam, że chyba już pora uwolnić się od tej obsesji na punkcie obrazu Picassa. A jednak... A jednak...

– Cholera jasna! Przecież w i e m, że na tej martwej naturze jest niebiesko-różowy dzban mojej matki – wymamrotałam pod nosem. – I w i e m, że na dwóch obrazach z wystawy, tych z ciemnowłosą modelką, jest moja babka. Wi e m t e ż, że gotowała dla niego bajeczne potrawy. Gdyby już sprzedała Picassa, podarowała komuś obraz albo go straciła, po co miałaby mówić mojej matce, że go ma? No, babciu? G d z i e schowałaś dzieło Picassa?

I właśnie wtedy do głowy przyszła mi straszna myśl, od której już długo nie mogłam się uwolnić, choć spychałam ją w najodleglejsze zakamarki świadomości.

Tamtego dnia, gdy zmarła babka Ondine, był u niej mój ojciec. Przeszył mnie zimny dreszcz. A jeżeli to właśnie on znalazł obraz?

36

ONDINE W NOTRE-DAME DE VIE — MOUGINS, 1967

Ah bon? No to muszę się spotkać z Picassem i poprosić, żeby podpisał mój portret! – stwierdziła Ondine, gdy marszand pakował obraz. – Pierre, gdzie teraz mieszka Picasso? – zapytała jeszcze.

– Hm... Zmienia domy równie często jak kobiety! – rzekł Pierre. – Słyszałem, że jego żona, Rosjanka, umarła, więc bez przeszkód mógł poślubić kobietę, która pracowała w pracowni ceramicznej. Mieszkają w Mougins, obok kościoła Notre-Dame de Vie. – Wziął ołówek i narysował prowizoryczną mapę.

Villa Picassa znajdowała się w pobliżu *mas,* którą Ondine odwiedzała codziennie, żeby sprawdzić, co się dzieje w gospodarstwie. Tym razem, gdy skończyła obchód, spakowała koszyk prezentowy dla Picassa. Włożyła tam krążek sera *Banon* owiniętego w liście orzecha, a także słoik fig w gwiazdkach anyżu, przygotowany z owoców zebranych w zagrodzie. Potem ruszyła pieszo do domu Picassa z koszem w jednej ręce, a obrazem w drugiej.

Jednak wytropienie Minotaura w środku jego labiryntu wcale nie było takie proste. Korzystając z mapy Pierre'a, Ondine wybrała wąską drogę, nie była pewna, czy właściwą, dopóki nie dogoniła jej ciężarówka. Kierowca zatrzymał się i wychylił, pytając, czy się zgubiła. Ondine z wahaniem zapytała o dom Picassa.

– Na wprost. Właśnie tam jadę, żeby naprawić elektrykę – wyjaśnił kierowca. – A ty czego tam szukasz?

Ondine musiała szybko myśleć.

– Jestem jego nową kucharką.

– Ach, więc wsiadaj, chętnie podwiozę.

Ondine przyjrzała się jego otwartej, uczciwej twarzy i przystała na propozycję. Kiedy zbliżali się do imponującej samotnej willi wznoszącej się nad terasami porośniętymi drzewami oliwkowymi i cyprysami, Ondine dostrzegła otaczające dom wysokie ogrodzenie. Podjazd zamykała wymyślna brama z automatem. Elektryk podjechał blisko, potem wychylił się i nacisnął przycisk.

– Kto tam? – rozległ się warczący, nieznany głos w bramofonie.

Mężczyzna uśmiechnął się do Ondine i szepnął:

– To ogrodnik. Pilnuje wszystkiego dla Picassa. – Nachylił się do bramofonu i krzyknął swoje nazwisko.

Brama powoli się otworzyła.

– Niewielu ludzi tutaj dociera – wyjaśnił elektryk, gdy przejechali, a brama zaczęła się zamykać. – Z pracownikami jak my, żaden problem. Ale gdy chodzi o dzieci Picassa albo wnuki, wtedy ogrodnik mówi: „Przykro mi, Picasso jest dziś zajęty" albo: „Nie, jutro nie będzie miał dla pana czy pani czasu".

Ondine nie wiedziała, czy to plotki, czy ostrzeżenie od losu.

– Dlaczego nie życzy sobie widywać się z dziećmi? – zapytała z obawą, ponieważ nie była pewna, czy chce poznać odpowiedź.

Elektryk wzruszył ramionami.

– Są młode, a on ma osiemdziesiąt sześć lat! Nie lubi, gdy mu się o tym przypomina. Zresztą jego żona Jacqueline, chyba o połowę młodsza od niego, jest bardzo zaborcza.

Sprawnie zaparkował ciężarówkę pomiędzy innymi samochodami. Willa była duża, elegancka, o białych ścianach i zwieńczonych łukami drzwiach oraz panoramicznych oknach z różowymi okiennicami. Gdy weszli do przestronnego holu, elektryk ruszył w swoją stronę, ale jeszcze skinieniem głowy wskazał w przeciwnym kierunku.

– Kuchnia jest tam.

Ondine udała, że właśnie tam idzie, ale gdy tylko mężczyzna zniknął jej z oczu, zawróciła. Nie chciała się natknąć na nikogo z obsługi. Musiała znaleźć pracownię Picassa. Z wahaniem, ale coraz śmielej, skierowała się na eleganckie schody. Wyżej na podeście dostrzegła otwarte drzwi i z ciekawości zajrzała do środka.

Na fotelu spał i chrapał stary pies. Cuchnął i nie sprawiał wrażenia zbyt przyjacielskiego. Łóżko było zasłane, ale z przyległej łazienki słychać było kroki, ktoś puszczał wodę do wanny.

Cofnęła się szybko i wpadła na komodę z szufladami. Na nakrytym koronkową serwetą blacie zauważyła dwie pary nożyczek – małe do paznokci i większe do włosów. Obok leżały papierowe opakowania z aktualną datą i etykietami – jedno na ścinki włosów Picassa, drugie na paznokcie. To, co zwykle się wyrzuca, miało być zachowane.

– *Dieu!* – Ondine znów cofnęła się o krok.

Po co przechowywać obcięte włosy i paznokcie? Zaraz jednak przypomniała sobie przesąd, że jeżeli te resztki trafią w niepowołane ręce, wróg lub zły duch mógłby ich użyć do rzucenia uroku, który sprowadzi chorobę, a nawet śmierć. Czyżby Picasso zrobił się przesądny?

Drzwi do łazienki się otworzyły i stanęła w nich pokojówka z naręczem ręczników.

– Gdzie jest pracownia Picassa? – zapytała Ondine. – Kazał mi osobiście przynieść ten obraz.

– Na dole – odpowiedziała obojętnie pokojówka. – Pokażę.

Zeszły niżej i ruszyły długim korytarzem. Na jego końcu pokojówka wskazała zamkniętą część – dawny taras zmieniony w atelier pełne płócien, sztalug, stolików z pękami pędzli i słojami farb.

Ondine od razu poczuła ten artystyczny nieład, świadczył, że znalazła się bliżej środka labiryntu Minotaura. Jednak nie od razu rozpoznała odwróconą do niej plecami wychudłą, przygarbioną postać, która odsunęła się nieco od sztalug i pochyliła w stronę płótna.

– Bonjour, *patron* – odezwała się Ondine ciszej, a gdy zorientowała się, że jej nie usłyszał, podniosła głos i powtórzyła powitanie.

Picasso odwrócił głowę i popatrzył na kobietę przez duże okulary w czarnej oprawie.

– To ty, *maman*? – mówił dość głośno, co wskazywało, że pewnie miał już problemy ze słuchem. – Dlaczego cię nie było, gdy się obudziłem z drzemki? Obiecałaś, że wrócisz z zakupów na moją kąpiel i postrzyżyny! – Patrzył na Ondine zza grubych szkieł, w jego głosie brzmiały dziecinne nuty. Zamilkł jednak podejrzliwie. – Nie jesteś moją żoną – zauważył ze zdziwieniem.

– Jestem Ondine z Juan-les-Pins – odpowiedziała, po czym rozpakowała obraz.

Starzec przysunął się bliżej. Wyglądał na zaniepokojonego i zmieszanego, gdy mierzył ją wzrokiem od stóp do głów. Ondine zaczęła się zastanawiać, czy jego umysł tak samo się zestarzał. Kiedy jednak Picasso zobaczył koszyk z jedzeniem, uśmiechnął się radośnie jak mały chłopiec.

– Przyniosłaś mi coś dobrego? – zapytał ożywiony.

Ondine nie była pewna, czy Picasso w ogóle wie, kim ona jest.

– Ser i świeże *confit* prosto z mojej zagrody. Możesz je zjeść, kiedy zechcesz.

Z aprobatą skinął głową.

– To dobrze. Miałem operację żołądka. Słyszałaś o tym? – Z żalem poklepał się po brzuchu. – Nieźle mnie pocięli. Mam bliznę jak matador po krwawej walce z bykiem. Leżałem w szpitalu jako *monsieur* Ruiz. Pamiętasz Ruiza, prawda? – zażartował.

Ondine uśmiechnęła się pobłażliwie, a Picasso mówił dalej:

– Musiałem używać tego nazwiska, żeby uniknąć reporterów. Inaczej tłoczyliby się wokół i czekali na moje sławetne ostatnie słowa. Do diabła z nimi, wciąż żyję! Ale nie mogę już jeść tyle co kiedyś. – Skrzywił się ze smutkiem. – Nie wolno mi już nawet palić!

Naprawdę ją pamiętał? Ondine wciąż nie była pewna.

– Ale widzę, że malujesz jak zawsze – powiedziała zachęcająco.

– Mam dom pełen obrazów. Mnożą się jak króliki. – Uśmiechnął się figlarnie i rozłożył ramiona.

Ondine dostrzegła wtedy, że jego skóra zwisa w pomarszczonych fałdach, wciąż smagła, ale bardziej podobna do zbyt dużego ubrania, które już nie pasuje do kruchych, drobniejszych kości.

– Żona dostała specjalne zamówienie: sześćdziesiąt płócien na zamkniętą aukcję. Muszę je tylko namalować! Śmiało, możesz popatrzeć. – Zaprosił ją gestem.

Ondine próbowała uspokoić nerwy, przyglądając się kolorowym obrazom. Przedstawiały mężczyzn w siedemnastowiecznych strojach z koronkowymi mankietami i kapeluszami o szerokich rondach. Mieli długie nosy, podkręcone wąsy, trójkątne bródki i romantycznie długie, kręcone włosy. Nosili też szpady, które prezentowali z bezgraniczną donkiszoterią. Wszystko to było beztroskie i radosne, utrzymane w podstawowych barwach czerwieni i żółci.

Picasso otworzył koszyk Ondine.

– Gdy dochodziłem do zdrowia po operacji, czytałem w szpitalu Dumasa – wyjaśnił. – Czytałaś go?

– *Trzech muszkieterów* – odparła Ondine. Nie mogła się powstrzymać od podziwiania werwy i radości życia bijącej z obrazów. Minotaur całkowicie ją oczarował. Znowu.

Skinął głową.

– Muszkieterowie Dumasa przypomnieli mi żołnierzy Rembrandta. Kiedy wróciłem do domu i zacząłem ich malować, po prostu nie mogłem przestać!

– Są piękni – zapewniła z uśmiechem zrozumienia. Może właśnie w ten sposób Picasso próbował odeprzeć śmierć, tworzył swoją prywatną armię baśniowych strażników. – Wyglądają jak żołnierze, których mógłby wyczarować mały chłopiec walczący z wymyślonymi przeciwnikami.

– A, tak. Cztery lata zajęło mi nauczenie się, żeby malować jak Rafael, ale całe życie, aby malować jak dziecko – przyznał

Picasso. Skubał jedzenie jak stary ptak. Cmoknął z zadowoleniem, a potem skinieniem głowy wskazał na obraz, który rozłożyła Ondine. – No, ale dlaczego przyniosłaś mi obraz? Tylko mi nie mów, że zaczęłaś malować!

Może jest stary i przygarbiony, ale nadal umie wyczuć, że coś się dzieje, pomyślała Ondine. Otrząsnęła się z oczarowania i skupiła uwagę. Z determinacją rozpakowała płótno i wygłosiła przygotowaną przemowę:

– To portret, który namalowałeś dla mnie, twoja *Dziewczyna w oknie*. – Starała się zachować kamienną twarz, choć obawiała się, że Picasso może sobie przypomnieć, że nigdy nie podarował Ondine tego obrazu. Obserwowała go, próbując odgadnąć, co myśli, ale jego oczy nie wyrażały żadnych emocji. Jedynym rozwiązaniem było brnąć dalej. – Ale nikt nie wierzy, że namalowałeś ten obraz, ponieważ go nie podpisałeś!

– Doprawdy? – odparł chyba zbyt niewinnym tonem. – No to sprawdźmy, czy jest wart podpisu...

Ondine wstrzymała oddech, gdy Picasso przyglądał się portretowi przez grube szkła okularów. W zamyśleniu wydął usta.

– Hm... – mruknął przebiegle. – Całkiem niezła ta moja *Fille à la Fenêtre*... Tak, całkiem niezła, naprawdę. Ale nie wiem, czy mam dzisiaj o c h o t ę podpisywać obrazy.

Spojrzał na Ondine przebiegle i wyzywająco.

Ile naprawdę pamiętał? Ondine spoglądała na tego małego starca w szortach i klapkach. Nie dała się sprowokować i odparła ze spokojem.

– Ależ to dla naszej córki. No i należy przecież dotrzymywać obietnic, które składamy młodym.

Picasso spojrzał na nią przenikliwie, ale Ondine nadal się uśmiechała. Chyba jej zdecydowanie zrobiło na nim wrażenie, ponieważ stwierdził:

– Podpisałem obraz dla Tony'ego Curtisa. Znasz tego aktora? Amerykanin. Kupił jedną z moich niesygnowanych prac i przyjechał z prośbą, żebym ją podpisał. Odwiedził mnie też Gary Cooper. Sławni ludzie i gwiazdy filmowe, wiesz? Trudno im się oprzeć.

Ondine zrozumiała, że Julie nie jest ani gwiazdą filmową, ani międzynarodową sławą, ale nie dała się wytrącić z równowagi i z niewinną miną wyciągnęła swojego asa z rękawa.

– Mam znajomych ekspertów sztuki, ale kiedy zobaczyli ten obraz, stwierdzili, że Picasso nie mógł tego namalować. Powiedzieli: „Ten obraz jest zbyt piękny! Och, równie dobry jak Rembrandta".

– Ha! To tylko świadczy, ile wiedzą tacy „eksperci" – prychnął Picasso z pogardą. Popatrzył znowu na obraz, a potem podjął decyzję. Emocje dodały mu energii i podekscytowany starzec przeszedł do swojego stołu roboczego, przy którym odegrał pokaz z wybieraniem właściwego pędzla. Wreszcie zanurzył go w słoiku z farbą. – No, to daj go tu – rozkazał stanowczo.

Ostrożnie, jakby pierwszy raz w życiu składał podpis, wielki artysta pochylił się nad płótnem. Ręka drżała mu lekko, gdy z niepodrabialnym rozmachem wprawnie napisał u dołu obrazu tylko jedno, doskonale rozpoznawalne słowo: *Picasso*.

– Nie pamiętam, kiedy to namalowałem – przyznał. – No, ale nie przypominam sobie nawet dzisiejszej daty. A ty? Pamiętasz?

– Tak, pamiętam – odpowiedziała cicho Ondine.

Jeszcze dziś rano zaglądała do oprawnego w skórę notesu z daniami, które przygotowała dla tego mężczyzny. Podała datę powstania portretu, a Picasso pochylił się znowu i skupił niczym pilny uczeń, co było dla Ondine nieoczekiwane i wzruszające.

7 mai XXXVi – Picasso wyprostował się z zadowoleniem i pogłaskał płótno, jakby to było zwierzę domowe albo dziecko.

– Skoro tak bardzo chcesz tego obrazu, Ondine, właściwie możesz go mieć. – Spojrzał przebiegle. – Trudno się oprzeć odwadze.

Ondine wstrzymała oddech. Picasso wiedział, że zabrała obraz! Od jak dawna wiedział? Cały czas igrał z nią, czy przypomniał sobie dopiero przed chwilą?

Wtem z głębi domu dobiegło trzaśnięcie drzwi i wołanie kobiety, przypominające obcy, jakby ptasi trel.

– *Monseigneur*, gdzie jesteś?

Picasso miał wyraz twarzy uczniaka przyłapanego na wykradaniu ciasteczek.

– Jacqueline to się nie spodoba – ostrzegł. – Będzie próbowała cię powstrzymać. Jeżeli chcesz zachować obraz, lepiej uciekaj bocznymi drzwiami!

Ondine ostrożnie podniosła płótno, bo podpis był wciąż wilgotny. Picasso spojrzał jej w oczy.

– Powinnaś wiedzieć, że będzie wart więcej, gdy umrę – zaznaczył spokojnie.

Było do niego niepodobne, żeby wspominać o śmierci, a jednak zrobił to z odwagą wojownika, który przygotowuje się do nieuchronnej bitwy.

– Oby Bóg sprawił, że ten dzień nadejdzie jak najpóźniej – odpowiedziała Ondine z czułością i zanim odeszła, coś skłoniło ją, żeby pocałować starca w ciepły, pomarszczony policzek.

– *Adieu* – szepnęła. – *A Dios.*

Picasso uniósł guzowatą dłoń i przesunął po twarzy Ondine, jakby formował ją z gliny – gest, który pamiętała, a mimo to mężczyzna sprawił, że wydał się jej nowy. Kolejny raz.

– Tak, tak... – Twarz mu złagodniała, odmalował się na niej żal. – Idź już!

Kroki nowej żony na posadzce w korytarzu były coraz głośniejsze, co znaczyło, że kobieta zaraz wejdzie do pracowni. Ondine pośpieszyła do bocznych drzwi, ale rzuciła jeszcze ostatnie spojrzenie przez ramię na małego człowieka przy sztalugach, otoczonego obrazami, których po prostu nie mógł przestać malować. Picasso uniósł pędzel i pomachał nim na pożegnanie.

Gdy wracała do *mas,* Ondine czuła się, jakby otaczała ją miękka niebiańska poświata, uświęcona przebywaniem w obecności cudotwórcy, który w końcu, po długim oczekiwaniu, dał jej swoje błogosławieństwo. Cieszyła się, że nareszcie może zapewnić córce o wiele lepszą przyszłość. Z gospodarstwa przyjechała samochodem dostawczym, udało się jej skorzystać z podwózki ostatnim kursem z *mas* do *café*. Była nad wyraz podniecona – nie mogła się już doczekać, aż pokaże obraz Julie.

Zastała jednak tylko *monsieur* Renarda, który siedział w kuchni i załamywał ręce.

– Julie nie ma! Wymknęła się bez słowa! Nie do wiary, uciekła z tym Arthurem! Zostawiła tylko krótki liścik.

Z piersi Ondine wydobył się ciężki charkot. Usiadła przy kuchennym stole i pozwoliła Renardowi przeczytać wiadomość od córki. Było to krótkie, pośpieszne pożegnanie. Julie pisała dokładnie to, co dyktował jej Arthur, czyli napisane prawniczym językiem zapewnienie, że jest pewna swojej decyzji i poślubi Arthura, a potem zamieszka z nim w Ameryce, a matkę prosi tylko, żeby cieszyła się ich szczęściem.

W pierwszej chwili Ondine nie uwierzyła. Palce miała zimne jak sople lodu, zdawało się, że nawet serce jej zamarzło, ponieważ nic nie czuła. Dopiero kiedy podniosła wzrok na błękitny kredens, uświadomiła sobie, że czegoś tam brakuje – dzbana w różowo-niebieskie pasy, który stał tam i czekał na ślub Julie. Miał być jej posagiem. Córka musiała go zabrać. Wtedy dopiero do Ondine dotarło, że Julie odeszła naprawdę.

Jak lunatyczka wstała i weszła po schodach do sypialni, którą dzieliła z córką. Palce wciąż zaciskała na opakowanym w papier obrazie. Położyła płótno na łóżku, jakby to były zwłoki.

– Jakie to teraz ma znaczenie? – szepnęła z goryczą. Podeszła do okna i spojrzała w dal. Ogarnął ją żal, który zdawał się pulsować we krwi. – Co mi przyjdzie z tego obrazu? Równie dobrze mogłabym go wyrzucić do morza!

37

CÉLINE W MAS

W czwartek obudziłam się z ponurą pewnością, że wyczerpałam już wszystkie pomysły na szukanie obrazu Picassa. Powinnam się pogodzić z myślą, że gdziekolwiek ten obraz widmo się znajdował, już tam pozostanie.

Ciotka Matylda i jej przyjaciel Peter mieli wrócić po południu, ale reszta gości wyjechała. Dowiedziałam się o tym, dopiero gdy zeszłam do holu. Mimo że pozostałam jedynym gościem, francuska obsługa traktowała mnie uprzejmie, jakby miała komplet. Ustawiono pod pergolą niewielki bufet ze śniadaniem tylko dla mnie i Gila.

Nie spodziewałam się, że go zobaczę, on tymczasem siedział przy stole pod drzewem i rozmawiał przez telefon. Widziałam go z profilu, patrzył trzeźwo, nie zdradzając żadnych emocji – jakby podjął decyzję, że z godnością stawi czoło sytuacji.

Szkoda, że ja tak nie potrafiłam, ale sama myśl o matce kołyszącej się w wózku inwalidzkim w domu opieki w Nevadzie – który wydawał się teraz tak daleko, jakby znajdował się w innej galaktyce i zupełnie poza moim zasięgiem – wywoływała we mnie dławiącą rozpacz.

Gil podniósł wzrok i gestem zaprosił, abym do niego dołączyła, a kelner szybko przyniósł dzbanek świeżej kawy.

– Popatrz, co się dzieje na świecie. – Pokazał mi gazetę. – Zamach bombowy. Powódź. Wojna i przemoc. Śmierć i zniszczenie. O wiele gorsze wydarzenia niż to, że jakiś koleś traci swoją restaurację.

– Jedziesz do Londynu, żeby spotkać się z Rickiem? – zapytałam.

Gil pokręcił głową.

– Umowy są w kancelarii mojego prawnika w Cannes. Najwyraźniej Rick chce mieć pewność, że nie zginę w katastrofie kolejowej albo lotniczej, zanim podpiszę kontrakt. Ale jest też dobra wiadomość, Rick umieścił pieniądze na spłatę mojego długu na rachunku depozytowym, więc jeśli dzisiaj złożę podpis, będę mógł na czas spłacić lichwiarza.

Popatrzyłam na posiadłość, rozległy widok na wspaniały ogród i pola zapierał dech w piersiach, jednak łamał mi serce. Nie chciałam wyobrażać sobie, że to wszystko wpadnie w chciwe łapy Ricka. Skoro mnie tak bolała strata *mas* babki Ondine, jak znosił to Gil?

Jakby czytając w moich myślach, powiedział:

– Twoje życie i praca powinny być ważniejsze niż jedna bitwa.

– Ale dlaczego źli ludzie zawsze wygrywają? – burknęłam.

Nieoczekiwanie Gil wyciągnął rękę i poklepał mnie lekko po ramieniu. Musiałam zdusić szloch.

– Céline, znajdziesz inny sposób, żeby uratować swoją mamę – pocieszył mnie cicho.

Czułam, że nie mogę wydusić z siebie słowa. Gil był dla mnie taki wyrozumiały.

– Dlaczego nie wypoczniesz? Popływaj, weź masaż w spa? – zaproponował. – Powiem obsłudze, że wszystko będzie na rachunek firmy, przynajmniej dopóki jeszcze należy do mnie! W tym również lunch i drinki.

Pomyślałam, że zachowuje się jak ktoś, kto właśnie sprzedał dom i postanowił wydać przyjęcie, żeby złapać, co się da, zanim przekaże wszystko obcemu. Wyobraziłam sobie, że korzystam z jego propozycji i wędruję po *mas* w jednym z tych puchatych szlafroków. Wyglądałabym śmiesznie. Ale mogłabym przecież posiedzieć nad basenem i urżnąć się w trupa. Czemu nie, do cholery?

– No, to idę. – Gil wstał szybko, jakby szykował się stawić czoło nieuchronnemu losowi.

– Powodzenia – powiedziałam na pożegnanie.

Skinął głową, ale już na mnie nie spojrzał. Uznałam, że skoro Gil mógł znieść stratę ukochanego *mas,* ja także powinnam zachować spokój.

Poszłam do pokoju, przebrałam się w strój kąpielowy, a potem wędrowałam po ogrodzie, gdzie trawa i zioła wciąż lśniły po porannym podlewaniu. Pszczoły i cudowne motyle przelatywały nad moją głową, zajęte własnymi sprawami. Stanęłam nad basenem na szczycie wzgórza, z którego rozciągał się przepiękny widok na dolinę i bezkresne niebo.

Na dwóch z ustawionych w równe rzędy *chaises longues* przygotowano dla mnie ręczniki. Odłożyłam swoje rzeczy, usiadłam na skraju basenu i zanurzyłam stopy. Łagodnie falująca woda była jeszcze zimna po nocy. Jednak na plecach czułam gorące promienie słońca. Wskoczyłam.

Pływałam, słuchając plusku wody, i chciałam tak się zmęczyć, żeby odwrócić myśli od mamy. Przypomniałam sobie smutną historię, którą opowiedziano mi w Nowym Jorku. Do tamtejszego zoo trafił niedźwiedź polarny. Niestety, w niewoli trochę wariował – pływał w tę i z powrotem, dopóki nie padł z wycieńczenia.

Zatrzymałam się i uniosłam głowę. Dostrzegłam drobną postać nad brzegiem. Martin w kąpielówkach wyraźnie się wahał, zbliżając się do wody, robił się nerwowy. Towarzyszyła mu Lizbeth.

– Widzisz? – powiedziała zachęcająco. – Woda jest dzisiaj przyjemna.

Otworzyłam ramiona.

– Chodź, kolego, skoro ja mogę, to tym bardziej ty. Będę cię asekurować.

Martin zebrał się na odwagę, wszedł do wody po schodkach, powoli, aż w końcu znalazł się w moich ramionach. Objął mnie za szyję, jakbym była ratownikiem.

Lizbeth odetchnęła z ulgą.

– Proszę mnie zawołać, gdy będzie gotów iść pod prysznic. Lunch podamy o wpół do pierwszej.

Odeszła, a ja podtrzymywałam Martina, gdy zaczął ostrożnie płynąć. Najwyraźniej kiedyś uczył się pływania, bo wróciły mu odruchy. Musiał tylko wiedzieć, że ktoś nad nim czuwa i nie pozwoli mu utonąć.

W końcu wyszliśmy z wody i położyliśmy się na słońcu. W gałęziach drzew konspiracyjnie szeleścił wiatr, jakby chciał podszepnąć mi swoją radę. Zamknęłam na chwilę oczy. Leżałam w bezruchu i ogarnęło mnie dziwne, niepokojące uczucie, jakbym została złapana na haczyk i ktoś powoli ciągnął mnie w dół. Martin leżał obok i opowiadał o śmiesznych kształtach obłoków.

– Lepiej ruszajmy, żeby się nie spóźnić na lunch – powiedziałam, kiedy dzwon na wieży kościelnej wybił południe.

Posłałam SMS-a do Lizbeth, że już wracamy.

– Możemy zajrzeć na budowę? – poprosił Martin.

Pociągnął mnie za rękę i poprowadził inną drogą, wokół starszej części budynku, w której wciąż trwały prace renowacyjne. Wielu budowlańców znało Martina i machało mu na powitanie. Robotnicy zajęci byli zdrapywaniem starej brzoskwiniowej farby ze ścian kuchni babki Ondine. Stanęłam zahipnotyzowana ich rytmicznymi ruchami w górę i w dół. Zaczęłam się zastanawiać, czy babka gotowała tutaj dla mojej matki i ojca, gdy odwiedzili ją w *mas*. Ale może zjedli w *café* w Juan-les-Pins?

– Czego szukasz? – zainteresował się Martin. Może był jeszcze mały, ale na pewno spostrzegawczy.

Uśmiechnęłam się.

– Ukrytego skarbu – wyznałam. – Miał być schowany w niebieskim kredensie.

Martin, jak to dziecko, wcale nie uznał tego za dziwne. Od razu zaczął rozglądać się po pomieszczeniu, próbując mi pomóc. Osłoniłam oczy przed oślepiającymi promieniami słońca, odbijającymi się od czegoś metalowego, co było dziwne, bo przecież dom zbudowany był z drewna i kamienia. Rozglądałam się po kuchni, przypominając sobie, jak po raz pierwszy zajrzałam tutaj nocą, po ciemku. Wtedy zaczęło padać. Pamiętałam odgłos uderzających z góry kropel – plum-plum-plim, plum-plum-plim. Ostatnie plim brzmiało ostrzej niż pierwsze dwa łagodne tony. Dopiero teraz uświadomiłam sobie, że od czasu do czasu krople deszczu mogły padać również na metal, nie tylko na kamień i drewno. Pewnie któryś z robotników zostawił jakiś metalowy przedmiot. Podeszłam bliżej, żeby się przyjrzeć.

Martin pociągnął mnie za rękaw.

– Ten kredens kiedyś był niebieski.

Wskazał miejsce, do którego chciałam podejść. Jeden z robotników pracował przy wbudowanym w ścianę kredensie, który najwyraźniej został częściowo zamurowany i przemalowany. Mężczyzna zdzierał białą farbę... pod spodem pokazała się niebieska powierzchnia. Powyżej kredensu słońce odbijało się od czegoś metalowego, jakby znajdował się tam okap komina.

Właśnie wtedy zjawiła się Lizbeth i odciągnęła Martina na bok.

– Do zobaczenia na lunchu. – Pomachał mi przed wyjściem.

Skinęłam głową, ale stałam jak wrośnięta w ziemię i mrużyłam oczy. Cokolwiek tam było, musiałam to sprawdzić. Przestałam się przejmować i po prostu podeszłam do kredensu.

Budowlaniec nie był zachwycony. Kiedy zapytałam o kredens, powiedział jednak coś, co sprawiło, że czym prędzej sięgnęłam po komórkę. Musiałam dzwonić do Gila trzy razy – dwa razy włączyła się automatyczna sekretarka – zanim wreszcie odebrał.

– Gil! – wykrzyknęłam do aparatu.

– Céline? – Nawet nie krył zaskoczenia. – Stało się coś?

– Nie! Przynajmniej nic złego! – zawołałam. – Słuchaj, podpisałeś już tę umowę?

– Nie. – W jego głosie zabrzmiało zniecierpliwienie. – Prawnik nalega, żebyśmy przeczytali ją bardzo dokładnie. Nie ufa Rickowi.

– I dobrze. Wstrzymaj się! Cokolwiek robisz, nie podpisuj jeszcze umowy! – Nie przejmowałam się, że słyszą mnie pracujący wokół budowlańcy, którzy na domiar złego zaczęli się na mnie gapić. Stałam tam we frotowym szlafroku i mokrym stroju kąpielowym. – Zwlekaj jeszcze trochę.

– Céline, o co, kurwa, chodzi? – odkrzyknął Gil.

– Słuchaj, myślę, że znalazłam prawdziwy niebieski kredens. Został wbudowany w ścianę kuchni w *mas*! Ale trzeba go będzie chyba rozbić albo wyrwać. Nie masz nic przeciwko?

– Céline, błagam, nie ma już czasu na zabawę w poszukiwanie skarbów. Dziś wieczorem Rick zamierza dokonać inspekcji całego budynku – ostrzegł Gil. – Lepiej więc nie rób nic głupiego na własną rękę.

– No to, cholery, rzuć wszystko i przywlecz swój tyłek do *mas*, żebyśmy mogli razem zrobić coś głupiego! – rozkazałam gniewnie.

– Jezu! – westchnął Gil. – Już jadę.

38

SPOTKANIE PO LATACH:
ONDINE I JULIE W MOUGINS —
LATO 1983

Rankiem tego dnia, gdy Julie nareszcie miała przyjechać do
Francji w odwiedziny, Ondine obudziła się wcześnie w swoim domu w Mougins. Czuła lęk.
Po tylu latach przyśnił się jej Picasso. Jego duch pojawił się
właśnie tutaj, w *mas,* i przechadzał się po kuchni. Wyglądał na
głodnego i pobudzonego. Miał na sobie tylko koszulę nocną,
a na dodatek był boso, co Ondine uznała za bardzo niepokojące.
A kiedy się odezwał, głos miał dziwnie piskliwy.

– Gdzie jest mój obraz? – zapytał zadziwiony. – Schowałaś go
dobrze? Wiesz, na Riwierze jest mnóstwo złodziei.

Ondine przebudziła się i poczuła niemal fizyczną obecność Picassa w swoim domu. A przecież było to niemożliwe, wielki malarz umarł dziesięć lat wcześniej. Informację o jego śmierci podano w radiu. Wieść zaskoczyła i zasmuciła Ondine, bo wydawało
jej się, że Picasso będzie żył i malował wiecznie niczym Zeus na
szczycie Olimpu, niewidoczny, lecz jak najbardziej obecny. Zgodnie z przewidywaniami jego dzieła natychmiast zyskały na wartości, ich ceny poszybowały w stratosferę.

A jednak przez cały czas Ondine nie potrafiła się zdobyć na
pokazanie komukolwiek swojego portretu. Ukrywała go w *café,*
dopóki nie umarł *monsieur* Renard. Wówczas spakowała manatki
i przeprowadziła się do *mas* – lekarz nie pozwolił jej bowiem dłu-

żej mieszkać nad restauracją i co wieczór wspinać się po schodach do sypialni.

– Chodzi o pani serce – powiedział doktor. – Musi się pani nauczyć go słuchać. Przeszła już pani lekki atak.

Od tamtej pory portret był cichym kompanem Ondine. Trzymała swój skarb w szufladzie komody. Nigdy go nie oprawiła – Picasso wspomniał kiedyś, że nic tak nie zabija obrazu jak rama. Do jej sypialni nikt nie miał dostępu, dlatego nikt nie wiedział o portrecie.

Na szczęście obawy ducha Picassa się nie sprawdziły. Obraz pozostawał na miejscu. W wieku sześćdziesięciu czterech lat Ondine wolała patrzeć na swój wizerunek z czasów, kiedy ożywiały ją młodość, ufność i miłość, niż przyglądać się odbiciu w lustrze i wyszukiwać coraz wyraźniejsze oznaki starości.

Sięgnęła po laskę, wstała z łóżka i ubrała się starannie. Potem poszła do kuchni, na stojąco wypiła kawę i zaczęła planować dzień. Było tyle do zrobienia, bo Julie nareszcie wracała do domu!

– Muszę jej jasno powiedzieć, że nie jestem już zła – napomniała się Ondine.

Początkowo rzeczywiście czuła niechęć i złość. Po ucieczce i ślubie Arthur i Julie ani razu nie odwiedzili Francji, nie zaprosili też Ondine do Ameryki. Co roku dostawała tylko kartkę świąteczną, jaką wysyłali do wszystkich znajomych – profesjonalnie wydrukowaną, z fotografią Julie, Arthura i dorastających bliźniąt.

Ondine trzymała wszystkie zdjęcia w albumie na szafce nocnej. Co dziwne, Luc na fotografii sprzed wielu lat wydawał się bardziej żywy niż Julie na najnowszych zdjęciach. Stojąca między agresywnym Arthurem i jego dziećmi, których Ondine nigdy nie poznała, biedna Julie zdawała się niknąć, z każdym rokiem stawała się coraz bardziej blada i eteryczna, wymuszony uśmiech do aparatu i nieobecne spojrzenie czyniły ją coraz smutniejszą.

– Prawdziwie kochana kobieta nie wygląda tak jak ona – krzywiła się Ondine za każdym razem, gdy dostawała nowe zdjęcie.

Nie należała jednak do matek, które czują satysfakcję, że spełniły się ich przewidywania co do nieszczęśliwego małżeństwa dzieci, wręcz przeciwnie, z całego serca pragnęła się mylić co do Arthura. A potem nadeszła radosna nowina, że Julie jest w ciąży. I równie wspaniała wieść, że tęskni za matką. Napisała, że będzie towarzyszyć Arthurowi w zjeździe firmowym w Cannes, więc nareszcie przyjadą z wizytą.

Kiedy Ondine dostała list, ku swojemu zaskoczeniu wybuchnęła płaczem.

– Odzyskam córkę! I niedługo będę babcią! – pochwaliła się kobietom na targowisku i w kościele, gdyż zawsze traktowały ją protekcjonalnie i współczuły, że Ondine nie ma w mieście ani rodziny, ani wnuków.

Tego ranka przygotowywała się na przybycie gości, nucąc pod nosem. Ale chociaż była zajęta, znalazła chwilę, aby zadzwonić do tej miłej, młodej *madame* Sylvie, która umiała tak celnie odczytać przyszłość, a także stała się jej troskliwą przyjaciółką.

– Musisz przyjść i powiedzieć mi, co zobaczysz – prosiła podniecona Ondine. – Córka przyjeżdża dzisiaj z tym swoim mężem. Muszę wiedzieć, co z tego wyniknie.

– Nie mogę dziś rano – westchnęła *madame* Sylvie. – Może jutro?

– Nie, to nie może czekać – nalegała Ondine. – Julie na pewno będzie chciała wiedzieć jak najszybciej, co ją czeka w przyszłości.

– Urodzi zdrową dziewczynkę – zapewniła cierpliwie *madame* Sylvie. – Powiedziałam ci to w zeszłym tygodniu!

– Tak, oczywiście. Ale dręczy mnie coś jeszcze. Miałam sen. Widziałam Picassa. Wiesz, że dla niego gotowałam. Ostrzegł mnie, żebym chroniła skarb, który mi podarował.

– Ach! No cóż, może uda mi się wpaść po południu – zgodziła się *madame* Sylvie. Nie kryła zaciekawienia.

Ondine poczuła się spokojniejsza. Ponieważ zatrudniła w *café* nowego szefa kuchni, który pragnął się wykazać, poprosiła go, aby przygotował na wieczór prawdziwą ucztę dla Julie i Arthura i podesłał do *mas*, wraz z kelnerem do pomocy.

Słońce świeci, ale pogoda może się zmienić i będzie zbyt wietrznie na obiad na tarasie, zastanawiała się Ondine. Może trzeba będzie jeść w środku, ale to nie szkodzi.

W przestronnej izbie kuchennej *mas* urządziła osobne miejsca do jedzenia i odpoczynku. Pomieszczenie było eleganckie, udekorowane prowansalską ceramiką i świeżymi kwiatami z ogrodu, a na żółtych ścianach wisiały obrazy wykonane przez miejscowych artystów, którzy przyjechali tu pewnej jesieni na sponsorowane przez Ondine warsztaty. Wędrowali po polach i sadach, namalowali wiele pięknych pejzaży. I jak ich poprzednicy na Riwierze za wikt i dach nad głową płacili obrazami.

– Przytulnie tu jak w prawdziwym rodzinnym domu, chociaż mieszkam sama – stwierdziła Ondine, rozglądając się z zadowoleniem po sali.

Kilka godzin później usłyszała pukanie do drzwi, a kiedy otworzyła, w progu stała jej mała Julie. Wyglądała na szczęśliwszą niż na zdjęciach, a jej drobna twarz promieniała niezwykłą radością, jakby rozświetlona od wewnątrz płomieniem świecy. Popatrzyła nieśmiało, niemal czujnie, wzruszająco niepewna, czy naprawdę jest mile widziana przez matkę, którą porzuciła tak wiele lat temu.

Zapomniała, że ja też uciekłam z domu, gdy byłam młoda, pomyślała Ondine z rozbawieniem. Wyciągnęła ramiona i zawołała:

– *Bienvenue, chère fille!*

– Kochana *maman*! – krzyknęła Julie i pośpieszyła uściskać matkę.

Arthur czekał uprzejmie, z pewną niechęcią spoglądając na uszczęśliwioną żonę. Ondine zaprosiła oboje do środka. Zdziwiła się, że do porodu zostało już niewiele czasu. Chyba straciła rachubę miesięcy.

– To moje cudowne dziecko! – wyznała Julie, a do oczu napłynęły jej łzy szczęścia.

Ondine zabrała gości na taras, żeby zdecydowali, czy chcą zjeść w środku, czy na zewnątrz.

Na chwilę matka i córka usiadły wygodnie na *chaises longues* i pogrążyły w żywej rozmowie. Ondine postanowiła, że będzie miła dla Arthura, ale wzbudziła tym tylko jego podejrzliwość. Trzymał się na dystans, stał na skraju tarasu z rękami w kieszeniach, pobrzękując drobnymi monetami, i ledwie zauważał imponujące gospodarstwo. Było jasne, że nie chciał tutaj przyjeżdżać po drodze do Cannes. Spacerował nerwowo po tarasie i chyba planował szybką ucieczkę.

Wie, że go nie znoszę tak samo, jak on mnie, pomyślała ze smutkiem Ondine. Zdaje się, że nic nie da się na to poradzić.

Kiedy Julie wciągnęła go do rozmowy o Francji, Arthur oznajmił dość wojowniczo, że jego zdaniem ten kraj nie okazał politycznej wdzięczności Stanom Zjednoczonym. Żona uciszyła go, a wtedy on się obraził i wreszcie usiadł na krześle, po czym wsadził nos w angielską gazetę finansową, którą miał przy sobie.

Powinnam była zaprosić mojego młodego prawnika, Gerarda Clémenta, żeby Arthur miał z kim porozmawiać, uświadomiła sobie Ondine. A na głos oznajmiła:

– *Madame* Sylvie twierdzi, że twoje dziecko to na pewno dziewczynka!

Julie pisnęła z radości, ale jej mąż tylko prychnął.

– Arthur chce mieć syna, który będzie nosił jego imię – wyjaśniła Julie. – A jeżeli to dziewczynka, jak jej damy?

Ondine już się trochę nad tym zastanawiała, gdy zeszłej nocy leżała na posłaniu i patrzyła na pełnię księżyca za oknem, dlatego teraz powiedziała:

– Może Céline, na cześć Selene, bogini księżyca?

– Céline – powtórzyła Julie, jakby sprawdzała brzmienie tego imienia. – Ślicznie, *maman*. Podoba mi się.

W ciąży wydawała się tak pewna siebie, jakby odzyskała wiarę w przyszłość.

– Zmieniam wystrój domu dla *bébé* – pochwaliła się. – Będziesz musiała przyjechać i sama zobaczyć. Zabierzemy małą Céline na plażę w New Rochelle, jak ty mnie kiedyś. Pamiętasz, *maman*? Och, znowu będziemy tacy szczęśliwi!

Ondine zauważyła, że dobre zarobki Arthura umożliwiały Julie wygodne życie w domu, a to dziecko, które miało się urodzić, dawało jej kolejną szansę, aby kochać i być kochaną, szansę na jeszcze szczęśliwsze życie.

Cóż, przynajmniej tę przyjemność dostała od życia, pomyślała Ondine z wdzięcznością.

Arthur wciąż ukrywał się za gazetą, jakby balansował na krawędzi przepaści, więc Ondine nie próbowała więcej się do niego zbliżać i zabrała Julie do kuchni, aby pochwalić się wystrojem. I jak się okazało, był to jedyny moment, gdy matka i córka zostały same.

– Szkoda, że nie poświęcałam więcej uwagi twojemu gotowaniu! – Julie z podziwem popatrzyła na imponujący zestaw miedzianych rondli i garnków do specjalnych potraw. – Podzielisz się ze mną swoimi przepisami?

Ondine zawahała się, ale zaraz wyciągnęła stary, oprawiony w skórę notes, który od lat trzymała na półce w kuchni. Usiadły z córką przy stole, a Julie przewracała strony i z zachwytem komentowała przepisy.

– Muszę to przepisać, zanim wyjadę. – W jej oczach zalśniła duma z pracy matki.

– Możesz zatrzymać notes. – Ondine poczuła przypływ dobrze znanego instynktu opiekuńczego, który zawsze budziła w niej Julie. – Przechowuj go starannie i kiedyś przekaż s w o j e j córce.

Julie pogrążyła się w lekturze.

– Dobrze. Ale dla kogo gotowałaś to wszystko? Kim był ten *patron*? – zapytała zafascynowana.

Ondine nie odpowiedziała od razu, a potem kazała przyrzec Julie, że nikomu tego nie zdradzi, nawet Arthurowi. Dopiero wtedy wyjaśniła zdumionej córce, że gdy była jeszcze młodą dziewczyną z Juan-les-Pins, gotowała dla Picassa, a wielki artysta dał jej nawet za to obraz w prezencie.

Pomimo obietnicy złożonej Lucowi Ondine bardzo pragnęła powiedzieć też: pamiętasz tego mężczyznę, którego odwiedziłyśmy w Vallauris? To właśnie był Picasso. I tak się składa, że to także twój ojciec.

Nie zdążyła jednak zebrać się na odwagę, gdy Arthur z irytacją zawołał żonę, a Julie zerwała się od stołu z poczuciem winy.

– Musimy jeszcze porozmawiać o Picassie. Ale teraz lepiej sprawdzę, czego chce Arthur.

Julie posłusznie poszła na taras. Niedługo potem pojawiła się z mężem u boku, wsparta na jego ramieniu.

– *Maman* ma tutaj bardzo piękne miejsce, prawda? – Szturchnęła go lekko. Arthur raczył skinąć głową.

Ondine otworzyła butelkę wody gazowanej i obie z Julie przeniosły się na fotele bliżej kominka. Arhur odmówił wody i wciąż stał. Kiedy Julie opowiedziała mu o ciężkiej pracy matki, aby zapewnić sukces *mas* i *café*, uprzejmie pokiwał głową z aprobatą. Coś chyba zaświtało mu w głowie, ale zapytał tylko:

– Więc... Ten *mas* i *café* są całkowicie twoją własnością?

Ondine postanowiła zignorować towarzyskie *faux pas*, jakim było bezpośrednie pytanie o finanse, ale Julie odpowiedziała szczerze:

– O, tak! Ale dzisiaj *maman* nie musi już sama gotować!

– A jak twoje zdrowie, matko Ondine? – zapytał Arthur z wyrazem twarzy, który bardzo nie spodobał się Ondine.

– Doskonale – zapewniła, skrywając niepokój.

Spojrzenie Arthura przesunęło się na laskę opartą o fotel, której Ondine używała po ataku serca.

– Następnym razem powinniśmy przywieźć tutaj bliźnięta – zaproponowała Julie. – Może na Boże Narodzenie? W lecie po prostu nie można ich oderwać od przyjaciół.

Zerknęła znowu niepewnie na Arthura, ponieważ spoglądał na nią gniewnie – nie podobało mu się, że składa obietnicę przyjazdu na święta, której ani myślał spełniać.

W geście pocieszenia Ondine poklepała dłoń Julie, ale ich rozmowa już się nie kleiła w obecności Arthura, który wciąż nie raczył usiąść i krążył po pokoju, od czasu do czasu przyglądając się cennej srebrnej wazie albo chińskiej porcelanie. Ondine uznała nawet, że nadmiernie zainteresował się otoczeniem.

Dlaczego on szacuje wartość tych rzeczy! Jakby miał w głowie kalkulator! – pomyślała oburzona. Jest jak sęp, który krąży i czeka, aż padnę. Mam tylko sześćdziesiąt cztery lata. W dzisiejszych czasach to jeszcze nie starość.

– Interesujące obrazy – odezwał się Arthur nieoczekiwanie, zatrzymawszy się przed ścianą w części jadalnej. – Namalował je jakiś artysta, o którym słyszałem?

– Wątpię – wycedziła Ondine. Jego bezczelność była dla niej obraźliwa.

– No to kiedy będziemy mogli zwiedzić *mas*? – zainteresował się Arthur, który nagle zaczął zachowywać się przyjaźnie. – Niewiele jeszcze widzieliśmy.

Ondine poczuła ulgę, gdy usłyszała nadjeżdżający samochód dostawczy z *café*.

– To nasz obiad – stwierdziła stanowczo. Sięgnęła po laskę i wstała.

– Pomogę... – Julie zerwała się również.

– Wiatr ucichł, więc zjedzmy na tarasie. Wy dwoje przygotujcie stół, dobrze? – Ondine wręczyła córce i jej mężowi serwetki, talerze i sztućce. Dostrzegła błysk w oczach Arthura na widok sreber. Doprawdy, to zaczynało być nie do zniesienia.

Ondine otworzyła boczne drzwi i wpuściła kelnera, który miał podać posiłek. Udzieliła młodzieńcowi wskazówek, po czym wróciła do kuchni, a stamtąd do sypialni. Złe przeczucie, które dręczyło ją cały dzień, stało się nieodparte. Obraz wciąż tu był, a Ondine nie potrzebowała *madame* Sylvie, żeby zinterpretować ostrzeżenie Picassa w swoim śnie.

Wiedziała, co musi zrobić. Wyjęła płótno z szuflady w komodzie.

– Och, gdzie mogę go ukryć? Gdzieś, gdzie ten okropny Arthur nigdy nie zajrzy? – wyszeptała z niepokojem. Serce trzepotało jej w piersi. – On i jego „zwiedzanie", doprawdy! Wystarczy, że jej każe, a Julie przetrząśnie moją szafę i komodę w poszukiwaniu czegokolwiek cennego. Posłucha go. Muszę znaleźć schowek, o którym ten drań nigdy nie pomyśli.

Zaniosła obraz do kuchni. Kelner wyszedł właśnie na taras i rozmawiał z Julie i Arthurem. Ondine zajrzała do spiżarni w poszukiwaniu dobrego miejsca na skrytkę. I wtedy usłyszała, że jej goście wracają do domu. Półki w spiżarni nie nadawały się, były zbyt wąskie. Ondine rozejrzała się po tak dobrze znanej kuchni, ogarnięta paniką wzbudzoną zachowaniem Arthura. W popłochu szukała jakiegoś tymczasowego rozwiązania.

– *Maman?* – zawołała Julie. Jej głos się zbliżał. – Obiad na stole. Gdzie jesteś?

Zdesperowana Ondine zatrzymała wzrok na kuchennej windzie. Można by opuścić płótno do starej piwniczki na wina, od dawna nieużywanej. Sterta połamanych skrzyń zasłaniała na dole drzwiczki windy, więc Arthur ich nawet nie zauważy. Piwnica była pustą odpychającą norą z niedokończonym klepiskiem i mnóstwem pajęczyn.

– Wyciągnę go później, gdy Arthur będzie na jednym ze swoich spotkań biznesowych w Cannes – zdecydowała Ondine, otwierając drzwiczki kabiny. Wsunęła płótno do środka zamknęła i wcisnęła guzik. Z ulgą słuchała znajomego terkotu i stłumionego łupnięcia, gdy winda opadła na dół.

Zaraz potem nadszedł Arthur.

39

CÉLINE I GIL W KUCHNI — MOUGINS, 2014

Gil podjechał z rykiem silnika na swoim ducatim. Nie zatrzymał się na wyżwirowanym parkingu, lecz przeciął równo przystrzyżony trawnik i skierował się prosto do remontowanej części *mas*. Robotnicy stanęli jak wryci, byli tak zaskoczeni, że po prostu przerwali pracę. Wszyscy patrzyliśmy, jak Gil gna prosto na nas, po czym przechyla motocykl i gwałtownie się zatrzymuje.

Tymczasem ciotka Matylda i Peter zdążyli wrócić z wycieczki na Korsykę i szykowali się do lunchu. Na tarasie spotkali Martina, który powiedział im, gdzie mnie szukać. We troje przyszli, żeby zabrać mnie na posiłek. Odciągnęłam ciotkę na bok i opowiedziałam jej, co odkryłam... może.

Znowu jednak dopadły mnie dobrze znane wątpliwości. Boże, a jeżeli się mylę? Jak dotąd moje poszukiwania przyniosły żałośnie mizerne rezultaty. Ale kiedy Gil zeskoczył z motocykla i zbliżał się do nas szybkim krokiem, ogarnęła mnie buńczuczna pewność siebie. Przypomniało mi się, co powiedziała *madame* Sylvie: „Ondine nic nie robiła zwyczajnie. Była nieustraszona, gdy musiała stawić czoło niespodziewanym okolicznościom i ze wszystkim sobie radzić. To czyniło z niej nie tylko wyjątkową kucharkę, lecz przede wszystkim *une femme formidable*".

– Céline? – Gil był wyraźnie zaniepokojony, lecz również zaskoczony niespodziewaną sytuacją. – Co, do cholery? Mamy się przebić przez ścianę, ponieważ... co?

– Popatrz na ten kredens. Twoi pracownicy twierdzą, że jest nietypowy, bo chociaż zrobiony z drewna, jego wnętrze chyba wzmocniono aluminium. Zauważyli to, gdy zerwali trochę starych, spróchniałych desek z góry. Wtedy natrafili na aluminiową płytę pod spodem. – Wyjaśniło się, dlaczego spadające krople deszczu tak dudniły, część z nich trafiała na metal. A dzisiaj odbijały się od niego promienie słońca.

– Dziwne – zgodził się Gil.

– I popatrz tutaj. – Martin zdrapał paznokciem kawałek białej farby. – Pod spodem jest niebieski! Céline powiedziała, że szuka skarbu w niebieskim kredensie.

Zawstydziłam się, ale śmiało parłam do przodu.

– Przede wszystkim chodzi o to, że cała ta sprawa jest bardzo intrygująca – wyjaśniłam. – Popatrz tutaj, ktoś zamurował drzwiczki szafki cementem albo czymś podobnym, tak jak się robi ze starym kominkiem. Co znaczy, że nie używano tego od lat. Gil, ja po prostu muszę tam zajrzeć!

Kierownik ekipy remontowej wyraził swoje niezadowolenie – ostro zabębnił palcami o kredens, żeby Gil mógł usłyszeć pusty, płytki odgłos.

– *Rien*. Nic tam nie ma! – zaprotestował.

Gil popatrzył na niego, na mnie, a potem chyba zdecydował, że lepiej jak najszybciej mieć to z głowy.

– Wyłamać to! – rozkazał krótko.

Budowlaniec uniósł brwi, ale Gil tylko potwierdził krótkim skinieniem głowy.

– Ostrożnie! – ostrzegłam. – Trzeba to zrobić tak, żeby nie zniszczyć tego, co może być w środku!

– *Très doucement* – nakazał Gil budowlańcowi, który sięgnął po narzędzia, żeby siłą otworzyć drzwiczki. Widząc stanowczą minę Gila, mężczyzna zaczął ostrożnie odbijać krawędź.

Przyglądałam się, jak drewno się rozwarstwia i odpadają drzazgi. Potem nastąpiła dyskusja, czy należy wyłamać zawiasy, czy po prostu podważyć. Jeden z robotników zauważył, że drewniane drzwiczki i tak już odstają od zawiasów, więc wyważył je łomem.

Wszyscy zajrzeliśmy do wnętrza kredensu. Okazało się, że maskował aluminiowy szyb. Wcale nie wyglądał jak kredens, ponieważ w środku nie było półek.

– *C'est vide* – stwierdził budowlaniec, zakłopotany nieco, ale zadowolony.

Owszem, pusty. Żadnych garnków czy patelni, pojemników z solą albo pieprzem. Żadnych szczotek ani mopów.

I żadnego Picassa.

Gil wziął latarkę od jednego z robotników i poświecił w głąb. Dostrzegłam liny i bloczki, ale Gil wsadził głowę do szybu, żeby sprawdzić, co widać na dole, i jego plecy zasłoniły mi widok.

– *Ceci n'est pas* kredens – odezwał się stłumionym głosem. – To profesjonalna winda kuchenna, jakich używa się w restauracjach.

– Winda! – powtórzyłam zaskoczona.

Gil wysunął głowę z otworu i jeszcze raz poświecił po wnętrzu szybu, a potem pomacał dłonią po ramie, aż znalazł to, czego szukał – kwadratowy metalowy przycisk, który również został zamalowany. Nacisnął i przystanął. Nic się nie wydarzyło.

– Wczesny model elektryczny – ocenił Gil, po czym znowu wsunął głowę do otworu i zaczął świecić w dół. – Nieźle zachowany.

– Jeżeli to urządzenie się włączy, obetnie ci głowę – ostrzegłam.

Jednak Gil ani myślał się wycofywać.

– Utknął na dnie. Szyb prowadzi do starej piwniczki na wina i warzywa. Widzę windę na samym dole – zameldował.

– *Il s'est déplacé!* – zwróciła się do mnie ciotka Matylda. – Właśnie to powiedziała ci *madame* Sylvie! Może chodziło jej nie o to, że kredens został przeniesiony, jak nam się wydawało, lecz o tę windę, która po prostu zjechała ze starej kuchni do niewykończonej piwnicy.

Pokiwała głową.

– Kim, do cholery, jest ta *madame* Sylvie? – Gil wychynął z szybu i popatrzył na mnie i na ciotkę Matyldę, jakbyśmy obie postradały zmysły. Machnęłam tylko ręką.

– Nieważne. Musimy zejść do tej piwnicy i sprawdzić windę! – nalegałam. – Już!

Z góry piwnica wyglądała jak ciemna, ziejąca dziura.

– Stare schody nie są bezpieczne, lepiej ich nie używać – ostrzegł majster.

– Zejdziemy po drabinie – zdecydował Gil.

Robotnicy się cofnęli. Być może przez ich sceptyczne miny znowu dopadły mnie wątpliwości.

Dlaczego babka Ondine miałaby wrzucić bezcennego Picassa do starej piwnicy? – odezwał się ostrzegawczy głos w mojej głowie.

40

CÉLINE I GIL W MOUGINS

Gil, jak na dżentelmena przystało, pierwszy zszedł po drabinie w ciemną otchłań, a potem przytrzymał drabinę dla mnie. Ostrożnie stąpałam po nierównym podłożu piwnicy, pokrytym wilgotnymi plamami brudu i błota, kamieniami i trocinami. Zachwiałam się, ale Gil mnie podtrzymał i poświecił latarką, żebyśmy się nie obijali o stare drewniane stojaki na wino, nie potykali o zakurzone zielone butelki albo rozbite szkło. Ostrożnie podeszliśmy do miejsca, gdzie powinien się znajdować koniec szybu windy.

Przed nami wyrosła wysoka sterta na wpół spróchniałych drewnianych skrzyń. Zdawało się, że nigdy się nie skończą, musieliśmy je odstawiać jedną po drugiej. Ręce miałam całe w kurzu. Jednak wysiłek się opłacił, ponieważ za skrzyniami natrafiliśmy na szyb. Gil przezornie zabrał ze sobą trochę narzędzi, więc miał czym podważyć drzwiczki.

Kabina windy znajdowała się właśnie tam. Gil przykucnął i poświecił latarką po całym wnętrzu. Niecierpliwie zaglądałam mu przez ramię, ale niewiele udało mi się zobaczyć. Wreszcie mój towarzysz wyprostował się, cofnął i otrzepał ręce z kurzu.

– Nic tam nie ma – oznajmił zirytowany. – Pusto.

Przysunęłam się bliżej i przyklękłam, dokładnie obmacywałam ścianki kabiny, jakby moje palce nie chciały przyjąć do wiadomości oczywistej prawdy.

Gil odwrócił się do budowlańców, którzy również zeszli na dół.

– Wracać do pracy! – rozkazał surowo.

Mężczyźni wymamrotali coś, co zapewne było francuskim odpowiednikiem: „A nie mówiliśmy? Po co słuchasz tej wariatki?", ale Gil groźnie zmarszczył brwi, więc szybko przestali gderać. Cisza, która po tym zapadła, była w pewnym sensie o wiele gorsza.

– Chodź, Céline. Przeszkadzamy tylko. – Gil wyglądał na naprawdę wściekłego.

Mało mnie to obchodziło.

– „Miała u siebie mnóstwo małych skrytek" – powtórzyłam na głos, bardziej do siebie niż do niego.

Usłyszałam tylko zirytowane prychnięcie Gila, który już się odwrócił. Bezmyślnie błądziłam palcami po zimnym, zakurzonym dnie kabiny. Wyszeptałam prośbę do babki Ondine, której twarz, dzięki fotografii przekazanej mi przez matkę, wyobraziłam sobie teraz bez trudu. Wyryła mi się w pamięci i miałam wrażenie, że babka zaraz do mnie przemówi.

I właśnie wtedy wyczułam pod palcem wskazującym twarde zgrubienie na dnie kabiny. Wydawało mi się, że to zasuszone ziarnko grochu, które zapodziało się w lewym rogu windy. Nacisnęłam mocniej, żeby sprawdzić, co to dokładnie jest. Mały przycisk.

Winda zareagowała, jakbym powiedziała: „Sezamie, otwórz się" – dno kabiny odskoczyło na sprężynach i ukazał się ukryty schowek. Wsunęłam tam rękę i musnęłam nieco chropowatą powierzchnię. Choć umysł jeszcze tego nie pojął, dotykiem rozpoznałam już chyba, co znalazłam, bo wydało mi się, że czuję prąd w palcach.

– Gil – wydusiłam, ale słowa utkwiły mi w gardle. Spróbowałam jeszcze raz: – Podaj mi latarkę!

Gil odszedł na bok, żeby sprawdzić wiadomości na komórce, ale na moje wezwanie natychmiast wrócił i wypełnił polecenie. Skierowałam snop światła w głąb schowka.

Z dna patrzyła na mnie twarz kobiety.

– Jest tutaj! – zawołałam. Zakręciło mi się w głowie. Trzęsłam się tak mocno, że kiedy wstałam, omal nie upadłam i musiałam oprzeć się o ścianę.

– Co takiego? – zdumiał się Gil. – Mówisz o obrazie?

– Boję się go wyciągnąć, żeby nie zniszczyć – wyszeptałam w zachwycie. Za plecami Gila dostrzegłam znieruchomiałych z zaskoczenia budowlańców, którzy nie bardzo wiedzieli, co robić.

Gil podszedł bliżej.

– Pozwól mi się tym zająć – zaproponował.

Przyglądałam się, w jakim skupieniu wydobywał płótno ze skrytki. Sama nie mogłam się ruszyć. Czułam się jak zdumiony odkrywca, który dotarł na biegun północny i zamarzł na wieki w białej ciszy na bezkresnym odludziu.

– Mam go – oznajmił cicho Gil i ostrożnie wyjął obraz z windy.

Ekipa remontowa, wciąż niepewna, co to wszystko ma znaczyć, rozumiała tylko, że odnaleziono coś, co zostało tu ukryte dawno temu, i spontanicznie zaczęła klaskać.

Gil nachylił się do mnie i mruknął:

– Chodźmy na górę, tam będziemy mogli przyjrzeć mu się dokładniej.

Ocknęłam się z odrętwienia, po czym niepewnie wspięłam po drabinie. Gil podążył za mną, z wielką nabożeństwem niosąc portret do starej kuchni babki Ondine. Zaraz jednak przypomniał sobie o wszechobecnym kurzu i pyle.

– Zabierzmy lepiej obraz do *pigeonnier*. Tam będzie można go obejrzeć w spokoju – powiedział.

Sytuacja była tak... nierealna, że wydawało mi się, jakbym w ogóle nie dotykała stopami ziemi i poruszała się w jakimś innym wymiarze. Ciotka Matylda, Peter i Martin ruszyli za nami. W *pigeonnier* Gil oparł portret o krzesło, jak na sztalugach. Dopiero wtedy cofnął się, żeby popatrzeć.

Rozpięte na blejtramie płótno miało około czterdziestu pięciu centymetrów wysokości i trzydziestu ośmiu szerokości. Tak jak w piwnicy również teraz dotknięcie malowidła wykonanego mistrzowskimi pociągnięciami pędzla wzbudzało iskry w opuszkach moich palców. Obraz przedstawiał dziewczynę, która opiera się dłońmi o parapet i wygląda przez okno, jednak z takiej perspektywy, że widziało się jej twarz zwróconą w stronę patrzącego, zwłaszcza wielkie, bystre oczy, przenikliwe i pełne życia.

– To ona. To moja babka Ondine! – stwierdziłam.

– Piękna – przyznał Peter.

– Tak. – Przyglądałam się jak zahipnotyzowana.

Modelka miała zarumienione policzki, usta rozchylone w lekkim uśmiechu, a z całej postawy biły triumf i werwa, jakby dziewczyna zdobyła cały świat. Jej szczęście chyba trochę mi się udzieliło. W tym dziele Picasso nie tylko uchwycił podobieństwo, ale pokazał archetypiczną radość i tragedię wszystkich młodych dziewcząt pełnych nadziei.

– Wyglądasz jak ona – powiedział Martin. Szeroko otwartymi oczyma spoglądał to na mnie, to na portret.

Gil skinął głową. Wydawał się zaskoczony, jakby dostrzegł we mnie coś nowego.

Ciotka Matylda popatrzyła na płótno z zawodowym znawstwem. A potem oznajmiła z zachwytem:

– Céline, popatrz tutaj. – Wskazała dół obrazu.

Przez okno wpadały promienie słońca, przenikające przez gałęzie pobliskich drzew. Wiatr poruszał liśćmi i na obraz padały zmienne, ruchome cienie. Smuga światła przesunęła się po ciągu słów i cyfr namalowanych zamaszyście ostrą czernią, które rozwiały wszelkie wątpliwości.

Picasso – widniało w jednym rogu i *7 mai XXXVi* w drugim.

– Boże, to on – szepnęłam, pochylając się nad podpisem.

Gil też na niego patrzył i w jego oczach pojawił się błysk pożądania, gdy uświadomił sobie, ile ten podpis jest wart, zwłaszcza dla niego w tej trudnej sytuacji, w jakiej znalazł się *mas*.

Zaraz jednak się opanował.

– Miałaś rację – przyznał. Był pod wrażeniem.

Ciotka Matylda oceniła całą sytuację po swojemu, wymieniła porozumiewawcze spojrzenie z Peterem, który w mig pojął, o co chodzi.

– Chodź, Martin – powiedziała. – Chyba już dawno minęła pora lunchu. Umieram z głodu, a ty?

– Zjadłbym konia! – zapewnił chłopiec. – Z kopytami!

Ciotka popatrzyła na mnie i Gila.

– Wy dwoje zajmijcie się swoimi sprawami. Nie musicie się śpieszyć. Peter i ja zamierzamy nauczyć Martina gry w „Łowienie rybki".

Ledwie ją słyszałam. Nie mogłam oderwać oczu od portretu. Gil i ja obchodziliśmy obraz z niedowierzaniem, rzucając radosne uwagi typu: „Wyobrażasz sobie? To pociągnięcia pędzla Picassa", „Ciekawe, jak babka Ondine pozowała. O czym rozmawiali? Kiedy postanowił dać jej ten obraz?", „Dlaczego schowała portret w windzie i tak po prostu go tam zostawiła?", „Co by powiedziała mojej mamie, gdyby miały dla siebie więcej czasu tamtego ostatniego dnia?".

– Rozumiesz, co to znaczy? – zapytałam. – Moja matka miała rację. Nic się jej nie w y d a w a ł o, była przy zdrowych zmysłach, a teraz... będzie w o l n a!

Niemal zakrztusiłam się tym ostatnim słowem. A potem nie mogłam już wydusić nic oprócz: „Ha!". Euforia zaczęła ustępować miejsca tak długo tłumionym emocjom, które wracały teraz z zatrważającą siłą.

Gil podniósł wzrok, zaniepokojony moją zmianą tonu.

– Może to oznacza, że to ty będziesz teraz wolna – zauważył przenikliwie.

Ja jednak czułam się jak wojownik, który toczył długą walkę i nagle powiedziano mu, że wojna się skończyła. Zaczęłam drżeć i nie mogłam tego opanować, mimo że dzień był upalny. Do oczu napłynęły mi łzy ulgi. Zaskoczenie na twarzy Gila zmieniło się w zrozumienie.

– Hej! – rzucił cicho. Podszedł i objął mnie, początkowo trochę niepewnie. – Wszystko dobrze, już dobrze – powtarzał uspokajająco, a potem przytulił mnie mocno, pokrzepiająco.

Mgliście czułam, że pocałował mnie w czoło, a potem w policzek, nim wreszcie jego usta odnalazły moje.

W normalnych warunkach pewnie bym się zawahała, ale tym razem po prostu nie mogłam się powstrzymać. Przytuliłam się mocno i oparłam głowę o tors Gila, dopóki nie przestałam drżeć.

– Céline – wymruczał Gil, cicho i czule. – Słodka Céline.

Kiedy głaskał moją szyję i policzki twardymi palcami szefa kuchni, tak posiniaczonymi i pobliźnionymi, miałam wrażenie, że jego dotyk uzdrawia moje niewidzialne rany i budzi w ciele dawno zapomniane doznania... Czułam, że żyję i pragnę. Niepewne początkowo pocałunki wzmagały nasze pożądanie.

W emocjonalnym zamieszaniu tego niesamowitego, pełnego niespodzianek dnia była to jeszcze jedna eksplozja rozkoszy. Chyba nawet śmialiśmy się z siebie między pocałunkami, przesuwając się w kierunku łóżka. Jakaś ciepła, życiodajna rzeka przetoczyła się i rozlała w moich żyłach, jakbym przez całe życie była na wpół zamarzniętym alpinistą, a teraz dotarła do chaty z ogniem buzującym w kominku i mogła znów poczuć się jak człowiek.

Kiedy się obudziłam, nie od razu wiedziałam, gdzie jestem. Otrząsnąwszy się z resztek snu, poczułam się nasycona i odprężona. A potem gwałtownie usiadłam, próbując zrozumieć, co jest nie tak. Gil zniknął. Zerwałam się z posłania, ogarnięta złym przeczuciem. Owinęłam się prześcieradłem i pobiegłam do drugiego pokoju, rozglądając się nerwowo. Krzesło, na którym znajdował się obraz, stało w tym samym miejscu. Ale *Dziewczyny w oknie* nie było.

– Gil! – krzyknęłam.

Cisza.

Nieoczekiwanie z telefonem w ręce pojawił się w drzwiach do kuchni. Chyba wyszedł z *pigeonnier*.

– O co chodzi? – zapytał.

Wciąż stałam owinięta tylko w prześcieradło.

– Gdzie obraz?

Wyglądał na zawstydzonego.

– Słońce świeciło prosto na płótno, więc przeniosłem je w bezpieczniejsze miejsce. – Otworzył szafę, w której znajdowało się kilka szerokich szuflad. W jednej z nich na czystych ręcznikach spoczywał portret babki Ondine. – Bałem się, że po prostu rozpadnie się na moich oczach – wyznał Gil. – To głupie, prawda?

Odetchnęłam z ulgą, ale poczucie zagrożenia nie mijało. Początkowo nie rozumiałam dlaczego, dopiero gdy zobaczyłam, jak bardzo przesunęło się słońce na niebie, uświadomiłam sobie źródło mego niepokoju.

– Gil, jest późno! – napięłam się. – Musisz załatwić sprawę z Rickiem, prawda? To znaczy, my musimy...

– Spokojnie – przerwał mi z opanowaniem. – Podzwoniłem trochę, żeby na kilka godzin go powstrzymać. Rozważ swoje możliwości. Wciąż mogę podpisać umowę z Rickiem. Wystarczy, że pojadę do Cannes, i wszystko będzie załatwione.

– Nie ma mowy! Chcesz, żeby *mas* mojej babki trafił w łapy tego drania? Zwariowałeś? – oburzyłam się i zaczęłam szukać swoich porozrzucanych ubrań. – Ani się waż! Jestem teraz twoją wspólniczką, pamiętasz? Tylko jak zdobędziemy gotówkę, żeby na czas spłacić twojego lichwiarza?

– Nie bądź głupia. Właśnie weszłaś w posiadanie Picassa! Potrzebny ci czas, żeby wszystko przemyśleć, gdybyś postanowiła go zatrzymać. – Gil zachowywał się rozważnie, jak rodzic, który musi sobie poradzić z nadpobudliwym dzieckiem.

Zawahałam się tylko na chwilę, zaraz jednak pomyślałam o matce i powodach mojego przyjazdu do Francji.

– Słuchaj, mogę uratować mamę i *mas* babci... albo zatrzymać obraz. Wiem, co mam robić! – zapewniłam. – Nie wiem tylko, jak sprzedać szybko dzieło sztuki. A ty?

– Jeżeli poczekasz i wystawisz je na aukcję, z pewnością dostaniesz wyższą cenę niż przy sprzedaży bezpośredniej – zauważył Gil niepewnie. Starał się uczciwie przedstawić mi sytuację.

– Och, jasne – prychnęłam. – I dać czas Danny'emu i Deirdre, żeby dowiedzieli się o wszystkim? Oboje od razu będą chcieli sobie przywłaszczyć obraz. Jeszcze tego mi brakowało! Procesów, które będą się ciągnęły latami. Nie znasz tych dwojga. Nie cofną się przed niczym. Nie, nikt nie może się dowiedzieć. Trzeba znaleźć kogoś, kto po prostu kupi obraz tu i teraz, bez zadawania pytań. – Urwałam, żeby nabrać tchu. – Nie znasz kogoś, kto ma mnóstwo pieniędzy i żadnych skrupułów? – zapytałam dramatycznie.

Gil się zamyślił, a potem odpowiedział cicho:

– Tak się składa, że znam faceta, który mógłby zabić, byle zdobyć ten obraz. Ma obsesję na punkcie Picassa.

– Świetnie! Kto to?

– Paul. Zatrudnił mnie jako kucharza na swoim jachcie – wyznał Gil z błyskiem w oku.

– Ten facet, do którego uciekłeś po załamaniu nerwowym? – wypaliłam.

– Nigdy nie miałem załamania nerwowego – zapewnił Gil pośpiesznie. – Nie tak naprawdę. To była tylko wymówka dla prasy.

– Na litość boską – warknęłam z irytacją. – Bierz cholerną komórkę i dzwoń do tego Paula!

Chyba musiałam sprawiać wrażenie nieco szalonej, bo Gil popatrzył mi surowo w oczy, jakby chciał się upewnić, że tak postanowiłam i nie będę tego później żałować.

– Céline, to spadek po twojej babce. Lepiej poświęć trochę czasu i popatrz na obraz. Upewnij się, co c z u j e s z. Muszę wiedzieć, że się zgadzasz na sprzedaż, bo potem pewnie już nigdy nie zobaczysz tego portretu.

– A nie można by zawrzeć z tym Paulem umowy, że od czasu do czasu zaprosi nas na swój jacht, żebyśmy mogli popatrzeć na obraz? – zapytałam, ale rozumiałam, co Gil próbuje mi powiedzieć, dlatego posłuchałam jego rady.

Przeszłam przez pokój i stanęłam przed portretem. To dzieło Picassa wydawało się zbyt monumentalne, aby jakikolwiek śmiertelnik mógł je posiąść na własność. Powiedziałam to Gilowi.

Po raz ostatni popatrzyłam w oczy dziewczyny z portretu.

Babciu, jeżeli nie chcesz, abym sprzedała obraz, błagam, daj mi znak! – pomyślałam.

Ale dziewczyna tylko patrzyła na mnie, jakby chciała powiedzieć: Nie przejmuj się mną, przecież to twoje życie. A ponieważ żadne drzewo nie zwaliło mi się na głowę ani nie spadł na mnie grom z jasnego nieba, odwróciłam się zdecydowana jak nigdy w życiu.

– Nie sądzę, aby babka Ondine była wyjątkowo sentymentalna. Gdyby to ona znalazła się tej sytuacji i musiała pomóc mamie oraz ocalić *mas,* wiem, że zrobiłaby to, co konieczne – stwierdziłam stanowczo.

A zaraz potem mój telefon zabrzęczał, sygnalizując, że dostałam wiadomość. Wymacałam aparat w stercie ubrań.

– Co się stało? – zaniepokoił się Gil, gdy pobladłam po odczytaniu nadawcy.

Zrozumiałam, dlaczego instynkt pchał mnie do walki. Włączyłam odtwarzanie głosowe, żeby Gil mógł usłyszeć nagranie. Wiadomość wysłała fryzjerka z domu opieki w Nevadzie: „Céline, twoja mama miała jakiś atak. Zabrano ją do szpitala, podobno tylko «na wszelki wypadek», ale chyba lepiej, żebyś przyjechała. Mam też dobre wieści. W zeszłym tygodniu twoja mama zaczęła znowu mówić i pytała o ciebie. Od kierowcy ambulansu dowiedziałam się, gdzie ją zabrano. Przesyłam nazwę i adres. Słyszałam jednak, że twój brat nie pozwolił, aby matka odbierała telefony i wiadomości, zakazał też wszelkich odwiedzin".

– Cholera jasna! – wycedziłam pod nosem, gdy ubierałam się w pośpiechu. – Moje bliźnięta powinny się smażyć w piekle. I będą. Tym razem zamierzam n a p r a w d ę zawalczyć o mamę.

– Céline, najpierw zadzwoń do prawnika – rozkazał Gil. – Bez niego nie powinnaś nawet z tymi ludźmi rozmawiać. Powiedz, z kim mam się skontaktować, zajmę się tym.

Popatrzyłam na niego przez łzy.

– Chcesz mi pomóc? Załatw pieniądze. Jak najwięcej, żebym wreszcie mogła obronić matkę. Sprzedaj obraz, Gil. Zrób to teraz, spłać dług za nasz *mas,* a resztę przelej na moje konto. Ale najpierw... każ Maurice'owi, żeby zarezerwował mi bilet do Nevady na dziś wieczór!

Gil uścisnął mnie i pogłaskał uspokajająco po policzku. To, co widziałam w jego twarzy, było cudowne i ogarnęło mnie radosne pragnienie, żeby delektować się tym dłużej. Zadrżałam, ale nastawiłam się już na walkę, która mnie czekała, i ten mężczyzna chyba to zrozumiał.

– Zajmę się wszystkim – przyrzekł i uniósł telefon. – Zostaw to mnie.

Tak bardzo się martwiłam o matkę, że dłużej się już nad tym nie zastanawiałam.

41

ONDINE I MADAME SYLVIE
W MOUGINS — 1983

La petite Céline est arrivée! – zawołała radośnie Ondine, gdy *madame* Sylvie weszła do jej domu tego popołudnia. Podekscytowana wyjaśniła, że gdy mieli siadać do stołu z córką i jej mężem, Julie odeszły wody, właśnie tutaj, w *mas,* i Arthur musiał zawieźć ją do szpitala. Od wielu godzin Ondine czekała niecierpliwie na nowiny. – I nareszcie zadzwonił do mnie lekarz! – cieszyła się ekstatycznie. – Dziecko Julie to dziewczynka, śliczna i zdrowa.

– No, to już mnie nie potrzebujesz. – *Madame* Sylvie uśmiechnęła się pobłażliwie.

Ondine ujęła ją pod ramię i pociągnęła w głąb pomieszczenia.

– *Au contraire!* Wyjdźmy na taras i napijmy się herbaty, a potem będziesz mi mogła powróżyć z kart i fusów.

– Dla ciebie czy dla Julie?

– Nie chcę słuchać o sobie ani o Julie! – Ondine machnęła ręką. – Nasze losy już się wypełniły. Musisz mi przepowiedzieć losy dziecka!

Gdy obie kobiety usiadły przy herbacie i migdałowym *gâteau* z bitą śmietaną i brzoskwiniami, Ondine westchnęła:

– Biedna Julie nie miała okazji zjeść obiadu. Jutro przyniosę jej z *café* pieczonego kurczaka i wiśniową *tarte*. No, ale to nieważne. Proszę, powiedz mi, jaka przyszłość czeka małą Céline.

Madame Sylvie nalała herbaty do specjalnej malutkiej czarki ze złotym rantem, którą dostała w prezencie, a Ondine posłusznie wypiła niewielką porcję naparu. Potem *madame* Sylvie przyjrzała się fusom, które zostały na dnie czarki. Starała się opanować zmarszczenie brwi, ale Ondine je zauważyła.

– Coś złego? Co się stanie? Proszę, niczego przede mną nie ukrywaj.

– Nie, wszystko w porządku – zapewniła *madame* Sylvie. – To będzie silna i zdrowa dziewczynka, inteligentna i utalentowana. Zresztą w dzisiejszych czasach dziewczęta są mądre, same robią karierę!

Ondine musiała się z tym zgodzić. Ale nie była głupia.

– Co jeszcze widzisz?

Madame Sylvie rozłożyła teraz karty. Przyjrzała się dokładnie układowi, potem stwierdziła z naciskiem:

– Chodzi o to, że Céline nie będzie miała łatwo. Czeka ją sporo wysiłku, aby wypełnić los, który jest jej przeznaczony.

– To przez jej ojca, prawda? – Ondine zmartwiona pochyliła się nad stołem.

– Tak – potwierdziła *madame* Sylvie z wahaniem. – Ojciec będzie utrudnieniem. To przeciwieństwo tego, jaki powinien być rodzic, raczej przeciwnik niż sojusznik. Obawiam się także, że Céline nie dostanie zbyt dużego wsparcia od matki. Julie nie ochroni córki przed ojcem, więc Céline wcześnie odejdzie z domu.

Ondine westchnęła głęboko.

– No to jakie szanse tak naprawdę ma moja wnuczka? Przygniotą ją trudy życia czy pokona je i zatriumfuje?

Madame Sylvie spojrzała karcąco.

– Przecież doskonale wiesz, że nie potrafię tego powiedzieć, bo nie sięgam tak daleko. Nie wiem, czy będzie miała okazje lub szczęście, które wpłyną na jej życie. Mogę tylko powiedzieć, że dziewczyna albo utonie, albo popłynie. A będzie to zależało wyłącznie od jej własnej siły i woli przetrwania.

Ondine nie podobało się to ani trochę. Dziecko przecież powinno przychodzić na świat wyłącznie z nadzieją. Zapragnęła chronić małą, a serce zatrzepotało jej ze zmartwienia. W głębi duszy pożałowała, że wezwała *madame* Sylvie.

– A czy moja wnuczka odnajdzie miłość? – zapytała z niepokojem.

– Ach! – ucieszyła się *madame* Sylvie. – Widzę mężczyzn w jej życiu. Czy wybierze mądrze? Wszystko zależy od ścieżki, którą pójdzie. Miłość można znaleźć tylko wtedy, gdy się ma dość odwagi, aby poznać prawdę.

Gdy *madame* Sylvie wyszła, Ondine przyniosła do kuchni korespondencję. Zajęcie się zwykłymi sprawami i interesami na chwilę oderwało jej myśli od zmartwień, a rutynowe działania ukoiły niepokój i emocje ostatnich zdarzeń.

– Poradziłam sobie całkiem nieźle – stwierdziła, zapłaciwszy kilka rachunków i sprawdziwszy księgę rachunkową. – Organizacja to podstawa.

Ondine lubiła mieć pieniądze, głównie jako zabezpieczenie. Dzięki temu kładąc się spać, wiedziała, że spora suma odłożona w banku będzie osłoną w czarnej godzinie, na wypadek wojny, kryzysu ekonomicznego czy czegokolwiek, co wymyślą ci złodzieje z rządu albo handlowcy. Lubiła mieć kontrolę nad swoimi interesami. *Mas* kwitł, a w *café* wszystko działało jak w szwajcarskim zegarku, chociaż należało mieć oko na tę bandę w kuchni.

Ondine przykleiła znaczki na kilku kopertach i z westchnieniem zadowolenia odłożyła korespondencję. Pod koniec tygodnia jej przystojny młody prawnik, Gerard Clément, przyjdzie do lokalu na lunch i przejrzy bieżące dokumenty. Jako przyjaciel zaglądał do Ondine dwa razy w miesiącu od wielu lat. I chociaż już nie wymykali się razem do sypialni nad restauracją, kilka miesięcy namiętnych schadzek warte było zapamiętania.

– Przemiły Clément okazał się prawdziwym zaskoczeniem! – Uśmiechnęła się do wspomnień.

Była już po pięćdziesiątce, gdy młodzieniec przejął kancelarię po starszym prawniku, dla którego Ondine kiedyś gotowała.

Gerard Clément, jak wielu młodych Francuzów, w swój pierwszy romans wdał się z kobietą bliższą wiekiem własnej matce.

– Uznałby mnie za atrakcyjną, gdybym nie miała pieniędzy? – zachichotała Ondine. – Owszem, myślę, że tak. Ale czy to ważne? Radość to radość. A on był tak czarująco troskliwy. Och, tak, wspaniale się bawiliśmy!

Obecnie jej serce nie wytrzymałoby wspinaczki po schodach nad restaurację, nie wspominając o innych akrobacjach, które wyczyniała w sypialni!

Westchnęła i sięgnęła po laskę.

– Tak czy inaczej to dobre życie. – Zerknęła na złoty blask wpadający do pokoju przez okno i zachęcający do wyjścia na dwór.

Ondine zatrzymała się jeszcze w sypialni, aby wziąć szal, i z przyzwyczajenia popatrzyła w miejsce, gdzie zwykle znajdował się obraz Picassa. W pierwszej chwili serce jej drgnęło, gdy zobaczyła pustkę w szufladzie komody. A potem sobie przypomniała.

– Och, przecież włożyłam obraz do windy! A wszystko przez Arthura. Jak Julie mogła być tak głupia, żeby wyjść za takiego człowieka! – Pokręciła głową. – Arthur nie spocznie, dopóki nie zdobędzie władzy nad wszystkim, czego dotknie. No, ale przynajmniej jego chciwe oczy nigdy nie ujrzały mojego Picassa. I, na Boga, nigdy nie ujrzą!

Niedobrze, że nie udało się jej porozmawiać z Julie sam na sam. Ondine miała nadzieję, że po obiedzie będzie okazja. Ale, *alors*! Mała Céline postanowiła im w tym przeszkodzić swoimi narodzinami.

A może to też znak, rozmyślała Ondine. Zaoszczędziła już dość pieniędzy i mogła finansowo zadbać o córkę. Nie musiała sprzedawać obrazu, żeby zapewnić Julie posag. Za to Céline będzie potrzebne wiano. Czy w dzisiejszych czasach dziewczęta jeszcze mają posag? Cóż, jej wnuczka na pewno będzie miała!

Ondine poszła do kuchni, aby wyjąć obraz ze schowka. Nacisnęła guzik, ale winda jak uparte zwierzę ani myślała ruszać, wyda-

ła tylko elektryczny zgrzyt, a potem silnik zupełnie się wyłączył.
Ondine zajrzała do szybu.

– Niech to! Nie mogę zejść po schodach i przynieść obrazu sama! – mruknęła zirytowana. – No, trudno. Jutro powiem o tym Clémentowi i poproszę, żeby zrobił to za mnie.

Nie pokazała mu wcześniej swojego portretu ani nawet o nim nie wspomniała. Nie chciała, aby kochanek zobaczył, jak młodo wyglądała jej twarz na portrecie Picassa.

– Ach, taka próżność już mi nie przystoi – uznała.

Zamierzała poprosić Clémenta, żeby wypisał odpowiednie dokumenty prawne, z których jasno będzie wynikać, że *Dziewczyna w oknie* Picassa należy legalnie do Céline. Clément był uczciwym i dyskretnym człowiekiem, zrobi wszystko jak należy. Myśl o młodzieńcu, który uwielbiał sprawiać jej przyjemność, znowu wywołała u Ondine uśmiech.

Teraz, kiedy znalazła rozwiązanie dla ciążącego jej problemu, poczuła się znacznie lepiej. Podniosła głowę i spojrzała na swoje odbicie w szybie. Przysunęła się bliżej. Pomyślała stanowczo, że chociaż młode twarze są ładne, wydają się nieco puste, ponieważ młodzi ludzie znajdują się dopiero w połowie drogi do stania się sobą w pełni.

Z jakiegoś powodu akurat tego dnia Ondine umiała ocenić swoje odbicie z wystarczającym dystansem, aby dostrzec w tej twarzy coś wartego uchwycenia – nie tylko wspomnienie tego, jaka była, lecz wyraz tego, co dobrego i złego przeszła w życiu.

Ciekawe, jak wyglądałabym na portrecie dzisiaj! Jak widziałby mnie Picasso? Zastanawiając się nad tym, doszła do wniosku, że kobiety powinny malować. Ludzka twarz jest zbyt ważna, aby jej postrzeganie pozostawić wyłącznie mężczyznom!

Zabrała koszyk i rękawice, ale potem przyszło jej do głowy coś, co sprawiło, że się zatrzymała. Przecież dobry organizator wie, gdzie pozostał luźny wątek w starannie utkanym planie.

42

CÉLINE W AMERYCE —
2014

Znajdowałam się w połowie drogi nad Atlantykiem, gdy usłyszałam rozmowę dwóch kobiet w fotelach za plecami. Pasażerki wypiły już sporo szampana i coraz bardziej emocjonalnie dyskutowały o tym, że ufać mężczyznom to bardzo zły pomysł.

— C o zrobiłaś?! — rzuciła jedna z nich z oburzeniem. — Pozwoliłaś mu zarządzać swoimi finansami p r z e d ślubem? A jeżeli to łowca posagów? N i g d y nie pozwalaj, żeby facet miał kontrolę nad twoimi pieniędzmi! Och, już dobrze, nie płacz. Mój brat jest prawnikiem, pomoże ci.

Zamknęłam oczy. W duchu pragnęłam, żeby te kobiety zamilkły. Jednak ich głośna rozmowa trwała w najlepsze, a wynikało z niej, że narzeczony jednej z nich uciekł z jej pieniędzmi i swoją sekretarką, a łatwowierna dziewczyna poniosła finansowe konsekwencje jego podejrzanych interesów.

Przez te gaduły zaczęłam sobie wyobrażać, jak przerażony byłby Sam, mój prawnik, gdyby się dowiedział, że ledwie udało mi się znaleźć obraz Picassa, a już oddałam go mężczyźnie, którego prawie nie znam. Z Mougins wyjechałam w pośpiechu. Ciotka Matylda pomogła mi spakować walizkę, a potem przezornie zabrała Martina na dwudniowe odwiedziny u przyjaciół Gila w Cannes, dzięki czemu Gil mógł się zająć płótnem i swoim lichwiarzem. „Zostaw to mnie", powiedział. Jednak w samolocie wyobraziłam sobie, że Gil uciekł, dogadał się ze znajomym kolekcjonerem dzieł sztuki, zabrał pieniądze, zapłacił wierzycielowi i nawet się nie obejrzał. Nie miałam żadnego dowodu, że ten obraz należy do mnie. Gdyby Gil mnie oszukał, nie mogłabym nic zrobić. Przypomniałam sobie wieczór w restauracji, gdy podpita kobieta w czerwieni – ta, z którą Gil miał romans – powiedziała: „Gdy tylko położy swoje kucharskie łapy na twoich pieniądzach, kotku, cóż... zniknie, dziecinko, po prostu zniknie"...

– O Boże – szepnęłam. Ale nie miałam wyboru, mogłam jedynie wierzyć, że wszystko będzie dobrze.

Zdecydowanym ruchem otworzyłam opakowanie zawierające opaskę na oczy i zatyczki do uszu, których od razu użyłam. Żeby pozbyć się lęku, także o matkę, napiłam się wina zaoferowanego przez stewardesę. A potem rozłożyłam fotel, okryłam się kocem i zamknęłam oczy.

W Nowym Jorku miałam przesiadkę, niestety z godzinną przerwą w podróży, co już mi się nie podobało, a potem jeszcze podali do wiadomości, że mój lot do Nevady zostanie opóźniony z powodu „warunków pogodowych". Usiadłam w kawiarni przy terminalu i z niepokojem bawiłam się telefonem. Wysyłałam SMS-y do Gila z prośbą, aby dał mi znać, czy udało mu się sprzedać obraz, ale nie otrzymałam żadnej odpowiedzi.

Wreszcie wsiadłam na pokład samolotu do Nevady, ale i tak musieliśmy czekać w niekończącej się kolejce opóźnionych maszyn do startu. Najgorsze przyszło jednak dopiero wtedy, gdy linie lotnicze ogłosiły, że ze względu na problemy techniczne lot jest odwołany, a pasażerowie muszą wysiąść i zaczekać na kolejny.

Pracownicy lotniska okazali mi współczucie, gdy powiedziałam, że muszę się dostać do Nevady ze względu na poważnie chorą matkę. Starali się mi pomóc i znaleźć jakieś szybsze połączenie. Pozwolono mi nawet skorzystać z saloniku dla VIP-ów. Przez cały czas wysyłałam Gilowi wiadomości i żaliłam się, że nie mogę dotrzeć do Nevady. Sprawdziłam swój rachunek w banku tylko po to, żeby się przekonać, że nie wpłynęły żadne pieniądze, chociaż przed wyjazdem Gil poprosił mnie o numer konta. Wciąż się nie odzywał.

Byłam już w takim stanie, że zaczęłam robić sobie wyrzuty: Wspaniale, po prostu wspaniale! Wcześniej nie powierzyłabym żadnemu mężczyźnie życia ani pieniędzy, więc co mnie podkusiło tym razem? Czemu zaufałam jakiemuś stukniętemu kucharzowi, poszłam z nim do łóżka, a potem tak po prostu oddałam mu Picassa mojej babki. No, cudownie!

Tymczasem matka była w Nevadzie sama, pozostawiona na pastwę tych szakali. Rozpłakałam się ze zdenerwowania, nie bacząc nawet na to, że znajduję się w miejscu publicznym. Nagle dostrzegłam wysoką postać przeciskającą się gniewnie przez tłum na terminalu. Mężczyzna nosił kapelusz i ciemne okulary.

– Céline, chodź ze mną! – rozkazał władczo Gil, podnosząc mój bagaż podręczny.

– Co tu robisz? – zdumiałam się. – Gdzie obraz?

– U mojego prawnika – odpowiedział Gil. – Schował go do sejfu i pośredniczy w sprzedaży. Gdy tylko wyjechałaś, wiedziałem, że muszę cię dogonić. Zresztą Matylda bezceremonialnie kazała mi, żebym ci pomógł! Ale najpierw załatwiłem to, co obiecałem... zadzwoniłem do Paula. Od razu się zgodził! Przedstawił ofertę i jeżeli będzie ci odpowiadać, mój prawnik przeprowadzi transakcję, a Paul przeleje dla nas pieniądze. Ale najpierw chodźmy, samolot czeka.

– Nie ma żadnego samolotu do Nevady – skrzywiłam się z goryczą. – Nie czytałeś moich wiadomości?

– Tak, tak. Ale miałem cholernie dużo spraw do załatwienia! Chodź! – Gil poprowadził mnie bocznym korytarzem zarezerwowanym dla dyplomatów i sław oraz podobnej klienteli.

– Dokąd idziemy? – zaniepokoiłam się. Ledwie mogłam za nim nadążyć.

– Powiedziałem Paulowi, że to do ciebie należy ostateczna decyzja, czy przyjąć, czy odrzucić jego ofertę, więc kiedy wspomniałem, że musisz dotrzeć do mamy, nie zawahał się ani na chwilę i oddał mi do dyspozycji swój prywatny odrzutowiec. Dlatego nie tylko mogłem tak szybko cię dogonić, ale także zabiorę cię zaraz do Nevady – wyjaśnił Gil, uśmiechając się przebiegle, gdy mijaliśmy obsługę lotniska, która żegnała nas pełnymi szacunku skinieniami głów i ustępowała nam z drogi.

W ten sposób znalazłam się na pokładzie samolotu miliardera. Patrzyłam na Gila z niedowierzaniem, gdy zasiedliśmy w miękkich, dużych jak sofy fotelach obitych czarną skórą. Samolot wkrótce dostał pozwolenie na start i znaleźliśmy się w powietrzu.

– Paul został na swoim jachcie w Saint-Tropez, czeka na twoją odpowiedź – oznajmił Gil. Wyglądał na nadzwyczaj zadowolonego z siebie i z rezultatów swoich działań.

Wciąż ledwie mogłam złapać oddech po biegu z hali odlotów, ale nie powstrzymało mnie to przed pytaniem:

– No? Ile?

– Pamiętaj, że ten obraz nie jest znany, jego autentyczność nie została potwierdzona, nie masz też żadnego dowodu, że należy do ciebie ani skąd pochodzi – przestrzegał. – Paul chce, aby ekspert, którego często zatrudnia, sprawdził, czy to na pewno Picasso. Ten specjalista też czeka w gotowości.

– Obraz jest autentyczny, na pewno – zapewniłam śmiało.

– Tak, ale nawet jeżeli, pamiętaj, że Paul podejmuje duże ryzyko, przyjmując na wiarę, że twoja babka, a teraz ty, jesteście legalnymi właścicielkami obrazu.

– Jasne, jasne. Ile?

– Pięćdziesiąt pięć milionów – oznajmił Gil spokojnie.

– Dolarów? – Pisnęłam jak idiotka.

Gil skinął głową.

– Paul postanowił zaoferować na tyle wysoką cenę, żebyś nie wystawiła obrazu na aukcję – wyjaśnił. – A na dodatek skłoniłem go, żeby pozwolił ci od czasu do czasu na niego popatrzeć. Powiedziałem mu także, że chciałabyś, aby *Dziewczyna w oknie* ostatecznie znalazła się w miejscu, gdzie wszyscy będą mieli szansę ją zobaczyć. Paul zdaje się to rozumieć. Obiecał, że zaaranżuje wszystko tak, aby po jego śmierci obraz został przekazany do publicznego muzeum sztuki. Paul to ekscentryk, ale honorowy.

Przez chwilę siedzieliśmy w milczeniu. Wreszcie Gil przerwał ciszę.

– Decyzja należy do ciebie, Céline. Zakładam, że jeszcze przez kilka godzin możemy trzymać Paula w niepewności, ale jego oferta spełnia wszystkie nasze wymagania, więc nie dawałbym mu zbyt wiele czasu, bo jeszcze się rozmyśli i zmieni warunki. To rekin, a rekiny poruszają się szybko.

Chyba dopiero wtedy dotarło do mnie po raz pierwszy, że to wszystko dzieje się naprawdę, i pozwoliłam sobie na żal, że tracę babkę Ondine niemal zaraz po jej odnalezieniu.

– Jeżeli zdecydujesz się na sprzedaż, mój prawnik zajmie się transakcją już dziś – mówił Gil. – Wtedy będzie można od razu spłacić mój dług, nim Gus spuści swoje psy. Co tu kryć, jego goryle znowu kręcili się wokół *mas,* musiałem się wymknąć, dosłownie, samochodem dostawczym z pralni, żeby dostać się do odrzutowca. Ale jak powiedziałem, masz czas na decyzję, Jeżeli zechcesz, możesz poczekać i wystawić obraz na aukcję. Poprę każdą twoją decyzję.

Pomyślałam o *mas* babki Ondine i o zagrożeniu ze strony zbirów lichwiarza oraz o Ricku. I o matce, która leżała w szpitalu. Wzięłam głęboki oddech. A potem oznajmiłam stanowczo:

– Sprzedaj!

Kiedy wylądowaliśmy w Nevadzie, czekał już na nas samochód wynajęty przez Gila. Od razu ruszyliśmy do szpitala. Szofer zapewnił, że na nas poczeka.

– Gdzie jest twój prawnik? – zapytał Gil z niepokojem, gdy wysiedliśmy. Sprawdziłam telefon.

– Sam jest na spotkaniu, ale przesłał mi wiadomość – mruknęłam. – Bliźnięta zostawiły jasne polecenia, aby nie wpuszczać do mamy żadnych gości, „nawet innych członków rodziny". Oczywiście chodzi o mnie.

– Jak mogły to zrobić? – zdziwił się Gil. – Czego, do jasnej cholery, tak się boją?

– Tego, że nie dostaną pieniędzy – wyjaśniłam. – Jak napisał Sam, boją się, że mama całkiem wyzdrowieje i zmieni testament. Zakazał mi wchodzić do szpitala bez niego, inaczej bliźnięta wezwą policję i zrobi się naprawdę nieprzyjemnie. Stwierdził, że lepiej pokonać ich w sądzie. Ale mama nie może czekać, aż skończy się jego głupie spotkanie, a ja tym bardziej nie mam zamiaru.

Zadzwonił mój telefon. Prywatny detektyw, wynajęty przez Sama, żeby obserwował izolatkę mamy, dopóki się nie zjawię, złożył mi raport.

– Deirdre właśnie wyszła, więc pani matka jest teraz sama. Jej stan się nie zmienił. Mam dwie przepustki dla gości. Podrzucę je pani do samochodu. Proszę nie podawać nazwiska matki, kiedy ktoś zapyta, kogo pani odwiedza. Powie pani nazwisko innego pacjenta. – Szybko mi je podał. – Dzięki temu bez problemu przejdzie pani przez recepcję. Dalej będzie pani zdana tylko na siebie. Pani matka leży w pokoju dwieście czterdzieści trzy, trzecie drzwi na lewo od windy.

Powtórzyłam to Gilowi, a potem patrzyliśmy zafascynowani, jak prywatny detektyw przechodzi obok naszego samochodu i przez okno z opuszczoną szybą wrzuca mi na kolana dwie plakietki, po czym idzie dalej, jakby w ogóle nas nie widział.

– Mam pomysł, jak przekraść się obok pielęgniarek na piętrze – oznajmił Gil.

Weszliśmy do szpitala. Nocna zmiana właśnie zaczynała pracę, a ochroniarz już opuszczał swoje stanowisko, więc tylko zerknął niedbale na nasze przepustki i pozwolił nam przejść. Gdybyśmy jednak pokazali je na górze, pielęgniarki skierowałyby nas do pokoju innego pacjenta. Dlatego gdy winda zatrzymała się na piętrze, na którym leżała mama, Gil oznajmił:

– Odwrócę ich uwagę i będę cię krył. Gotowa?

Skinęłam głową, umknęłam do toalety i zaczęłam odliczać do pięćdziesięciu.

Kiedy wróciłam na korytarz, podeszłam czujnie do drzwi izolatki mamy. Gil stał przy kantorku, a wokół niego chyba wszystkie pielęgniarki z dyżuru słuchały anegdot o księciu Harrym, opowiadanych z tym zniewalającym brytyjskim akcentem i niewątpliwym męskim urokiem. Gil był odwrócony do mnie plecami, napiął szerokie ramiona tak, aby jak najlepiej zasłaniać widok pielęgniarkom. Cicho wślizgnęłam się do pokoju mamy.

Leżała w łóżku. Spała. Do nosa miała podciągniętą rurkę, do ręki podłączoną kroplówkę ze stojaka. Uderzyło mnie, że matka wydawała się tak nieprawdopodobnie mała i drobna. Jej włosy od dawna nie były farbowane, więc zamiast kasztanowego koloru, jaki pamiętałam, więcej było w nich siwizny, ale policzki pozostały młode jak na kogoś w jej wieku. Zauważyłam, że mama ma spękane i suche wargi. Na szafce przy łóżku stał kubek z wodą – tuż poza zasięgiem jej ręki.

Usiadłam na łóżku i ostrożnie ujęłam jej dłoń, tę niepodłączoną do kroplówki. Miała miękkie, ciepłe i delikatne palce, takie, jakie pamiętałam z dzieciństwa, ale wydawała się teraz bardzo krucha, sama skóra i kości. Na jej twarzy jak zwykle malował się wyraz ufności i nadziei. Miłość, która we mnie wezbrała, ścisnęła mi serce, jakby zaraz miało wyskoczyć mi z piersi.

Otworzyła oczy. Początkowo nie mogła się skupić, ale poruszyła się sennie i popatrzyła przytomniej, kto trzyma jej dłoń. Podałam jej kubek z wodą i pomogłam się napić. Kiedy się wreszcie odezwała, był to szept cichy jak westchnienie – musiałam się mocno nachylić, aby ją usłyszeć.

– Kim jesteś? – zapytała, a zaraz potem, jakby bardziej mnie wyczuwając, niż widząc, dodała: – Céline, to ty? – Popatrzyła na mnie z zaskoczeniem i szczerą radością.

– Tak, mamo. – Pocałowałam ją w czoło. – Kocham cię.

Uśmiechnęła się, uniosła rękę i pogłaskała mnie po twarzy, najpierw po jednym policzku, potem po drugim. Wreszcie ścisnęła mi dłoń.

– Przyjechałam, żeby zabrać cię wreszcie do domu – oznajmiłam z uczuciem.

– Do domu? – zdziwiła się. – Naprawdę? Do domu?

Skinęłam głową, bo nie ufałam swojemu głosowi.

Wtedy mama zaczęła mówić.

– Kocham cię, moja odważna Céline. Moja najdroższa. Zawsze – westchnęła. – Skąd przyjechałaś? – zapytała z nagłym przebłyskiem jasności umysłu. Dopiero teraz jej głos zabrzmiał tak, jak pamiętałam, przytomny i zaciekawiony. – Z Kalifornii?

– Nie, mamo, byłam we Francji. Znalazłam *mas* babci – wyjaśniłam.

Mama otworzyła szerzej oczy, a potem powieki jej opadły. Przestraszyłam się, że zaraz zapadnie w polekową śpiączkę.

– Mamo, znalazłam obraz babci. Ten od Picassa – powiedziałam z naciskiem.

Mama wymamrotała coś niezrozumiale.

– Mamo, słyszysz mnie? – zaniepokoiłam się. – Wszystko już będzie dobrze. Miałaś rację. Picasso n a p r a w d ę podarował babci obraz!

Nie zdawałam sobie sprawy, że Gil wszedł do izolatki i stanął za moimi plecami. Spróbowałam jeszcze raz.

– Mamo, słyszysz? Obraz babci od Picassa. Mamo, znalazłam go!

Mama z trudem otworzyła oczy, jakby uniesienie powiek było dla niej ogromnym wysiłkiem. Ale tym razem nie popatrzyła na mnie, lecz wyżej, na Gila.

Zmierzyła go spojrzeniem, a potem uśmiechnęła się ze zrozumieniem i przeniosła wzrok na mnie, gdy właśnie powtarzałam: „Znalazłam go". Chyba zrozumiała to opacznie, ponieważ znowu popatrzyła na Gila.

– Cieszę się, że go znalazłaś – szepnęła konspiracyjnie i znowu ścisnęła mi dłoń. A zanim odpłynęła ponownie w sen, dodała: – Wygląda, jakby kochał cię bardzo mocno.

Danny i Deirdre nie dowiedzieli się o moim spotkaniu z mamą. Wymknęłam się, gdy tylko detektyw ostrzegł mnie, że brat właśnie podjechał pod szpital. Razem z Gilem wsiedliśmy do prywatnego odrzutowca i polecieliśmy do Los Angeles, aby zabrać trochę potrzebnych rzeczy z mojego mieszkania i znowu wrócić do Nevady. Gil usiadł w moim salonie i włączył komputer, żeby zająć się przelewami pieniędzy ze sprzedaży obrazu, a ja skontaktowałam się ze swoim prawnikiem przez telefon – chciałam załatwić jak najszybciej rozprawę, żebym mogła zobaczyć się z mamą bez obawy, że przyrodnie rodzeństwo mnie powstrzyma.

Jednak wczesnym rankiem następnego dnia mama zmarła spokojnie we śnie. Dowiedziałam się o tym od prywatnego detektywa, któremu zleciłam, aby nadal obserwował, co się dzieje w szpitalu. Po otrzymaniu tej smutnej nowiny opadłam na sofę i siedziałam tak, milcząca i nieruchoma, przez resztę dnia.

Deirdre odczekała jeszcze dobę, zanim raczyła mnie oficjalnie powiadomić.

– Mama właśnie zmarła we śnie – skłamała przez telefon. – Nie będzie żadnego czuwania. Jej ciało już zostało wysłane do Nowego Jorku, aby spoczęło obok taty. Właśnie tego chcieli rodzice.

Dla mnie wyglądało to, jakby morderca chciał szybko pozbyć się dowodów zbrodni. Deirdre myślała, że nie widziałam się z matką od czasu, gdy miała wylew, a jednak moja przyrodnia siostra nie zapytała nawet, czy nie chciałabym usiąść przy zwłokach, żeby się pożegnać. Z samozadowoleniem Deirdre oznajmiła, że to ona wszystkim się zajmie, jakby zapewniło jej to nade mną jakąś przewagę. Potem wyliczyła sprawy, które już załatwiła, co dla mnie brzmiało bardziej jak planowanie przyjęcia niż zajęcie się sprawami zmarłej.

– I jeszcze ostatnia kwestia. Danny kazał mi przekazać, żebyś nie spodziewała się wiele z majątku taty. Wydatki na opiekę mamy były bardzo wysokie – wyrecytowała jak papuga.

Domyśliłam się bez trudu, że powtarza przemowę przygotowaną ze swoim prawnikiem.

– Céline? – Wreszcie zauważyła, że ani razu się jeszcze nie odezwałam.

– Żegnaj, Deirdre – powiedziałam cicho i się rozłączyłam.

Gil wyszedł z drugiego pokoju. Powiedział, że jego prawnik zajął się przelewem mojej części pieniędzy ze sprzedaży obrazu na otwarty dla mnie rachunek bankowy we Francji. Niemal w ostatniej chwili przelaliśmy też sumę, która pokryła dług Gila. Pozostało jednak kilka dokumentów, które musieliśmy osobiście podpisać w Mougins.

– Powiedz, kiedy będziesz gotowa – oznajmił po prostu Gil. Wysłuchawszy, co powiedziała Deirdre, zamyślił się głęboko. – Zastanówmy się, Céline. Chcesz zatrzymać się w Nowym Jorku na pogrzeb?

Pokręciłam głową, po czym wreszcie wybuchnęłam płaczem. Gil objął mnie mocno. Siedzieliśmy przytuleni, dopóki nie zabrakło mi łez. Wsparłam się o tors Gila, jakbym mogła od niego czerpać ciepło i siłę, a on tylko szeptał uspokajająco i całował mnie w czoło. Wreszcie uniosłam głowę i przycisnęłam mokry policzek do jego twarzy.

Potem, gdy łzy mi obeschły, usiedliśmy przy stole, a Gil podał kolację, którą przygotował. Powiedziałam mu wtedy:

– Przysięgam na Boga, nie znałam tych dwojga, chociaż wychowałam się razem z nimi. Kochałam ich, bo myślałam, że to rodzina. Ale oni nigdy nie kochali mamy. Zatem nie byli moją rodziną. Jak m o g l i jej nie kochać? Chciałam ją uratować. A teraz mama nie żyje. Boże, jaki sens ma wszystko, co robiłam?

– Zadbałaś o to, aby twoja mama wiedziała, że przynajmniej ty ją kochasz – odpowiedział Gil po prostu. – I do końca się o nią troszczyłaś. Byłaś z nią do końca. Nie masz sobie nic do zarzucenia.

– To, że ją kochałam, nie sprawiło, że przestała być ofiarą – wyznałam z goryczą. – Mam wrażenie, że wszystko, co uważałam w życiu za ważne, straciło znaczenie. I tak naprawdę nie wiem już, kim jestem.

– Wiem, dokąd powinnaś się udać, żeby się tego dowiedzieć – powiedział cicho Gil. – Ale wszystko zależy od ciebie.

Jego spojrzenie dało mi siłę, której potrzcbowałam. Walizki miałam przecież spakowane.

Tamtej nocy wsiedliśmy jeszcze raz do prywatnego odrzutowca i wróciliśmy do Francji.

43

ONDINE W OGRODZIE —
MOUGINS, 1983

Ondine siedziała przy stole kuchennym w *mas,* gdy zadzwonił telefon. Odezwał się Arthur z porodówki.

– Julie czuje się dobrze. Chce, żebym został z nią trochę dłużej, ale na noc wrócę do *mas.* Jutro wcześnie rano mam spotkanie, po południu zabiorę cię, żebyś mogła zobaczyć dziecko – oznajmił stanowczo.

Najwyraźniej postanowił, że będzie kontrolował spotkania swojej żony z matką. W głosie Arthura brzmiała irytacja, jakby narodziny przed terminem były spiskiem, który miał na celu zatrzymać Julie we Francji dłużej, niż to było zaplanowane.

Ondine uprzejmie udała, że akceptuje propozycję, jednak jeszcze zanim się rozłączyła, postanowiła pojechać do szpitala, gdy tylko Arthur wyjdzie na spotkanie w firmie. Clément mógł ją podwieźć. Nie mogła się doczekać, żeby zobaczyć Julie i małą Céline. Chciała się też upewnić, że córka i wnuczka naprawdę czują się dobrze.

Im dłużej Ondine się nad tym zastanawiała, tym mocniej była przekonana, że nie powinna łamać obietnicy danej Lucowi. Nie mogła powiedzieć Julie, że jej ojcem był Picasso. Jednak złe przeczucie nadal dręczyło Ondine i wreszcie zrozumiała dlaczego.

Ktoś w tej rodzinie powinien znać całą historię o mnie, Picassie, Lucu i Julie. Nigdy nie obiecywałam Lucowi, że dochowam tajemnicy przed wnuczką Picassa! Céline może to pomóc w podejmowaniu mądrych wyborów i znalezieniu swojego prawdziwego przeznaczenia. Przecież nie wiadomo, czy będę jeszcze żyła, gdy moja wnuczka dorośnie na tyle, aby uważnie wysłuchać całej opowieści. Czy mnie odwiedzi, gdy będzie starsza? A jeśli Arthur nastawi ją przeciwko mnie? Szkoda, że nie mogę opowiedzieć jej wszystkiego już teraz... Ale jak wyjawić dziecku taką tajemnicę?

Wtedy Ondine doznała olśnienia. Sięgnęła po pióro. Gdy pisała, po kuchni niosło się skrobanie stalówki na ostatnim arkuszu z firmowej papeterii Café Paradis, zachowanym z dawnych czasów.

Chère *Céline*,

powierzam Ci sekret, którego nie zdradziłam nikomu, nawet Twojej matce. Myślę, że to ważne, abyś się dowiedziała, kim naprawdę jesteś, mam jednak nadzieję, że gdy przeczytasz wszystko, co napisałam, zrozumiesz, że ostatecznie masz prawo sama zdecydować, jakim człowiekiem chcesz się stać, i znaleźć drogę życia, jakiego w istocie pragniesz...

– Ha! – wykrzyknęła z satysfakcją Ondine, gdy nareszcie skończyła. Podpisała się jeszcze: „Twoja kochająca babcia – Ondine", po czym włożyła list do koperty i zakleiła. Postanowiła, że przekaże go *monsieur* Clémentowi, aby bezpiecznie przechował go wraz z obrazem. Mimo to uznała, że niemądrze byłoby pozostawić kopertę w widocznym miejscu nawet na chwilę, ponieważ Arthur miał u niej przenocować.

Zastanowiła się nad tym, a potem znalazła tymczasowy schowek, do którego zięć na pewno nie zajrzy. List będzie bezpieczny przed wścibstwem Arthura, a jutro Ondine spotka się z Clémentem i przekaże obraz oraz pismo, aby prawnik zamknął je w swoim sejfie.

Wzięła koszyk i wyszła do ogrodu. Od razu poczuła się lepiej, Słońce wciąż świeciło jasno, w powietrzu unosił się aromat kwiatów i słonej morskiej bryzy.

– Co za piękny i radosny dzień! – westchnęła Ondine.

Podciągnęła niski stołek pod drzewo wiśni w pobliżu tarasu. Owoce wyglądały jak ciemne rubiny i szybko udało się zebrać pełny koszyk. Zamierzała upiec wiśniową *tarte* dla Julie. Kiedy skończyła, dyszała z przyjemności. Oddech trochę się jej rwał, dlatego zostawiła stołek pod drzewem. Od upału chyba dostała lekkiego zawrotu głowy. Ruszyła trochę niepewnie w stronę tarasu, ale nagle poczuła dziwny ból w klatce piersiowej.

Ondine upadła na miękką trawę pod drzewem jak dojrzały owoc. Wydawało się jej, że na krótko straciła przytomność, jakby zamknęła się przesłona w staroświeckim aparacie fotograficznym, i zapadła ciemność, a potem wróciło światło.

– No i co mam teraz zrobić? – zakłopotała się Ondine.

Słońce już zachodziło i robiło się coraz chłodniej. W trawie zaszemrał lekki wiatr, i kobiecie wydało się, że słyszy szept przypominający rozkołysany szum morza z muszli przyłożonej do ucha, szept kogoś, kto kocha Ondine i poprowadzi jej duszę tym opiekuńczym, kojącym głosem.

– Luc? – ucieszyła się. – Myślałam, że już cię nie ma, *mon cher*, a okazuje się, że byłeś tutaj, w ogrodzie, i przez cały czas czuwałeś nade mną!

Leżała na plecach i wpatrywała się w ciemniejące niebo, na którym już zawisł księżyc niczym wielka, lśniąca perła.

– Ach – westchnęła Ondine. – Cóż za wspaniały dzień na narodziny.

Madame Sylvie zatrzymała się nieopodal *mas* na przydrożnym targu, aby kupić trochę świeżych owoców i warzyw na obiad i porozmawiać z przyjaciółkami. Potem ruszyła pylistą drogą, ale nagły, silny impuls sprawił, że zatrzymała się w pół kroku.

– Ondine! – wykrzyknęła tak głośno, że spłoszyła ptaki na drzewie i zająca w trawie. W oddali zahukała sowa.

Madame Sylvie nie zawahała się ani na chwilę. Odwróciła się i pośpieszyła z powrotem do domu Ondine.

44

CÉLINE WE FRANCJI —
2014-2016

Wielkie otwarcie Le Mas Ondine okazało się wystarczająco zajmujące, żeby odciągnąć moje myśli od żałoby. Odkąd zostałam oficjalnie współwłaścicielką *mas,* coraz rzadziej miałam ochotę rozpamiętywać przeszłość i zamartwiać się o przyszłość. Starałam się po prostu żyć teraźniejszością, chociaż pokonywanie trudów życia z Gilem było przerażające i zarazem podniecające. Za każdym razem, gdy widziałam jego twarz, choćby po kilku godzinach rozłąki, zalewała mnie fala radości. A ponieważ te same uczucia widziałam w jego oczach, porzuciłam wszelkie odruchy, które kiedyś tworzyły mój pancerz ochronny, i zawierzyłam sile, jaka rodzi się z braku zbroi.

Kiedy nie pracowałam z Gilem nad menu albo w hotelu, zajmowałam się charakteryzacją. Mogłam sobie pozwolić na przebieranie w ofertach, zwłaszcza że wiele wytwórni z Hollywood kręciło filmy za granicą. Wynajęłam nawet mieszkanie w Cannes, aby mieć bliżej do pracy. Gil tymczasem otrzymał swoją drugą gwiazdkę Michelina dla restauracji Pierrot. Na dodatek perspektywy na przyszłość dla nowo otwartego hotelu wydawały się obiecujące. Konkurencja w tej branży była jednak bardziej zaciekła, niż się spodziewałam, dlatego ani ja, ani Gil nie mogliśmy spocząć na laurach.

– Większość pokojów na przyszły rok została już zarezerwowana – oznajmił mi Gil pewnego ranka w *mas.*

Krętą drogą nadjechał listonosz swoim małym samochodem. Zobaczył nas w drzwiach i z radosnym „*Bonjour!*" po prostu wręczył Gilowi korespondencję, zasalutował i pojechał dalej.

– To do ciebie. – Gil podał mi list z pliku kopert. Przesyłka pochodziła z kancelarii prawnika bliźniąt. Zawierała czek na sumę, którą odziedziczyłam z majątku rodziców. Odczytałam liczbę na głos, żeby rozbawić Gila.

– Dwa tysiące pięćset dolarów. – Pokazałam mu czek.

Gdybym miała rozważyć, czy podzielić się z Dannym i Deirdre swoją fortuną i szczęściem, na pewno to by mnie powstrzymało. Była to kropla, która przepełniła czarę – utwierdziłam się tylko w postanowieniu, żeby raz na zawsze zerwać wszelkie kontakty z bliźniętami.

Gil pokręcił głową.

– Bandyci!

– Chyba przekażę czek w darze dla Kościoła. – Wskazałam na widoczną w oddali wieżę małego kościoła i przypomniałam sobie, jak staroświeckie dzwony co niedziela koiły moje smutki, gdy wróciłam tutaj z Ameryki.

Minęło kilka miesięcy, zanim Deirdre zobaczyła recenzję restauracji i dowiedziała się, że Gil i ja jesteśmy razem. Skłoniło ją to do wysłania mi kartki na Boże Narodzenie z nietypowym dopiskiem: „No i co u Ciebie nowego??!!". Jednak ani ona, ani Danny nie dowiedzieli się o obrazie, moje poszukiwania Picassa pozostały tajemnicą, znaną tylko Gilowi, mnie, naszym prawnikom oraz znajomemu Gila, Paulowi, który kupił *Dziewczynę w oknie*.

I oczywiście drogiej ciotce Matyldzie. Gil ku mojemu zaskoczeniu nalegał, abyśmy podzielili się naszym bogactwem i pomogli jej zatrzymać dom w Connecticut.

– Dzięki tobie, Céline, zarobimy mnóstwo pieniędzy, ponieważ mamy *mas*, a interes kwitnie. Mnie to wystarczy. Możesz więc wykorzystać resztę z mojej części po sprzedaży obrazu, żeby pomóc ciotce, oraz wydać na wszystko inne, co uznasz za stosowne.

Oczywiście ona i jej przyjaciel Peter są tu zawsze mile widziani i mogą przyjeżdżać, kiedy tylko zechcą.

– Tak, pomogę ciotce Matyldzie – zgodziłam się bez oporów. – Ale zamierzam też odłożyć dość pieniędzy, żebyśmy nigdy nie musieli pożyczać od lichwiarzy na utrzymanie Le Mas Ondine!

Nie przypuszczałam, że czeka mnie jeszcze sporo niespodzianek.

Myliłam się.

EPILOG

PORT VAUBAN — 2016

O d sprzedaży obrazu minęły dwa lata. Kupiec obiecał mi, że gdy tylko znajdzie odpowiednie miejsce dla *Dziewczyny w oknie*, pozwoli mi ją zobaczyć. Tymczasem po zakończeniu transakcji nie był już taki spolegliwy i zaczęłam mieć wątpliwości co do naszej umowy. Dlatego właśnie, gdy dostałam wiadomość od Paula, że mogę zajrzeć, zanim odpłynie, pośpieszyłam na keję miliarderów w Port Vauban. Mieliśmy się spotkać na wielkim jachcie Paula, Le Troubadour.

I dlatego siedzę teraz w bibliotece pod pokładem, na ławce przypominającej taką z kościoła. Jeden z regałów porusza się i otwiera jak ukryte przejście. No, bo to przecież jest ukryte przejście.

Blondyna w śnieżnobiałej lnianej garsonce i w naszyjniku z migoczących, fioletowych brylantów wychodzi z sekretnego pomieszczenia i przedstawia się jako Cheryl, żona Paula. Uśmiecha się i mówi cicho:

– Może pani wejść.

Prowadzi mnie do kabiny, która – jak się okazuje – przeznaczona została dla babki Ondine.

Pomiędzy królewskimi sofami w stylu Ludwika XVI i parą dziewiętnastowiecznych foteli *bergère* oraz kilkoma małym rzeźbami Giacomettiego i Rodina znajduje się gablota z drewna orzecha włoskiego. Przypomina ołtarz. I właśnie tam widzę *Dziewczynę w oknie*. Po obu stronach gabloty są dwa wysokie, wąskie okna, za którymi rozciąga się błękit nieba i bezkres migotliwych fal. Gospodyni wręcza mi kieliszek szampana i wyjaśnia, że portret mojej babki będzie przez całą wiosnę i lato na Riwierze. Jachtem dotrze do wszystkich najważniejszych miejsc na wybrzeżu, będzie podziwiany przez wytwornych gości. Potem *Dziewczyna w oknie* rozpocznie wielką podróż dookoła świata – zimą znajdzie się w Palm Beach, na Karaibach, a nawet w Patagonii.

– I – dodaje Cheryl krzepiąco – Paul chce, żeby pani wiedziała, że zawarł porozumienie z Luwrem. Wybrano już wspaniałe miejsce, w którym ten obraz zawiśnie, gdy przekażemy go muzeum.

Skinieniem głowy kończy wyjaśnienia.

– Pani babcia przetrwa tam, gdy ani mnie, ani pani nie będzie już na świecie. Zostawię panią, życzę miłego oglądania.

A potem Cheryl wychodzi z kajuty, abym mogła spędzić trochę czasu sam na sam z portretem.

– *Bonjour, grand-mère* – szepczę.

Stoję przed babką, wsłuchana w krzyk mew z oddali. Jacht kołysze się lekko na falach. Młoda Ondine patrzy na mnie i w swoim nowym, luksusowym otoczeniu wygląda jak księżniczka. Zdaje się uśmiechać do mnie z triumfem – wszak dzięki swojej niezłomności zdobyła w pewnym sensie nieśmiertelność.

– *Superbe* – mówię cicho. Przysiadam na skraju fotela i pogrążam się w myślach. Wspominam zdarzenia, które doprowadziły mnie do tego miejsca. I w tej triumfalnej ciszy wyczuwam wręcz obecność matki – niczym lekka bryza muska moje ramię. – *Merci, maman* – dziękuję i do oczu napływają mi łzy.

Odnoszę wrażenie, że obie – matka i babka – zawiązały spisek, aby dać mi nową rodzinę, o którą mogę się troszczyć, nie tylko Gila i małego, kochanego Martina, lecz także ciotkę Matyldę i jej przyjaciela Petera. Z nimi, ludźmi, których kocham, czuję się lepiej niż z tymi, wśród których dorastałam.

Po pokładzie niesie się ryk syreny, sygnał, że jacht zaraz odbije od brzegu. Odwracam się niechętnie, żeby wyjść. I właśnie wtedy do kajuty wchodzi Paul. To dziwny człowiek – cichy, niski, łysy, wyglądający na zajętego. Biją od niego niesamowity spokój, głęboka, przerażająca trochę powaga.

Jednak ten mężczyzna – w świecie bezlitosnych inwestorów wszechmocny niczym bóg – zatrzymuje się i spogląda na obraz jak na świętość.

– Przepiękna – mówi z nieskrywanym zachwytem. Po chwili odwraca się do mnie. – U nas jest bezpieczna. Proszę ją jeszcze kiedyś odwiedzić.

Właśnie skończyły się zdjęcia do filmu, przy którym pracowałam, i wkrótce czeka mnie nawał zajęć w *mas*. Tak samo jak co roku – trzeba się przygotować na wielbicieli wyścigów samochodowych Formuły I w Monako, które otwierają oficjalnie sezon turystyczny na Riwierze, a potem zaczyna się najazd turystów. Wiem, że przez pracę ani ja, ani Gil nie będziemy mieli chwili dla siebie. A w tym roku będę jeszcze robić makijaż aktorkom na festiwalu filmowym w Cannes.

Tego ranka Gil, zanim wyszedł, żeby zająć się szkoleniem nowej obsługi kuchni i hotelu, doradził mi:

– Powinnaś zrobić sobie kilka dni wolnego, zanim zacznie się cyrk. Spędź przyjemnie trochę czasu, póki jeszcze możesz!

A kiedy schodzę z trapu i ruszam na parking do samochodu, widzę jachty z całego świata powracające na Morze Śródziemne. Ich białe żagle łopoczą lekko na wietrze. Widok jest tak inspirujący, że robię coś, na co nie zdobyłam się od bardzo dawna – odstawiam przybory do makijażu i wyciągam stare pudło z farbami oraz lekkie sztalugi, które z resztą rzeczy przywiozłam do Francji z mieszkania w Los Angeles i wrzuciłam do bagażnika samochodu.

Malowałam jeszcze w czasach szkolnych, zwykle podczas wakacji lub ferii. A teraz, gdy ustawiam sztalugi w parku przy przystani w Port Vauban, nareszcie zaczynam widzieć światło – dosłownie. Widzę tę zachwycająco miękką jasność odbijającą się od fal Morza

Śródziemnego, która przez stulecia czarowała tak wielu malarzy. Sięgam po paletę i wyciskam farby jak w delirycznym transie, aby uchwycić to, co widzę, zaczynając od widnokręgu, znaczonego warstwami wszystkich odcieni niebieskiego – od ciemnego kobaltu i francuskiej ultramaryny po błękit, lazur i turkus.

W południe na targowisku promienie słońca wypalają wszystko, czego dotkną, do oślepiającej esencji barw – kadmowej żółci, szkarłatu, chlorofilowej zieleni – jakimi pysznią się nowalijki, owoce, kwiaty i kręgi sera tak świeżego, że jest jeszcze ciepły, gdy *fromagère* mi go podaje.

Pod koniec dnia zanikające światło pozostawia wypalone, monochromatyczne smugi w odcieniu między różem a ochrą i umbrą. Ich stłumiony blask obmywa nieprzeniknione twarze starych mężczyzn z nadmorskich wiosek, którzy z modlitewną wręcz powagą grają w karty przy rozkładanych stolikach.

Maluję w szaleńczym natchnieniu. Wymaga to ogromnego skupienia, w którym jeśli nawet nie zapominam o przeszłości, to przynajmniej pozostawiam ją w spokoju.

Po powrocie do *mas* idę prosto do *pigeonnier,* żeby wypakować zakupy zrobione na targowisku. Na sam ich widok cieknie ślina. Gil i ja często zachodzimy do gołębnika pod koniec dnia, żeby wybrać produkty na kolację i wina. Światłocień w ogrodzie jest tak uderzająco piękny, że nie mogę się powstrzymać i znowu rozkładam sztalugi.

Pracuję jak opętana, a Gil dosłownie wchodzi mi w obraz, który próbuję uchwycić. Niesie pudło. Z brzękiem stawia je na starym stoliku, którego żadne z nas nie ma serca wyrzucić.

– Co to? – pytam z roztargnieniem, gdy zaczynam malować jego postać w moim pejzażu.

– Stare garnki i patelnie – odpowiada z entuzjazmem. – Były w tym pudle, które zabraliśmy z magazynu w Monako, gdy szukaliśmy tego niebieskiego kredensu, pamiętasz? Te naczynia są świetne. Patrz, jest nawet staroświecki zestaw noży szefa kuchni!

Gil wyjmuje znalezisko. Na blacie stolika rozwija stary skórzany futerał z nożami w kieszonkach i rozpina cienkie paski. – Wspaniałości! – wzdycha zachwycony. – Stare francuskie noże firmy Opinel. – Z podziwem ogląda każdy po kolei. – To komplet noży szefa kuchni. Och... – milknie nieoczekiwanie.

Jestem tak pochłonięta malowaniem, że nie dociera do mnie, co się dzieje. Gil prostuje się nagle, podchodzi do mnie z dziwną miną, staje przed sztalugami i podaje mi kopertę.

– Do ciebie.

– Co? – Odkładam pędzel i wycieram farbę z rąk.

– Wygląda na coś osobistego. Można powiedzieć, że to przesyłka specjalna. – Gil wygląda na zaintrygowanego. – Była wsunięta do jednej z kieszonek na noże. Te przybory kuchenne należały pewnie do twojej babki. Wiesz, szef kuchni nigdzie się nie rusza bez swoich noży.

Z niedowierzaniem biorę kopertę. Oboje doskonale znamy ten charakter pisma z notesu babki Ondine, ponieważ wykorzystujemy niektóre z jej przepisów w restauracji.

Na kopercie widnieje napis: „Dla Céline w dniu jej narodzin".

– O, mój Boże!

Długo patrzę na kopertę, zanim wreszcie ostrożnie ją otwieram. Rozkładam list tak, aby Gil mógł czytać mi przez ramię. Przesuwam wzrokiem po ciągach słów raz po raz, oszołomiona zdumiewającymi frazami, jak „dziedzictwo Picassa", „spadek po matce" czy „twój dziadek". Potem Gil i ja patrzymy na siebie w osłupieniu. I nawet wtedy jeszcze to do mnie nie dociera.

– Picasso... i Ondine. Moja matka była j e g o córką? Ale... ale co to znaczy? – udaje mi się wreszcie wydusić.

Gil przygląda mi się ze szczerym podziwem, a potem wskazuje na moje porozkładane chaotycznie farby i pędzle.

– Myślę, kochanie – uśmiecha się łagodnie – że to znaczy tylko jedno. Tym darem Picassa dla babki Ondine tak naprawdę... byłaś t y.

PODZIĘKOWANIA

Pragnę podziękować wszystkim, którzy mi pomogli.

Przede wszystkim dziękuję Rosamond Bernier, wykładowczyni Metropolitan Museum of Art, która hojnie podzieliła się ze mną anegdotami o Picassie i Matissie, gdy przeprowadzałam z nią wywiad dla gazety. Dziękuję także Pelham Arts Center za przedstawienie mnie kolekcjonerom i krytykom sztuki dwudziestego wieku. A malarzowi Alexandrowi Rutschowi, przyjacielowi Picassa, jestem dozgonnie wdzięczna za to, że uczynił mnie swoją „Dziewczyną w oknie" na szkicach podczas wspólnej podróży pociągiem.

Chciałabym przekazać wyrazy wdzięczności moim przyjaciołom z Francji, zwłaszcza Jeanowi-Jacques'owi Pouletowi i Giuseppe Cosmaiowi. A także Christophe'owi Prosperowi i mistrzom kuchni nagrodzonym gwiazdkami Michelina – Didierowi Anièsowi i Davidowi Chauvacowi – za nauczenie mnie tak wiele o kuchni prowansalskiej. Pragnę także podziękować ludziom z Musée Picasso (Château Grimaldi) w Antibes za życzliwość i zrozumienie.

Pragnę podziękować Ruth G. Koizim, starszej wykładowczyni i dyrektor katedry języka francuskiego na uniwersytecie w Yale, oraz badaczom z Instytutu Języka Francuskiego w Alliance Française na Manhattanie, zwłaszcza Yann Carmonie. Dziękuję też Brandonowi Collurze z Klubu Jachtowego w Lauderdale za podzielenie się wiedzą żeglarską, a Jaime Gant Dittusowi i Elizabeth Corradino za ich mądre rady.

Serdeczne podziękowania składam Susan Golomb za jej ciepło, zrozumienie i rady, a także jej kolegom z Writers House – hojnej Amy Berkower i Genevieve Gagne-Hawes, Mai Nikolic i Scottowi Cohenowi.

Wyrazy wdzięczności składam również Ginie Centrello i Jennifer Hershey z Random House za ich stałe wsparcie. A Susannie Porter nie zdołam się nigdy odpłacić za wyrozumiałość, zachęty, intuicję, rozwagę, cierpliwość i poczucie humoru oraz redaktorską wrażliwość. Dziękuję także Kim Hovey, Markowi Tavaniemu, Libby McGuire, Sheili Kay, Susan Corcoran, Melanie DeNardo, Robbin Schiff, Kathy Lord i Priyance Krishnan.

Osobne podziękowania należą się Margaret Atwood, za naukę, zachętę, przyjaźń, herbatę i „dzikie porady".

Wyrazy miłości i wdzięczności przekazuję mojemu mężowi, Rayowi, za jego niezłomną wiarę we mnie, uwagi redakcyjne, inteligencję i bycie tak świetnym kompanem, gdy włóczymy się po zakątkach Francji w poszukiwaniu ciekawych opowieści, dobrych miejsc do pływania i smacznego jedzenia.

Przekład: Małgorzata Koczańska
Redakcja: Sylwia Bartkowska
Korekta: Anna Sidorek, Bogusława Jędrasik

Ilustracja wykorzystana na I stronie okładki: Happy Menocal/Illustration Division
Zdjęcie autorki: © Umberto Marcenaro

Skład i łamanie: Krzysztof Rychter
Druk i oprawa: Interdruk, Warszawa
Książkę wydrukowano na papierze Creamy dostarczonym przez **ZiNG**

Grupa Wydawnicza Foksal Sp. z o.o.
00-391 Warszawa, al. 3 Maja 12
tel./faks (22) 646 05 10, 828 98 08
biuro@gwfoksal.pl
www.gwfoksal.pl

ISBN 978-83-2809-2774-9